여러분의 합격을 응원하는

해커스공무원의 특별 혜택

FREE 공무원 국제정치학 **동영상강의**

해커스공무원(gosi.Hackers.com) 접속 후 로그인 ▶ 상단의 [무료강좌] 클릭 ▶
좌측의 [교재 무료특강] 클릭

해커스공무원 온라인 단과강의 **20% 할인쿠폰**

49AA5F3395AE4EAV

해커스공무원(gosi.Hackers.com) 접속 후 로그인 ▶ 상단의 [나의 강의실] 클릭 ▶
좌측의 [쿠폰등록] 클릭 ▶ 위 쿠폰번호 입력 후 이용

* 등록 후 7일간 사용 가능(ID당 1회에 한해 등록 가능)

 합격예측 **모의고사 응시권 + 해설강의 수강권**

568E274D3492D48N

해커스공무원(gosi.Hackers.com) 접속 후 로그인 ▶ 상단의 [나의 강의실] 클릭 ▶
좌측의 [쿠폰등록] 클릭 ▶ 위 쿠폰번호 입력 후 이용

* ID당 1회에 한해 등록 가능

쿠폰 이용 관련 문의 **1588-4055**

단기 합격을 위한

해커스 커리큘럼

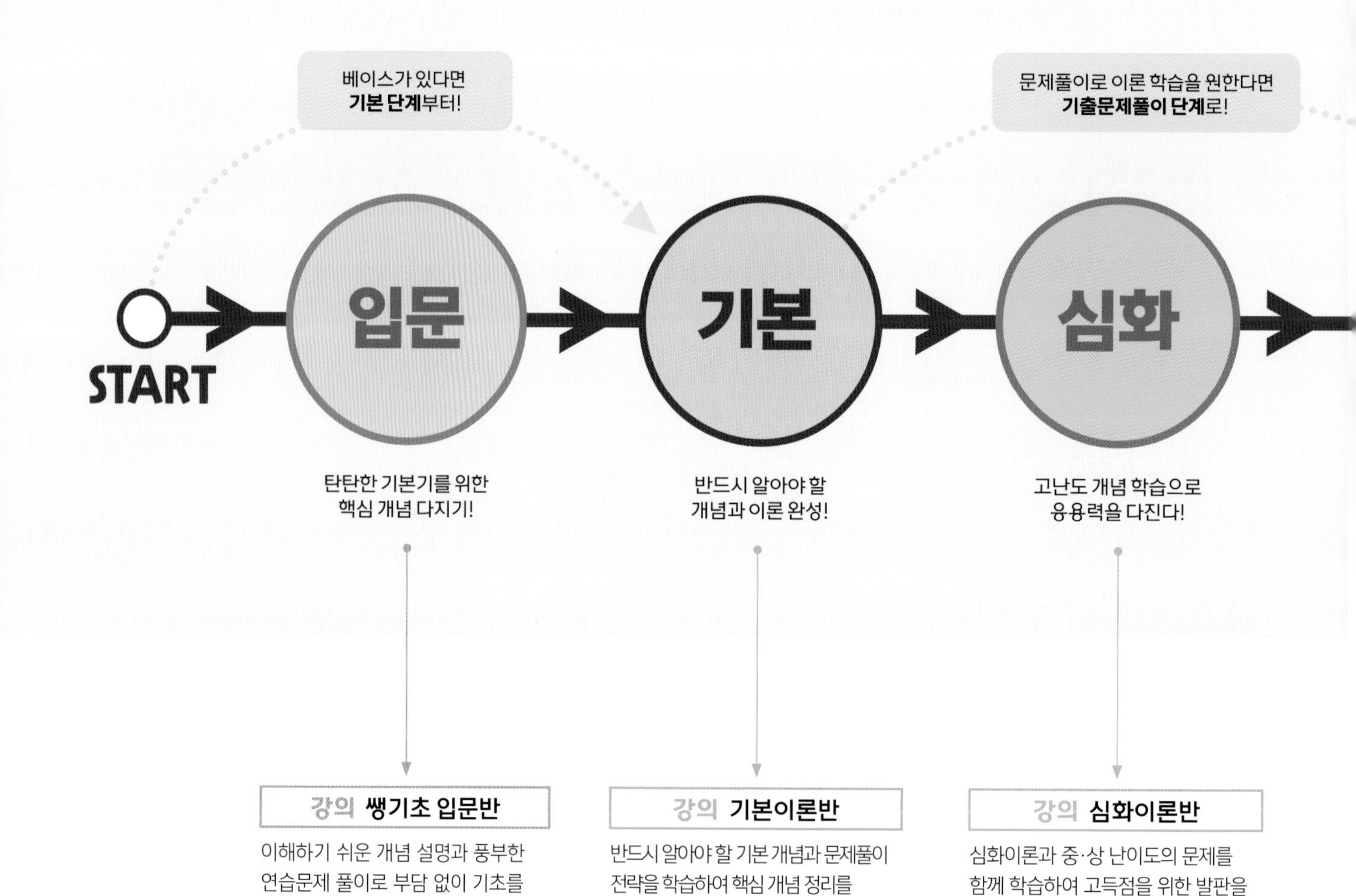

강의 쌩기초 입문반

이해하기 쉬운 개념 설명과 풍부한 연습문제 풀이로 부담 없이 기초를 다질 수 있는 강의

강의 기본이론반

반드시 알아야 할 기본 개념과 문제풀이 전략을 학습하여 핵심 개념 정리를 완성하는 강의

강의 심화이론반

심화이론과 중·상 난이도의 문제를 함께 학습하여 고득점을 위한 발판을 마련하는 강의

단계별 교재 확인 및
수강신청은 여기서!

gosi.Hackers.com

* 커리큘럼은 과목별·선생님별로 상이할 수 있으며, 자세한 내용은 해커스공무원 사이트에서 확인하세요.

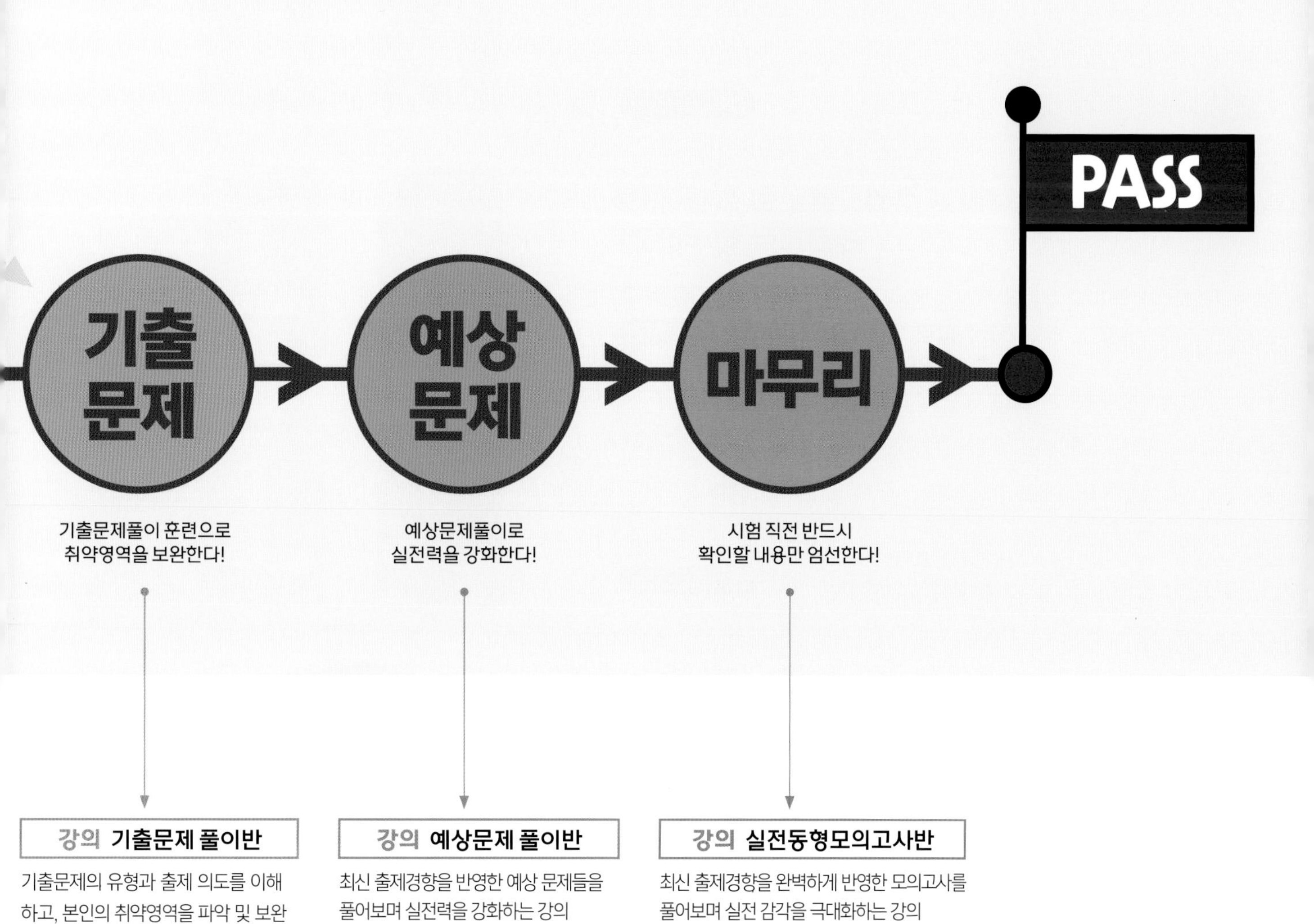

기출문제풀이 훈련으로
취약영역을 보완한다!

예상문제풀이로
실전력을 강화한다!

시험 직전 반드시
확인할 내용만 엄선한다!

강의 기출문제 풀이반

기출문제의 유형과 출제 의도를 이해하고, 본인의 취약영역을 파악 및 보완하는 강의

강의 예상문제 풀이반

최신 출제경향을 반영한 예상 문제들을 풀어보며 실전력을 강화하는 강의

강의 실전동형모의고사반

최신 출제경향을 완벽하게 반영한 모의고사를 풀어보며 실전 감각을 극대화하는 강의

강의 봉투모의고사반

시험 직전에 실제 시험과 동일한 형태의 모의고사를 풀어보며 실전력을 완성하는 강의

해커스공무원 패권 국제정치학

기출+적중문제집 | 2권

해커스공무원

이상구

약력

서울대학교 대학원 졸업
성균관대학교 졸업

현 | 해커스공무원 국제법·국제정치학 강의
현 | 해커스 국립외교원 대비 국제법·국제정치학 강의
현 | 해커스 변호사시험 대비 국제법 강의
전 | 베리타스법학원(5급) 국제법·국제정치학 강의
전 | 합격의 법학원(5급) 국제법·국제정치학 강의

저서

해커스공무원 패권 국제정치학 기본서 사상 및 이론
해커스공무원 패권 국제정치학 기본서 외교사
해커스공무원 패권 국제정치학 기본서 이슈
해커스공무원 패권 국제정치학 핵심요약집
해커스공무원 패권 국제정치학 단원별 핵심지문 OX
해커스공무원 패권 국제정치학 기출+적중 1800제
해커스공무원 패권 국제정치학 실전동형모의고사
해커스공무원 패권 국제법 기본서 일반국제법
해커스공무원 패권 국제법 기본서 국제경제법
해커스공무원 패권 국제법 조약집
해커스공무원 패권 국제법 판례집
해커스공무원 패권 국제법 핵심요약집
해커스공무원 패권 국제법 단원별 핵심지문 OX
해커스공무원 패권 국제법 단원별 기출문제집
해커스공무원 패권 국제법 단원별 적중 1000제
해커스공무원 패권 국제법 실전동형모의고사
해커스공무원 패권 국제법개론 실전동형모의고사

공무원 시험의 해답
국제정치학 시험 합격을 위한 필독서

방대한 공무원 국제정치학의 효율적인 학습을 위해 누적된 기출문제를 분석 · 분류하고, 최신 출제 경향을 반영한 적중문제를 통해 문제해결 능력을 기를 수 있는 기출 + 적중문제집을 만들었습니다.

국제정치학 학습에 기본이 되는 기출문제와 심화학습이 가능한 적중문제를 효과적으로 학습할 수 있도록 다음과 같은 특징을 가지고 있습니다.

첫째, 출제 경향을 분석하여 엄선한 기출문제, 적중문제를 단원별로 분류하여 수록하였습니다.
둘째, 문제풀이 과정에서 이론까지 복습할 수 있도록 상세한 해설을 수록하였습니다.
셋째, 다회독을 위한 다양한 학습장치를 제공합니다.

공무원 국제정치학 학습에 최대 효과를 낼 수 있도록 다음의 학습 방법을 추천합니다.

첫째, 기본서와의 연계학습을 통해 각 단원에 맞는 기본 이론을 확인하고 쉽게 암기할 수 있습니다.
둘째, 정답이 아닌 선지까지 모두 학습하여 다채로운 문제 유형에 대처할 수 있는 능력을 기를 수 있습니다.
셋째, 반복 회독 학습을 통해 출제 유형에 익숙해지고, 자주 출제되는 개념을 스스로 확인할 수 있습니다.

더불어, 공무원 시험 전문 사이트인 **해커스공무원(gosi.Hackers.com)**에서 교재 학습 중 궁금한 점을 나누고 다양한 무료 학습 자료를 함께 이용하여 학습 효과를 극대화할 수 있습니다.

부디 **<해커스공무원 패권 국제정치학 기출 + 적중문제집>**과 함께 공무원 국제정치학 시험의 고득점을 달성하고 합격을 향해 한걸음 더 나아가시기를 바랍니다.

이상구

차례

1권

제1편 국제정치학 서설

제2편 국제정치이론

제3편 강대국 외교정책

제4편 국제기구론

2권

제5편 국제이슈

제6편 지역이슈

제7편 한반도의 국제정치

제8편 외교사

제 5 편

국제이슈

제1장 국제정치 · 군사 · 안보이슈

제1절 | 국제체제

001 베스트팔렌조약으로 시작된 근대 국제사회의 역사적 전개과정을 시기 순으로 바르게 나열한 것은?
□□□

2015년 외무영사직

① 비엔나체제 → 베르사유체제 → 비스마르크체제 → 몰타체제 → 얄타체제
② 베르사유체제 → 비엔나체제 → 얄타체제 → 비스마르크체제 → 몰타체제
③ 비엔나체제 → 비스마르크체제 → 베르사유체제 → 얄타체제 → 몰타체제
④ 비스마르크체제 → 비엔나체제 → 베르사유체제 → 몰타체제 → 얄타체제

정답 및 해설

국제체제는 웨스트팔리아체제(1648) → 비엔나체제(1815) → 비스마르크체제(1871) → 베르사유체제(1919) → 얄타체제(1945) → 몰타체제(1989)로 전개되어 왔다. 비엔나체제는 강대국 간 협조체제, 비스마르크체제는 동맹체제, 베르사유체제는 집단안보체제, 얄타체제는 국제연합의 집단안보체제를 의미하며, 몰타체제는 탈냉전체제를 뜻한다.

답 ③

002 탈냉전의 시대를 설명한 학자들과 그 주장이 바르게 연결되지 않은 것은?
□□□

2013년 외무영사직

① 프란시스 후쿠야마(Francis Fukuyama) - 역사의 종언
② 사무엘 헌팅턴(Samuel Huntington) - 문명 충돌론
③ 마이클 도일(Michael Doyle) - 민주평화론
④ 존 미어샤이머(John Mearsheimer) - 세계화의 낙관적 미래

정답 및 해설

미어샤이머(John Mearsheimer)는 '공격적 현실주의자'로서 홉스적 자연상태로 규정되는 무정부체제에서 국가들은 생존을 위해 권력의 극대화를 추구하고, 이를 위해 상호 경쟁한다고 본다. 이러한 사정은 탈냉전기에도 변화되지 않았다. 따라서 미어샤이머는 탈냉전체제에 대한 비관적 견해를 갖고 있다고 볼 수 있다. 특히, 미어샤이머는 유럽 지역체제가 다극화됨으로써 상당한 불안정성을 노정하고 있다고 분석하고, 그 안정화를 위해 독일 등 핵을 통제할 수 있는 강대국에게 핵을 허용하는 것이 필요하다고 하였다.

답 ④

003 중화질서와 근대질서를 비교한 것으로서 가장 옳지 않은 것은?
□□□

① 중화질서에서 평화는 힘이 불균형할 때 이루어지므로 힘의 균형이 달성될 때 전쟁이 발생하는 반면, 서구 근대질서에서는 주권 평등을 기반으로 평화가 이루어지며 힘의 불균형이 발생할 때 전쟁이 발생한다.
② 중화질서는 공식적 · 법적 질서로 볼 수 있으나, 근대질서는 비공식적 · 정치적 질서로 규정할 수 있다.
③ 중화질서는 중국 중심의 수직적 구조인 반면, 근대질서는 개별 국가 간 대등한 수평적 구조이다.
④ 중화질서의 목표는 사대이며, 서구적 근대질서의 목표는 부국강병이다.

정답 및 해설

중화질서에서는 조공을 통해 교섭하였으며, 조공은 평화와 안전 보장의 대가를 의미했다. 반면 서구 근대질서에서는 외교제도를 통하여 교섭하였고 국가 간 조약을 매개로 조공과 유사한 거래가 이루어졌다. 즉, 중화질서가 비공식적 · 정치적 · 질서적 성격이 강한 반면, 근대질서는 공식적 · 법적 질서의 성격이 강했다고 볼 수 있다.

답 ②

004 냉전의 기원과 관련된 설명으로 옳지 않은 것은? 2011년 외무영사직

① 냉전의 기원에 대한 전통주의 - 수정주의의 논쟁은 냉전 시작의 책임 소재와 관련이 있으며, 전통주의는 소련의 팽창주의적 외교정책에서, 수정주의는 미국의 팽창주의 외교정책에서 일차적 원인을 찾았다.

② 미국의 대일 원자탄 투하는 소련에 대한 미국의 군사적 우위를 과시하려는 의도를 포함하고 있었고, 이것이 미 · 소 간 불신을 증폭시키는 한 원인이 되었다.

③ 미국의 외교관으로서 대소 봉쇄정책을 주장하면서 포린 어페어즈(Foreign Affairs)지에 'X'라는 익명으로 기고했던 사람은 마샬(George Marshall)이었고, 이에 따라 유럽에서의 미국의 대소 봉쇄정책을 마샬플랜(Marshall Plan)으로 명명하였다.

④ 한국전쟁의 발발 이후 미국은 서유럽에서의 군사력 증강의 일환으로 서독의 재무장을 추진하였고 이에 대한 대응으로 소련을 중심으로 한 공산권의 바르샤바조약기구가 탄생하게 되었다.

정답 및 해설

미국의 봉쇄정책은 케넌(George Kennan)에 의해 제안되고, 트루먼 대통령에 의해 대소련 공식정책으로 채택되었다. 익명의 기고자는 케넌이다. 마샬플랜은 제2차 세계대전 이후 유럽의 부흥과 재건을 돕기 위해 미국이 준비한 정책을 의미한다. 유럽부흥계획(ERP)이라고도 한다.

답 ③

005 동아시아 조공체제에 대한 설명으로 옳은 것은?

① 자국의 직할 영역 내의 국민은 시민으로, 기타 점령지역의 시민은 신민으로 편입하여 점령지에 총독을 보내 통치했다.

② 주변 국가들이 지배국을 신하로서 섬기고 지배국가는 주변 국가들을 자애로써 돌보는 예적 질서이다.

③ 느슨한 종교적 지배가 존속하는 가운데 도시국가와 봉건체제가 자리잡히면서 원시형태의 국제질서가 형성되었다.

④ 피지배국의 주권을 인정하지 않았으며 지배국의 지방정부로 인정하였다.

정답 및 해설

중화 조공질서는 지배국이 국가 간의 관계를 규율하고 다른 군소국은 이를 인정하며 혜택을 받는 형태였다. 관념적으로는 사대자소의 예적 질서를 말한다.

선지분석

①, ④ 로마제국시대의 국제질서에 대한 설명이다. 로마제국은 발달된 통치조직과 강력한 군사력을 바탕으로 강대국으로 군림하며 영향권 하에 있는 제국들을 통제하는 중앙집권적 국제질서를 유지하였다. 중화질서에 '지배국가'와 '주변국가들'이 존재한 반면, 로마제국질서에는 피지배국가들이 '로마제국' 내부의 지방정부들로 취급되었다.

③ 신성로마제국시대에 대한 설명이다.

답 ②

006 웨스트팔리아체제를 구성했던 주요 원리로 옳지 않은 것은?

□□□

① 국가들의 주권 수호를 위하여 전쟁을 통한 영토 획득을 금지한다(무력사용금지의 원칙).
② 국왕은 자기 영역에서 최고 권위를 가진다(주권절대의 원칙).
③ 국왕은 자기 영역 내의 종교를 자유롭게 선택한다(내정불간섭의 원칙).
④ 국가들 간 평화유지를 위해 상호 대등한 힘을 유지한다(세력균형의 원칙).

정답 및 해설

웨스트팔리아체제의 핵심 원리는 주권절대의 원칙, 내정불간섭원칙, 세력균형원칙이며 무력사용 및 전쟁을 금지하는 원칙은 없었다. 무력사용금지의 원칙은 약 300년 이후인 제2차 세계대전 후에 유엔헌장에 명시되었다.

답 ①

007 이슬람 국제체제에 대한 설명으로 옳지 않은 것은?

□□□

① 이슬람의 집(Dar al-Islam): 이슬람 교도의 지배 아래 놓여 있어 이슬람의 법이 완벽하게 시행되고 있는 지역을 말한다.
② 전쟁의 집(Dar al-Harb): 이교도의 지배 아래 있어서 이슬람의 법이 행해지지 않는 지역을 말한다.
③ 지하드(Jihad): 성전을 의미하며 무슬림으로서 군에 종사할 만한 신체를 가진 사람은 누구에게나 의무사항이다. 성전은 철저하게 군사적 수단만을 동원해야 하며 비군사적 수단은 배제한다.
④ 전쟁의 집은 이슬람의 집과 달리 여러 이교도의 국가와 공동체가 서로 경합하는 지역이다.

정답 및 해설

성전은 비군사적 수단을 포함하여 전개된다.

답 ③

008 냉전체제가 갖는 함의에 대한 설명으로 옳지 않은 것은?

□□□

① 극성(polarity)을 강대국의 숫자로 정의할 때, 냉전체제는 양극체제로 정의된다.
② 헌팅턴(S. Huntington)은 냉전시기를 자본주의와 공산주의의 역사적 대결구도로 설명하고 탈냉전이란 이러한 문명충돌에서 자본주의가 승리했음을 의미한다고 본다.
③ 초강대국 간 전면전은 없었으나 미국과 소련의 경쟁이 지속되는 체제였다.
④ 미국과 소련 양국 간 안보딜레마(security dilemma)가 존재하였다고 볼 수 있다.

정답 및 해설

공산주의에 대한 자본주의의 승리를 설명한 것은 후쿠야마(F. Fukuyama)의 『역사의 종언』이다.

선지분석

① 냉전체제는 미·소 양극체제로 정의된다. 세계는 미·소를 중심으로 정치, 경제, 이념의 블록이 형성되어 있었다.
③ 미·소는 군사적 우위를 점하기 위해 엄청난 군비경쟁을 계속하였다.
④ 안보딜레마란 자국의 안보를 확고히 하기 위한 군비증강이 오히려 상대국의 더 큰 군비증강을 유도하여 상대적 안보가 위태로워지는 현상을 의미한다. 냉전체제에 양국은 끊임없는 안보딜레마 상황에 놓여있었다고 볼 수 있다.

답 ②

009 냉전체제의 형성요인에 대한 각 학파의 설명으로 옳지 않은 것은?

□□□

① 전통주의: 공산주의 국가인 소련의 팽창주의가 냉전을 야기했다고 본다.

② 현실주의: 냉전은 소련의 전통적인 팽창주의에 의한 것으로 불가피한 것이었다.

③ 수정주의: 자본주의 미국의 팽창주의적인 패권추구 전략이 냉전을 초래했다고 주장한다.

④ 후기수정주의: 냉전은 미국과 소련의 권력정치에 의해 1차적으로 야기되었으며, 소련의 공산주의이념과 미국의 자본주의 이념은 냉전을 증폭시키는 역할을 했다고 본다. 그러나 냉전체제의 형성이 불가피했다고 보는 점은 수정주의 입장과 같다.

정답 및 해설

후기수정주의 학파는 전통주의, 현실주의, 수정주의 입장을 수용, 재평가한 것으로 절충적 입장이다. 즉 냉전 형성에 있어 경제적 요인의 중요성과 여타 국내적 요인들을 모두 중시한다. 냉전을 미국과 소련 모두의 공동책임으로 간주한다. 수정주의는 냉전체제가 불가피했다고 보지 않는 점에 주의해야 한다.

답 ④

010 냉전체제 형성에 대한 설명으로 옳은 것은?

① 케넌(George F. Kennan)은 냉전의 책임이 세계정복을 위한 소련의 야욕과 무제한적인 팽창주의에 있다고 인식하였으나 스탈린 개인의 성향을 독립변수로 고려하지 않는다.

② 알렌(William F. Allen)은 냉전의 책임이 미국에 있으나 미국이 여러 중요한 문제에 대하여 소련에게 보다 유화적이고 타협적인 태도를 취했더라면 전후 세계의 모습이 달라졌을 것이라고 보았다.

③ 개디스(John Lewis Gaddis)는 냉전의 시작에 있어서 여론과 의회의 태도와 같은 국내적 요인들보다는 경제적인 요인의 중요성을 강조하였다.

④ 리프만(Walter Lippmann)은 미국의 국내정치경제적 요인과 대외전략 이념의 영향으로 지속적으로 팽창주의전략과 세계패권 구축을 위한 전략을 구사함으로써 냉전에 일차적 책임이 있다고 판단하였다.

정답 및 해설

선지분석

① 전통주의자인 케넌(George F. Kennan)은 스탈린의 개인적 성향 역시 냉전 시작에 있어서 중요한 역할을 하였다고 본다.

③ 개디스(John Lewis Gaddis)는 절충주의자로서 경제적 요인과 함께 국내적 요인들도 중요한 역할을 하였다고 본다.

④ 월터 리프만(Walter Lippmann)은 현실주의자이다. 소련의 책임을 강조하되 냉전이 불가피했다고 본다.

답 ②

011 냉전의 형성 및 전개과정에 대한 설명 중 옳지 않은 것은?

□□□

① 냉전의 기원은 트루먼 독트린과 이에 근거해 대규모 경제원조를 제공하는 마샬플랜으로 거슬러 올라갈 수 있다.

② 1949년 북대서양조약기구(NATO) 창설과 이에 대응한 바르샤바조약기구(WTO) 창설은 세계적 냉전체제를 형성하였다.

③ 미국의 베트남전쟁 패배, 중소분쟁 등은 미국과 중국 간 긴장관계를 더욱 강화시켰다.

④ 1989년 이후 동구권이 이념적으로 자유주의와 자본주의를 채택함으로써 냉전체제는 붕괴되었다.

정답 및 해설

위 사건들은 결과적으로 미국과 중국 간 화해 시대를 열어주었다. 1970년대 닉슨 독트린의 발표와 미·중수교를 통해 미·중관계는 근본적으로 변화했다.

선지분석

① 1947년 트루먼 독트린은 소련의 공세적 팽창정책 저지를 목적으로 하는 봉쇄전략 선언의 성격을 갖는 것으로, 냉전이 공식화되는 신호탄으로 볼 수 있다.

② NATO와 WTO의 대립은 자본주의와 공산주의의 대립을 세계적으로 확대하였다.

④ 1989년 이후 독일통일, 동구권의 독립, 구소련의 붕괴, 미·소정상의 냉전체제 종식 선언 등을 거치며 냉전체제는 붕괴되었다.

답 ③

012 다음은 냉전체제의 안정성에 대한 설명이다. 이론 명칭과 학자를 바르게 짝지은 것은?

□□□

> 국제체제는 역사적으로 위계체제였으며, 전쟁을 통해 새로운 지배국이 등장한다. 제2차 세계대전 이후 미국은 국제체제의 새로운 지배국으로 등장하였고, 정치, 군사, 경제 질서의 형성을 주도했다. 즉, 냉전체제는 위계체제였으며 미국의 군사적, 경제적 힘에 의해 안정이 유지되었다.

① 양극적 세력균형론 - 왈츠(K. Waltz)

② 신자유주의 - 크라즈너(Stephen Krasner)

③ 세력전이론 - 오간스키(A.F.K Organski)

④ 위협균형론 - 월트(Stephen M. Walt)

정답 및 해설

선지분석

① 왈츠(K. Waltz)의 양극적 세력균형론은 냉전체제가 힘의 균형에 의해 안정성을 유지했다고 주장한다. 무정부체제에서 국가들은 생존을 위해 국력신장 또는 동맹을 통해 세력균형을 형성한다.

② 신자유주의에 따르면 UN의 집단안전보장제도가 서유럽 내에서 프랑스와 독일 간 평화공존을 보장하는 역할을 하면서 어느 정도 안정성에 기여했다. 코헤인과 나이가 대표적인 신자유제도주의자이며, 스테판 크라스너(Stephen Krasner)는 현실주의 패권안정론자로 분류된다.

④ 위협균형론에 의하면 냉전체제는 기본적으로 균형체제이지만 세력균형이라기보다는 위협균형체제였다. 균형은 단순히 힘을 기준으로 이루어지는 것이 아니라 위협을 기준으로 이루어진다. 서유럽국가들은 힘이 아닌 소련의 위협에 대해 균형을 추구하면서 미국과 동맹을 맺은 것이다.

답 ③

013 냉전체제에 대한 국제정치 주요 패러다임의 입장을 서술한 것으로 옳지 않은 것은?

□□□

① 현실주의 양극적 세력균형론: 왈츠(K. Waltz)는 양극체제가 단극 또는 다극체제보다 안정적이라고 보며 양극체제인 냉전체제가 힘의 균형에 의해 안정성을 유지했다고 본다.
② 패권안정론: 국제체제는 역사적으로 패권체제였다고 보고, 냉전체제는 미국의 패권체제로서 소련은 패권체제에 대한 가장 강력한 도전자였다고 규정한다.
③ 자유주의: UN의 집단안전보장제도는 냉전기 안정성의 핵심요소였다고 주장하며, 냉전기 국제정치사는 이러한 주장의 타당성을 입증한다.
④ 구성주의: 냉전체제에서 국가들이 갈등적 상호작용을 지속한 것은 무엇보다 주요 국가들이 상호 적대적 집합정체성을 내면화하고 있었기 때문이라고 본다.

정답 및 해설

자유주의자들이 집단안전보장제도에 대해 신뢰하는 것은 사실이지만, 냉전기 UN의 집단안전보장제도가 효율적으로 작동했다고 보기는 어렵다. 안전보장이사회 상임이사국의 '거부권'은 냉전이 집단안보체제를 마비시킬 수 있는 제도적 장치로서 기능하였다.

답 ③

014 탈냉전체제의 특성에 대한 진술로 옳지 않은 것은?

□□□

① 극성을 강대국의 숫자로 정의할 때, 양극에서 단극으로의 변화라고 규정할 수 있다.
② 미국의 자유주의, 자본주의와 소련의 공산주의 간 이념대립이 종식되었다.
③ 1989년 얄타(Yalta)회담에서 미·소 양국은 냉전 종식을 선언하고 새로운 차원의 협력관계로의 진입을 선포하였다.
④ 냉전체제는 국가행위자가 중시되었던 반면 탈냉전체제는 새로운 비국가 행위자들의 영향력이 강화되고 있다.

정답 및 해설

냉전종식선언은 1989년 지중해에 있는 말타(Malta)에서 있었다.

선지분석

① 탈냉전기는 냉전기 미·소 양극체제로부터 미국 중심의 단극체제로 재편되었다고 평가할 수 있다.
② 소련은 자유주의, 자본주의로의 체제전환을 결정함으로써 공산주의의 결함을 스스로 인정하였다. 즉 이념대립이 종식되었다.
④ 탈냉전기에는 행위자 차원에서 비국가 행위자까지도 국제정치의 주체로 확대되고 있다.

관련 이론 말타(Malta) 회담

미·소 양국의 정상이 만나 향후 세계사의 향방과 현안문제들을 구체적 합의나 협정체결을 전제로 하지 않고 포괄적으로 논의하였는데, 주된 논제는 동유럽의 변혁, 미·소의 군비축소, 경제협력, 남미와 중동의 지역분쟁 해소 등이었다. 먼저 동유럽의 민주화와 시장경제체제로의 이행에 대해 부시는 소련의 불간섭을 요구하였고, 고르바초프는 이들 국가의 변혁에 개입하지 않는 대신 동·서독의 통일에 대해서는 반대의사를 표명하였다. 다음으로 두 정상은 전략핵무기와 화학무기의 감축에 동의하고 구체적 합의를 위해 90년 6월 워싱턴에서 정상회담을 갖기도 하였다. 경제협력에 대해 부시는 소련이 이민제한철폐법을 제정하는 즉시 무역최혜국 대우, GATT 참관인 자격 부여, 관세혜택 등의 경제적 지원을 약속하였다.

답 ③

015 냉전체제의 해체요인에 대한 설명으로 옳지 않은 것은?

□□□

① 고르바초프의 개혁개방정책이 실패하면서 소련은 몰락의 길을 걷게 되었고, 미국식 자본주의 체제로 편입하게 되었다.
② 미국의 경제, 외교, 군사적 봉쇄정책으로 인해 소련 경제가 타격을 입었으며 소련의 붕괴를 촉진했다.
③ 사회주의 경제는 생산성 향상에 대한 유인을 부여하는 데 실패하여 근대화 달성을 방해했다.
④ 시장경제의 전지구화 추세는 공산주의 경제체제를 견지해온 공산국가들을 압박하여 동구권의 붕괴를 초래하였다.

정답 및 해설

고르바초프의 개혁개방정책, 공산당 독재조항 폐지, 시장경제원칙 도입, 신사고 외교전략 등은 미국과의 협력적 국제질서 형성에 성공적으로 작용했다고 평가된다.

선지분석

② 미국의 유가 통제, 전략방위 구상 등은 소련의 경제 불안과 군사비 과다지출을 초래하여 소련의 붕괴를 촉진하였다.
③ 사회주의 경제는 시장이 아닌 정치에 의해 중앙 집중적으로 자원이 배분되는 체제로, 효율성과 생산성 향상을 달성하는 데 실패하였다.
④ 소련을 포함한 동구권은 세계화와 민주화, 세계경제의 글로벌화에 적응하지 못함으로써 도태될 수밖에 없었다.

답 ①

016 다음은 탈냉전체제의 구조적 특징에 대한 설명이다. 옳지 않은 것은?

□□□

① 왈츠(Kenneth Waltz)는 냉전종식 후 현재 단극체제에 머무르고 있으나, 이는 일시적인 것이며 궁극적으로는 다극적 세력균형체제로 갈 것으로 본다.
② 미어샤이머(John Mearsheimer)는 탈냉전 후 유럽의 국제체제는 다극체제이며, 안정성은 양극체제에 비해 상대적으로 높다고 본다.
③ 레인(Christopher Layne)은 현재는 미국 중심의 단극체제이지만 이는 일시적인 순간에 불과하고 곧 다극적 세력균형체제가 도래할 것이라고 주장한다.
④ 요페(Josef Joffe)는 탈냉전체제를 단극체제라고 하면서 미국이 적대국 등장을 막는 전략을 추진하고 있기 때문에 장기적으로도 균형체제는 형성되기 힘들다고 주장한다.

정답 및 해설

미어샤이머(John Mearsheimer)는 다극체제의 안정성을 낮게 본다. 모든 국가가 힘의 극대화(Power maximization)를 추구하기 때문에 다극체제는 불안정할 수밖에 없고, 안정을 위해서는 핵을 통한 억지가 필요하다고 주장한다. 즉, 다극체제에서는 핵의 존재가 안정성의 주요 변수이다.

답 ②

017 탈냉전체제에 대한 설명 중 가장 옳지 않은 것은?

① 국가의 통제력과 문제해결능력이 약화되면서 비국가행위자는 국가보다 강력한 행위자로 등극하였다.
② 경제적 이슈가 국제관계의 전면에 부상하였으며 새로운 안보이슈가 등장하였다.
③ 국가 간 대립이 약화된 반면, 테러 및 범죄조직의 활성화가 새로운 이슈로 제기되고 있다.
④ 정보화 시대로 진입함에 따라 새로운 외교 커뮤니케이션 수단이 활성화되고 있으며 공공외교의 중요성이 더해가고 있다.

정답 및 해설

국가의 통제력과 문제해결능력 약화로 인해 비국가행위자의 중요성이 증대되었으나, 비국가행위자가 국가보다 중시되는지에 대해서는 논란이 있다. 특히 현실주의자들은 국가의 배타적 주권과 관리능력이 지속될 것으로 본다.

선지분석

② 경제적 이슈가 군사안보 이슈만큼이나 중요해졌으며, 안보이슈 역시 전통적 이슈 외에 포괄적 안보, 인간안보가 제기되고 있다.
③ 이념적 정체성이 사라지면서 인종, 종교적 정체성 강화, 세계화로 인한 남북 경제격차 확대 등이 테러와 범죄조직 활성화의 주요 원인으로 꼽히고 있다.
④ 정보화 기술의 발전은 외교의 수단, 형태뿐 아니라 지적재산권, 인터넷 거버넌스 등 내용 측면에서도 변화를 야기하고 있다.

답 ①

018 탈냉전체제의 안정성에 대한 각 패러다임의 입장을 설명한 것으로 옳지 않은 것은?

① 세력균형론: 힘이 균등하게 분포된 극 구조를 안정적으로 여겨 탈냉전기 미국 중심의 단극질서는 구조적 불안정성이 매우 높다고 본다.
② 패권안정론: 도전세력이 부상하지 않는 패권체제를 가장 안정적으로 보므로 현 체제는 안정적이라고 평가한다.
③ 상호의존론: 탈냉전기는 민주국가의 수가 늘어나고 있으므로 체제의 안정성이 높아질 것이다.
④ 구성주의: 탈냉전기 들어 국가들이 적대적 정체성을 청산하고 우호적 정체성을 재구성하고 있으므로 체제의 안정성이 높아질 것이다.

정답 및 해설

민주평화론은 국가 정치체제의 형태에 따른 안정성을 논하는 것으로 자유주의 공화적 평화에 입각한 설명이다. 자유주의 상업적 평화의 대표적 이론으로는 상호의존론을 들 수 있다.

선지분석

① 균형론자들은 단극질서의 불안정성을 설명하며 균형체제가 형성될 것으로 전망한다.
② 패권론자들은 미국에 대적할 도전국가가 아직 가시화되지 않았다는 점에서 현 체제를 안정적이라고 본다. 그러나 향후 중국 또는 러시아의 부상에 의한 패권전쟁이 일어날 경우 안정성이 깨질 것이다.
④ 구성주의는 미 · 소 양국이 기존의 적대적 정체성에서 벗어나 협력적, 우호적 정체성을 재구성하고 있으므로 이것이 지속될 경우 평화지향적 국제질서가 창출될 수 있다고 본다.

답 ③

019 ☐☐☐ **탈냉전체제에 대한 각 이론적 설명에 대한 연결이 옳지 않은 것은?**

> ㄱ. 세계화, 정보화 등의 변화에도 불구하고 주권은 쇠퇴하지 않았으며 근대 국제체제 역시 견고하게 유지되고 있다.
> ㄴ. 세계화의 결과로 세계정치는 거미줄처럼 형성되어 있으며 의제는 매우 다양해졌다. 따라서 영토국가의 영향력은 점차 감소할 것이다.
> ㄷ. 새로운 질서의 방향은 아직 예측하기 어려우며 새로운 규범에 기초한 새로운 질서가 형성될 가능성 역시 배제할 수 없다.
> ㄹ. 현 세계는 국가중심세계와 다중심세계가 혼재하며 서로 상호작용하는 세계이다.

① ㄱ - 현실주의
② ㄴ - 상호의존론
③ ㄷ - 전지구적 시민사회론
④ ㄹ - 세계정치의 두세계론

정답 및 해설

전지구적 시민사회론은 전지구적으로 활성화된 시민사회를 국제정치의 주요 행위자로 개념화하는 이론이며, 해당 논의는 구성주의자들의 논의에 해당한다.

답 ③

020 ☐☐☐ **로즈노우(J. N. Rosenau)의 '세계정치의 두 세계론(The Two Worlds of World Politics)'에 관한 내용으로 옳지 않은 것은?**

① 세계정치에는 주권의 세계인 '국가 중심적 세계'와 주권에 의해 구속되지 않는 많은 다른 행위자들이 존재하는 '다중심적 세계'가 존재한다고 본다.
② 국가중심적인 세계는 다중심 세계에 비해 훨씬 일관성이 있고 체계적으로 구조화되어 있으며 세계정부의 부재로 인해 어느 정도 무정부적이고 분권화 되어 있다. 그러나 이러한 무정부성은 다중심적 세계의 특징인 고도의 분권화로부터 오는 무질서(chaos)에 비하면 미미한 것으로 본다.
③ 현재의 세계질서는 두 세계가 병존하고 있는 질서이나 장차 국가중심체제로 회귀할 것으로 본다.
④ 도래가능한 모형은 '전지구적 사회(global society)', '회복된 국가체제(restored state - system)', '다원주의 질서(pluralist order)', '지속적인 이원(enduring bifurcation)질서'이다.

정답 및 해설

로즈노우(J. N. Rosenau)는 특정한 방향에 대한 견해를 밝히기보다는 국가와 비국가행위자의 상대적 힘에 의해 새로운 체제가 형성될 것으로 전망하였다.

답 ③

001 대량살상무기 통제협정에 대한 설명으로 옳은 것만을 모두 고른 것은? 2021년 외무영사직

□□□

> ㄱ. 1925년 「제네바의정서(Geneva Protocol)」는 독가스와 세균의 전시 사용금지에 관한 의정서이다.
> ㄴ. 「핵확산금지조약(NPT)」은 1968년 체결되고, 1970년에 효력이 발생하였다.
> ㄷ. 1997년 발효된 「화학무기금지협약(CWC)」은 화학무기의 개발, 생산, 타국으로의 이전을 금지하였으나 기존 비축 분은 보유를 허용하였다.
> ㄹ. 1965년 발효된 「생물무기금지협약(BWC)」은 생물무기 및 독소무기의 개발, 생산, 비축, 사용의 금지를 목적으로 한다.

① ㄱ, ㄴ　　② ㄱ, ㄹ
③ ㄴ, ㄷ　　④ ㄷ, ㄹ

정답 및 해설

대량살상무기 통제협정에 대한 설명으로 옳은 것은 ㄱ, ㄴ이다.
ㄱ. 「제네바의정서(Geneva Protocol)」는 1997년 CWC에 의해 계승되었다고 평가된다.
ㄴ. 「핵확산금지조약(NPT)」은 핵무기의 수평적 확산 방지체제이다. 한국은 1975년에 가입하였고, 북한은 1985년 가입했다가 2003년 1월 탈퇴하였다.

선지분석

ㄷ. 「화학무기금지협약(CWC)」은 기존 보유 중인 화학무기의 폐기도 규정하였다.
ㄹ. 「생물무기금지협약(BWC)」은 1972년 서명되고, 1975년 발효되었다.

답 ①

002 비대칭 위협(asymmetric threat)에 관한 설명으로 옳지 않은 것은? 2010년 외무영사직

① 선제공격(preemptive strike)과 유사한 개념이다.
② 대량살상무기(WMD)로 지칭되는 핵무기, 생물학무기, 화학무기가 주요 수단으로 사용될 수 있다.
③ 민간인과 산업시설의 타격을 담보로 하는 무차별적 테러행위도 비대칭 위협의 사례에 속한다.
④ 약자가 강자의 취약한 면을 집중 공략하여 소기의 정치적 목적을 추구하는 전략이다.

정답 및 해설

비대칭 위협이란 테러나 암살, 생화학무기 공격, 폭파 등을 주된 수단으로 하여 예상치 못했던 방법으로 상대방의 취약점을 이용해 안보에 위협을 가하는 것을 말한다. 특히 전통적 군사력으로는 열세에 있는 쪽이 취하는 위협이다. 선제공격과 유사한 개념으로 보기는 어렵다.

답 ①

003 생물무기금지협약(BWC)에 대한 설명으로 옳지 않은 것은?

□□□

① 미생물, 생물학 작용제 및 독소의 개발, 생산, 비축, 획득을 금지하는 내용을 담고 있다.
② 생물무기의 전면적 생산 및 사용금지를 규정한 협약임에도 불구하고 위반여부를 확인할 수 있는 효율적 검증체제를 결여하고 있다.
③ 검증체제를 강화하기 위해 위원회 구성을 통한 현장조사 및 방문, 장소 불문한 불시 조사의 의무화 등이 논의되고 있다.
④ 개도국들은 선진국과 개도국 간 정보, 기술교류의 혁신적 확대 및 특별기구 설치를 제안하였고, 서방 선진국들이 이에 동의하였다.

정답 및 해설

개도국들이 자국의 생명공학 발전 명분으로 제시한 위 제안에 대해 서방 선진국들은 대량살상무기 확산가능성을 이유로 반대하고 있다.

답 ④

004 다음 중 화학무기금지협약(CWC)에 대한 설명 중 옳지 않은 것은?

□□□

① 화학분야의 평화적 이용이 아닌 화학무기의 사용가능성을 완전히 제거하는 것이 주요 목적이다.
② 10년 이내에 화학무기 폐기를 완료하고 그 방법으로 소각 또는 매립한다.
③ 화학무기 보유국들의 기득권을 인정하고 있는 불평등한 조약이다.
④ 화학무기금지기구(OPCW)를 설치하여 미신고 시설에 대한 강제사찰 제도를 실시한다.

정답 및 해설

화학무기금지협약(CWC)에 의하면 가입하는 당사국은 협약 발효 후 30일 이내에 화학무기 보유 여부를 신고하고 10년 이내에 이를 완전히 폐기하여야 한다. 협약 제1조는 어떠한 상황에서도 화학무기의 개발 · 생산 · 보유 · 획득 · 비축 · 이전 · 배치 및 사용을 금지하고 있다. 또한 자국의 영토 또는 제3국의 영토에 배치된 모든 화학무기 및 화학무기 생산시설을 신고하도록 규정하고, 신고된 화학무기와 화학무기 생산시설은 협약에서 규정한 절차와 방법에 따라 폐기되도록 규정하고 있다. 즉 NPT가 기존 핵보유국들의 기득권을 인정하는 것과는 달리 CWC는 가입국은 예외없이 모든 화학무기를 폐기하도록 하고 있다.

답 ③

005 화학무기금지협약(CWC)에 대한 설명으로 옳지 않은 것은?

□□□

① 화학무기 사용 및 이와 관련된 개발, 생산, 저장 등 다른 모든 활동과 군사훈련을 금지하는 내용을 담고 있다.
② 이라크, 북한, 리비아, 시리아는 가입하지 않았다.
③ 러시아가 화학무기 전용물질 폐기작업에 소요되는 막대한 재정을 조달하는 데 어려움이 있다는 이유로 폐기를 지연하는 등 일부 주요 당사국들의 불이행이 문제되고 있다.
④ 미국, 러시아 등 주요 당사국의 분담금 및 사찰비용 납부가 지연되고 있어 재정 악화가 심화되고 있다.

정답 및 해설

현재 이라크, 리비아, 시리아는 가입하고 있다. 북한은 가입하지 않았다. 우리나라는 1993년 서명하고, 1997년 발효하였다.

답 ②

006 대량살상무기의 확산 방지를 위한 노력 가운데 '바세나르 협약'에 대한 내용으로 옳은 것은?

□□□

① 1984년 UN사찰단이 이란 - 이라크 전쟁에서 화학무기가 사용되었다는 점을 확인하고, 화학무기의 원료 및 물질이 서방국가로부터 도입된 것을 확인하면서, 다자차원에서 화학물질 이전의 제한을 목적으로 형성되었다.

② 탄두중량 500kg 이상, 사거리 300km 이상의 탄도미사일 및 순항미사일의 수평적 확산을 방지하기 위해 1987년 미국 주도로 만들어졌다.

③ 첨단기술의 이전 제한을 목표로 하였던 대공산권수출통제위원회(COCOM)을 계승하여 통제품목의 세분화 및 재래식 무기 거래의 투명성 제고를 통해 대량살상무기 확산을 방지하고자 한다.

④ 미생물, 생물학 작용제 및 독소의 개발·생산·비축·획득을 금지하고 병원균·독소·장비 및 운송수단의 폐기 또는 평화적 목적의 전환을 규정하고 있으며, 한국과 북한도 가입하고 있다.

정답 및 해설

선지분석

① 호주 그룹(Australia Group)에 대한 설명이다.

② 미사일기술통제체제(MTCR)에 대한 설명이다.

④ 생물무기금지협약(BWC)에 대한 설명이다.

답 ③

007 국제 전략물자 수출통제 체제와 통제품목을 바르게 연결한 것은? 2010년 외무영사직

□□□

① 런던 클럽(London Club): 생물무기

② 호주 그룹(Australia Group): 미사일관련 품목과 기술

③ 바세나르 협정(Wassenaar Arrangement): 화학무기

④ 쟁거 위원회(Zanger Committee): 핵관련 품목과 기술

정답 및 해설

쟁거 위원회는 핵관련 물자 수출시 IAEA 안전조치를 조건으로 수출하는 국제수출 통제체제로, 수출통제 품목은 핵물질, 원자로 및 부속장비, 원자로용 비핵물질, 재처리 시설, 핵연료 가공시설, 농축시설, 중수 및 관련 생산시설 등이 있으며, 2중사용 품목과 기술은 포함하지 않고 있다.

선지분석

① 런던 클럽이란 개발도상국의 채무문제에 관한 비공식 협의기관으로, 공적 채무를 둘러싼 채권국 회의인 파리 클럽에 반해 상업은행을 중심으로 하는 민간 채권자회의를 이르는 명칭이다. 국제 전략물자 수출통제 체제와는 관련이 없다. 생물무기를 통제하는 국제체제로는 생물무기금지협약(BWC)이 있다.

② 호주 그룹은 화학무기 및 생물무기 기술의 확산방지를 위해 1984년 설립된 비공식 협의체로 법적 구속력을 갖고 있지 않으며 우리나라는 1996년 10월에 가입하였다. 미사일관련품목 및 기술에 대한 통제체제로는 '미사일기술통제체제(Missile Technology Control Regime: MTCR)'가 있다.

③ 바세나르 체제는 재래식 무기와 전략물자 및 기술 수출을 통제하기 위해 조직된 국제조직으로, 1949년부터 공산권에 대한 전략물자 수출통제를 맡아 온 서방 선진국의 COCOM(對공산권 수출통제 체제)이 공산권 체제 와해 이후 폐지된 후 새로 구성된 다자간 전략물자 수출통제체제를 말한다. 화학무기 통제체제로는 화학무기금지협약(CWC)이 있다.

답 ④

008 국제 전략물자 수출통제를 위한 다자체제와 그 목적의 연결이 옳은 것은?

□□□

① 핵공급국 그룹(1978): 미사일기술 확산 방지
② 호주 그룹(1985): 핵무기 확산 방지
③ 미사일기술 통제체제(1987): 생화학무기 확산 방지
④ 바세나르 협약(1996): 재래식 무기 및 이중용도 품목, 기술의 확산 방지

정답 및 해설

선지분석

① 핵공급국 그룹(1978)의 목적은 핵무기 확산 방지이다.
② 호주 그룹(1985)의 목적은 생화학무기 확산 방지이다.
③ 미사일기술 통제체제(1987)의 목적은 미사일기술 확산 방지이다.

답 ④

009 다음 대량살상무기(WMD) 대응체제들에 관한 설명으로 옳지 않은 것은?

□□□

① 미사일방어체제(MD)는 탄도미사일 확산에 대처하기 위한 것으로 전역미사일방어체제(TMD)와 국가미사일방어체제(NMD)로 나뉜다.
② 확산방지구상(PSI)에 대해서는 공해자유에 관한 국제법을 위반하고 있다는 비판도 있다.
③ 반확산전략에는 위협감축협력(Threat Reduction Cooperation), 핵물질통제강화 등이 포함된다.
④ 오바마 행정부는 부시 행정부에서 시작된 확산방지구상(PSI)과 미사일방어(MD)전략을 대체로 승계하고 있다.

정답 및 해설

위협감축협력, 핵물질통제강화 등은 반확산이 아니라 비확산전략에 속한다.

선지분석

① TMD는 사정거리 80~3,000km의 전역탄도미사일을 요격, 파괴하는 방어체제이며, NMD는 미국본토를 겨냥한 대륙간탄도미사일을 우주, 해상, 지상 등의 요격체제를 통해 파괴하는 방어체제이다. 한편 미국 국방부는 2001년 5월 1일부로 기존의 NMD와 TMD를 통합한 MD라는 용어를 사용할 것이라고 밝혔다. MD는 미국을 중심으로 우방과 동맹국들이 참여하는 다국 방어망으로 NMD와 TMD를 포괄하는 개념이다.

답 ③

010 WMD의 확산에 대응한 전략물자 수출통제체제에 대한 설명으로 옳지 않은 것은?

□□□

① 전략물자란 무기류와 무기류의 제조 개발에 이용될 수 있는 민수용 물품과 기술로서, 우려 국가 또는 단체에 이전될 경우 국제평화와 안전에 위해를 가할 수 있기 때문에 자유거래가 제한되는 물품과 기술을 일컫는다.

② NPT, BWC, CWC와 같은 비확산조약을 수출통제에 있어서 기본적인 제1선의 비확산 제도라고 할 수 있다.

③ 다자간 수출통제체제는 국제 비확산협정의 실효성에 의문이 제기됨에 따라 전략물자 공급능력을 갖춘 국가들이 모여 각각 해당분야의 수출을 자발적으로 규제하기로 약속한 협의체이다. 국가 간 합의는 법적 구속력이 있다.

④ 최근 북한 선박 강남호가 미국 군함에 의해 추격된 사건은 미국의 WMD 확산방지 구상에 의한 WMD 및 운반수단 관련 물자의 수송을 육상, 해상, 공중에서 차단하는 활동에 부합하는 것이다.

정답 및 해설

다자간 수출통제체제는 참여국들의 신뢰관계에 기초하여 자발적으로 이행될 뿐 법적 구속력이 있는 약속은 아니다.

선지분석

② 동 조약들은 핵, 생화학무기와 같은 대량살상무기의 확산을 금지하거나 폐기하는 등 이전(transfer) 금지와 군축(disarmament)에 역점을 두고 있으므로 엄격한 의미의 수출통제와는 다소 거리가 있으나, 이후 출범한 다자 수출통제체제들이 동 조약들의 실질적인 이행체제라는 점에서 광의의 비확산체제의 제1선이라고 부를 수 있다.

④ 2009년 6월 18~19일에 걸쳐 북한 선박 강남호는 미국 군함 2척의 추적을 받았으며 강남호는 과거에 WMD를 운송한 전력도 가지고 있다. 이는 2003년 발표한 부시 대통령의 WMD 확산방지 구상과 맞물리는 조치이다.

답 ③

011 군축·비확산 다자레짐 중 한국이 참여하지 않고 있는 것은 몇 개인가?

□□□

ㄱ. NPT	ㄴ. CTBT
ㄷ. 핵무기금지협약	ㄹ. NSG
ㅁ. MTCR	ㅂ. PSI

① 없음　② 1개　③ 2개　④ 3개

정답 및 해설

군축·비확산 다자레짐 중 한국이 참여하지 않고 있는 것은 ㄷ. 핵무기금지협약으로 1개이다.

ㄷ. 한국은 핵무기금지협정에 가입하지 않고 있다. 핵무기금지협정은 2017년 유엔에서 채택되었으나, 현재 미발효 중이다. 핵무기의 개발, 실험, 생산, 사용 등을 포괄적으로 금지하고, 기존 핵보유국은 핵무기를 작전대상에서 제외하고 가능한 한 빨리 핵무기를 해체할 것을 규정하고 있다.

답 ②

012 대량살상무기규제체제에 대한 설명으로 옳지 않은 것은?

□□□

① 미국의 닉슨 대통령은 1969년 모든 형태의 생물전을 포기한다고 선언하며 모든 생물작용제 생산 관련 시설의 폐쇄와 비축 생물무기의 폐기를 명령하였고 이로써 미국의 생물무기 프로그램은 종료되었다.
② 화학무기가 현대전에 사용된 것은 제1차 세계대전 중 1915년 4월 22일 독일군이 벨기에 이프르(Ypres)에서 영·불 연합군의 방어진지를 유린하기 위하여 염소가스(chlorine)를 사용한 것이 최초이다.
③ 비핵지대(NWFZ: Nuclear-Weapon-Free Zone)란 특정 지역 내에서 국가 간 조약에 의해 핵무기의 생산, 보유, 배치, 실험 등을 포괄적으로 금지하고, NPT상의 5개 핵보유국들이 비핵지대 조약 당사국에게 핵무기 사용 및 위협금지를 내용으로 하는 소극적 안전보장(NSA: Negative Security Assurance)을 제공하는 핵 군축 방식이다.
④ 포괄적 핵실험 금지조약(CTBT) 당사국이 조약을 불이행할 경우 당사국회의는 동 국가의 조약상 권리 및 특권 행사를 제한 또는 정지시킬 수 있으나, 당초 제시되었던 불이행으로 인해 조약의 목표와 목적에 손상이 발생할 경우 국제법에 따라 집단적 조치를 취할 수 있도록 하는 문제는 합의되지 못하여 이행의 실효성이 저하되었다.

정답 및 해설

불이행으로 인해 조약의 목표와 목적에 손상이 발생할 경우에는 국제법에 따라 집단적 조치를 취할 수 있음을 규정하고 있다.

답 ④

013 군비축소 또는 군비통제에 관한 사례에 대한 설명으로 옳은 것은?

□□□

① 베르사유조약(1919)은 독일의 군사력에 대한 통제를 가한 조약으로서 1930년대 히틀러의 현상변경정책에 의해 무력화되었으나 영국을 비롯한 유럽 열강은 유화정책의 견지에서 이를 용인하였다.
② SALT I(1972)은 미국과 소련이 상호확증파괴체제를 강화하기 위해 ABM의 발사기지와 수량을 통제하기로 합의하였으며, 부시(G. W. Bush) 행정부는 미사일방어체제(MD)를 구축하기 위해 러시아와 '공격용 전략 무기 감축 협정(SORT)'을 체결하여 ABM 조약을 폐기하였다.
③ 워싱턴회담(1922)은 미국이 고립주의 전략을 추구하기 위해 해군 군축 문제 등을 논의한 회담으로서 미국, 영국, 일본, 프랑스, 및 이탈리아가 해군 주력함의 보유 비율을 5 : 5 : 3 : 1.67 : 1.67로 합의하였다.
④ 제네바군축회의(1979)는 다자간군축회의로서 1968년 핵비확산조약(NPT) 체결을 주도하였으며, 동 회의에 한국은 1996년 가입하였으나 북한은 2015년 7월 현재 미가입국이다.

정답 및 해설

선지분석

② ABM조약 폐기는 미국의 일방적 조치로서 취해진 것이며, SORT는 이와 독립된 조약으로서 미국과 러시아가 양국이 보유한 핵탄두를 2012년까지 1,700~2,200기로 감축하기로 하였다.
③ 워싱턴회담은 미국의 '국제주의' 사례로 평가된다. 미국은 LN에 미가입하는 등 전반적으로 고립주의 기조를 취하였으나, 동아시아 문제에 대해서는 국제주의 노선을 추구하였다.
④ 북한은 1996년에 제네바군축회의에 가입하였다.

답 ①

014

□□□

다음 중 군비통제의 유형이 다른 것은?

① 유럽재래식전력감축조약(CFE)
② 전략무기감축협정(START)
③ 정밀 유도 무기의 개발 및 사용통제
④ CSCE에서 채택한 신뢰구축조치(CBMs)

정답 및 해설

구조적 군비통제와 운용적 군비통제의 구분에 관한 문제이다. 운용적 군비통제는 군사력의 '운용'을 통제하는 조치로서 상호간 의사소통 증대, 대규모 군사훈련의 사전통보, 신뢰구축조치 등이 포함된다. 구조적 군비통제는 군사력의 구조를 통제하는 것으로서 군사력의 상호 상한선을 설정하거나, 군사력의 제한 및 감축하는 등의 조치가 포함된다.

답 ④

015

군비경쟁에 대한 설명으로 옳지 않은 것은?

① 리처드슨(Lewis Richardson)은 한 국가의 군사비 증감에 영향을 주는 요인들에 관해 '작용-반작용 이론'을 제시했다.
② 리처드슨(Lewis Richardson)의 작용-반작용 이론에 의하면 한 국가의 군사비 증대는 상대 경쟁국의 군사비 증대 수준, 자국의 경제상태, 두 국가 간의 적대감의 정도 등 세 가지 요인에 영향을 받는다고 하였다.
③ 싱어(D. Singer)는 경쟁국가 간의 상호 반작용적 무기확보정책은 무기-긴장 악순환을 야기하므로 이를 인식한 국가들이 상호 신중하게 안보전략을 구사하게 되어 전쟁 가능성을 낮춘다고 하였다.
④ 월리스(Michael Wallace)는 군비경쟁과 전쟁 가능성에 관한 자신의 경험적 연구에서 두 국가 간의 군비경쟁이 양국 간 분쟁을 전쟁으로 확산시킬 가능성을 높인다고 주장하였다.

정답 및 해설

싱어(D. Singer)는 경쟁국가 간의 상호 반작용적 무기확보정책은 무기-긴장 악순환을 야기하여 전쟁 가능성을 높인다고 하였다.

답 ③

016 다음 중거리 핵전력 협정(INF)에 대한 설명으로 옳은 것은 모두 몇 개인가?

□□□

ㄱ. INF 협정은 냉전 중이던 1987년 당시 조지 부시 미국 대통령과 미하일 고르바초프 소련 공산당 서기장이 맺은 협정이다.
ㄴ. 협정은 미국과 옛 소련이 보유하는 사정거리 500~5,500km의 지상발사형 탄도와 순항 미사일의 생산과 실험, 배치를 전면 금지하고 전량 폐기한다는 내용이다.
ㄷ. 2,619개의 미사일을 3년에 걸쳐 단계적으로 모두 폐기하기로 하였다.
ㄹ. 협상과정에서 감시인을 두는 문제가 쟁점이 되었으나 결국 합의되지 못하여 협약 이행 여부가 지속적으로 양국 간 논란이 되었다.
ㅁ. 최근 미국은 INF협정 폐기를 선언하였으며, 12개월 후에 탈퇴 효력이 발생한다.

① 1개
② 2개
③ 3개
④ 4개

정답 및 해설

중거리 핵전력 협정(INF)에 대한 설명으로 옳은 것은 ㄴ, ㄷ으로 2개이다.

선지분석

ㄱ. 1987년 당시 미국 대통령은 레이건이다.
ㄹ. 감시인을 두기로 하였다. 감시인은 상대국의 미사일 폐기 여부를 직접 확인하고 감시할 수 있는 권한을 보유하였다.
ㅁ. 6개월 후에 효력이 발생한다.

답 ②

017 대량살상무기(WMD) 규제체제에 대한 설명으로 옳지 않은 것은?

□□□

① 1925년에 체결된 <질식성, 독성 또는 기타 가스 및 세균학적 물질의 전시 사용 금지를 위한 제네바 의정서>는 최초로 생물무기를 금지시켰다.
② 1994년 미국의 클린턴(Bill Clinton) 대통령이 자국의 모든 화학무기를 무조건 폐기한다고 선언함으로써 화학무기금지협약(CWC)의 탄생에 크게 기여했다.
③ 핵무기확산방지조약(NPT)의 3대 축은 핵 비확산, 핵 군축, 원자력의 평화적 이용이다.
④ 1954년 10월 인도의 네루(Jawaharlal Nehru) 총리는 유엔 총회에서 핵실험 금지를 제창하였다.

정답 및 해설

1991년 미국의 부시(George H. W. Bush) 대통령이 자국의 모든 화학무기를 무조건 폐기한다고 선언함으로써 화학무기금지협약(CWC)의 탄생에 크게 기여했다.

답 ②

018 확산탄금지협약(CCM)에 대한 설명으로 옳지 않은 것은?

① 2006년 이스라엘이 남부 레바논을 공격할 때 사용한 확산탄(cluster munitions)이 막대한 인명피해를 가져오자 이를 계기로 국제사회에서는 확산탄 규제를 위한 여론이 비등하기 시작했다.
② 핀란드 정부 주최로 2007년 2월 헬싱키에서 확산탄 관련 국제회의가 개최되어 확산탄 규제 규범을 2008년까지 마련한다는 내용의 '헬싱키 선언(Oslo Declaration)'을 채택하였다.
③ 2008년 5월 107개국이 참여한 가운데 확산탄금지협약(CCM: Convention on Cluster Munitions)이 채택되었고, 2010년 8월 1일 발효되었다.
④ CCM에 의하면 당사국은 모든 확산탄의 사용, 개발, 생산, 획득, 비축, 보유, 이전이 금지되며, 비축분은 원칙적으로 협약의 발효 8년 이내에 폐기한다.

정답 및 해설

노르웨이 정부 주최로 2007년 2월 오슬로에서 확산탄 관련 국제회의가 개최되어 확산탄 규제 규범을 2008년까지 마련한다는 내용의 '오슬로 선언(Oslo Declaration)'을 채택하였다.

답 ②

제3절 | 핵무기규제체제

001 「핵무기의 비확산에 관한 조약(NPT)」에 대한 설명으로 옳지 않은 것은? 2023년 외무영사직

① 수평적 핵 확산을 통제하려는 노력의 산물이다.
② NPT가 공식적으로 인정하는 핵보유국은 5개 국가뿐이다.
③ 어떤 국가라도 60일 전에 통고만 하면 NPT를 자유롭게 탈퇴할 수 있다.
④ 비핵국가가 핵을 평화적으로 이용할 경우에도 국제원자력기구의 정기적인 사찰을 받을 것을 의무화하였다.

정답 및 해설

NPT탈퇴를 위해서는 국가이익을 침해할 수 있는 비상사태가 존재해야 하고, 탈퇴의사를 타 당사국과 UN안전보장이사회에 통보해야 한다. 탈퇴효력은 3개월 후 발생한다.

선지분석

① 수평적 확산이란 비핵보유국이 핵보유국으로 전환되는 것을 말한다.
② NPT는 1967년 1월 전에 핵무기를 개발한 나라를 핵보유국으로 인정한다. 미국, 영국, 프랑스, 중국, 러시아 5개국이다.
④ 원자력의 핵무기로의 전환을 막기위해 비핵보유국은 IAEA와 안전조치협정을 체결하고 정기적으로 사찰을 받아야 한다.

답 ③

002 □□□ **핵무기와 핵확산에 대한 설명으로 옳은 것만을 모두 고른 것은?** 2020년 외무영사직

ㄱ. 핵확산금지조약(NPT)은 1970년 3월 5일에 발효되었고, 조약 당사국들은 1995년부터 조약의 시효를 무기한 연장하기로 했다.
ㄴ. '수평적 핵확산'이란 기존 핵무기 보유국이 핵 보유량을 확대하거나 운반 수단을 정교화하는 것을 말한다.
ㄷ. 보스턴 프로젝트(Boston Project)의 결과로 최초로 핵무기가 히로시마와 나가사키에 투하됐다.
ㄹ. 스콧 세이건(Scott Sagan)은 새로운 핵무기 보유국의 등장이 예방전쟁을 초래할 수 있으며 심각한 핵무기 사고를 발생시킬 수 있다고 주장한다.

① ㄱ, ㄴ ② ㄱ, ㄹ
③ ㄴ, ㄷ ④ ㄷ, ㄹ

정답 및 해설

핵무기와 핵확산에 대한 설명으로 옳은 것은 ㄱ, ㄹ이다.
ㄱ. 체결은 1968년이다. 우리나라는 1975년에 가입하였다.
ㄹ. 스콧 세이건(Scott Sagan)은 핵확산과 평화에 있어서 비관론자이다. 핵확산에 반대한다.

선지분석

ㄴ. 수직적 핵확산에 대한 개념이다. 수평적 핵확산은 비핵국이 새롭게 핵무기를 보유하는 것을 말한다. NPT는 수평적 핵확산 방지를 위한 체제이다.
ㄷ. 미국의 핵무기 개발 계획을 '맨하탄 프로젝트'라고 한다.

답 ②

003  **핵무기의 비확산에 관한 조약(NPT)의 내용으로 옳지 않은 것은?** 2018년 외무영사직

① NPT는 조약 체결 당시의 5개 핵무기 보유국에 대하여 핵군축의 의무를 규정하고 있지 않다.
② NPT는 모든 회원국에게 원자력의 평화적 이용을 보장하고 있다.
③ NPT는 조약 체결 당시 핵무기를 보유하지 않은 국가들이 핵무기를 개발하지 못하도록 규정하고 있다.
④ NPT는 핵무기 비보유 회원국의 평화적 원자력 사용과 관련하여 국제원자력기구(IAEA)의 안전조치를 수락할 것을 규정하고 있다.

정답 및 해설

"조약당사국은 조속한 일자내에 핵무기 경쟁중지 및 핵군비 축소를 위한 효과적 조치에 관한 교섭과 엄격하고 효과적인 국제적 통제하의 일반적 및 완전한 군축에 관한 조약 체결을 위한 교섭을 성실히 추구하기로 약속한다(NPT 제6조)." NPT는 핵군축 관련 조항을 두고 있다. ICJ판례에 의하면 이 조항을 '핵군축의무조항'이 아니라 '핵군축을 위한 교섭 의무 조항'이다. 상대적으로 더 틀린 것을 찾을 수밖에 없으므로 이것을 답으로 찾아야 한다.

선지분석

③ NPT는 핵무기의 '수평적 확산'을 통제하는 체제이다.

답 ①

004 국제 핵비확산 체제에서 거론되는 소극적 안전보장(Negative Security Assurance)에 대한 설명으로 옳은 것은? 2013년 외무영사직

□□□

① 핵을 갖지 않은 나라가 공격을 당했을 경우에 안보를 지원해 주겠다는 핵보유국의 약속이다.
② 원자력 기술 선진국이 후진국에게 평화적인 원자력 이용 기술을 제공하여 경제발전과 안보향상에 도움을 준다는 약속이다.
③ 핵을 보유한 나라가 핵무기가 없는 동맹국의 안전을 보장해주는 약속이다.
④ 핵보유국이 핵을 갖지 않은 나라에 대해서 핵무기를 사용하거나 핵무기로 위협하지 않겠다는 약속이다.

정답 및 해설

소극적 안전보장이란 타국에 대해 무력을 사용하지 않겠다는 약속을 의미한다. 반면, 적극적 안전보장(PSA: Positive Security Assurance)은 동맹국 등에 대한 원조약속을 의미한다.

답 ④

005 1970년에 발효된 핵확산금지조약(NPT)에 대한 설명으로 옳은 것은? 2011년 외무영사직

□□□

① NPT에 의해 공식 핵무기 보유국(nuclear-weapon states)으로 인정받고 있는 나라는 미국, 러시아, 영국, 프랑스, 중국, 인도, 파키스탄 등이다.
② 평화적 목적의 핵폭발장치는 규제대상이 아니다.
③ NPT가 규정하고 있는 핵무기 보유국인 조약당사국은 NPT규정상 IAEA로부터 핵사찰을 받을 의무가 있다.
④ NPT 가입국은 NPT 규정에 따라 탈퇴의 권리가 보장되며, IAEA와 UN 안전보장이사회의 승인 없이 통보만으로 탈퇴가 가능하다.

정답 및 해설

3개월 전에 회원국과 안전보장이사회에 통고하는 경우 탈퇴권이 보장된다. 안전보장이사회의 허가를 받지 않는다는 점을 주의해야 한다.

선지분석

① 인도, 파키스탄은 핵을 보유한 국가이나 NPT에 가입하지 않고 있다. NPT 내부에서 핵보유를 공식 인정받은 국가는 UN 안전보장이사회 상임이사국인 미국, 러시아, 중국, 영국, 프랑스에 한정된다.
② 평화적 핵이용권은 인정되나, 핵폭발장치나 핵실험은 그 목적과 무관하게 엄격하게 금지된다.
③ IAEA의 사찰은 핵을 보유하지 않은 NPT 당사국들의 의무이다.

답 ④

006 핵무기와 국제체제의 안정성에 대한 이론으로서 옳은 것은?

□□□

① 세이건(C. Sagan)은 경쟁국가 간의 상호 핵무기확보 정책은 '무기 - 긴장 악순환'을 야기하고 이는 전쟁가능성을 증대시킨다고 주장하였다.

② 싱어(D. Singer)은 핵확산이 선제공격의 가능성을 높이고 불안정한 위기 상황을 조성하며 오인으로 인한 잘못된 판단을 유발하고 우발적 폭발의 가능성도 증대시켜서 국제체제의 불안정성을 높이게 된다고 주장하였다.

③ 개디스(J. Gaddis)는 핵무기가 저강도 분쟁을 유발하는 반면 고강도 전면전을 억제한다는 '안정 - 불안정 역설'을 주장하였다.

④ 나이(Joseph Nye)는 핵확산을 막지 않을 경우 잘못된 추측으로 인해 대규모 피해가 발생할 수 있다고 경고하였다.

정답 및 해설

선지분석

① 싱어(D. Singer)의 입장이다.
② 세이건(C. Sagan)의 입장이다.
③ 스나이더(G. Snyder)의 입장이다.

답 ④

007 핵무기와 국제체제의 안정성에 대한 이론으로서 옳지 않은 것은?

□□□

① 싱어는 경쟁국가 간의 상호 핵무기확보 정책은 '무기 - 긴장 악순환'을 야기하고 이는 전쟁가능성을 증대시킨다고 주장하였다.

② 세이건은 핵확산이 선제공격의 가능성을 높이고 불안정한 위기 상황을 조성하며 오인으로 인한 잘못된 판단을 유발하고 우발적 폭발의 가능성도 증대시켜서 국제체제의 불안정성을 높이게 된다고 주장하였다.

③ 스나이더는 핵무기가 저강도 분쟁은 억지하는 반면 고강도 전면전을 유발한다는 '안정 - 불안정 역설'을 주장하였다.

④ 나이(Joseph Nye)는 핵확산을 막지 않을 경우 잘못된 추측으로 인해 대규모 피해가 발생할 수 있다고 경고하였다.

정답 및 해설

고강도 분쟁은 억지하나, 저강도 분쟁은 유발한다는 명제이다.

답 ③

008 핵무기와 평화의 상관관계에 대한 설명으로 옳지 않은 것은?

□□□

① 라우흐하우스는 핵비대칭성, 즉 분쟁 당사국 중 한쪽만 핵무기를 보유하고 상대방은 핵무기를 보유하지 않는 상황에서는 저강도 분쟁 가능성은 높으나 전면전 가능성은 낮다고 하였다.
② 조지프 나이는 인간들이 핵확산허용의 오판을 하였을 경우의 피해가 핵확산금지의 오판을 한 경우보다 비교할 수 없을 정도로 크기 때문에 핵확산금지를 위해서 노력해야 한다고 주장한다.
③ 스나이더(G. Snyder)는 핵무기가 저강도 분쟁을 유발하는 반면 고강도 전면전을 억제한다는 '안정-불안정 역설'을 주장했다.
④ 세이건은 핵확산은 선제공격의 가능성을 높이고 불안정한 위기 상황을 조성하며 오인으로 인한 잘못된 판단을 유발하고 우발적 폭발의 가능성도 증대시켜서 국제체제의 불안정성을 높이게 된다고 주장한다.

정답 및 해설

라우흐하우스는 저강도 분쟁 가능성과 전면전 가능성이 모두 높다고 하였다.

답 ①

009 비핵지대(denuclearized zone)에 대한 설명으로 옳은 것은?

□□□

① 중앙아시아 비핵지대조약은 카자흐스탄, 키르기스스탄, 타지키스탄, 투르크메니스탄, 우즈베키스탄을 중심으로 체결되었으며, 역외국은 가입할 수 없다.
② 핵무기확산방지조약(NPT)에 의하면 핵무기 비보유당사국들은 각자의 영역 내에서 핵무기의 전면적 부재를 보장하기 위하여 지역적 조약을 체결할 의무가 있다.
③ 한반도비핵화에 관한 공동선언(1991)은 비핵화검증을 위해 상대측이 선정하고 쌍방이 합의하는 대상물에 대해 남북핵통제공동위원회가 규정하는 절차와 방법으로 사찰을 받기로 규정하였다.
④ 현재 중남미, 남태평양, 동남아, 아프리카, 중앙아시아, 중동 등에 설치되어 있다.

정답 및 해설

선지분석

① 역외국이 가입할 수 있다.
② 당사국들이 조약을 체결할 권리가 있음을 규정하고 있다.
④ 중동에는 설치되지 않았다.

답 ③

010 핵확산방지체제에 대한 설명으로 옳은 것은?

□□□

① 중앙아시아 비핵지대 조약은 2009년 3월 채택되었다.
② 남아프리카공화국은 자발적으로 핵무기 개발을 포기하고 1991년 비핵보유국으로 NPT에 가입하였다.
③ 한국은 핵확산방지조약(NPT)에 1971년에 가입하였다.
④ NPT조약은 효력기간을 명시하지 않아 종료되기 전에는 무기한 효력을 갖는 것으로 인정된다.

정답 및 해설

선지분석

① 2006년 채택되었다.
③ 1975년에 가입하였다.
④ 당초 조약상 25년간 효력을 갖기로 규정되었고, 이후 1995년 NPT당사국회의에서 무기한으로 결정되었다.

답 ②

011 이란핵문제에 대한 설명으로 옳지 않은 것은 모두 몇 개인가?

□□□

ㄱ. 2015년 7월 14일 비엔나에서 미국, 영국, 프랑스, 러시아, 중국 등 유엔 안전보장이사회 상임이사국 및 독일 주요 6개국(P5+1)과 이란 간 포괄적 공동행동계획(JCPOA; Joint Comprehensive Plan of Action)이 최종 타결되었다.
ㄴ. JCPOA는 이란의 평화적 핵이용권을 보장하되 이란의 핵 농축은 전면 금지하는 한편, 추후 우라늄 농축도 전면 금지하기로 하였다.
ㄷ. 미국 등의 대 이란 제재와 관련하여 핵협상 타결 내용을 수용하는 안전보장이사회 결의안 채택 90일 후 JCPOA가 공식 발효되는 즉시 일괄 해제하기로 하였다.
ㄹ. 미국은 2012년 국방수권법(National Defense Authorization Act)을 통해 이란의 원유 수출 제한 조치를 확대하고, 대이란 금융거래를 전면 중단시켜 이란 내부의 경제난을 가중시켜 이란을 핵 협상으로 유도하였다.
ㅁ. 미국의 제재로 환율이 급등하고 물자가 부족해지면서 특히 고통이 가중된 이란의 중산층이 미국과의 협상에 나설 것을 촉구하고 이들의 요구가 2013년 대선에 반영되어 대미 온건파인 하산 로하니(Hassan Rouhani)가 대통령으로 당선되었다.
ㅂ. 오바마 정부는 이전 부시 정부의 '중동 민주화 구상(The Greater Middle East Initiative)'을 폐기하고, '비핵 · 반테러' 즉 비폭력을 전제로 중동 내 다원적 정부체제를 수용한다는 포용적 입장인 '비폭력 다원주의(non-violent pluralism)'의 오바마 독트린을 추진하였다.

① 없음
② 1개
③ 2개
④ 3개

정답 및 해설

이란핵문제에 대한 설명으로 옳지 않은 것은 ㄴ, ㄷ으로 2개이다.
ㄴ. JCPOA는 이란의 농축을 허용하되 향후 15년간 저농축 수준을 유지하고, 전체 농축 우라늄 보유 규모를 현 10,000kg에서 300kg으로 제한하여 핵무기화 방지 수준 규제에 집중한 타협안이다.
ㄷ. 대이란 제재 해제는 IAEA의 핵사찰 종합 보고 이후 이상 없는 경우 일괄해제 된다. 참고로 제재 해제 관련 향후 일정은 다음과 같다.

구분	일자	내용
타결	2015.7.20.	-
적용	2015.10.18.	핵협상 타결 내용을 수용하는 안전보장이사회 결의안 채택 90일 후(JCPOA의 공식 발효)
이행	2016 상반기	IAEA의 PMD(Possible Military Dimension) 포함 핵사찰 종합보고 이후 이상 없으면 핵 관련 제재 일괄 해제
전환	2025.10.18.	10년간 포괄적 공동 계획의 모든 조건을 이란이 준수할 경우 미국의 비확산 제재가 완전히 폐기되고, 이란은 국제사회의 정상국가로 자리매김

답 ③

012 이란핵문제에 대한 설명으로 옳지 않은 것은?

① 이란은 NPT 및 추가의정서에 가입한 국가이나 핵무기를 개발하고 있다는 의혹을 받았다.
② P5+1과 이란은 2015년 4월 스위스 로잔에서 '이란 핵 프로그램에 대한 포괄적 공동행동계획의 요소'에 잠정합의하고 6월 30일까지 최종합의를 형성하기로 하였다.
③ 이란은 1950년대 팔레비 국왕 하에서 소련의 지원으로 원자력 프로그램을 시작하여 미국과 대립관계를 형성해 왔다.
④ 이란은 1980년대 이라크의 공격을 받고, 이라크가 핵개발을 추진하는 것으로 드러나면서 1984년부터 핵개발을 추구하기 시작하였다.

정답 및 해설

당시 이란은 '미국'의 지원으로 원자력 프로그램을 시작했다. 이란이 미국과 관계가 악화된 것은 1980년대 '호메이니'에 의해 혁명이 발생한 이후의 일이다.

답 ③

013 2010년 제8차 NPT평가회의의 내용으로 옳지 않은 것은?

□□□

> ㄱ. 핵보유국들이 핵군축을 위한 구체적인 조치를 취하고 이를 제9차 NPT 평가회의를 위한 준비회의(2014)에 보고하기로 합의하였다.
> ㄴ. 중동비핵지대 창설을 위해 중동국가들이 2012년에 회의를 개최하기로 하였다.
> ㄷ. NPT조약 제3조에 기초하여 1997년에 채택된 '추가의정서'에의 가입을 의무화하였다.
> ㄹ. NPT탈퇴의 자유를 제한하고, 탈퇴국이 핵관련 기술을 이전받은 경우에는 핵기술이나 핵물질 공급국이 이를 강제적으로 회수할 수 있는 권리를 갖도록 하였다.

① ㄱ, ㄴ　　② ㄴ, ㄷ
③ ㄴ, ㄹ　　④ ㄷ, ㄹ

정답 및 해설

2010년 제8차 NPT평가회의의 내용으로 옳지 않은 것은 ㄷ, ㄹ이다. NPT 당사국들은 동 조약 제8조에 기초하여 1975년부터 매 5년마다 평가회의를 개최해 오고 있으며, 2010년 제8차 평가회의가 뉴욕에서 개최되었다.
ㄷ. 추가의정서 가입의 의무화 주장이 강력하게 제기되었으나, 의무화하는 데는 실패하고, 대신 추가의정서를 NPT 핵 검증의 '진일보된 기준'으로 인식하고, 모든 국가의 가입을 장려하는 선에 그쳤다.
ㄹ. 북한의 탈퇴와 2차례에 걸친 핵실험과 관련되어 쟁점이 되었다. 탈퇴의 권리를 인정하되, 탈퇴국이 핵관련 기술을 이전받은 경우 핵기술이나 핵물질 공급국이 이를 회수할 수 있는 권리를 갖도록 하기로 절충되었다.

선지분석

ㄱ. 비핵보유국들은 핵보유국들이 핵무기 감축의 구체적 시한을 제시하고 합의서에 담을 것을 주장했으나, 구체적 시한은 규정되지 않았고 그 합의는 다음 회의로 넘어갔다.
ㄴ. 이스라엘의 비핵화와 NPT가입이 주장되었으나, 미국과 이스라엘은 그 이전에 중동국가들 간 전면적 평화조약이 체결되어야 한다고 반박하여 중동국가들 간 평화회의의 개최만이 합의되었다.

답 ④

014 핵무기확산금지조약(NPT)의 문제점이 아닌 것은?

2007년 외무영사직

□□□

① 비핵보유국은 핵무기를 제조하거나 보유하는 것을 포기함은 물론 IAEA의 사찰을 받아야 하는 의무를 지게 되나, 핵보유국의 군축의무는 강제조항이 아닐 뿐더러 이들에게는 IAEA의 사찰의무도 없다.
② 핵보유국 간의 경쟁으로 인해 프랑스, 중국 등의 핵보유국들은 부분 핵실험을 계속하는 등 핵개발 의지를 포기하지 않고 있음에도 불구하고 적절한 통제력을 가지고 있지 못하다.
③ IAEA 핵사찰의 한계성으로 인해 핵확산 감시가 충분하지 못하다.
④ 비핵보유국에 대한 안전보장이 제도적으로 정비되어 있으며, 비핵보유국 간에 일고 있는 핵개발 확산 조짐에 대해 유효한 대응책이 구비되어 있다.

정답 및 해설

비핵보유국에 대한 안전보장책은 전혀 없어 따로 동맹을 통해 핵우산을 제공받아야 한다.

답 ④

015 다음 중 삼지주 체제(TRIAD)에 속하지 않는 것은?

2005년 외무영사직

□□□

① 핵미사일
② 핵잠수함
③ 전략 폭격기
④ 인공위성

정답 및 해설

냉전시대의 '삼지주 체제(TRIAD)'는 지상발사 대륙간 탄도미사일(ICBM), 잠수함발사 탄도미사일(SLBM), 전략 폭격기로 이루어져 있었다. 한편 부시 행정부의 핵태세보고서(NPR)는 핵전력을 '신 삼지주 체제(New TRIAD)'로 확충했는데, 신 삼지주 체제는 3중망 체제를 포괄하여 첫째, 핵전력 또는 재래식 전력의 공격체계, 둘째, 적극적 또는 소극적 탄도미사일 방어망, 셋째, 핵무기 생산과 투발수단 능력을 향상시키는 핵무기 하부 산업기반을 일컫는다.

답 ④

016 핵확산문제에 대한 설명으로 옳은 것을 모두 고른 것은?

ㄱ. 안토니우 구테레쉬 유엔 사무총장은 2018년 「우리 공동의 미래를 보장한다: 군축을 위한 의제(Securing Our Common Future: An Agenda for Disarmament)」 보고서에서 완전한 핵군축을 위한 "새롭고 결정적인 행동(new and decisive action)" 등을 포함한 군축의 시급성과 엄중성을 강조하고, 군축을 유엔기구 전체의 주요 의제로 추진하며, 군축을 위해 각종 정부·비정부·국제 행위자들과 협력을 확대할 것을 제안했다.
ㄴ. 2014년 러시아는 러시아의 핵무기 해체를 위해 미국이 제공했던 '협력적 위협 감축(CTR)' 프로그램을 일방적으로 종료했고, 미국은 2017년 중거리핵전략(INF) 조약을 폐기하고, 중거리미사일을 개발하고 있다.
ㄷ. 2017년 발족한 미국 트럼프 행정부는 미국제일주의와 '힘을 통한 평화'를 국가안보전략 기조로 제시하고, 이란 핵합의(JCPOA)를 탈퇴했으며, 핵무기 현대화 등 군축비확산 추세에 반하는 정책을 추진하면서, 핵경쟁과 군비경쟁을 주도하고 NPT 체제를 크게 훼손했다는 평가를 받는다.
ㄹ. 유일한 군축전문 협상기구인 UN 군사참모위원회에서 주요 핵군축 의제인 핵분열물질 생산금지조약(FMCT: Fissile Material Cut-off Treaty), 소극적 안전보장(NSA:Negative Security Assurance) 제공, 외기권 군비경쟁 방지(PAROS: Prevention of Arms Race in Outer Space) 등에 대한 협상이 지체되고 있는데, 이런 동향이 핵군축에 대한 비핵국의 불만을 악화시키는 배경이 되고 있다.

① ㄱ, ㄴ
② ㄱ, ㄷ
③ ㄴ, ㄷ
④ ㄴ, ㄹ

정답 및 해설

선지분석

ㄴ. 미국은 2019년 중거리핵전략(INF) 조약을 폐기하고, 중거리미사일을 개발하고 있다.
ㄹ. 제네바 군축회의(CD: Conference on Disarmament, 스위스 제네바 소재, 1979~)와 관련된 내용이다.

답 ②

017 다음 중 명시적인 핵그룹(Nuclear Group)이 아닌 것은?

① 중국
② 소련
③ 프랑스
④ 독일

정답 및 해설

명시적 핵그룹 또는 공식적 핵보유그룹이란 NPT체제 하에서 핵보유가 인정된 국가를 의미한다. 이들을 P-5라고도 하며, 미국, 러시아, 중국, 영국, 프랑스가 여기에 해당한다.

답 ④

018 □□□ **대량살상무기의 위험성에 대한 인식이 증가하면서 핵확산금지조약(NPT)에 대한 관심이 높아지고 있다. NPT체제 강화의 주요 방향으로 옳지 않은 것은?**

① 우라늄 농축 및 재처리 시설을 다국적 통제 하에 둔다.
② 확산 저항형 핵에너지 개발체계 구축을 위해 우라늄 농축 시설을 저농축 시설에서 고농축시설로 전환한다.
③ 사용 후 연료 및 방사성 폐기물의 다국적 관리 및 처분을 추진한다.
④ IAEA를 2개의 전문기관으로 분리하여 전문화하며, 지역 감시기구를 설치하여 평화적 원자력 이용을 촉진하고 핵확산을 방지한다.

정답 및 해설

우라늄 고농축 시설이 핵확산의 위험을 안고 있으므로, 고농축 시설을 저농축 시설로 전환해야 한다.

답 ②

019 □□□ **NPT, 즉 핵확산금지조약(Nuclear Non-Proliferation Treaty)은 이원화된 국제 핵정책의 일환으로 핵무기 확산을 억제하기 위해 추진된 세계 최초의 다자조약(multilateral treaty)이다. 다음 중 NPT에 대한 설명으로 옳지 않은 것은?**

① 북한은 1993년 북·미 핵 위기 시 NPT를 탈퇴하였다.
② 조약에 규정된 5개 '핵보유국'의 '비핵보유국'에 대한 핵무기 이전, 원조제공 등을 금지한다.
③ 프랑스와 중국은 미·소 위주의 성격에 반발하여 가맹하지 않았다.
④ '비핵보유국'의 핵무기 제조, 개발, 실험, 취득 등을 모두 금지하는 것을 골자로 한다.

정답 및 해설

중국은 1992년 3월, 프랑스는 동년 8월 가입했다.

선지분석

① 북한은 1985년 12월에 가입했으나 특별 핵사찰 요구에 반발해 1993년 3월 12일에 탈퇴하였다.

답 ③

020 NPT(Nuclear Non-Proliferation Treaty, 핵확산금지조약)는 국제사회의 핵확산에 대해 유의미한 역할을 수행하고 있지만 문제점도 존재한다. NPT의 문제점으로 옳지 않은 것은?

□□□

① 조약의 불평등성을 들 수 있다. 비핵국은 핵무기를 제조하거나 보유하는 것을 포기함은 물론 IAEA의 사찰을 받아야 하는 의무를 지게 되나, 핵보유국의 군축의무는 강제조항이 아닐뿐더러 이들에게는 IAEA의 사찰의무도 없다.
② 비핵국에 대한 안전보장이 미비하여 이들 국가의 불만이 고조되고 있다.
③ 프랑스, 중국 같은 핵보유국에는 강한 통제력으로 핵개발 발전을 방지하는 반면, 인도, 파키스탄 등과 같은 비핵국들 간에 일고 있는 핵개발 확산조짐에 대해서도 별다른 해결책이 없다.
④ IAEA 핵사찰의 한계성으로 인해 핵확산 감시가 충분하지 못하다.

정답 및 해설

핵보유국들 내에서 부분핵실험이 계속되는 등 핵국이 핵개발 의지를 포기하지 않고 있음에도 불구하고 적절한 통제력을 가지고 있지 못하다.

답 ③

021 다음 중 NPT의 문제점으로 옳지 않은 것은?

□□□

① 비핵국은 핵시설에 대한 국제적 사찰을 허용할 수 없다.
② 핵비보유국에게 평화적 목적의 핵에너지 개발을 허용하기 때문에 악용의 가능성이 있다.
③ 핵보유국의 감축의무보다 비확산 의무가 지나치게 강조된다.
④ 관련 협상에서 채택된 의무나 결의가 준수되지 않는 경향이 있다.

정답 및 해설

협약당사국은 NPT 제3조에 의거하여 국제원자력기구와 핵무기 비확산에 관한 조약에 관련된 핵안전조치협정을 체결하고, 핵연료재처리를 포함한 모든 핵시설에 대하여 국제적 사찰을 허용해야 한다. 한편, 핵보유국에 대해서는 핵군축에 대한 의무보다는 비핵국에 대한 핵비확산 의무를 지나치게 강조했기 때문에 비핵국들의 협정 준수 의지에 부정적인 영향을 초래하고 있다.

답 ①

022 □□□ **NPT(Nuclear Non-Proliferation Treaty, 핵확산금지조약)는 핵문제에 관하여 중요한 국제조약이다. NPT의 내용으로 옳지 않은 것은?**

① 미국과 소련의 공동제안으로 1970년 IAEA의 안전조치협정보다 한층 강화된 NPT(Nuclear Non-Proliferation Treaty: 핵확산금지조약)를 발효시키게 되었다.
② 조약의 목적은 핵무기의 수평적 확산을 막고 원자력의 평화적 이용을 추진하기 위해 체결되었다.
③ NPT 탈퇴에 대한 법적인 제재조치는 없다. 하지만 NPT 탈퇴가 세계 평화에 대한 위협으로 판단될 경우 UN 안전보장이사회에 의한 제재가 실행될 수도 있다.
④ NPT를 탈퇴하더라도 안전조치협정과 별개이므로 IAEA의 사찰을 받을 의무는 존재한다.

정답 및 해설

NPT를 탈퇴하면 안전조치협정도 자동적으로 파기되므로 IAEA의 사찰을 받을 의무가 없게 된다. 그러나 IAEA를 탈퇴하더라도 NPT 회원국으로 남아 있는 한 안전조치협정에 따라 IAEA 사찰을 받을 의무가 있으며, IAEA는 당사국의 안전조치협정 위반 시 제재조치를 취할 수 있다.

답 ④

023 □□□ **IAEA에 대한 설명으로 옳지 않은 것은?**

① 한국은 IAEA 가입국이며 원자력 평화정책을 지원, 옹호해 오고 있다.
② 회원국이 IAEA 사찰 결과 안전조치 협정을 위반했을 경우 UN 안전보장이사회에 보고되어 제재를 받을 수 있다.
③ 이 기구가 설립되어 핵무기 확산 방지를 위한 일련의 조치가 취해져 초기의 핵보유국 수가 유지되고 있다.
④ IAEA가 자체적으로 취할 수 있는 제재조치는 회원자격 중지, IAEA의 모든 원자력기술지원 중단 등을 요구할 수 있다.

정답 및 해설

프랑스(1960), 중국(1964), 인도(1974) 등이 핵실험을 시도, 핵개발에 성공함으로써 IAEA 중심의 안전조치가 유명무실하게 되기도 하였다.

답 ③

024 □□□ **국제원자력기구(IAEA)에 대한 설명으로 옳지 않은 것은?**

① 1953년 제8차 UN총회에서 미국의 아이젠하워 대통령의 제안으로 설립이 추진되었다.
② NPT 당사국이 아니더라도 IAEA헌장 당사국의 요청이 있는 경우 공급된 핵물질과 핵시설에 대한 사찰 및 검증조치를 실시할 수 있다.
③ 원자력의 안전 및 핵안보 증진에 기여한다.
④ 1997년 핵투명성 확보를 위해 추가의정서가 채택되었으며, 우리나라는 북한의 핵개발에 대한 대응을 위해 동 추가의정서에는 가입하지 않았다.

정답 및 해설

우리나라는 2004년에 동 추가의정서에 가입하였다.

답 ④

025 국제원자력기구(IAEA)에 대한 설명으로 옳지 않은 것은?

□□□

① 1953년 제8차 UN총회 미국 케네디 대통령의 제안으로 설립이 추진되었다.
② NPT 가입국이 아니더라도 당사국들의 요청이 있는 경우 공급된 핵물질과 핵시설에 대한 사찰 및 검증조치를 실시할 수 있다.
③ 추가의정서 채택에 따라 IAEA의 사찰에 있어서의 재량권이 확대되었으며 우리나라는 2004년 추가의정서에 가입하였다.
④ UN과의 협정에 따라 매년 UN 총회에 활동보고서를 제출하고 안전조치 관련 회원국의 불이행 사항을 안전보장이사회에 보고하고 있으나 유엔의 전문기구는 아니다.

정답 및 해설

아이젠하워(Eisenhower) 대통령의 제안으로 창설되었다(Atom for Peace 연설).

답 ①

026 다음은 핵군축 노력에 대한 설명이다. 옳지 않은 것은?

□□□

① 부분적핵실험금지조약(PTBT)이란, 핵실험금지에 대한 여론에 힘입어 1963년 발효하였으나, 지하에서의 핵실험은 금지하지 않았다.
② 핵확산금지조약(NPT)에서 핵비보유국은 핵무기를 생산, 보유하지 않는다는 약속을 하는 대신 핵의 평화적 사용을 하는 데 필요한 기술을 얻기로 하고, 핵보유국은 비핵국에 제조기술 및 핵물질을 이전한다는 것을 약속하고 있다.
③ 전략무기제한협정(SALT)은 방어용 전략무기 규제 협정과 공격용 전략무기 수량 제한에 관한 잠정 협정으로 구분된다. 방어용 규제 협정은 탄도탄요격미사일(ABM)망을 축소하는 것이며, 공격용 제한 협정은 대륙간 탄도미사일(ICBM)과 잠수함 발사 탄도미사일(SLBM) 수량을 제한하는 것이다.
④ 전략무기감축협정(START)은 소련연방 붕괴 후 발효되었으며, 양국 간 전략핵의 균형을 달성하는 것을 목적으로 하였다.

정답 및 해설

핵확산금지조약(NPT)은 1970년 발효하여 현재 187개 국가가 회원국이다. 동 조약에서 핵비보유국은 핵무기를 생산, 보유하지 않는다는 약속을 하는 대신 핵의 평화적 사용을 하는 데 필요한 기술을 얻기로 하고, 핵보유국은 비핵국에 제조기술 및 핵물질을 이전하지 않는다는 것을 약속하고 있다. 또한 조약 이행을 감시하는 국제원자력기구에 의한 사찰 제도를 포함하는 등 조약 이행을 보장하고 있다.

답 ②

027 다음 중 비핵지대 조약이 설정되지 않은 곳은?

□□□

① 동남아시아 ② 아프리카 ③ 남미 ④ 북유럽

정답 및 해설

선지분석

① 방콕 조약으로 설립하였다.
② 펠린다바(Pelindaba)조약 체결로 설립하였다.
③ 트라테로코(Tlateloco)조약으로 성립하였다.

답 ④

028 핵무기금지협약에 대한 설명으로 옳지 않은 것을 모두 고른 것은?

□□□

ㄱ. 핵무기를 전면 금지하는 유엔의 핵무기금지협약(TPNW: Treaty on the Prohibition of Nuclear Weapons)은 현재 미발효중이다.
ㄴ. 핵무기금지협약은 모든 핵무기의 개발 · 실험 · 생산 · 보유 · 사용뿐 아니라, 핵보유국의 다른 나라들에 대한 핵우산 제공도 금지한 최초의 국제조약이다.
ㄷ. 핵무기금지협약은 핵보유 예외를 인정한 기존 핵확산금지조약(NTP)과는 달리 핵무기 자체를 비인도적인 불법으로 간주하는 조약으로 유엔 회원국의 60%인 122개국 찬성으로 2017년 7월 채택됐다.
ㄹ. 핵무기금지협약 자체는 검증 레짐(verification regime)을 포함하고 있는 점이 NPT와 구별되는 점이다.

① ㄱ, ㄴ
② ㄴ, ㄷ
③ ㄱ, ㄹ
④ ㄴ, ㄹ

정답 및 해설

ㄱ. 유엔의 핵무기금지협약은 2021년 1월 22일 발효되었다.
ㄹ. 검증 레짐(verification regime)을 포함하고 있지 않으며 조약 당사국들은 IAEA와 별도의 안전조치 협정을 체결해야 한다.

답 ③

029 1992년 "한반도의 비핵화에 관한 공동선언"에 남북한이 합의한 내용으로 옳지 않은 것은?

□□□

① 핵무기의 시험, 제조, 생산, 접수, 보유, 저장, 사용 등을 하지 않는다.
② 남과 북은 핵에너지를 오직 평화적 목적에만 이용한다.
③ 비핵화 검증을 위하여 상대측이 선정하는 대상에 대해 강제사찰을 실시한다.
④ 핵재처리시설과 우라늄 농축시설을 보유하지 않기로 한다.

정답 및 해설

비핵화공동선언의 주요 내용은 첫째, 핵무기의 시험 · 제조 · 생산 · 접수 · 보유 · 저장 · 배비(配備)의 금지, 둘째, 핵에너지의 평화적 이용, 셋째, 핵재처리시설 및 우라늄농축시설 보유 금지, 넷째, 비핵화를 검증하기 위해 상대측이 선정하고 쌍방이 합의하는 대상에 대한 상호사찰, 다섯째, 공동선언 발효 후 1개월 이내에 남북핵통제공동위 구성 등이다.

답 ③

030 다음은 핵군축 노력의 일환으로 전개된 각종 조약들이다. 전개된 순서대로 바르게 나열한 것은?

□□□

ㄱ. 핵확산금지조약(NPT)	ㄴ. 부분적 핵실험금지조약(PTBT)
ㄷ. 전략무기감축협정(START)	ㄹ. 전략무기제한협정(SALT)

① ㄱ - ㄴ - ㄷ - ㄹ
② ㄱ - ㄹ - ㄴ - ㄷ
③ ㄴ - ㄱ - ㄹ - ㄷ
④ ㄴ - ㄹ - ㄱ - ㄷ

정답 및 해설

ㄴ. 부분적 핵실험금지조약(PTBT, 1963) - ㄱ. 핵확산금지조약(NPT, 1968) - ㄹ. 전략무기제한협정(SALT, 1972) - ㄷ. 전략무기감축협정(START, 1991) 순서로 전개되었다.

답 ③

031 미국의 2010 핵태세검토보고서(2010 NPR)의 내용으로 옳지 않은 것은?

□□□

① 소극적 안전보장(NSA)을 공식 폐기했다.
② 핵 확산 및 핵 테러리즘 차단을 강조했다.
③ NPT 위반국은 유사시 핵공격의 대상이 될 것이라는 점을 분명히 했다.
④ 동맹국에 대한 확장억지력 제공을 재확인했다.

정답 및 해설

핵비확산 의무 준수 국가에 대한 핵무기 불사용을 선언한 소극적 안전보장(negative security assurance: NSA)을 공식화했다.

선지분석

②, ③, ④ 이 외에도 핵무기 역할 감소, 러시아 · 중국 등 핵강대국과의 안정적 관계를 설정함으로써 전략적 억지 및 안정 유지 및 오판에 의한 핵전쟁 방지책 제시 등이 있다.

답 ①

032 미 · 러 간 군축에 대한 여러 합의 중 다음 설명에 해당하는 것은?

□□□

> • 미 · 소 양국이 1987년 12월 체결, 1988년 6월 발효한 조약으로 사정거리 500~5,500km의 모든 지상발사 미사일과 순항 미사일을 제거하기로 합의한 조약
> • 동 조약은 유효기간이 없으나, 2007년 푸틴 대통령은 동 조약이 러시아의 이익에 부합되지 않는다고 선언하고 만약 미국이 중동부 유럽 내 MD체제를 구축할 경우 탈퇴할 수도 있다는 의사를 밝힘

① START Ⅱ
② INF
③ MTCR
④ SORT

정답 및 해설

INF는 '중 · 장거리 및 단거리 핵무기 제거조약'이다.

선지분석

① START Ⅱ는 중형 · 다탄두 ICBM을 제거한 후 양국의 전략핵무기 보유량을 3,000~3,500기로 제한하는 것으로 1993년 1월 체결되었다.
③ MTCR은 사정거리 300km 이상, 탄두중량 500kg 이상의 미사일 완제품과 그 부품 및 기술 등에 대한 외국 수출을 통제하는 것으로 '미사일기술통제체제'이다.
④ SORT는 2002년 5월 양국이 보유한 전략핵탄두를 2012년까지 1,700~2,200기로 각각 감축할 것에 합의한 것이다.

답 ②

033 주요 군비통제협정과 그 내용이 일치하지 않는 것은?

2022년 외무영사직

① 탄도탄요격미사일통제조약(ABM): 미국과 소련의 탄도탄요격미사일 숫자 제한
② 전략무기제한협정 I (SALT I): 미국과 소련이 전략무기를 제한하고 1972년 수준으로 ICBM 동결
③ 전략무기감축협정 I (START I): 미국과 소련이 유럽에서 모든 중거리 핵무기 폐기
④ 포괄적핵실험금지조약(CTBT): 지하 핵실험을 포함한 모든 형태의 핵실험 금지

정답 및 해설

중거리 핵무기 폐기는 1987년 INF협정에 의해 합의되었다. START Ⅰ은 ICBM 등의 전략무기 감축에 관한 협정으로서 1991년 타결되었다. 현재는 New-START로 계승되고 있다.

선지분석

④ 1996년 체결된 협정이나 현재 미발효중이다.

답 ③

034 주요 핵무기 군비통제협정을 체결된 순서대로 바르게 나열한 것은? 2014년 외무영사직

□□□

ㄱ. 핵확산금지조약(NPT)	ㄴ. 포괄적 핵실험금지조약(CTBT)
ㄷ. 전략무기제한협정(SALT I)	ㄹ. 전략무기감축협정(START I)

① ㄱ-ㄴ-ㄷ-ㄹ
② ㄱ-ㄷ-ㄹ-ㄴ
③ ㄴ-ㄱ-ㄹ-ㄷ
④ ㄷ-ㄹ-ㄱ-ㄴ

정답 및 해설

ㄱ. 핵확산금지조약(NPT, 1968) - ㄷ. 전략무기제한협정(SALT I, 1972) - ㄹ. 전략감축제한협정(START I, 1991) - ㄴ. 포괄적 핵실험금지조약(CTBT, 1995) 순으로 체결되었다.

답 ②

035 탈냉전기 이후의 성공적 핵을 비롯한 대량살상무기(WMD) 폐기 또는 통제 사례에 대한 설명으로 옳지 않은 것만을 모두 고른 것은?

□□□

ㄱ. 1991년 우크라이나가 핵을 폐기하는 대가로 미국, 영국, 프랑스, 러시아가 공동으로 우크라이나의 안전을 보장하고 경제적 지원조치를 취했다.
ㄴ. 이라크 내부의 대량살상무기 확산 방지를 위하여 미국은 UN 상임이사국 및 독일 등 동맹국들과 함께 군사적·일방적 방식으로 대응하였다.
ㄷ. 리비아는 미국의 'Nunn-Lugar Program'의 입법으로 리비아의 핵 포기에 대한 지원을 법적으로 보장받은 뒤 핵개발을 중단했다.
ㄹ. 2013년 11월 P5+1과 이란은 제네바에서 공동행동계획(Joint Plan of Action)을 채택함으로써 이란 핵문제 해결을 위한 최종합의안을 도출했다.

① ㄱ, ㄹ
② ㄷ, ㄹ
③ ㄴ, ㄷ, ㄹ
④ ㄱ, ㄴ, ㄷ, ㄹ

정답 및 해설

탈냉전기 이후의 성공적 핵을 비롯한 대량살상무기(WMD) 폐기 또는 통제 사례에 대한 설명으로 옳지 않은 것은 ㄴ, ㄷ, ㄹ이다.

ㄴ. 프랑스, 러시아, 이탈리아 및 독일은 이라크공격을 반대하였으나 미국은 영국과 공조하여 이라크 공격을 단행하였다.
ㄷ. 우크라이나의 경우에 해당한다. Nunn-Lugar Program이란 1991년 미상원의 루거(Lugar) 의원이 주도한 법안을 근거로 만들어진 것으로, 소련 붕괴 당시 러시아, 우크라이나 등이 보유한 핵무기와 핵물질, 핵기술 등을 폐기할 때 필요한 자금과 장비, 인력 등을 미국이 지원할 것을 약속한 법안이다. 공식명칭은 '협력적 위협감축프로그램(CTR; Cooperative Threat Reduction)'이다.
ㄹ. 2013년 제네바합의는 잠정 협정이다. 최종합의는 2015년 7월 형성되었다.

관련 이론 제네바 합의문(2013)

1. 이란-IAEA 사찰단의 접근 상시 허용
2. 현재 보유한 농축우라늄을 희석하여 보유
3. 추가 농축시설 건설 금지 약속
4. P5+독일: 제한적(limited), 일시적(temporary), 가역적(reversible) 제재 경감 조치 약속

답 ③

036 다음 국제 군축 및 비확산체제 중 우리나라가 가입하지 않은 것은 모두 몇 개인가?

□□□

ㄱ. NPT
ㄴ. CTBT
ㄷ. 대인지뢰금지조약
ㄹ. 확산방지구상(PSI)

① 모두 가입함 ② 1개 ③ 2개 ④ 3개

정답 및 해설

우리나라는 ㄷ. 대인지뢰금지조약(오타와협약)을 제외하고 현재 모두 가입하고 있다.

답 ②

037 미국과 소련(러시아) 간 전개된 핵군축협상에 대한 설명으로 옳지 않은 것을 모두 고른 것은?

□□□

ㄱ. 전략무기감축협정은 전략무기제한협정과 달리 군비통제에 해당된다.
ㄴ. 제1차 전략무기감축협정(START I)에서 양국은 배치 중인 전략핵무기의 30%를 감축해 양국 간 전략핵의 균형을 달성하는 것을 목표로 하였다.
ㄷ. 소련 연방 붕괴 이후 연방구성국인 카자흐스탄과 벨라루스가 제1차 전략무기감축협정(START I)에 가입하였으나 우크라이나는 가입을 거부하였다.
ㄹ. 미국과 러시아는 START I 조약의 효력기간 종료가 임박하자 이를 대체하기 위해 2002년 5월 러시아와 전략공격무기감축조약(SORT)을 체결하였다.
ㅁ. 러시아는 미국이 미사일방어체제 구축을 가속화함에 따라 2016년 4월 SORT를 폐기하였다.

① ㄱ, ㄴ ② ㄷ, ㄹ, ㅁ
③ ㄱ, ㄷ, ㄹ, ㅁ ④ ㄴ, ㄷ, ㄹ, ㅁ

정답 및 해설

미국과 소련(러시아) 간 전개된 핵군축협상에 대한 설명으로 옳지 않은 것은 ㄱ, ㄷ, ㄹ, ㅁ이다.

ㄱ. 전략무기감축협정(START)과 전략무기제한협정은 모두 군비통제에 해당된다. 다만 전자가 군축이라면, 후자는 군비제한으로 구분할 수 있다.
ㄷ. 우크라이나도 가입하였다.
ㄹ. START I 효력기간은 2009년까지였다. START I은 New-START에 의해 대체되었다.
ㅁ. SORT는 2012년까지가 효력기간이었으며, 효력기간까지 유지된 이후 자동 종료되었다. 러시아가 이를 폐기한 것이 아니다.

답 ③

038 다음 설명과 관련 있는 것은?

□□□

> • 오바마 미국 대통령이 2009년 4월 프라하 연설에서 '핵무기 없는 세상' 비전을 제시
> • 테러집단 등 비국가행위자의 핵개발과 핵물질 획득을 저지

① 핵확산금지조약(NPT)
② 핵공급국그룹(NSG)
③ 핵안보정상회의(NSS)
④ 대량살상무기확산방지구상(PSI)

정답 및 해설

오바마 대통령은 2009년 4월 프라하 연설에서 '핵무기 없는 세상' 비전을 제시하면서 이 비전을 실현하기 위한 3대 축(핵군축, 핵비확산, 핵안보)의 하나로 '핵안보'를 제시하면서 이를 목표로 2010년 핵안보정상회의의 개최를 제안하였다. 핵안보는 '비국가행위자'의 핵개발과 핵물질 획득 저지를 위한 조치라는 점에서 '국가행위자'의 핵물질 전용과 핵개발을 저지하려는 '핵비확산 안전조치'와 구별된다.

답 ③

039 2012년 제2차 서울 핵안보정상회의에 관한 설명으로 옳지 않은 것은?

① 핵테러 및 방사능 테러 방지를 위한 포괄적이고 구체적인 실천 조치를 담은 '서울 코뮤니케'를 채택하였다.
② 2014년까지 개정 핵물질방호협약의 발효를 추진하기로 하였다.
③ 2014년 네덜란드에서 제3차 정상회의를 개최하기로 합의하였다.
④ 북한 핵문제에 대한 심도있는 토의를 거쳐 구체적인 대응방침을 서울 코뮤니케에 담았다.

정답 및 해설

북한핵의 문제는 '국가행위자'에 의한 핵확산의 문제이기 때문에 2010년과 2012년 모두 '핵안보'의 의제가 되지는 못했다. 다만 한국, 미국, 중국, 러시아 등 주요국 정상들 간의 연쇄적 양자 정상회담을 통해 북한의 핵 및 미사일 발사 계획에 대해 공동의 우려를 확인하고, 북한과 국제사회에 그 메시지를 전했다는 점에서 의의가 있다.

답 ④

040 핵안보정상회의에 관한 설명으로 옳지 않은 것은 모두 몇 개인가?

□□□

ㄱ. 핵안보는 광의로는 핵테러를 방지하기 위한 일련의 외교·경제·기술적 조치를 포함하며, 협의로는 핵물질을 보호하는 보안조치를 의미한다.
ㄴ. IAEA는 핵안보를 "핵물질·방사성물질·관련 시설 등에 대한 절취, 무단접근, 불법이전, 기타 악의적 행동 등을 예방·탐지·대응하는 일체의 조치"로 정의하였다.
ㄷ. '핵비확산'은 '국가 행위자'의 핵물질 전용과 핵개발을 저지하려는 조치를 말하고, '핵안보'는 개인·범죄집단·테러집단 등 '비국가행위자'의 무기용 핵물질 획득을 저지하기 위한 조치를 말한다.
ㄹ. '원자력 안전'이 후쿠시마 원전사고와 같이 자연재해나 기술적 장애로 발생한 사고를 방지하기 위한 조치를 의미하는 반면, '핵안보'는 '인위적인' 절취, 불법 거래 등을 저지하는 조치이다.
ㅁ. '방사능 안보'는 '방사성 물질'을 이용한 '방사능 테러' 방지를 위한 조치를 의미하는 것으로서 미국은 2010년 핵안보정상회의를 주도하면서 고농축우라늄(HEU)와 플루토늄을 이용한 '핵(폭탄)테러'방지를 위한 '핵안보'에만 집중하고 '방사능안보'는 논의대상에서 배제하였다.
ㅂ. 핵안보정상회의에는 국가, 국제기구, 전문가그룹, 산업계가 참여함으로써 글로벌 거버넌스의 성격을 띠고 있다. 제1차 핵안보정상회의에는 UN, IAEA, EU, INTERPOL 등 4개 국제기구 수장이 참여하였다.

① 없음 ② 1개 ③ 2개 ④ 3개

정답 및 해설

핵안보정상회의에 관한 설명으로 옳지 않은 것은 ㅂ으로 1개이다.
ㅂ. INTERPOL은 제2차 서울 핵안보정상회의에는 참여하였으나, 제1차 회의에는 참여하지 않았다. 핵안보, 원자력 안전, 방사능 안보, 비확산 등 관련 개념을 정리하는 것이 중요하다.

답 ②

041 핵안보정상회의에 관한 내용으로 옳지 않은 것만을 모두 고른 것은?

□□□

ㄱ. 북한, 이란 등 최근 핵확산 문제국가 역시 초청하여 전방위적 협의체를 구성하였다.
ㄴ. 2009년 4월 프라하 연설에서 오바마 대통령은 '핵무기 없는 세상'비전을 제시하고, 이를 위한 구체적 이행기구로서 '핵안보정상회의' 개최를 제안하였다.
ㄷ. 2012년 서울 핵안보정상회의는 국제안보의 단일 이슈를 다룬 최대 규모 정상회의로 기록되었으며, 참가국들이 세계 인구의 80%, 세계 경제의 90%를 차지하여 사실상 전 세계를 대표하는 의미를 가졌다.
ㄹ. IAEA에 따르면 '핵안보'란 '핵물질, 방사성물질, 관련 시설 등에 대한 절취, 무단접근, 불법이전, 자연재해나 기술적 장애로 발생한 사고 및 기타 악의적 행동 등을 예방, 탐지, 대응하는 일체의 조치'라고 정의하였다.

① ㄱ, ㄷ ② ㄱ, ㄹ
③ ㄴ, ㄷ ④ ㄴ, ㄹ

정답 및 해설

핵안보정상회의에 관한 내용으로 옳지 않은 것은 ㄱ, ㄹ이다.
ㄱ. 북한 이란 등 최근 핵 확산 문제국가는 초청대상에서 제외되었으며, 이는 핵안보정상회의가 핵테러 방지를 위한 목표에 동의하는 국제규범의 충실한 이행국을 대상으로 공감대를 유지하기 위해 형성된 협의체이기 때문이다.
ㄹ. 후쿠시마 원전사고와 같은 자연재해나 기술적 장애로 발생한 사고를 방지하기 위한 조치는 핵안보의 범위가 아닌 원자력 안전조치로 분류된다.

답 ②

042 2010년 열린 워싱턴 핵안보정상회의(Nuclear Security Summit)와 관련하여 옳지 않은 것은?

① 이스라엘, 인도, 파키스탄도 참여하였다.
② 최초로 개최된 핵안보관련 정상회담으로 민간부문은 참여하지 않았다.
③ 워싱턴 핵안보정상회의 이후 후속 핵안보정상회의는 서울에서 개최되었다.
④ 워싱턴 핵안보정상회의의 목적은 비국가행위자들에 의한 핵테러 위협의 심각성에 대한 국제사회의 공감대를 구축한다는 데 있었다.

정답 및 해설

민간부문의 참여도 나타났다. 미 정부의 지지하에 4월 12일에 'NGO 핵안보정상회의(NGO Nuclear Security Summit)', 14일에 '핵안보회의 2010(Nuclear Security Conference 2010)'이 각각 개최되었다.

선지분석

① 핵안보 정상회의에 이스라엘, 인도, 파키스탄 등 소위 '사실상(de facto) 핵국'이 참석하였는데 이 3개국은 NPT 체제 밖의 핵보유국으로서 종래 일체의 국제 비확산 레짐과 원자력협력에서 참여가 배제되었으나, 핵안보의 실질적인 성과를 위해 특별히 초청되었다.
③ 2012년 4월에 서울에서 개최되었다.

답 ②

043 다음에 해당하는 것은?

> '핵물질(핵무기용 핵물질, 방사성물질 포함)의 절도, 사보타지, 불법적 접근·이전·활용 등 불법적 행동에 대한 방지, 탐지, 대응행위' 등을 말하여, 특히 국제정치적으로는 '비국가행위자가 핵분열물질을 획득하는 것을 저지하는 조치'를 말한다.

① 핵군축 ② 핵비확산 ③ 핵안보 ④ 핵안전

정답 및 해설

선지분석

① 핵군축은 핵무기를 줄이는 것을 의미한다.
② 핵비확산이란 말그대로 핵무기의 수평적 확산을 방지하기 위한 노력이다. 대표적으로 핵확산금지조약(NPT)이 있다.
④ 핵안전은 고의적이지 않은 핵사고에 대한 예방조치를 말한다. IAEA의 전통적인 핵심 기능의 하나로, 나머지 하나는 '핵안전조치'로 국가의 핵물질 전용을 탐지하여 저지하는 활동이다.

답 ③

044 □□□ 핵안보(Nuclear Security)에 대한 설명으로 옳지 않은 것은?

① 핵테러억제협약: 환경파괴를 목적으로 한 핵물질이나 장치의 제조, 보유 등의 행위를 범죄로 규정하고 강제적 보편관할권이 적용된다. 우리나라는 2014년 비준하였다.
② 개정 핵물질 방호협약: 2005년에 채택되었으며, 핵물질이나 원자력시설의 물리적 방호를 위해 상호 협력하고 위험 발생시 사전 통고를 의무화하였다.
③ 세계핵테러구상(GICNT): 회원국들은 각국 관할권 내에서 핵물질 및 시설의 보호와 안전을 위해 핵물질 절취 및 유출 방지 등을 위한 법적 의무를 부담한다.
④ G-8글로벌파트너십: 9·11 테러 이후 핵테러 대응이 강조됨에 따라 구소련 지역의 WMD관리를 위해 서방국가들이 각자 운영하고 있는 다양한 프로그램을 조정하고 기금을 마련하기 위해 2002년 6월 G8정상회의에서 창설되었다.

정답 및 해설

법적 의무나 재정적 의무를 부담하지 않는다.

답 ③

045 □□□ 핵무기금지조약(Treaty on the Prohibition of Nuclear Weapons, TPNW)에 대한 설명으로 옳지 않은 것은?

① UN안전보장이사회 상임이사국을 비롯, 한국과 일본 등 미국 우방이 대거 참여하지 않았다.
② INGO인 국제사면위원회(Amnesty International)는 본 조약 체결을 위해 노력한 공로로 2017년 노벨 평화상을 수상했다.
③ 2017년 7월 7일 제72회 UN총회에서 122개 회원국의 찬성하에 채택되었다.
④ 협약에 대한 유보가 전면 금지되며, 효력기간은 무기한이다.

정답 및 해설

핵무기폐지국제운동(ICAN)에 대한 설명이다.

답 ②

001 □□□ **다음에 설명하는 단체로 옳은 것은?** 2009년 외무영사직

- 1982년 이스라엘의 레바논 침공에 반발하여 창설되었다.
- 레바논에 근거지를 둔 과격 시아파 단체로서 교전단체이자 정당단체이다.
- 2006년 이스라엘이 레바논을 침공하는 원인이 되기도 하였다.

① 하마스 ② 헤즈볼라
③ 알 카에다 ④ 무장 이슬람단

정답 및 해설

2006년 이스라엘-레바논 전쟁은 헤즈볼라가 이스라엘 병사 2명을 납치한 것에 대한 보복으로 이스라엘 육군이 탱크를 이용하여 레바논의 도시를 공격한 사건이다.

답 ②

002 **테러리즘에 대한 설명으로 옳지 않은 것은?** 2022년 외무영사직

① 일반적으로 테러리즘은 정치적 · 이념적 폭력행위로 규정된다.
② 테러리즘의 폭력적 전술은 인질 납치, 비행기 납치, 폭파, 무차별 공격 등을 포함한다.
③ 테러조직 보코하람(Boko Haram)의 납치사건은 중국의 아프리카 진출에 대한 반감과 분노 때문이다.
④ 테러리즘의 주요 목적은 궁극적으로 정부의 정책에 영향을 미치는 것이다.

정답 및 해설

보코하람 납치사건과 중국의 아프리카 진출은 관련이 없다. 보코하람(Boko Haram)은 서아프리카와 북아프리카지역에서 이슬람 극단주의인 이슬람 지하디스트를 표방하며 폭력적 테러활동을 벌이고 있는 테러 집단이다. 일반적으로 '서구식 교육 또는 비이슬람적 교육은 죄악'이라는 의미로 해석되는 '보코하람'이라는 명칭으로 더 잘 알려져있지만, 이 집단의 정식명칭은 'Jama'atu Ahiss Sunna Lid da'awati Wal-Jihad (JASLWJ)'로, 그 의미는 '선지자와 지하드의 가르침을 전파하는 집단'이다. 보코하람은 2002년부터 나이지리아 보르노(Borno)주의 주도인 마이두구리(Maiduguri)를 지역적 기반으로 급진적 이슬람 극단주의학자인 셰이크 무함마드 유수프(Sheik Muhammad Yusuf)에 의해서 조직되었다. 이 집단은 초기에 마르카즈(Markaz) 모스크에서 나이지리아의 젊은 청년들을 대상으로 서구의 교육 · 문화 · 민주주의 · 의학 · 과학 그리고 신앙 등은 모두 이슬람 코란(Qur'an)의 가르침을 위협하는 악한 것(evil)이며 죄악(sin)이라는 내용의 설교를 진행하며, 서구에 반하는 운동을 확산하고자 하는 급진적 이슬람 분파의 운동으로 시작되었다. 특히 유수프와 그의 추종자들은 세속화된 나이지리아 정부를 극단적 지하디즘과 샤리아(Sharia)에 의해 통치되던 과거로 회귀시킬 수 있는 정부로 대체해야 한다고 주장하면서 정부와 갈등을 빚고 있다.

답 ③

003 ☐☐☐ **9·11 테러 이후 부각된 알 카에다와 같은 테러조직의 특징으로 옳지 않은 것은?**

① '점조직'의 특성을 가지고 있어, 알 카에다는 각지의 소규모 무장조직들에 자금과 테러 기법을 전해줄 뿐이며 테러를 직접 수행하는 것은 현지의 젊은이들이기 때문에 근절이 어렵다는 특징을 가지고 있다.

② 종교적 근본주의(fundamentalism)에 이념을 두고 있는 경우가 많으며, 때문에 자신을 희생할 뿐 아니라 테러로 인해 다수의 민간인이 사망하여도 그에 대한 죄책감을 가지지 않는다.

③ 전 지구적인 남북문제로 인한 빈곤이나 기아가 비합리적인 테러리즘을 부추기는 측면도 상당하다고 할 수 있다.

④ 9·11 테러 이후 '뉴테러리즘'은 서방 혹은 미국에 대한 적개심을 이유로 테러를 감행하며, 여론의 지지를 얻기 위해 살상을 최소화하고자 한다.

정답 및 해설

'뉴테러리즘'의 특징은 과거 정치적 테러와 달리 대규모 살상을 목적으로 한다는 점이다. 이런 점을 고려하여 뉴테러리즘을 '메가테러리즘'이라고도 한다.

선지분석

③ 남북문제란 지구의 북반구가 대부분의 부를 가지고 있는 반면, 남반구의 국가들은 빈곤에 빠져 있는 현상을 일컫는데, 실제로 테러의 주체는 북반구 국가 출신인 경우가 드물다는 것이 이를 반증한다.

답 ④

004 ☐☐☐ **테러리즘의 유형은 그 목적에 따라 각기 상이한 형태를 띠고 있다. 테러리즘의 유형과 관련 조직 또는 사건의 연결로 옳은 것은?**

① 종교적 극단주의: 하마스(Hamas), 이슬람 지하드(Islamic Jihad)

② 영토 회복 목적 테러리즘: 아일랜드 공화군(IRA)

③ 분리주의: 알 카에다, 헤즈볼라

④ 전통적 좌파 게릴라 조직: 민족해방군(ELN), 콜롬비아 혁명군(FARC)

정답 및 해설

전통적 좌파 게릴라 조직에는 민족해방군(ELN), 콜롬비아 혁명군(FARC) 등이 있다.

선지분석

① 종교적 극단주의: 알 카에다, 헤즈볼라

② 영토 회복 목적 테러리즘: 하마스(Hamas), 이슬람 지하드(Islamic Jihad)

③ 분리주의: 아일랜드 공화군(IRA)

답 ④

005 대테러리즘을 위한 조치는 개별국가 차원, 국가 간 협력 차원, 글로벌 거버넌스를 통한 차원으로 전개되고 있다. 이에 대한 설명으로 옳지 않은 것은?

□□□

① 미국은 기존의 대테러법을 대폭 강화한 '애국법(USA Patriot Act)'을 발효하는 등 개별국가 차원의 대테러리즘 노력을 기울이고 있다.
② 영국은 2001년 대테러법(Terrorism Act)을 제정하여 테러개념을 좁은 범위로 명확히 한정하였다.
③ 미국 주도의 PSI 체제에 강대국들이 대거 참여하는 등 테러리즘에 대응하기 위한 강대국 간 협력이 형성되었다.
④ 정보기술의 발달로 네트워크화된 테러조직의 실체를 밝혀내기 위해 국제기구, NGO, INGO 등으로 구성된 글로벌 거버넌스의 구축이 요구된다.

정답 및 해설

영국 대테러법은 과격 민간단체의 폭력행위와 사이버 공간에서의 파괴적 행위 역시 테러로 규정하는 등 테러개념을 포괄적으로 확대하였다.

답 ②

006 세계화 시대의 테러리즘 활성화 요인으로 옳지 않은 것은?

□□□

① 세계화로 인한 글로벌 거버넌스의 확대
② 세계화로 인한 빈부격차의 확대, 부에 대한 기대감 고조
③ 서구문명화로 인한 소수문화의 보편문명에 대한 대항
④ 종교적 믿음에 기인

정답 및 해설

뉴테러리즘은 정보기술 발달로 그물망 형태를 띠고 있어 추적이 용이하지 않다. 따라서 글로벌 거버넌스의 확대, 구축은 테러리즘 활성화 요인이라기보다는 테러리즘에 대항하기 위한 조치로 보는 것이 옳다.

답 ①

007 테러리즘의 전개과정에 대한 서술이다. 전개 순서대로 바르게 나열한 것은?

□□□

ㄱ. 세계적 경제성장이 이어지면서 테러리즘 발생건수도 증가하였고 규모도 대형화되기 시작하였다. 대표적 사건으로는 베이루트 주재 미국대사관 공격이 있다.
ㄴ. 공산진영이 붕괴하면서 극좌조직의 기반이 상실되고 자금유입이 동결되었다. 테러리즘 발생건수는 줄어들었으나 규모는 대형화되었으며 무차별적 양상을 띠었다. 대표적으로 도쿄의 옴진리교 사린가스 공격사건을 들 수 있다.
ㄷ. 팔레스타인 해방기구가 등장하였으며 이들은 한 해 동안 무려 35건의 항공기 납치를 단행하는 등 한정된 대상이 아닌 민간인들에 대한 테러를 자행하였다.
ㄹ. 테러리즘 발생건수가 폭발적으로 증가하였으며 테러리즘이 국제화, 대형화되었다. 요구조건, 공격주체가 불명확하며 그물망 조직으로 인해 무력화가 어렵다. 또한 언론매체의 발달로 인해 공포의 확산이 용이해졌다는 특징이 있다.

① ㄱ - ㄴ - ㄷ - ㄹ
② ㄴ - ㄷ - ㄹ - ㄱ
③ ㄷ - ㄱ - ㄴ - ㄹ
④ ㄷ - ㄴ - ㄱ - ㄹ

정답 및 해설

ㄷ. 1960년대 → ㄱ. 1970년대 → ㄴ. 1990년대 → ㄹ. 2000년대 순서로 전개되었다.

답 ③

008 테러리즘에 대한 설명으로 옳지 않은 것만을 모두 고른 것은?

□□□

ㄱ. 테러리즘이란 적을 강제하되 우리의 의지를 관철시키기 위해 이용되는 '물리적' 폭력행위이다.
ㄴ. 국가가 국가주체를 대상으로 하는 전술테러는 평상시 혹은 정전, 휴전 시에 정치적 목적을 달성하기 위해 전쟁의 대체수단 또는 강압 외교의 일종으로 이용되는 국가전략의 한 종류이다.
ㄷ. 테러리즘에 대응하기 위한 국가 간 협력은 국가들의 동의 및 의사를 바탕으로 하고 있으므로 협력의 지속성을 보장할 수 있다.
ㄹ. 영토 회복을 목적으로 한 테러리즘 단체로는 알 카에다, 헤즈볼라, 하마스 등이 포함되어 있다.

① ㄱ, ㄴ
② ㄴ, ㄷ
③ ㄱ, ㄷ, ㄹ
④ ㄱ, ㄴ, ㄷ, ㄹ

정답 및 해설

테러리즘에 대한 설명으로 모두 옳지 않다.

ㄱ. 테러리즘의 정의는 적을 강제하되 우리의 의지를 관철시키기 위해 이용되는 '심리적' 폭력행위이다. 테러의 본질은 문자 그대로 공포라는 심리적 폭력이고, 물리적 폭력은 공포라는 심리적 폭력을 만들어 내는 수단에 지나지 않는다.
ㄴ. 보기의 내용은 전략테러에 대한 설명이다. 국가가 국가주체를 대상으로 하는 테러에는 전시의 전술테러와 평상시의 전략테러가 있다. 전술테러는 정규전과 비정규전을 막론하고 전선이나 적 후방지역에서 적을 교란시켜 군사목적을 수행하기 위해 이용되는 전술의 한 종류이다.
ㄷ. 국가 간 협력을 통한 대테러리즘의 경우, 국가들의 동의 및 의사에 바탕을 두고 있으므로 오히려 협력의 지속성을 보장하기 어렵다. 미국이 주도하고 있는 PSI체제와 같은 경우, 중국봉쇄라는 이면적 목적을 지니고 있으므로 중국의 협력이 지속될지에 대해서는 회의적인 시각이 많다.
ㄹ. 알 카에다, 헤즈볼라는 종교적 극단주의 유형에 속하고, 하마스는 영토회복을 목적으로 한 테러리즘이다. 하마스의 경우 팔레스타인 국가 건설을 위해 조직된 테러단체이다.

답 ④

009 이슬람국가(IS)에 대한 설명으로 옳지 않은 것은 모두 몇 개인가?

> ㄱ. 2011년 미국이 이라크에서 철수함에 따라 '이라크 이슬람 국가'로 명명하고 반정부 투쟁을 전개하였다.
> ㄴ. IS는 이라크의 수니파 거점지역을 중심으로 본격적인 활동을 하다 시리아 내전이 발발하자 아사드 정부에 대항하여 투쟁하였다.
> ㄷ. IS와 알 카에다는 극단적 탁피리즘을 신봉하여 극도의 잔인성과 공포를 통치수단으로 한다는 점에서 유사하다.
> ㄹ. IS는 수니파 이슬람 국가들과 적극적인 연대를 형성하는 한편, 전 세계에 흩어져 있는 잠재적 지하디스트들을 통해 국제사회에 공포감을 조성하는 전략을 추구하였다.
> ㅁ. IS에 대해 미국 오바마 행정부는 최소개입주의와 다자접근을 전략 기조로 설정하였다.

① 1개 ② 2개 ③ 3개 ④ 4개

정답 및 해설

이슬람국가(IS)에 대한 설명으로 옳지 않은 것은 ㄷ, ㄹ으로 2개이다.
ㄷ. 극단적 탁피리즘은 IS의 특징이다.
ㄹ. IS는 특정 국가와의 연대나 협력을 추진하지 않는다.

답 ②

제5절 | 군비통제 및 군축

001 주요 군비통제와 군축합의 내용이 바르게 연결되지 않은 것은? 2013년 외무영사직

① 제네바 의정서(1925) - 생물무기의 생산·사용 금지
② ABM조약(1972) - 탄도탄 요격미사일 제한
③ SALT Ⅱ(1979) - 전략핵무기 제한
④ START Ⅰ(1990) - 전략핵무기 감축

정답 및 해설

제네바 의정서는 화학무기 사용을 금지하는 조약이다.

답 ①

002 군비통제(arms control)에 대한 설명으로 옳은 것은?

① 군비제한은 군비의 수가 더 늘어나지 않게 관리하는 것과 동시에 궁극적으로 무기의 수를 크게 감소시키는 것을 목적으로 한다.
② 군비통제란 군비경쟁의 상대적인 개념으로서 군비경쟁을 안정화 또는 제도화시킴으로써 군비경쟁에서 일어날 수 있는 위험 및 부담을 감소 및 제거하거나 최소화하려는 모든 노력을 말한다.
③ 1922년에 잠수함 및 독가스의 사용제한과 주력함의 건조 중지에 관한 조약을 체결한 미국·영국·프랑스·이탈리아·일본 등 5개국의 워싱턴 회의는 대표적인 군비제한회의로 꼽힌다.
④ 미국의 레이건 행정부는 소련에 전략무기의 양적 동결을 원칙으로 한 SALT 방식을 거부하고 START라는 이름의 군비제한협상을 제시하였는데 대륙간탄도미사일(ICBM)과 잠수함발사미사일(SLBM)의 탄두수를 각각 5,000개로 할 것을 제안하였다.

정답 및 해설

군비통제는 국가 간 합의에 의해 특정 군사력의 건설, 배치, 이전, 운용에 대해 확인, 제한, 금지 등의 조치를 취하는 것이다.

선지분석

①, ③, ④ 모두 군비제한이 아니라 군비축소에 관한 내용이다.

답 ②

003 쌍무적 군비통제와 다자적 군비통제의 비교로 옳지 않은 것은?

□□□

	쌍무적 군비통제	다자적 군비통제
①	상호균형군사력 감축협상	SALT Ⅰ, Ⅱ / START Ⅰ, Ⅱ
②	탄도탄요격미사일(ABM)조약	핵확산금지조약(NPT)
③	새로운 체제변화를 요구	지역적·국제적 군비통제조약 등
④	실험금지 제한	전면적 무기실험 금지조약

정답 및 해설

SALT와 START는 모두 미국-구소련 간에 체결된 군비통제협약으로서, 쌍무적 군비통제에 속한다. 쌍무적 군비통제와 다자적 군비통제는 참가국 수에 따른 분류로서, 양쪽 모두가 ㉠ 상호의존성 증대, ㉡ 자국 안보에 대한 자신감, ㉢ 군비통제 필요성 절감, ㉣ 모두에게 절대적 이익이 돌아갈 것 등의 조건이 필요하다.

선지분석

② 채택의 결정 / 합의를 비교한 내용이다.
③ 유형성 또는 기지 배치 상의 변화를 비교한 내용이다.
④ 실험의 제한 범위를 비교한 내용이다.

답 ①

004 국제 군비통제에 관한 것 중 한국 정부가 가입하고 있지 않은 것은?

① 생물무기금지협약(BWC)
② 핵확산금지조약(NPT)
③ 대인지뢰금지조약(Ottawa협약)
④ 재래식 무기 및 이중용도 물자 및 기술통제에 관한 바세나르 체제(Wassenaar Arrangement)

정답 및 해설

대인지뢰금지조약은 2009년 5월 기준으로 133개국이 서명하였으며, 156개국이 비준하였다. 그러나 한국, 북한, 미국, 러시아, 중국, 인도, 이란, 이스라엘 등 37개국은 아직까지 이 협약에 서명, 비준하지 않고 있다.

답 ③

005 다음 중 중거리 핵전력협정(INF)에 대한 설명으로 옳은 것은?

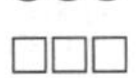

① INF협정은 냉전 중이던 1987년 당시 조지 부시 미국 대통령과 미하일 고르바초프 소련 공산당 서기장이 맺은 협정이다.
② 협정은 미국과 옛 소련이 보유하는 사정거리 500~5,500㎞의 지상발사형 탄도와 순항 미사일의 생산과 실험, 배치를 전면 금지하고 전량 폐기한다는 내용이다.
③ 2,619개의 미사일을 5년에 걸쳐 단계적으로 모두 폐기하기로 하였다.
④ 최근 미국은 INF협정 폐기를 선언하였으며, 12개월 후에 탈퇴 효력이 발생한다.

정답 및 해설

선지분석

① 당시 미국 대통령은 레이건이다.
③ 3년에 걸쳐 모두 폐기하기로 하였다.
④ 6개월 후에 효력이 발생한다.

답 ②

006 역사적 군축 사례에 대한 설명으로 옳지 않은 것은?

□□□

① 헤이그 평화회의는 근대에 들어 군축을 목표로 한 최초의 국제회의라는 평을 듣고 있으며, 동 회의에서는 보편적 평화증진과 과도한 무기의 감축문제를 논의하였으나 군축에 열의가 없는 정치인들의 비협조로 실질적인 군축은 이뤄지지 않았다.

② 제1차 세계대전 종전 후 1919년 베르사유조약에서는 패전국인 독일의 군사력을 현저히 감축시키려는 노력을 하였으나, 부족한 군축 요구에 대한 주변국들의 우려로 실질적인 군축이 이뤄지지 않아 제2차 세계대전의 불씨를 남겼다.

③ 1932년 제네바 군축회의는 약 60여 개국이 참여하였으며 동 회의에서는 전쟁 포기, 군비축소, 군사비 삭감 등의 다양한 합의도출이 임박하였으나 독일의 갑작스러운 탈퇴로 결국 중단되고 말았다.

④ 미국과 소련은 상호 핵공격으로 인한 공멸을 방지하고 전략적 공격능력의 균형과 견제를 이루기 위한 일련의 조약을 체결하였는데, 그 결과 탄도탄요격미사일제한조약(ABM), 전략무기제한조약(SALT)과 중거리핵미사일폐기조약(INF) 등이 이뤄질 수 있었다.

정답 및 해설

프랑스는 독일에 대한 과도하고 가혹한 군축을 주장하였고 이를 실행에 옮김으로써 큰 규모의 군축이 이루어졌으나 동 조약은 과도한 군축과 전쟁 배상의무를 독일에게 지움으로써 결국 이행불능에 빠졌고, 이에 대해 보복을 다짐한 독일이 결국 제2차 세계대전을 일으키게 되었다. 즉, 제2차 세계대전의 발발은 부족한 군축이 아니라 과도한 군축 요구가 부른 화였다고 할 수 있다.

선지분석

④ 제2차 세계대전 이전과 이후의 군축조약들은 그 양과 질에서 전혀 다르다. 미국과 소련 사이의 핵미사일 감축협상 및 조약에서 보는 것처럼 실질적 감축은 냉전기에 집중적으로 이뤄졌다는 것을 알 수 있다.

답 ②

007 핵 군축 노력의 전개양상으로 옳지 않은 것은?

□□□

① 1954년 미국이 태평양의 비키니 섬에서 핵폭탄을 폭발시키는 공중실험을 한 후, 1958년 미국, 소련, 영국 등 3국이 참여하는 핵실험금지회의가 시작되었으며 결국 1963년 부분적핵실험조약(PTBT)이 발효하였다.

② 핵확산금지조약은 1970년 발효하였으며 이는 핵비보유국은 핵무기를 생산·보유하지 않는다는 약속을 하는 대신 핵의 평화적 사용을 위해 필요한 기술을 얻기로 하고, 핵무기 보유국은 비핵국에 제조기술 및 핵물질의 이전을 하지 않는다는 것을 약속하고 있다.

③ 전략무기제한협정(SALT)은 방어용 전략무기 규제협정과 공격용 전략무기의 수량제한에 관한 잠정협정으로 구분된다. 1972년부터 시작된 제2차 회담은 전략공격무기제한에 관한 협정으로, SALT Ⅱ라고 불린다.

④ 전략무기감축협정(START)은 '균형을 위한 제한'을 목적으로 하며, 미국과 소련은 협의결과 ABM 발사 기지를 각각 1개소로 축소하고 무기의 수량을 각각 미국 ICBM 1054기, SLBM 710기, 소련은 ICBM 1618기, SLBM 950기까지 제한하게 되었다.

정답 및 해설

'균형을 위한 제한'을 목적으로 하며, 미·소 간 협의 결과 ABM 발사 기지를 각각 1개소로 축소하고, 무기의 수량을 각각 미국 ICBM 1054기, SLBM 710기, 소련은 ICBM 1618기, SLBM 950기까지 제한하게 된 것은 START가 아니라 SALT, 즉 전략무기제한협정이다.

선지분석

① PTBT의 후신인 CTBT는 여전히 발효하지 못하고 있다.
③ START와 SALT의 차이점은 '감축'에 초점을 맞췄는지 혹은 '제한'에 초점을 맞췄는지의 여부이다.

답 ④

008 주요 군비통제 및 군축협정에 대한 간략한 설명이다. 옳지 않은 것은?

① ABM 협정 - 탄도요격미사일 제한
② SALT 협정 - 전략무기(장거리무기) 제한
③ 제네바의정서 - 핵실험 금지
④ START 협정 - 전략무기(장거리무기) 감축

정답 및 해설

제네바의정서(1925)는 화학무기 사용금지를 합의했고, 핵실험 금지 관련 조약은 부분핵실험금지조약(PTBT)과 핵확산금지조약(NPT)이다.

답 ③

009 1945년 이후 주요 군비통제협정과 합의 목적이 일치하지 않는 것은? 2014년 외무영사직

① 1972년 ABM협정: 파편폭탄, 인화성 무기, 부비트랩, 지뢰 등의 무기 사용 금지
② 1987년 INF협정: 지상·해상 배치 전략 핵미사일 탄두 수 제한
③ 1990년 START Ⅰ협정: 전략무기(장거리 무기) 감축
④ 1995년 방콕협정: 동남아시아 비핵지대 수립

정답 및 해설

ABM협정은 탄도탄요격미사일을 통제하는 협정으로서 1972년 SALT Ⅰ과 함께 체결되었다.

답 ①

010 □□□ **군비통제를 위해 미·소 양국은 다양한 협정을 맺었다. 다음 지문에 해당하는 협정으로 옳은 것은?**

> 1979년 말 소련이 아프가니스탄을 침공하자 당시 미국의 J. E. 카터 대통령은 상원에서의 비준심의를 유보시켜, 당초 유효기간을 1985년 12월 31일로 했던 이 조약은 현재까지도 정식발효되지 않고 있다. 그러나 양국은 비준과 무관하게 조약의 준수를 약속해왔으나, 1986년 5월 27일 미국 R. 레이건 대통령은 소련측이 그간 수차례 위반을 거듭해왔다는 이유로 조약준수파기를 선언하였다.

① 전략무기제한협정(SALT) I
② 전략무기제한협정(SALT) II
③ 제1차 전략무기감축협정(START I)
④ 제2차 전략무기감축협정(START II)

정답 및 해설

선지분석

① 제1차 회담은 1969년 시작되어 1972년 5월 26일 미국 R. M. 닉슨 대통령의 소련방문 때 2가지 협정이 체결되었다. 하나는 ABM규제에 관한 협정이고 다른 하나는 전략무기 제한에 관한 잠정협정이다.
③ START(Strategic Arms Reduction Treaty: 전략무기감축협정)은 1982년 미·소 간에 교섭이 개시된 전략핵무기를 주체로 한 군비관리조약으로, START I(제1차 전략무기감축협정)과 START II(제2차 전략무기감축협정)의 두 조약으로 이루어진다. START I에 대하여는 1991년에 미·소 간에 서명되었으나, 그 후의 소련붕괴로 러시아, 우크라이나, 벨로루시, 카자흐스탄을 협정대상국으로 하여 1994년에 발효하였다. 이 조약에서는 7년간에 우크라이나, 벨로루시, 카자흐스탄의 전략핵무기는 모두 러시아로 이송하고, 미국과 러시아는 전략핵탄두의 총수를 각각 6,000개 이하로 감축하게 되어 있다.
④ 다음 단계인 START II는 1993년 1월 미국 대통령 조지 부시와 과 러시아 대통령 보리스 옐친이 2단계 전략무기 감축협상(START II)에 서명, 2003년까지 대륙간탄도미사일을 500기 정도로 줄이고, 잠수함발사미사일도 1,750기 수준으로 제한하기로 하였다. 2000년 4월 17일 스위스 제네바에서 이틀 동안 3단계 전략무기 감축협정(START III)을 통해 보유 핵탄두를 2,500기, 2,000기로 줄이는 것에 대해 협상하였다. START는 앞서 체결된 중거리 핵전력(INF) 폐기협정과 함께 세계적인 핵위협 제거에 중대한 진전으로 평가되고 있다.

답 ②

011 □□□ **군산복합체(Military-Industrial Complex)에 대한 설명으로 옳은 것만을 모두 고른 것은?**

> ㄱ. 군비경쟁에 관한 게임이론적 설명과 관련이 있다.
> ㄴ. 국방비 증액을 위해서 노력하는 집단이 군산복합체의 주된 구성원이며, 여기에는 정치가, 군부 등이 포함된다.
> ㄷ. 권력에 관한 정치사회학적 논의에서 다원주의적 관점보다는 엘리트주의적 관점을 반영한다.
> ㄹ. 대표적인 학자로서 밀스(C. W. Mills)를 들 수 있다.

① ㄱ, ㄴ
② ㄱ, ㄴ, ㄷ
③ ㄴ, ㄷ, ㄹ
④ ㄱ, ㄴ, ㄷ, ㄹ

정답 및 해설

군산복합체(Military-Industrial Complex)에 대한 설명으로 ㄱ, ㄴ, ㄷ, ㄹ 모두 옳은 설명이다.
ㄱ. 군산복합체는 군비경쟁을 지속시켜 주는 요인이며, 게임이론에서는 지속적으로 배반을 선택하는 교착게임과 관련이 있다.
ㄴ. 군산복합체는 군비를 증강함으로써 이득을 얻는 집단들을 일컬으며, 여기에는 정치가, 군부, 군수산업이 포함된다.
ㄷ. 군산복합체는 그 자체로 '파워 엘리트(power elite)'를 형성하고 있다. 군산복합체론은 권력이 다원주의 정치과정을 통해 획득되는 것이 아니라, 소수 엘리트에 집중되어 있다고 보는 이론이다.
ㄹ.『파워 엘리트』라는 책의 저자이다.

답 ④

012

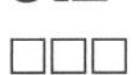

군비경쟁에 대한 설명으로 옳지 않은 것은?

① 월리스(Michael Wallace)는 두 국가 간의 군비경쟁이 양국 간 분쟁을 전쟁으로 확산시킬 가능성을 높인다고 주장하였다.
② 올트펠트(Michael Altfeld)와 람벨렛(John Lambelet)은 군비경쟁과 전쟁 간에 아무런 인과관계도 발견할 수 없다고 주장하였다.
③ 인트릴리개이터(Michael D. Intriligator)와 브리토(Dagobert L. Brito)는 군비경쟁이 전쟁을 부추기는 것이 아니라 전쟁억지효과를 발휘한다고 주장하였다.
④ 다운스(George Downs), 로크(David Rocke), 시버슨(Randolph Siverson)은 군비경쟁에서 빠져 나오는 방법으로 방어용 무기가 아닌 공격용 무기에 군사비를 투자하는 것과 같은 일방적 방법을 제시했다.

정답 및 해설

다운스(George Downs), 로크(David Rocke), 시버슨(Randolph Siverson)은 군비경쟁에서 빠져 나오는 방법으로 공격용 무기가 아닌 방어용 무기에 군사비를 투자하는 것과 같은 일방적 방법을 제시했다.

관련 이론 군비경쟁에서 빠져 나오는 세 가지 방법(다운스(George Downs) 등의 견해)

다운스, 로크(David Rocke), 시버슨(Randolph Siverson)은 군비경쟁에서 빠져 나오는 방법에 대해 세 가지를 언급했다. 첫째, 공격용 무기가 아닌 방어용 무기에 군사비를 투자하는 것과 같은 일방적 방법이 있다. 방어용 무기 증대에 초점을 맞추기 때문에 경쟁국가가 안보불안을 느끼지 않아 안보딜레마에 빠지지 않을 수 있다. 둘째, 자국의 군비지출 정도를 경쟁국의 군비지출 수준과 연관시키는 상호주의 전략과 같은 묵시적 흥정(tacit bargaining)의 방법이 있다. 셋째, 군축회담과 같은 협상의 방법이 있다.

답 ④

013 유엔체제에서 군축에 대한 설명으로 옳지 않은 것은?

□□□

① 유엔 총회는 군축과 군비통제 원칙을 포함하여 국제평화와 안전의 유지를 위한 협력의 일반원칙을 검토하고 이를 회원국이나 안전보장이사회에 건의할 수 있다.

② 군축조약 위반이 있는 경우 안전보장이사회는 헌장 제7장의 범주에서 이를 검토하고 적절한 조치를 취할 수 있다.

③ 유엔안전보장이사회 산하에 설치된 유엔군축위원회(UNDC)는 유엔 전체 회원국이 참여하며 특정한 군축·안보 관련 주제에 대해 집중 토론하여 추후 관련 합의를 도출함에 있어서 기여하는 것을 목표로 한다.

④ 남북한이 동시에 가입하고 있는 제네바 군축회의(CD)는 세계에서 유일한 다자간 군축협상 기구로서 유엔과는 별도의 의사규칙과 의제를 가진 독립기구이나 유엔 정규예산으로 운영된다.

정답 및 해설

군축위원회(UNDC)는 유엔 총회 산하 기관이다.

답 ③

014 국제 군축 및 비확산체제 중 한국이 가입하지 않은 것은 모두 몇 개인가?

□□□

ㄱ. 대인지뢰금지협약(오타와협약)
ㄴ. 확산탄금지협약(CCM)
ㄷ. 특정재래식무기금지협약(CCW) 제1의정서
ㄹ. 탄도미사일확산방지를 위한 헤이그 행동지침(HCOC)
ㅁ. 확산방지구상(PSI)

① 1개
② 2개
③ 3개
④ 4개

정답 및 해설

한국이 가입하지 않은 것은 ㄱ, ㄴ으로 2개이다.
오타와협약과 확산탄금지협약(CCM)을 제외하고 모두 가입하였다. 특정재래식무기금지협약(CCW)의 경우 제3의정서 및 제4의정서에는 가입하지 않았다.

답 ②

015 재래식무기거래조약(ATT)에 관한 설명으로 옳지 않은 것은?

① 2013년 UN총회 결의를 통해 최종문안이 채택되어 체결에 성공했다.
② 채택결의에 100여 개가 넘는 나라가 찬성했지만, 러시아와 중국은 반대하고 북한과 이란은 기권했다.
③ UN 7대 재래식 무기와 소형무기 및 경화기를 규제 대상으로 한다.
④ 법적 구속력이 있는 최초 단일 글로벌 무기거래 규범이다.

정답 및 해설

북한과 이란도 시리아와 함께 반대국이다. 러시아와 중국은 인도와 함께 기권한 나라이다. 동 조약에는 총 153개국이 찬성했다.

선지분석

③ UN 7대 재래식 무기는 전차 · 장갑차 · 대구경야포 · 전투기 · 공격용 헬기 · 전함 · 미사일 및 발사대를 의미한다.

답 ②

016 재래식무기거래조약에 대한 설명으로 옳지 않은 것은?

① UN주도로 2013년 4월 2일 재래식무기거래조약(ATT; Arms Trade Treaty)이 체결되었다.
② ATT는 재래식 무기의 국제이전 규제에 대한 공통기준을 수립하고, 불법거래와 불법전용을 방지하는 것을 목적으로 하며, UN 7대 재래식 무기와 소형무기 및 경화기를 규제한다.
③ ATT는 UN헌장 제7장상 특히 무기금수조치와 관련한 안전보장이사회 조치 위반, 국제조약상 관련 국제의무 위반, 집단살해, 인도에 반한 범죄, 1949년 제네바협정의 중대한 위반과 민간인 대상 무력공격 · 전쟁범죄와 관련되는 거래가 인지되면 어떠한 이전도 불허한다.
④ 현재 발효 중이나 미국, 러시아, 중국 등 주요 강대국은 가입하지 않고 있다.

정답 및 해설

중국은 2020년 7월 재래식무기거래조약에 가입하였다.

답 ④

017 재래식 무기 관련 협약에 대한 설명으로 옳지 않은 것은?

□□□

① 확산탄금지협약(Convention on Cluster Munitions)은 확산탄의 사용, 개발, 생산, 비축, 보유, 양도를 금지하고 있는 협약으로 2008년 12월 노르웨이 오슬로에서 체결되어 2010년 8월 발효되었으나, 미국, 중국, 한국 등은 참여하지 않았다.

② 대인지뢰금지협약(Convention on Anti-Personnel Mines)은 1991년 11월 전 세계의 지뢰금지운동을 전개하는 NGO들이 모여 국제대인지뢰금지운동기구(ICBL)를 결성하여 노력한 결과 1997년 12월 캐나다 오타와에서 채택하였다.

③ 무기거래조약(ATT: Arms Trade Treaty)은 2006년 이래 유엔에서 약 7년간 논의되어온 무기거래조약(ATT: Arms Trade Treaty)이 2013년 4월 유엔 총회에서 채택되고, 2014년 12월 발효되었다.

④ 특정재래식무기금지협약(CCW: Convention on Certain Conventional Weapons)은 과도한 상해 또는 무차별적 효과를 초래할 수 있는 특정 재래식무기의 사용 금지 및 제한에 관한 협약으로 1980년 10월에 채택 되었으며, 현재 미국, 러시아, 중국, 인도, 파키스탄 등이 주요 불참국이다.

정답 및 해설

미국, 러시아, 중국, 인도, 파키스탄 모두 가입하고 있다.

답 ④

018 군비통제에 대한 설명으로 옳은 것은?

□□□

① 구조적 군비통제 사례에는 신뢰구축, 특정군사행위금지, 완충지대 설치, 공세적 부대 배치 해제 등이 있다.

② 남북 군비통제에 있어서 한국은 선 신뢰구축, 후 군비축소를 주장하고 있다.

③ 제네바군축회의는 1932년 국제연맹 주최로 개최되었으나, 일본이 국제연맹을 탈퇴함으로써 1936년 중단되었다.

④ 1817년 미국과 러시아 간 체결된 러시-배고트 협정은 최초의 재래식 군축 성공 사례로 평가된다.

정답 및 해설

선지분석

① 운용적 군비통제 사례이다.

③ 독일 탈퇴로 중단되었다.

④ 미국과 영국 간 체결되었다.

답 ②

019 탈냉전 시기에 체결된 핵무기 군비통제 협정이 아닌 것은? 2023년 외무영사직

□□□

① 중거리핵무기폐기협정(INF)
② 전략무기감축협정 II(START II)
③ 전략공격무기감축협정(SORT)
④ 포괄적 핵실험금지조약(CTBT)

정답 및 해설

중거리핵무기폐기협정(INF)은 1987년 미국과 소련 간 체결된 조약이므로 탈냉전기 체결된 협정이 아니다.

선지분석

② 전략무기감축협정 II(START II)은 START I이 1991년 체결된 이후인 1993년 1월 3일 체결되었으나 발효되지 않았다.
③ 전략공격무기감축협정(SORT)은 2002년 5월 체결되었고 2012년에 만료되었다.
④ 포괄적 핵실험금지조약(CTBT)은 1996년 체결되었으나 현재 미발효상태이다.

답 ①

제2장 국제정치경제이슈

제1절 | 세계화

001 **21세기 국제 정치문화의 특징인 세계화의 원인으로 옳지 않은 것은?** 2007년 외무영사직

① 단일국가가 통제하기 어려울 정도로 초국경적 경제거래가 빠르게 진행되고 있다.

② 교통 및 통신수단의 발달과 특히 인터넷의 보급으로 인하여 정보가 급속하게 확산되어 사회집단이 국경을 초월하여 형성되어 가고 있다.

③ UN 등 국제기구의 노력으로 유럽연합(EU), 북미자유무역지역(NAFTA), 아세안국가연합(ASEAN) 등 블록화가 강화되고 있다.

④ 환경오염, 빈곤, 기후재앙 등 개별국가만이 감당하기 어려운 전 지구적 재앙이 나타나고 있다.

정답 및 해설

블록화는 세계화에 반하는 현상이며, UN 등의 노력으로 블록화가 강화된다는 것도 의문이다.

답 ③

002 **세계화 시대의 '문화산업'에 대한 자유주의의 시각을 설명하는 내용 가운데 가장 옳지 않은 것은?** 2007년 외무영사직

□□□

① 문화산업에 대한 자유로운 접근과 균등한 경쟁을 허용하는 등 시장 원리를 적용해야 한다.

② 문화산업에 대한 보호 및 통제 조치는 표현의 자유를 포함한 인권을 침해할 우려가 있다.

③ 새로운 기술의 발전으로 인해 문화산업의 세계화가 확대되고 있기 때문에 국가의 보호 기능이 더욱 강화될 필요가 있다.

④ 문화산업의 초국적화 특성에 비추어 볼 때, 국가 정체성을 유지한다는 명분으로 보호주의를 선호하는 시각은 시대착오적이다.

정답 및 해설

자유주의적 시각에서는 국가의 보호가 철폐되어야 한다고 본다.

답 ③

003 □□□ **세계화(Globalization)에 대한 입장을 설명한 것으로 옳지 않은 것은?** 2007년 외무영사직

① 현실주의: 세계화가 영토와 주권 중심의 현 국제체제의 현실을 근본적으로 변형시킬 수 있다.
② 자유주의: 세계화로 인해 국가들 간의 상호연결성이 증대됨으로써 이전과는 다른 세계정치가 전개될 수 있다.
③ 마르크스주의: 세계화는 자본주의 발전의 최종단계에 불과한 것으로서, 세계정치의 질적 전환을 의미하는 것은 아니다.
④ 구성주의: 세계화는 국제 주체들로 하여금 다양한 사회운동을 형성할 수 있는 기회를 제공할 수 있다.

정답 및 해설

현실주의 입장에서 국가의 주권은 영구불변의 절대적인 것이다. 현실주의자인 길핀(R. Gilpin)은 세계화가 주권국가에 미치는 영향과 관련하여 세계화가 기존의 주권국가를 단위로 하는 국제체제의 기본적인 성격을 근본적으로 변화시키지 않을 것이며 주권국가는 창조적이고 혁신적인 국가운영을 통해 국가가 직면하고 있는 문제를 극복할 수 있을 것이라고 보고 그 결과 주권국가를 단위로 하는 국제체제가 지속될 것임을 강조하고 있다. 이처럼 길핀(R. Gilpin)을 비롯한 현실주의자들은 세계화의 진전 속에서 국가를 소멸이나 쇠퇴의 대상이 아니라 오히려 세계화의 주체로 바라보고자 하며 세계화가 국가주권을 훼손하기보다는 보강하는 기제로서 작용한다고 보는데, 이는 국가가 자신의 이익의 극대화 하기 위한 방편으로 세계화를 이용한다고 보기 때문이다.

답 ①

004 **세계화에 대한 여러 이론의 설명으로 옳지 않은 것은?**

① 중상주의는 세계화가 패권국인 미국이 신자유주의적 이데올로기를 동원하여 국익을 극대화하기 위한 수단으로 이루어진 것이라고 지적한다.
② 중상주의는 국가의 필요에 의해 세계화가 되돌려지는 것도 가능하다는 입장이다.
③ 자본주의를 제1원칙으로 삼는 자유주의는 세계화를 자본주의 세계체제가 확대되고 심화되는 현상으로 본다.
④ 마르크시즘은 세계화가 축적과 잉여를 통해서 추동되는 것이라고 본다.

정답 및 해설

자유주의는 세계화를 과학과 기술의 발전을 원동력으로 하여 발생하는 자연스러운 현상으로 본다. 이는 국가의 선택이 아니라 시장의 선택이다.

선지분석

①, ② 중상주의는 세계화의 근본 동인은 민족국가의 국가이익 추구라고 본다. 이것은 국가에 의해 의도적으로 추진되는 것이므로(예 탈냉전기의 미국) 국가의 이익에 맞지 않으면 되돌려지는 것도 가능하다고 본다.
④ 마르크시즘은 자본주의 세계체제가 확대되고 심화되는 현상으로 보며, 자본주의의 내적 논리인 축적과 잉여가 추동하는 것으로 바라본다.

답 ③

005 세계화에 대한 제반 이론적 관점들에 대한 설명으로 옳지 않은 것은?

□□□

① 현실주의는 세계화는 국제정치의 본질적인 변화가 아닌 행태적인 변화이며, 특히 국가이익을 세계화의 중요한 동인으로 간주한다.

② 현실주의는 세계화를 통한 상호교류 증대가 자유주의적 패러다임의 주장과는 달리 갈등을 초래할 가능성이 높다고 보는데, 이것은 늘어나고 있는 국가 간 접촉기회가 저강도 분쟁(low intensity conflicts)을 심화시킬 가능성이 높다고 보기 때문이다.

③ 자유주의는 세계화를 기존체제의 본질적인 변화로서 인식하고 있으며 국가의 주권체계가 점차로 약화되어가고 있는 것에 대한 좋은 설명을 제시하고 있다.

④ 구조주의는 자본주의를 세계화의 동인으로 간주하는데 이들은 1980년대 전세계 금융의 세계화는 미국이 잠식되어가는 제조업 분야의 경쟁력을 만회하기 위하여 자국의 경쟁분야인 금융부문의 자유화를 주장하고 전세계에 확신시키려는 노력 속에서 탄생한 것으로 본다.

정답 및 해설

미국이 자국의 금융부문의 경쟁력 때문에 고의적으로 세계화를 일으켰다는 주장은 국가이익을 중심으로 세계화가 의도적인 것이라고 주장하는 현실주의적 입장이다.

선지분석

② 헌팅턴(S. Huntington)은 이에 더 나아가 세계화로 촉진되는 문명 간 접촉 증대는 민족의 자의식을 강화시키고 지역주의를 부추겨 이들 문명 간의 전쟁의 가능성도 증대될 수 있다고 본다.

답 ④

006 세계화가 국가주권, 안보, 국제체제, 외교안보에 미치는 영향에 대한 설명으로 옳지 않은 것은?

□□□

① 자유주의는 세계화에 따라 정책 자율성이 약화되면서 국가주권이 약화될 것으로 본다.

② 외교안보 차원에서 권력원천이 경성권력으로부터 연성권력으로 완전히 전환될 것이다.

③ 세계화의 확산으로 양극화, 테러리스트 양산 등 새로운 안보 불안 요인이 등장하였다.

④ 제국론의 입장에 따르면 세계화는 곧 미국 중심의 제국체제를 형성하는 것이다.

정답 및 해설

세계화 시대에 권력의 원천으로 연성권력이 중시되는 것은 사실이나, 연성권력과 경성권력이 혼합된 스마트 파워(Smart Power)가 더욱 중시될 것이다. 스마트 파워는 연성권력과 경성권력의 선순환 관계를 강조한다.

선지분석

① 자유주의 계열은 국가주권의 약화를 주장한다. 각 국가들은 독자적으로 정책을 결정, 수행할 능력을 점차 상실할 것이기 때문이다.

③ 세계화는 국가 안보에 있어 상호의존론, 민주평화론에 따라 긍정적 영향을 미치는 한편 신현실주의, 문명충돌론에 따라 부정적 영향을 미칠 것으로 판단된다. 그러나 양극화 및 테러리스트의 확산이 세계화의 새로운 안보 불안 요인이라는 점에는 이견이 없다.

④ 제국론은 문화, 가치, 법체계 등에서 세계화란, 곧 미국화로 파악한다.

답 ②

007 국제관계에서 세계화가 진행되면서 나타나는 민족주의의 고양원인으로 가장 옳지 않은 것은?

□□□

① 자국 경제영역에서 나타날 수 있는 실업에 대한 우려
② 세계적 수준의 미디어(media)의 침투에 대한 두려움
③ 경제적 번영과 환경보전에 대한 공동의 책임
④ 초국가적 제도들의 전횡 가능성

정답 및 해설

경제적 번영과 환경보전에 대해 인류가 공동의 책임을 져야 한다는 의식은 민족주의와는 거리가 멀다. 이는 개별 민족주의를 넘어서는 '글로벌리즘(globalism)'의 고양을 가져왔다. 글로벌리즘은 지구공동체 의식의 세계적 확대를 배경으로 하여 1970년대 이후 대두되었다. 이전에도 신기능주의라고 불리는 통합이론 속에 이와 같은 주장의 전신(前身)을 볼 수 있지만, 1970년대에 들어서 다음과 같은 일련의 상황이 계기가 되어 주의(ism)로 확립되었다. 즉 교통·통신의 발달에 의한 세계의 축소 및 초국경적 교류의 빈번화, 초국가적·탈국가적인 국제 주체에 의한 세계적인 경제적·사회적 상호교류의 전개, 세계적 규모로서의 상호의존의 심화, 그리고 환경파괴에 의한 지구의 멸망과 핵의 위협 등 인류공통의 위기의식이 고조된 일 등이 그것이다. 그 중에서도 위기의식의 고조는 민족주의를 저하시키고 '지구정치(global politics)'성립의 필요성을 통감시켰다.

답 ③

008 세계화의 확대 및 심화가 국가주권에 미치는 영향에 대한 논의로 옳지 않은 것은?

① 세계화는 다양한 행위자들 간 다차원적 상호의존관계를 형성시킴으로써 주권국가의 배타적 권리나 통제력의 약화를 초래하고 있다.
② 현실주의자들은 세계화로 인해 국가의 주권이 쇠퇴하고 있으며, 주권국가에 기초한 근대체제 역시 점차 약화될 것으로 전망한다.
③ 금융측면의 세계화는 자본의 국제 유동성의 증가 현상을 지칭한다. 자본의 국제유동성 증가와 국가주권의 한계를 잘 보여주는 표현이 이른바 '삼위불일치'이다.
④ 다국적기업의 국제투자가 활성화 되고 있는 것도 세계화의 단면이다. 세계 경제에서 중요한 행위자였던 국민국가의 주권이 증대하는 초국적 자본의 영향력에 의해서 침해를 받고 있는 것이다.

정답 및 해설

현실주의자들은 세계화에도 불구하고 주권국가가 유지되거나 강화될 것으로 본다. 세계화로 인해 파생되는 다양한 문제들을 해결하는 주체는 결국 국가이기 때문이다. 따라서 현실주의자들은 주권국가들로 구성된 근대체제 역시 세계화에도 불구하고 견고하게 유지될 것으로 본다.

답 ②

제2절 | 정보화

001 **정보화의 국제정치적 영향에 관한 설명으로 옳지 않은 것은?**

□□□

① 정보화로 국민국가의 전통적 영향력이 상대적으로 약화되고 있으나, IT를 매개로 하여 국가의 안과 밖에서 다양한 네트워크가 형성되는 '네트워크 국가(network state)'의 출현이 예상되고 있다.

② 구성주의자들에 의하면 웨스트팔리아 체제는 보편적이고 고정불변의 체제였으나 정보화로 인해 내면화하는 규범에 따라 변화될 수 있는 사회적 구성물화 되었기 때문에 IT 발달에 따라 웨스트팔리아 '체제' 자체가 변화될 가능성이 열려 있다고 본다.

③ IT 발달은 공공외교(public diplomacy)를 발전시킬 가능성이 크다고 보는데 이는 국가의 대외정책 결정에 있어서 여론의 영향력이 증가하고 있다는 것이며, 또한 글로벌 커뮤니케이션의 발달로 국가가 타국 시민들을 상대로 해서 자국이 원하는 대외정책목표를 달성할 수 있게 되었다는 것이다.

④ 전통적 국제정치는 '권력의 배분'을 통해 전개되었다면, 정보세계정치는 '지식력의 배분'이 중요한 변수가 되고 있는데 이것은 국가들의 서열은 지식력을 중심으로 재평가되고 있다는 것이다.

정답 및 해설

구성주의자들은 본래 모든 구조와 행위자가 서로 상호작용을 주고받으면서 변화할 수 있다고 보고 있기 때문에 웨스트팔리아 체제 자체도 정보화에 관계없이 본래 변화할 수 있는 것이라고 본다.

선지분석

④ 지식력으로 평가한 세계 지식질서도 미국 중심의 지식패권질서라고 볼 수 있다. 미국은 지식의 창출과 확산 및 공유의 과정에서 주도권을 행사함으로써 글로벌 지식질서의 중심에 서 있다.

답 ②

002 **컴퓨터통신이나 인터넷 발전이 국제정치에 미친 영향으로 옳지 않은 것은?**

□□□

① 대의민주제의 대표성이 강화된다.

② 권력이 정보 보유자에게 편중된 현상이 나타난다.

③ 국제여론 형성이 용이해진다.

④ 국가의 시민사회에 대한 침투가 용이해진다.

정답 및 해설

PC통신과 인터넷 등 정보통신기술의 발달은 대의민주제의 대표성을 약화시킨다. 과거에 비해 국민이 쟁점 현안에 대해 다양한 정보를 입수하고 그에 대해 의사 표시를 하는 것이 용이해짐에 따라, 거의 직접민주제가 가능해졌기 때문이다.

선지분석

② 정보가 더욱 중요한 사회가 되면서 국민들 간에도 정보격차(Intelligence gap)가 생기고 따라서 정보 보유자에게 권력이 편중되는 현상이 발생하게 된다.

답 ①

003 정보화가 국가에 미치는 영향을 설명한 것으로 옳지 않은 것은?

① 정보화의 진전으로 국민국가의 주권이 약화될 것이다.
② 공공재를 제공하는 등 국가의 역할이 완전히 소멸되지는 않을 것이다.
③ 네트워크 지식국가가 부상할 것이다.
④ 정책결정에 대한 시민참여를 저지하여 정부의 정보독점을 강화시킬 것이다.

정답 및 해설

정보화는 주요 정보에 대한 시민의 접근성을 강화시킨다. 따라서 국가의 정보 독점력은 약화될 것이며 시민들의 참여가 증진될 것이다.

선지분석

① 정보통신의 발달은 국제자본의 이동성을 증가시키며 개별국가의 금융정책 자율성을 약화시키는 등 국민국가 주권을 약화시킨다.
② 정보화 시대에도 글로벌 정보격차 해소, 글로벌 네트워크의 안정성과 보안성 제공, 다양한 행위자의 사적 이해관계 조율 등은 여전히 국가의 몫이다.
③ 정보화 시대에는 IT를 매개로 하여 국가의 안팎에서 다양한 네트워크가 형성되는 네트워크 국가의 출현이 예상된다. 네트워크 지식국가는 정책결정시 해당분야의 이해관계를 가진 국내외 시민단체 및 기관의 참여를 허용한다.

답 ④

004 정보화가 국제체제에 미칠 영향을 설명한 것으로 옳지 않은 것은?

① 현실주의: IT가 국제체제의 구조에 영향을 주지는 않으며 주권약화 가설은 과장된 것이다.
② 자유주의: 정보통신기술의 발달은 NGO, INGO, 국제기구, 국제레짐을 활성화시켜 국가주권을 약화시킬 것이다.
③ 구성주의: IT 발달은 행위자들 간 갈등적 상호작용 패턴을 만들어 홉스적 국제체제 속성을 강화시킬 것이다.
④ 자유주의: 글로벌 거버넌스가 지배적인 정치패턴으로 작동할 것이다.

정답 및 해설

구성주의는 IT 발달로 행위자들이 상호 공통의 문화나 관념, 정체성을 내면화할 수 있는 가능성을 높여서 보다 조화로운 상호작용 패턴을 만들어낼 것이다. 체제는 내면화하는 규범에 따라 변화될 수 있는 사회적 구성물이다.

선지분석

① 현실주의는 정보화 시대에도 최종 결정권은 국가가 보유하며 시민사회에 대한 통제력을 행사한다고 파악하므로 국가나 체제의 변화를 인정하지 않는다.
②, ④ 자유주의는 주권국가의 상대적 지위 약화와 전지구적 시민사회 형성 가능성을 전망한다.

답 ③

005 □□□ **정보화는 국제정치 구조, 과정, 행위자에 있어 긍정적 영향을 주는 한편 새로운 문제점을 야기하기도 한다. 정보화의 문제점에 대한 설명으로 옳지 않은 것은?**

① 테러세력을 활성화시키고 활동 규모를 확대시킨다.
② 지식권력에서 소외된 국가들이 지적재산의 강력한 보호를 요청해 마찰이 발생할 것이다.
③ 국가 간 정보 격차(digital divide)가 심화될 것이다.
④ 미국이 압도적 지식패권을 통해 제국건설을 꾀할 가능성이 있다.

정답 및 해설

지적재산권의 강력한 보호를 요청하는 주체는 지식권력을 가진 국가들이다. 반면 그렇지 못한 국가들은 정보의 공유를 주장해 마찰의 가능성이 있다.

선지분석

① 21세기 테러는 규모가 확대되고 있고 명분 또한 정치적 명분으로부터 종교적 명분으로 전환되고 있다. 테러의 대상도 무차별적 양상을 띠는데, 이러한 변화의 중심에 정보화가 자리하고 있다.
③ 정보산업이 21세기 국부 결정의 새로운 자산이 되면서 이에 대한 접근성에 따라 국가 간 경제력의 격차가 확대될 것이다.
④ 미국은 압도적 지식권력, 군사력, 경제력의 격차를 보다 확대하려는 전략을 구사하고 있다. 따라서 지식패권을 통한 제국건설을 의도할 경우 타국과 마찰을 빚을 가능성이 있다.

답 ②

제3절 | 국제환경문제

001 □□□ **기후변화와 관련된 것이 아닌 것은?** 2020년 외무영사직

① 1992년 리우 지구정상회의
② 1991년 우루과이라운드
③ 1997년 교토의정서
④ 2009년 코펜하겐협정

정답 및 해설

우루과이라운드는 WTO체제 출범을 위한 협상이다. 1986년부터 1994년까지 진행되었다. 1991년은 협상이 진행 중이던 상황이었다.

선지분석

① UN환경개발회의를 말한다. 기후변화협약이 채택되었다.
③ 교토의정서는 기후변화협약을 이행하기 위해 별도로 채택된 조약이다. 2005년에 발효되었으며, 2020년까지 효력기간이 연장되었다.
④ 코펜하겐협정은 2009년 코펜하겐 기후변화당사국총회에서 채택된 협정이다. 지구평균 기온 상승폭을 산업화 이전 대비 2℃ 내로 제한하기로 하는 등 기후변화를 관리하기 위한 사항에 대해 합의하였다. 포스트 교토체제를 완성하기로 하였으나 국가 간 이견으로 합의되지 못했다. 코펜하겐협정 자체가 법적 구속력이 있는 문서는 아니다.

답 ②

002  2015년 채택된 파리 협정의 내용으로 옳지 않은 것은? 2016년 외무영사직

① 기존 온실가스 배출량과 상관없이 선진국과 개도국이 동일한 책임을 진다.
② 온실가스 감축과 관련한 국가별 목표(기여방안)를 스스로 정하기로 하였다.
③ 한국은 유엔에 제출한 기여방안에서 2030년 온실가스 배출전망치(BAU) 대비 37% 감축안을 발표하였다.
④ 산업화 이전과 비교해 섭씨 1.5°C까지 제한하는 데 최대한 노력을 기울이기로 합의하였다.

정답 및 해설

파리 협정은 기존의 '공동의 그러나 차별책임원칙'을 유지하고 있다. 따라서 재정지원이나 기술지원에 있어서 선진국이 법적 책임은 아니더라도 우선적 책임을 질 것을 규정하고 있다.

답 ①

003  교토의정서와 마라케쉬협정(Marrakesh Accord)의 내용으로 옳지 않은 것은? 2013년 외무영사직

① 1997년 교토의정서의 기본정신은 1992년 채택된 '기후변화에 관한 유엔기본협약'을 계승한 것이다.
② 2001년 마라케쉬협정에서 교토의정서의 구체적인 시행방안과 제재수단이 제시되었다.
③ 마라케쉬협정에는 선진국인 A국이 선진국인 B국에 투자하여 발생된 온실가스 감축분의 일정부분을 A국의 배출저감실적으로 인정하는 청정개발체제(Clean Development Mechanism)가 포함되어 있다.
④ 마라케쉬협정에는 온실가스 감축의무가 있는 국가에 배출 쿼터를 부여한 이후 국가 간 배출 쿼터의 거래를 허용하는 배출권 거래제(Emissions Trading)가 포함되어 있다.

정답 및 해설

공동이행제도(Joint Implementation)에 대한 설명이다.

답 ③

004 □□□ 1989년 발효된 오존층 파괴물질 배출 규제에 관한 국제협정은? 2009년 외무영사직

① 교토의정서 ② 몬트리올의정서
③ 바젤협약 ④ 런던협약

정답 및 해설

1989년 발효된 오존층 파괴물질 배출 규제에 관한 국제협정은 몬트리올의정서이다.

선지분석

① 교토의정서는 1992년 기후변화협약에 이어 그 구체적인 이행방안을 협의한 것이다.
③ 바젤협약은 유해폐기물의 국가 간 거래를 규정한 것이다.
④ 런던협약은 폐기물 등의 해양 투기에 대해 규정한 조약이다.

답 ②

005 국제환경문제와 그 해결을 위한 다자조약이 아닌 것은? 2004년 외무영사직

□□□

① 몬트리올의정서 - 오존층 보호
② 런던덤핑협약 - 핵폐기물 금지
③ 바젤협약 - 산업폐기물거래 제한
④ 람사협약 - 습지 보호

정답 및 해설

런던덤핑협약(1972)은 선박, 항공기 또는 해양시설로부터 행해지는 산업폐기물 등의 해양투기 및 해상소각의 규제를 목적으로 하는 협약이다.

답 ②

006 세계환경문제에 관한 국제협약의 대상이 바르게 연결된 것은?

□□□

① 런던협약(1972): 산업폐기물과 오염물질의 해양투기 방지
② 워싱턴협약(1973): 오존층 파괴물질 사용금지 및 규제
③ 몬트리올의정서(1987): 생물다양성, 삼림보호, 유전자 관련 자원 규제
④ 바젤협약(1989): 온실가스 배출 감축 및 제거

정답 및 해설

선지분석

② 오존층 파괴물질 사용금지 및 규제는 몬트리올의정서에 해당한다.
③ 생물다양성, 삼림보호, 유전자 관련 자원 규제는 생물다양성협약에 해당한다.
④ 온실가스 배출 감축 및 제거는 교토의정서에 해당한다.

답 ①

007 국제환경보호를 위한 국제협력사례를 순서대로 바르게 나열한 것은?

□□□

ㄱ. 스톡홀름 국제연합 인간환경회의
ㄴ. 오존층 보호를 위한 비엔나 협약
ㄷ. 기후변화협약 및 생물다양성협약 채택
ㄹ. 유해 폐기물의 국가 간 이동에 관한 바젤협약
ㅁ. 카르타헤나 생명안전의정서
ㅂ. 기후변화협약 교토의정서 채택
ㅅ. 코펜하겐 기후변화협약 당사국 총회

① ㄱ - ㄴ - ㄷ - ㄹ - ㅁ - ㅂ - ㅅ
② ㄱ - ㄴ - ㄹ - ㄷ - ㅂ - ㅁ - ㅅ
③ ㄱ - ㄹ - ㄷ - ㄴ - ㅂ - ㅁ - ㅅ
④ ㅁ - ㄱ - ㄴ - ㄹ - ㄷ - ㅂ - ㅅ

정답 및 해설

ㄱ-ㄴ-ㄹ-ㄷ-ㅂ-ㅁ-ㅅ 순서로 진행되었다.
ㄱ. 스톡홀름 국제연합 인간환경회의(1972)
ㄴ. 오존층 보호를 위한 비엔나 협약(1985)
ㄹ. 유해 폐기물의 국가 간 이동에 관한 바젤협약(1989)
ㄷ. 기후변화협약 및 생물다양성협약 채택(1992)
ㅂ. 기후변화협약 교토의정서 채택(1997)
ㅁ. 카르타헤나 생명안전의정서(2000)
ㅅ. 코펜하겐 기후변화협약 당사국 총회(2009)

답 ②

008 □□□ **다음 제시문이 설명하는 환경회의로 옳은 것은?**

> 이 회의는 정부 대표가 중심이 된 유엔환경회의(UNCED: 일명 Earth Summit)와 각국 민간단체가 중심이 된 지구환경회의(Global Forum, 1992)가 함께 개최되었다. 유엔환경회의는 의제 21(Agenda 21), 기후변화협약, 생물다양성보존협약, 산림원칙 등을 채택하였고, 지구환경회의는 지구헌장, 세계민간단체협약 등을 채택하였다.
> 이 중에서 동 회의와 동명인 이 선언은 1972년 1월 16일 스웨덴 스톡홀름에서 채택된 인간환경에 관한 국제연합인간선언을 재천명하고, 새로운 국가 간 협력수준의 창출을 통해 동반자적 관계를 마련하여 전 인류의 이익을 도모하고, 지구환경과 개발체제의 통합성을 보존하기 위해 27개 원칙을 채택하였다. 이것은 지속가능한 개발과 환경보전에 있어서 국제적인 협력관계를 이상으로 하고 있다.
> 또한 의제 21은 지구환경보전과 지속가능한 성장을 위한 행동계획을 담은 일종의 지침서이다. 주요 내용은 전문, 지속가능한 성장을 위한 사회·경제적 과제, 자원의 보존과 관리, 주요 단체들의 역할 강화, 집행을 위한 수단 등 크게 다섯 부문 총 40장으로 이루어져 있다. 이 중에서 Section II의 제28장은 지구환경보전을 위한 지방정부 역할의 중요성을 강조하였다.

① 몬트리올회의
② 스톡홀름회의
③ 리우회의
④ 요하네스버그 세계정상회의

정답 및 해설

리우회의는 1992년 약 150여 개의 국가와 135개국 정상이 참가한 사상 최대 규모의 정상회의로서, 많은 국가들이 참여할 뿐 아니라 기후변화협약과 생물다양성에 관한 협약에 각각 154개국과 150개국이 조인하는 등 전체적으로 성공적이라 평가되고 있다.

선지분석

② 스톡홀름회의는 1972년 UN인류환경회의를 말한다. 여기서는 6개 분야에 걸친 109개 권고사항을 담은 행동강령과 제도적·재정적 사항에 관한 결의안이 채택되었다.
④ 요하네스버그 세계정상회의의 쟁점은 ODA(정부개발원조)뿐 아니라 교토의정서 비준 문제 및 에너지 문제이다.

답 ③

009 지구환경문제를 해결하기 위한 주요 국제회의를 바르게 짝지은 것은?

□□□

> ㄱ. 폭넓은 대중적 관심의 대상이 되었고, 6개 분야에 걸쳐 109개 권고사항을 담은 행동강령과 제도적·재정적 사항에 관한 결의안이 채택되었다. 나아가 동 회의로 UN환경계획(UNEP)이 창설되었다.
> ㄴ. 세계 최대의 환경회의라는 점에서 의의가 크다. 이 회의의 쟁점은 ODA문제, 교토의정서 비준 문제, 에너지 문제가 제기되었다.
> ㄷ. 사상 최대 규모의 정상회의로 의제 21, 삼림원칙선언 등이 모두 합의되었고, 기후변화협약과 생물다양성에 관한 협약에 각각 154개국과 150개국이 조인함으로써 성공적이라 평가받고 있다.

	ㄱ	ㄴ	ㄷ
①	스톡홀름회의	요하네스버그 세계정상회의	더반회의
②	요하네스버그 세계정상회의	리우회의	스톡홀름회의
③	스톡홀름회의	요하네스버그 세계정상회의	리우회의
④	리우회의	스톡홀름회의	요하네스버그 세계정상회의

정답 및 해설

ㄱ은 스톡홀름회의, ㄴ은 요하네스버그 세계정상회의, ㄷ은 리우회의에 대한 설명이다.

선지분석

더반회의는 2011년 개최된 회의로서 교토의정서를 5년 또는 8년 연장하고, 새로운 기후변화관리체제 형성을 위한 '더반플랫폼협상'을 추진하기로 합의하였다.

답 ③

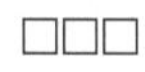

010 지구온난화(global warming)에 대항한 국제적 노력에 대한 설명으로 옳지 않은 것은?

□□□

① 지구온난화를 유발하는 오존층 파괴는 프레온가스(CFC)와 관련이 있다는 것을 인식하고 1985년에는 오존층 보호를 위한 비엔나협약, 1987년 몬트리올의정서가 제정되었으며, 1990년에는 미국이 CFC 생산을 1995년까지 완전히 중단하겠다고 일방적으로 선언하였다.
② 기후변화협약은 가입당사국을 부속서 1 국가와 비부속서 1 국가로 구분하여 각기 다른 의무를 부담하기로 결정하였으며, 기후변화의 예측·방지를 위한 예방적 조치의 시행, 모든 국가의 지속가능한 성장의 보장 등을 기본원칙으로 하고 있다.
③ 1997년 제3차 기후변화협약 회의가 열려 교토의정서가 채택되었는데, 여기에는 온실가스 대상 물질이 명시되어 있으며 온실가스 감축을 위해 경제적이고 유연성 있는 수단의 채택을 인정하고 있다.
④ 교토의정서 1차 감축의무 이행기간이 2012년에 완료됨에 따라 그 이후의 감축을 위한 포스트 교토체제에 대한 논의가 이뤄지고 있는데, 그 일환으로 2007년 12월에 기후변화협약 당사국 회의가 개최되었고 여기서 채택된 협약 내용을 도하 로드맵(Doha roadmap)이라고 한다.

정답 및 해설

포스트 교토(Post-Kyoto) 체제를 위한 2007년의 회의와 그 협약 내용은 발리 로드맵(Bali roadmap)이라고 한다.

선지분석

② 기후변화협약의 핵심은 '공동의 그러나 차별화된 책임의무 부담(제4조)'이다.
③ 교토의정서를 통해 바로 배출권거래제도(Emission Trading)가 도입되었다.

답 ④

011 환경문제에 대한 국제사회의 노력에 대한 설명으로 옳지 않은 것은?

□□□

① 1960년대 『침묵의 봄』이 발간되면서 환경문제에 대한 국제적 관심이 선진국 중심으로 고조되었다.
② 1972년 스톡홀름회의는 6개 분야에 걸친 109개 권고사항을 담은 행동강령을 채택했으며 UN환경계획(UNEP)을 창설하였다.
③ 1992년 리우회의에서는 국가들의 기후변화협약과 생물다양성협약 준수 동향을 검토하고 보다 실효적인 준수 방안을 마련하였다.
④ 요하네스버그 세계정상회의는 ODA, 교토의정서 비준 문제, 에너지 문제를 쟁점화하였으나, 환경문제의 해결 의지가 잘 드러나지 않았다는 평가를 받고 있다.

정답 및 해설

리우회의를 통해 기후변화협약과 생물다양성협약에 각각 154개국, 150개국이 조인하였다. 이는 전체적으로 성공적인 회의였다고 평가되나, 이러한 합의들의 향후 발전 및 실행 상황에 따라 회의의 진정한 성과가 결정될 것이다.

선지분석

① 카슨(Rachel Carson)은 이 책에서 살충제 남용에 대해 강한 우려를 촉발했으며 현대 환경운동이 출범하는 계기를 제공하였다.
② 스톡홀름회의를 통해 창설된 UNEP는 환경문제의 중요성에 대한 정치적 인식을 증진시키고 환경문제에 대한 과학적 합의 형성을 돕고 협상을 촉진하는 등 핵심적 역할을 수행하였다.
④ 동 회의에서는 권고나 촉구 등과 같은 타협을 보는 데 그쳤을 뿐 문제해결 의지가 미흡했다는 한계를 갖고 있다.

답 ③

012 다음 중 국제회의(국제기구)와 관련 선언이 일치하는 것은? 2006년 외무영사직

① Stockholm UN 인간환경회의: 자연보호헌장
② UNCED: Agenda 21
③ WCED: 인간환경선언
④ UNEP: 우리 공동의 미래

정답 및 해설

1992년 브라질의 리우데자네이루에서 열린 제2회 유엔환경개발회의(UN Conference on Environment and Development: UNCED)에서 Agenda 21을 제창하고 기후변화협약, 생물다양성협약의 체결 및 산림원칙성명의 발표가 있었다.

선지분석

① 자연보호헌장은 1982년 유엔환경계획(UNEP)이 선포하였다.
③ 인간환경선언은 1972년 6월 스톡홀름에서 개최된 유엔인간환경회의(UN Conference on the Human Environment)에서 채택되었다.
④ '우리 공동의 미래(Our Common Future)'는 1987년 세계환경개발회의(World Conference on Environment and Development: WCED)에서 발간되었다.

답 ②

013 □□□

1992년 UN기후변화협약에서 제시된 '차별적 공동책임의 원칙'에 대한 설명으로 옳은 것은?

2011년 외무영사직

① 선진국은 다른 선진국에 투자해 획득한 온실가스 감축분의 일정량을 자국의 감축 실적으로 인정받을 수 있다는 원칙

② 어떤 활동이 환경적 피해를 높일 가능성이 존재할 경우 그 활동을 금지하는 데 있어 완전하고 결정적인 과학적 증명을 요하지 않는다는 원칙

③ 온실가스 감축을 위해서는 각국 정부와 관련 비정부기구(NGO)들의 공동 노력이 필요하며 특히 각국 정부의 합의 사항 이행 노력이 필수적이라는 원칙

④ 세계기후변화의 책임은 모든 국가가 져야 하나 산업화 과정에서 지구의 평균 온도 상승을 유발하는 이산화탄소를 과다하게 배출하는 선진국들은 우선적인 책임을 져야 한다는 원칙

정답 및 해설

선지분석

① 교토의정서에 도입된 '공동이행(Joint Implementation)'에 대한 설명이다.

② 사전주의 원칙에 대한 설명이다.

답 ④

014 □□□

1997년 선진 산업국가들의 온실가스 배출량 규제에 대한 구속력이 있는 의무조항을 강화시킨 국제협정은?

2007년 외무영사직

① 몬트리올의정서
② 스톡홀름회의
③ 리우회의
④ 교토의정서

정답 및 해설

2012년까지 1990년 수준의 5% 이하로 온실가스 배출량을 감축할 것을 약속했다.

선지분석

① 오존층 보호협약(1985)을 이행하기 위해 1987년 체결되었다.

② 1972년 UN 인간환경회의 결과 인간환경선언(스톡홀름의정서), UNEP 설립 결의 등을 채택했다.

③ 1992년 UN 환경개발회의(리우회의) 결과 리우선언, 의제21, 산림원칙 등을 채택했다.

답 ④

015 기후변화 이슈를 둘러싼 국제정치에 대한 설명으로 옳지 않은 것은?

① 기후변화 국제정치에 있어서 한국은 스위스, 멕시코 등과 함께 환경건전성그룹을 형성했다.
② 군소도서국가연합은 2009년 코펜하겐 당사국 총회 이후 유럽연합, 호주, 그리고 일부 저개발국들과 함께 '코펜하겐대화'를 수립하는 데 관여하였다.
③ 1990년 나우루, 투발루, 비누아투 등이 군소도서국가연합을 형성하였다.
④ G77은 회원국들 간의 큰 편차로 인하여 BASIC 국가, 화석연료 수출국, 아프리카 저발전국, 그리고 군소도서국가연합 등으로 구분되었다.

정답 및 해설

카르타헤나대화라고 한다.

답 ②

016 다음 중 교토의정서의 내용으로 옳지 않은 것은?

① 공동이행제도: 선진국 간 공동사업을 통해 다른 국가에 투자하여 감축한 온실가스 감축분의 일부를 투자국의 감축실적으로 인정한다.
② 청정개발제도: 선진국이 개도국에서 온실가스 감축사업을 수행하여 달성한 실적의 일부를 선진국의 감축량으로 인정한다.
③ 탄소배출강도기준: GDP 한 단위당 탄소배출량을 측정하여 온실가스 감축의 측정기준으로 삼는다.
④ 배출권 거래: 의무감축량을 초과달성하는 경우 초과분을 다른 국가와 거래하도록 허용한다.

정답 및 해설

탄소배출강도를 온실가스 감축의 측정기준으로 삼을 것을 주장한 것은 코펜하겐 기후변화총회에서였다. 개도국들은 포스트 교토(Post-Kyoto) 체제에 대비하여 온실가스 감축의 측정 기준을 정립하고자 하였으나 선진국의 반대로 무산되었다.

답 ③

017 교토의정서에 대한 설명으로 옳지 않은 것만을 모두 고른 것은?

□□□

> ㄱ. 미국은 세계 온실가스 배출량의 약 23%를 차지하고 있으며, 2001년에 교토의정서에서 탈퇴하였으나 최근 기상이변의 심각성을 자각하여 재가입하여 비준을 준비 중에 있다.
> ㄴ. 기후변화협약 상의 개도국들의 감축이행의무를 신축적으로 조정해주기 위해 배출권거래제도, 공동이행제도, 청정개발체제 등의 신축성체제를 도입하였다.
> ㄷ. 1997년 일본 교토에서 열린 제3차 당사국 총회에서 선진국으로 하여금 이산화탄소 배출량을 1990년 기준으로 5.2% 줄이기로 합의한 것이 교토의정서이다.
> ㄹ. 현재까지 교토의정서에서 이산화탄소 배출 감축의무를 받아들인 국가는 선진국뿐이고, 한국을 비롯한 개도국들은 의무부담을 이행할 것을 선언한 바 없다.

① ㄴ　② ㄱ, ㄴ　③ ㄷ, ㄹ　④ ㄱ, ㄴ, ㄹ

정답 및 해설

교토의정서에 대한 설명으로 옳지 않은 것은 ㄱ, ㄴ, ㄹ이다.

ㄱ. 미국의 온실가스 배출량은 전세계 대비 23~25% 정도 차지하고 있으며, 2001년 3월 교토의정서로부터 탈퇴한 뒤 재가입하고 있지 않다. 교토의정서는 2005년 2월 16일 발효하였고, 현재 미국만이 비준을 거부하고 있다.

ㄴ. 신축성체제는 선진국의 감축이행의무를 신축적으로 조정해 주기 위한 제도이다.

ㄹ. 한국은 제3차 당사국총회에서 기후변화협약상 개발도상국으로 분류되어 의무대상국에서 제외되었으나, 몇몇 선진국들은 감축목표 합의를 명분으로 한국, 멕시코 등이 선진국과 같이 2008년부터 자발적인 의무부담을 할 것을 요구하였고, 제4차 당사국총회 기간에 아르헨티나, 카자흐스탄 등의 일부 개발도상국은 자발적으로 의무를 부담할 것을 선언하였다. 추가적으로 2013~2017년 의무대상국이 개발도상국에 집중되기 때문에 5월부터 개최되는 대상국 확대협의에서 한국도 동참을 요구받을 것으로 예상된다. 2002년 IEA(국제에너지기구)의 통계에 따르면 한국의 연간 이산화탄소 배출량은 2000년을 기준으로 했을 때 4억 3,400만 톤으로 세계 9위이며, 세계 전체 배출량의 1.8%를 차지한 것으로 나타났다. 더욱이 1990년 이후 배출량 증가가 85.4%로 나타나 세계 최고의 증가세를 기록하고 있기 때문에 의무대상국으로 분류될 가능성이 높다.

답 ④

018 환경문제와 남북문제에 대한 선진국의 입장만을 모두 고른 것은?

□□□

> ㄱ. 선진국이 환경문제의 전적인 책임을 지는 만큼 과도한 에너지, 자원소비를 줄이고 후진국을 기술적 · 재정적으로 지원해야 한다.
> ㄴ. 선진국과 후진국 모두에 지구 환경문제의 책임이 있으므로 공동의 노력을 강조한다.
> ㄷ. 환경기술 이전에 소극적이며 후진국 스스로 환경문제를 개선하기 위한 노력을 기울여야 한다는 입장이다.
> ㄹ. 환경협약 미가입 혹은 위반을 빌미로 개발도상국의 자원, 생산공정, 상품의 국제교역에 제약을 가할 필요는 없다.

① ㄱ, ㄴ　② ㄱ, ㄷ　③ ㄴ, ㄷ　④ ㄷ, ㄹ

정답 및 해설

ㄴ, ㄷ은 선진국의 입장이다.

선지분석

ㄱ, ㄹ은 개발도상국의 입장이다.

답 ③

019 국제환경에 관한 국제정치이론에 대한 설명으로 옳은 것을 모두 고르면?

□□□

ㄱ. 신기능주의 입장을 견지하는 학자들은 깨끗한 대기 같은 공공재 공급 문제를 해결하는 협력의 공통 이득이 핵심 동기요인이라고 강조한다.
ㄴ. 글로벌 거버넌스이론은 초국가적으로 조직된 과학자들과 정책 결정자들이 환경 레짐의 발달에 어떻게 영향을 미쳤는지에 관한 연구들에 투영되어 있다.
ㄷ. 마르크스주의자들과 그람시주의자들은 인지적 접근법을 거부한다.
ㄹ. 그람시주의자들에게 국가 체제는 문제의 일부이지 해결책이 아니며 주요 연구 대상은 지구 자본주의 환경에 심각한 피해를 입히는 관계들을 재생산하는 방식이다.

① ㄱ, ㄴ
② ㄴ, ㄷ
③ ㄱ, ㄹ
④ ㄷ, ㄹ

정답 및 해설

국제환경에 관한 국제정치이론에 대한 설명으로 옳은 것은 ㄷ, ㄹ이다.

선지분석

ㄱ. 자유제도주의적 입장이다.
ㄴ. 인지적 접근법에 대한 설명이다.

답 ④

020 다음 기후변화문제를 해결하기 위해 이루어지고 있는 국가별 대응책과 그 과정에 대한 설명으로 옳지 않은 것은?

□□□

ㄱ. 현재 청정개발체제(CDM) 투자대상국에는 자발적 참여로 개도국 지위를 유지하게 된 한국과 중국, 인도, 브라질과 같은 거대개도국들이 포함되어 있다.
ㄴ. 교토의정서는 온실가스 최대 방출국인 미국의 비준거부로 아직까지 발효되지 못하고 있다.
ㄷ. 칸쿤협상에서는 회원국과의 기후변화 문제에 대한 인식을 공유하여 청정개발체제 개정, 미국 및 거대개도국의 탄소감축 의무 참여에 대한 합의를 이끌어내었다.
ㄹ. 교토메커니즘은 온실가스 감축의무를 선진국들이 최저비용으로 달성할 수 있도록 제안된 유연성체제이다.

① ㄱ, ㄴ
② ㄱ, ㄹ
③ ㄴ, ㄷ
④ ㄷ, ㄹ

정답 및 해설

국가별 대응책과 그 과정에 대한 설명으로 옳지 않은 것은 ㄴ, ㄷ이다.
ㄴ. 미국의 비준거부로 교토의정서 발효가 불투명하였으나 2005년 러시아의 비준으로 발효하였다.
ㄷ. 2013년 포스트 교토(Post-Kyoto) 체제 확립을 위한 합의가 기대되었던 칸쿤 협상은 회원국 간 기존의 이견을 좁히지 못한 채 12월 10일 막을 내렸다. 향후 미국과 거대개도국의 탄소감축 의무 참여, 의무감축 목표 합의, 청정개발체제(The Clean Development Mechanism, 이하 CDM) 개정 등 민감한 사항에 관한 합의는 다음 회의로 이양되었다. 다만 194개 회원국이 참석한 가운데 녹색기후기금 조성에 관한 합의 및 CDM에 대한 표준화된 베이스라인 조성 등 회원국 간 낮은 수준의 동의안에 해당하는 '칸쿤 합의문'의 성과가 이루어졌다.

답 ③

021 2009년 코펜하겐 UN기후변화총회의 합의 내용으로 옳은 것은?

□□□

ㄱ. 감축이행 방식에 대해 '약속과 검증' 방식을 채택했다.
ㄴ. 산업화 이전보다 2도 높은 온도를 목표로 설정하기로 하였다.
ㄷ. 탄소배출강도를 온실가스 감축의 측정기준으로 삼기로 하였다.
ㄹ. 2012년까지 개도국에 300억 달러의 기금을 지원하기로 하였다.

① ㄱ, ㄴ ② ㄱ, ㄷ
③ ㄴ, ㄹ ④ ㄷ, ㄹ

정답 및 해설

2009년 코펜하겐 UN기후변화총회의 합의 내용으로 옳은 것은 ㄴ, ㄹ이다.

선지분석

ㄱ. 미국 등 산업국들은 감축이행 방식에 대해 '약속과 검증(pledge and review)' 방식을 주장했으나 개도국들이 강제성을 부과하는데 반대하여 합의에 실패했다.
ㄷ. 중국, 인도 등은 GDP 한 단위당 탄소배출량을 측정하는 '탄소배출강도'를 온실가스 감축의 측정기준으로 삼을 것을 주장했으나, 산업국은 탄소배출량이 오히려 증가할 수 있다고 하며 반대했다.

답 ③

022 제17차 기후변화 당사국총회(2011) 내용과 관련하여 옳지 않은 것은?

□□□

ㄱ. 중국, 인도, 브라질, 남아공 등이 속해 있는 개도국 협상그룹(77그룹)은 선진국이 교토의정서의 연장을 통해 2차 감축에 참여해야 할 뿐만 아니라, 보다 높은 수준의 의욕적, 구속적 감축목표를 설정하고, 감축이행 방안에 대해 보다 체계적인 절차를 마련해야 한다는 입장을 견지해 왔다.
ㄴ. 중국과 인도 등 거대 개도국은 최빈개도국연합(LDC), 아프리카 국가그룹(African Group) 등과 연합하여 더반 총회 이후 선진국 대 개도국이라는 이분법적 대립구도가 더욱 심화되었다.
ㄷ. 선진국들은 경제적 위기로 인하여 더반회의에서 제기된 매년 1,000억 달러의 녹색기후기금과 관련한 논의에 대해 합의점을 찾지 못하였다.
ㄹ. 2020년부터 선진국뿐만 아니라 개도국에도 적용되는 새로운 법적 감축체제 출범을 위한 '더반 플랫폼(Durban Platform)' 협상이 개시되었다.

① ㄱ, ㄴ ② ㄱ, ㄹ
③ ㄴ, ㄷ ④ ㄷ, ㄹ

정답 및 해설

제17차 기후변화 당사국총회(2011) 내용과 관련하여 옳지 않은 것은 ㄴ, ㄷ이다.

ㄴ. 최빈개도국연합(LDC), 아프리카 국가그룹(African Group)등은 다른 국가들의 참여 여부와는 상관없이 교토의정서를 연장하고, 독자적으로 감축목표를 설정한 EU로드맵을 추진하는 EU측의 입장을 지지함으로써 더반 총회 이후 선진국 대 개발도상국이라는 이분법적 대립구도를 보다 약화시켰다.
ㄷ. 선진국들은 경제적 위기에도 불구, 합의점을 찾아 녹색기후기금을 설립하기로 합의, 2012년 한국 인천 송도에 GCF(녹색기후기금)사무실을 설치하고 2013년 12월 4일 공식출범하였다. 녹색기후기금은 2020년까지 연간 1,000억 달러의 재원을 조성하기로 합의하였다.

답 ③

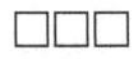

023 기후변화문제 관리를 위한 미국과 중국의 전략에 대한 설명으로 옳지 않은 것은?

□□□

① 미국은 클린턴 행정부에서 1997년 교토의정서 협상에 적극적으로 참여하여 협상을 주도하였으나 국내정치적 이유로 비준하지 않았다.
② 중국은 개도국 지위를 주장하면서 선진국과 개발도상국의 법적 의무를 달리하는 이원적 체제를 선호하였다.
③ 2013년 미국은 미중전략경제대화를 통해 기후변화실무그룹을 구성하여 기후변화문제에서 중국과 협력체제를 구축하고자 하였으나 중국의 반대로 무산되었다.
④ 오바마 행정부는 2013년 새로운 기후행동계획(Climate Action Plan)을 발표하고, 의회의 동의를 수반하지 않는 행정명령(executive order)을 통해 2030년까지 2005년 대비 미국 내 탄소배출을 30% 감축한다는 목표를 발표하였다.

정답 및 해설

미중전략경제대화에서 실무그룹 구성에 합의하고, 이후 미국과 중국은 기후변화협력을 강화해오고 있다.

답 ③

024 더반 UN기후변화총회(2011)와 관련한 내용으로 옳지 않은 것은?

□□□

① 교토의정서를 2013년부터 5년 또는 8년 연장하기로 합의했다.
② 주요 선진국들이 교토의정서의 2차 의무감축에 참여하기로 합의했다.
③ 2020년부터 선진국 및 개발도상국에 적용되는 새로운 법적 감축체제 출범을 위한 '더반 플랫폼'의 협상을 개시하기로 하였다.
④ 개발도상국의 온실가스 감축을 지원하기 위한 녹색기후기금을 창설하기로 합의하였다.

정답 및 해설

교토의정서의 연장 이외의 합의는 이루어지지 않았기 때문에 주요 선진국들이 2차 공약기간에 참여할지가 명확하지 않다는 한계를 지니고 있다.

선지분석

더반 회의는 ①, ③, ④의 3가지 항목에서 합의를 이루었으나, 주요국들이 격렬하게 대립해 온 세부적 쟁점사항에 대한 합의는 이끌어내지 못하고 향후 협상으로 미루었다. 따라서 2012년 상반기부터 개시될 새로운 '더반 플랫폼' 협상에서 핵심 이슈의 세부 쟁점에 대해 치열한 협상이 본격적으로 시작될 전망이다.

답 ②

025 국제환경레짐에 대한 설명으로 옳은 것은?

□□□

① 교토의정서 - 기후변화협약을 이행하기 위한 협정으로서 배출권 거래제도, 공동이행제도, 청정개발체제, 배출차입제도 등 신축성 제도를 도입하였다.
② 몬트리올의정서 - 오존층보호를 위한 빈협약의 구체적 이행을 위한 협정으로서 오존층 파괴 물질인 염화불화탄소(CFC)의 생산과 사용을 규제한다.
③ 바젤협약 - 국제적으로 문제가 되는 유해 폐기물의 수출입과 처리를 규제하는 조약으로서 조약 당사국간 유해폐기물의 거래를 전면 금지하였다.
④ 런던협약 - 폐기물의 투기로 인한 토양오염을 방지하기 위한 협약으로서 1972년 채택, 1975년 발효되었다. 런던협약은 1972년 체결된 오슬로협약을 그 모체로 한다.

정답 및 해설

선지분석

① 배출차입제도는 없다.
③ 당사국 간 '사전통보동의제도'를 도입하고 있다. 이는 유해폐기물의 수출입을 전면금지하는 것이 아니라 사전에 수입국에 통보하여 동의를 받게 함으로써 수출입을 제한하려는 것이다.
④ 런던협약은 해양투기로 인한 오염을 규제하는 조약이다.

답 ②

026 기후변화문제에 대한 국제사회 협력에 대한 설명으로 옳지 않은 것은?

□□□

① 유엔기후변화협약(1992)은 인간 활동으로 인해 발생한 온실가스가 지구대기층에 축적되어 발생하는 기후변화 현상을 억제하는 것을 기후변화체제의 장기목표로 설정하고 있고, 공통의 차별화된 책임과 상대적 국가능력(CBDR-RC: Common but Differentiated Responsibilities and Respective Capabilities), 형평성(equity) 등 개발도상국들이 중요하게 여기는 기후변화 협약의 일반원칙 등을 규정하고 있다.
② 2009년 코펜하겐 합의(Copenhagen Accord) 및 2010년 칸쿤 합의(Cancun Agreement)를 통해 당사국들은 2020년 이후에는 법적 의무가 아닌 정치적 약속의 성격을 가지는 자발적 공약(national pledges)을 중심으로 하는 새로운 상향식 접근법 기반으로 기후변화체제를 구성하기로 합의하였다.
③ 폴란드 바르샤바에서 개최된 제19차 당사국 총회는 제21차 당사국 총회 이전에 당사국들이 자발적인 성격의 '의도된 국가결정공약(INDC)'을 제출하도록 결정함으로써 교토의정서를 대체할 새로운 기후변화체제의 성격이 상향식으로 구성될 것이라는 점을 보다 명시적으로 확정하였다.
④ 파리협약(2015)은 2년마다 갱신되는 국가결정공약(NDC)을 기반으로 한 자발적 감축을 전제로 선진·개발도상국 모두 온실가스 감축을 비롯한 기후변화 대응 행동에 참여하기로 함으로써, 기후변화 협상 역사에서 최초로 합의된 단일하고 보편적인 기후대응체제로서 의미를 갖는다.

정답 및 해설

5년마다 국가결정공약을 갱신한다.

답 ④

027 기후변화 거버넌스에 대한 설명으로 옳지 않은 것은?

2023년 외무영사직

① 교토의정서는 온실가스 감축을 위한 시장주의적 제도로 배출권거래제와 공동이행제도를 도입하였다.

② 파리기후변화협정은 선진국과 개발도상국 모두 국가별 기여 방안의 제출을 통해 자발적으로 감축 목표를 이행하도록 하였다.

③ 2012년 제18차 당사국 총회(COP18)에서는 교토의정서의 시효를 2020년까지 연장하기로 합의하였고, 일본과 캐나다는 이에 적극적으로 참여하기로 결정하였다.

④ 파리기후변화협정은 온실가스 감축목표 설정방식과 관련하여 하향식(top-down)방식을 채택한 교토의정서와는 달리 상향식(bottom-up)방식을 채택하였다.

정답 및 해설

2012년 총회는 도하총회로서 교토의정서를 8년 연장하기로 하였다. 일본과 캐나다 등은 개도국이 온실가스 감축에 동참하지 않는다는 이유로 교토의정서 이행에 소극적 태도를 보여 주었다.

선지분석

① 배출권거래제도, 공동이행제도 이외에도 청정개발체제나 배출적립 등의 신축성 체제를 규정하였다.

② 파리협정은 '국가결정공약'에 따른 자발적 감축에 기초한 보편적 체제를 특징으로 한다.

④ 파리협정에서는 당사국들이 온실가스 감축 목표치를 정하고 이행하는 상향식 방식을 채택한 점이 주요 특징이다.

답 ③

028 기후변화에 관한 국제협력에 있어서 '군소도서국가연합'에 대한 설명으로 옳지 않은 것은?

① 1980년 나우루, 투발루, 비누아투 등이 군소도서국가연합을 형성하였다.

② 군소도서국가연합 회원국들은 세계 인구의 약 5퍼센트를 대표하고 있지만 자신의 국가적 생존이 위태롭다는 각성에 따라 행동하였다.

③ 군소도서국가연합은 각 회원국의 국제연합 대표부를 통해 역할을 조정하는 '임시 로비 및 협상 회의체' 성격을 띤다.

④ 군소도서국가연합은 새로운 기후변화체제의 기준치를 섭씨 2도가 아닌 1.5도로 할 것과 기후변화로 인한 손실과 피해에 대한 보상 장치를 주장하였다.

정답 및 해설

군소도서국가연합은 1990년에 발족했다.

답 ①

029 기후변화를 다루기 위한 파리협약(2015)에 대한 설명으로 옳지 않은 것은?

□□□

① 온도 상승 목표치를 최소한 2도, 최대한 1.5도로 설정하였다.
② '의도된 국가 결정 공약(INDC)'방식에 따라 모든 당사국이 감축의무를 부담하되 법적 의무를 부담한다.
③ 공동의 그러나 차별적 책임원칙에 따라 선진국에게 개발도상국에 대한 재정지원 의무를 부과하였다.
④ 2011년 출범한 '더반 플랫폼 협상'이 타결됨으로써 파리협약이 채택된 것이다.

정답 및 해설

법적 감축의무를 부담하는 것은 아니다. INDC는 모든 당사국들이 자발적으로 감축 목표치를 설정하는 방식이다.

답 ②

030 기후변화문제를 관리하기 위해 국제협력에 대한 설명으로 옳지 않은 것은 모두 몇 개인가?

□□□

ㄱ. 1972년 스톡홀름회의에서 채택된 인간환경선언에서는 사전주의원칙과 사전예방원칙을 모두 규정하여 환경보호에 만전을 기하고자 하였다.
ㄴ. 1992년 리우선언에서는 최초로 공동의 그러나 차별책임원칙을 규정하였으며, 그 밖에 사전주의원칙, 사전예방원칙, 지속가능개발원칙 등도 규정하였다.
ㄷ. 오존층보호를 위한 몬트리올의정서(1987)는 오존층 파괴물질의 생산과 소비를 금지하는 한편, 비당사국과의 무역을 예외 없이 절대적으로 금지하였다.
ㄹ. 기후변화협약 부속서2국가들은 온실가스 감축의무를 지는 것은 아니나 개발도상국에 대한 재정 및 기술지원을 부담하는 국가들을 말한다.
ㅁ. 교토의정서 상의 공동이행제도는 청정개발체제와 달리 부속서 1국가와 비부속서 1국 간 협력제도를 말한다.
ㅂ. 코펜하겐 기후변화총회에서 선진국들은 '탄소배출강도'의 도입을 강력히 주장하였으나 개발도상국들의 반대로 무산되었다.

① 3개
② 4개
③ 5개
④ 6개

정답 및 해설

기후변화문제를 관리하기 위해 국제협력에 대한 설명으로 옳지 않은 것은 ㄱ, ㄷ, ㄹ, ㅁ, ㅂ으로 5개이다.
ㄱ. 사전주의원칙은 규정되지 않았다.
ㄷ. 비당사국과의 무역 금지에도 예외가 있다. 비당사국이 의정서에 따른 규제조치를 완전히 준수하고 있음을 당사국회의에서 확인하고 보고자료가 제출된 경우 당해 비당사국과의 규제물질 교역이 허용될 수 있다.
ㄹ. 부속서 2국가들은 모두 부속서 1국가에 포함되는 국가들이다. 따라서 온실가스감축의무를 부담한다.
ㅁ. 공동이행제도는 부속서 1국가 상호간, 청정개발체제는 부속서 1국가와 비부속서 1국가 간 협조체제를 말한다.
ㅂ. 탄소배출강도는 중국, 인도 등 개발도상국이 주장한 개념이다.

답 ③

031 기후변화관리를 위한 파리협약(2015)에 대한 설명으로 옳지 않은 것은?

① 국제법상 조약에 해당하나 협정문의 모든 요소가 국제법적 구속력을 가지는 것은 아니다.

② 국가결정공약(INDC)에 포함될 국가별 온실가스 감축 목표는 국제법적 의무를 가지지 않고 전적으로 비구속적인 자발적 감축 목표이다.

③ 원칙적으로 선진국 - 개발도상국 구분 없이 적용하나 기후변화 대응을 위한 선진국의 선도적 역할의 필요성을 언급하고 있다.

④ 개별국가의 국가결정공약 달성 정도를 검토하는 글로벌 종합검토는 5년 단위이며 첫 번째 글로벌 종합검토는 2023년으로 예정되어 있다.

정답 및 해설

글로벌종합검토는 개별국가의 목표 달성 정도를 평가하는 것이 아니다. 당사국들이 제출한 국가결정공약을 모두 종합하여 글로벌 차원에서 온실가스 감축 노력이 장기 목표에 얼마나 근접한지 여부를 과학적으로 검토하는 것이다.

답 ④

032 '공유지의 비극'을 환경 문제에 적용한 설명으로 옳은 것은?

2019년 외무영사직

① 환경 문제는 배제적이고 경합적이므로 자유 경쟁을 통하여 해결할 수 없다.

② 환경 문제는 비배제적이고 비경합적인 공공재에서만 발생한다.

③ 환경 문제는 비배제적인 성격을 가지고 있으므로 협력이 보장되지 않는다.

④ 환경 문제는 비경합적인 클럽재이므로 선진국의 기술 및 재정 지원으로 해결할 수 없다.

정답 및 해설

공유지의 비극은 공유재(commons)의 성격 및 공유지 비극의 해결에 관해 하딩(G. Harding)이 제시한 개념이다. 공유재는 비배제성과 경합성을 가진 재화를 말한다. 즉, 누구나 자유롭게 이용할 수 있으나, 한 사람의 소비가 다른 사람의 소비량을 감소시키는 성질을 갖는다. 따라서 보존 조치를 취하지 않는 경우 결국 고갈된다. 비배제성을 가지므로 이를 보존하기 위한 국제협력에는 소극적일 수밖에 없다. 공유지의 비극을 해결하기 위해서는 누군가에게 소유권을 주어 관리해야 한다. 신자유제도주의자들은 국제제도 형성을 통해 공유재의 관리체제를 구축하여 이 문제를 해결할 수 있다고 본다.

답 ③

033 바젤 협약(Basel Convention)에 대한 설명으로 옳지 않은 것은?

2019년 외무영사직

① 유해 폐기물의 국가 간 이동을 통제하고 환경적으로 건전한 관리를 위해 채택된 협약으로 1992년 발효되었다.

② 바젤 협약 당사국은 유해 폐기물이 비당사국에 수출되거나 비당사국으로부터 수입되는 것을 허가하지 아니한다.

③ 바젤 협약 당사국 간 유해 폐기물 교역은 유엔의 승인을 받아야 한다.

④ 1994년 한국은 바젤 협약에 가입하였다.

정답 및 해설

바젤협약에 의하면 유해 폐기물의 교역은 '사전통보동의절차'에 따라 수입당사국과 수출당사국 간 합의에 의해 이뤄진다. 유엔의 승인을 요구하지 않는다.

답 ③

034 국제환경레짐에 대한 설명으로 옳지 않은 것은?

□□□

① 리우선언(1992)에 의하면 심각한 피해나 돌이킬 수 없는 피해가 우려되는 경우, 비용에 비해 효과가 높으면서도 환경 악화를 방지할 수 있는 조치가 과학적 불확실성을 이유로 미루어져서는 안 된다.

② 1992년 채택된 UN기후변화기본협약은 지구온난화의 주범인 이산화탄소 등의 온실가스 배출량을 규제하기 위한 협약이다.

③ 교토의정서상 신축성체제의 하나인 공동이행(Joint Implementation)이란 타국에 자본과 기술을 투자하여 온실가스를 줄여준 뒤 그 감축에 상응하는 배출쿼터를 당해 국가로부터 넘겨받는 방식으로서 제1부속서국가와 제1부속서국가가 아닌 국가 상호간 적용된다.

④ 기후변화와 관련하여 2011년 더반 당사국총회에서 2012년 말 종료되는 교토의정서를 2017년 또는 2020년까지 연장하기로 했다.

정답 및 해설

제1부속서 국가 상호간 적용된다.

답 ③

제4절 I 국제무역질서

001 국제무역체제에 대한 설명으로 옳지 않은 것은? 2021년 외무영사직

□□□

① GATT는 비차별, 투명성, 호혜주의 원칙에 입각하였다.

② GATT 체제하에서 제네바 1차 라운드를 시작으로 딜런, 케네디, 도쿄, 우루과이라운드, 그리고 도하개발어젠다 협상이 진행되었다.

③ 무역자유화를 통한 국제교역의 급격한 성장에도 불구하고, 국제무역체제에서 보호무역주의의 영향력은 사라지지 않았다.

④ 1990년대 중반 이후 지역 및 양자 간 무역협정이 확산되었다.

정답 및 해설

도하개발어젠다협상(DDA)은 WTO체제하에서 2001년 출범한 것이다.

선지분석

① 비차별원칙은 최혜국대우나 내국민대우를 의미한다. 최혜국대우만을 지칭하기도 한다.

③ 제2차 세계대전 이후 1970년대가 보호주의 시대로 평가되기도 하며, 현재도 국가들은 특히 비관세장벽(Non-Tariff Barriers: NTB)을 통해 자국 시장을 보호하고자 하는 강한 동기를 가지고 있는 것으로 평가된다.

④ WTO 출범 이후 지역주의가 활성화되었다. 이에는 다양한 요인이 제기되나, 제도적 차원에서는 WTO 창설과정에서 공개된 정보가 지역주의를 위한 파트너 선정에 도움을 주기 때문이라고 본다. DDA 출범이후에는 DDA가 정체되면서 지역주의가 활성화되고 있다고 분석되기도 한다.

답 ②

002 □□□

GATT와 WTO에 대한 설명으로 옳지 않은 것은? 2015년 외무영사직

① WTO는 의사결정에서 GATT의 총의제가 아닌 다수결 원칙을 도입하여 신속한 의사결정이 가능하게 되었다.
② WTO는 분쟁해결기구(DSB)를 설립하여 무역보복조치 허가 권한을 갖는 등 GATT보다 무역분쟁 해결능력을 강화하였다.
③ 미국의 제안으로 설립하려던 국제무역기구(ITO)는 미국 의회의 반대에 부딪혀 설립되지 못하고 GATT가 그 기능을 담당하게 되었다.
④ GATT는 회원국의 무역정책을 검토하는 기구가 부재했던 데 반해 WTO는 무역정책검토제도(TPRM)를 설치하여 회원국의 무역정책을 검토한다.

정답 및 해설

WTO는 GATT의 총의제 방식을 원칙으로 승계하였다. 총의로 의사결정이 되지 않는 경우 다수결을 도입하였다.

선지분석

② 패소국이 패널 또는 상소보고서를 이행하지 않는 경우 승소국은 DSB 허가에 기초하여 패소국에 대해 보복조치를 발동할 수 있다.

답 ①

003 □□□

국제정치경제 관련 용어에 대한 설명으로 옳지 않은 것은? 2011년 외무영사직

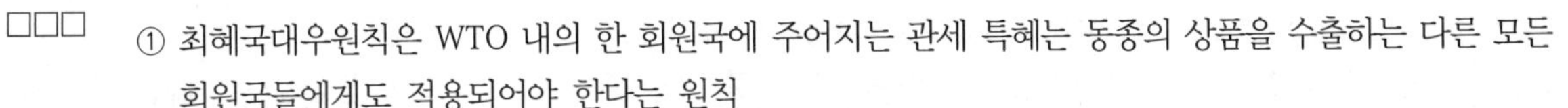

① 최혜국대우원칙은 WTO 내의 한 회원국에 주어지는 관세 특혜는 동종의 상품을 수출하는 다른 모든 회원국들에게도 적용되어야 한다는 원칙
② 상계관세는 생산비용보다 낮은 가격에 제품을 파는 것으로 추정되는 수출 경쟁국가에 부과하는 세금
③ 비교우위는 국가가 상대적으로 값싸게 생산할 수 있는 상품에 특화하고, 보다 높은 비용으로 생산할 수밖에 없는 상품을 교역을 통해 획득한다면 이익이 된다는 자유주의 경제학의 한 개념
④ 비관세장벽은 수입품 차별의 효과를 갖는 국제 규제의 범위를 넘어서는 관세 이외의 수단들

정답 및 해설

'반덤핑관세'에 관한 설명이다. 상계관세는 특정국가가 제공한 보조금의 효과를 상쇄하기 위한 관세를 의미한다.

답 ②

004 □□□

A국은 B국에 비해 자본이 풍부하고, 역으로 B국은 A국에 비해 노동력이 풍부하다면, 양국 간에 자유무역을 반대할 개연성이 높은 세력이 옳게 짝지어진 것은? 2011년 외무영사직

① A국의 자본 - B국의 자본
② A국의 자본 - B국의 노동
③ A국의 노동 - B국의 자본
④ A국의 노동 - B국의 노동

정답 및 해설

국제무역에 대한 이론 중 헥셔 - 올린모형에서는 자유무역의 발생요인, 교역패턴에 대한 설명과 함께 무역이후 교역국 내부의 소득분배 문제를 다루는데, 이를 '스톨퍼 - 사무엘슨 정리'라고 한다. 동 모형에 따르면 자유무역이 발생하는 경우 수출하는 상품에 대해 집약적으로 사용되는 생산요소를 가진 집단의 소득이 증가한다. 이에 기초하여 보면, A국은 노동자들이 상대적으로 손해를 보고, B국은 자본가들이 손해를 보게 될 것이다. 따라서, A국의 노동, B국의 자본가 집단에서 자유무역을 반대할 개연성이 높다고 할 수 있다.

답 ③

005 헥셔-올린-스톨퍼-새뮤얼슨(Hecksher-Ohlin-Stolper-Samuelson) 정리에 따를 때 언제나 자유무역에 찬성하는 행위자는?

□□□ 2020년 외무영사직

① 자본가
② 노동자
③ 국내경제에서 희소 요소(scarce factor) 소유자
④ 국내경제에서 풍부한 요소(abundant factor) 소유자

정답 및 해설

헥셔-올린모형은 일국에 풍부하게 부존하는 생산요소를 사용하는 상품에 비교우위를 갖고 이를 특화생산 및 교환한다. 스톨퍼-새뮤엘슨 정리는 비교우위 상품에 특화생산하는 경우 해당 생산요소 소유자의 소득이 증가한다는 명제이다. 따라서 국내경제에서 풍부한 요소 소유자가 자유무역에 찬성하게 된다. 자유무역에 따라 소득이 증가하기 때문이다.

답 ④

006 국제무역을 설명하는 자유주의 모델에 대한 설명으로 옳지 않은 것은?

□□□

① 비교우위론이나 헥셔-올린 모델은 생산요소 부존상태의 차이에 따라 노동이 상대적으로 풍부한 국가는 노동집약적인 상품을 수출하는 것이 서로에게 이익이 된다고 주장한다.
② 크루그먼(P. Krugman)의 신무역이론은 각국 경제가 한정된 종류의 재화 생산에 특화하면 생산자는 규모의 경제에 의해 생산비를 낮출 수 있고, 소비자는 교역으로 다양한 재화를 소비할 수 있게 되기 때문에 비교우위와 상관없이 모두에게 무역으로 인한 이득이 발생한다고 주장한다.
③ 크루그먼(P. Krugman)의 신무역이론은 유사한 생산요소 부존상태에 있는 국가들 간에 발생하는 산업내 무역을 설명한다.
④ 스톨퍼 사무엘슨 정리에 의하면 요소부존도가 비교우위를 결정하므로 노동풍부국은 노동집약재에 비교우위를 갖는다.

정답 및 해설

립진스키 정리라고 한다. 스톨퍼 사무엘슨 정리는 자본풍부국의 경우 자유무역시에 자본가의 소득이 증가하고, 노동풍부국의 경우 노동자의 소득이 증가한다는 것을 설명하는 이론이다.

답 ④

007 로고브스키(Ronald Rogowski)의 이론에 대한 설명으로 옳은 것만을 모두 고른 것은?

□□□

ㄱ. 로고브스키(Ronald Rogowski)는 립진스키정리(Rybczynski theorem)에 기초하여 무역량이 변화하는 경우에 어떠한 국내집단이 이익을 보고 손해를 보는가를 설명하고 국내정치적 대립 양상을 예측하였다.
ㄴ. 로고브스키(Ronald Rogowski)의 분석에 의하면 노동이 상대적으로 풍부하고 자본과 토지가 부족한 19세기 독일의 경우 무역의 증가는 노동소득을 증대시키고 자본과 토지소득을 감소시키므로 노동세력에 대항해서 자본가와 토지소유자인 지주의 연합전선이 형성되었다.
ㄷ. 로고브스키(Ronald Rogowski)의 분석에 의하면 노동과 자본이 상대적으로 부족하고 토지가 상대적으로 풍부한 19세기 미국이나 아르헨티나의 경우 무역확대로 토지소득은 증가하고 노동과 자본소득은 감소하므로 정치적 갈등은 토지를 소유한 지주와 농업 노동자로 대표되는 농촌, 그리고 자본소유자와 도시 공업 노동자로 대표되는 도시의 대립인 산업갈등(sectoral conflict)이 등장한다.

① ㄱ
② ㄱ, ㄴ
③ ㄴ, ㄷ
④ ㄱ, ㄴ, ㄷ

정답 및 해설

로고브스키(Ronald Rogowski)의 이론에 대한 설명으로 옳은 것은 ㄴ, ㄷ이다.

선지분석

ㄱ. 비교우위에 기초한다.

답 ③

008 무역질서에 대한 설명으로 옳지 않은 것은?

□□□

① 자유무역체제의 사상적 기반이 되는 정치적 자유주의에 의하면 무역에 있어서의 차별철폐와 자유무역은 국제평화의 기초가 된다.
② 자유무역주의의 이론적 기반인 비교우위 가설은 애덤 스미스(Adam Smith), 데이비그 리카도(David Ricardo)와 같은 고전파 경제학자들이 체계화 한 것으로서 특화와 교환을 통해 교역에 참여하는 모든 국가들이 이익을 얻을 것으로 본다.
③ 국가들이 보호무역정책을 채택하는 이유로 생산자에 비해 소비자들이 로비를 통해 보호조치의 도입을 촉진하려는 강한 인센티브를 갖는다는 점을 들 수 있다.
④ 마르크스주의 관점에서 보면 자유무역체제는 선진 자본주의 국가들이 그 밖의 국가들을 착취하기 위한 지배체제에 지나지 않는다.

정답 및 해설

소비자보다는 생산자들이 보호무역을 선호한 가능성이 높다. 소비자들은 자유무역을 통해 다양한 상품을 저렴한 가격으로 소비할 수 있으므로 자유무역을 선호하나, 생산자, 특히 비교열위 산업 종사자의 경우 자유무역으로 피해를 볼 가능성이 높기 때문에 보호무역 조치를 취하도록 정부에 압력을 가할 가능성이 높다.

답 ③

009 국제무역에 대한 국제정치 패러다임적 해석이 옳지 않은 것은?

□□□

① 현실주의는 국제무역에 있어 중상주의적 시각을 견지한다. 즉, 국제무역은 국제정치에 있어 주요 행위자가 자신의 생존을 위해서 부를 획득하기 위해 추구되는 행태인 것이다.

② 자유주의는 리카도(D. Ricardo)의 비교우위론에 이론의 핵심을 두고 있으며, 자유무역을 통해 전세계의 모든 자원은 효율적으로 이용될 수 있고 이 때문에 국가는 시장의 자유로운 작동을 보장해야 한다는 것이다.

③ 마르크시즘은 중상주의적 입장과 유사한 관점을 띠는데, 국제무역은 제국주의 국가가 자신들의 이익을 위해 의도적으로 부를 축적하기 위한 과정이라는 것이다.

④ 마르크시즘은 또한 중심부 국가가 주변부 혹은 반주변부 국가를 착취하는 세계체제를 상정하며 이러한 착취를 이뤄주는 도구가 바로 국제무역이라고 한다. 이를 해소하기 위해서는 체제의 변화가 필수적이다.

정답 및 해설

마르크시즘은 사회체제 분석론을 세계체제에 적용하기 때문에 분석수준이 중상주의의 그것과는 전혀 다르다. 이들은 국제경제관계를 국가나 기업 간 상호작용이라기보다는 계급 간 상호작용으로 본다.

선지분석

① 특히 중상주의는 탈냉전으로 인해 국제환경이 변화하여 권력의 근원이 상당 부분 군사력에서 경제력으로 옮겨가자, 패권국인 미국이 신자유주의적 이데올로기를 동원하여 자국의 국익을 추구하기 위한 수단으로 자유무역을 추진하고 있는 것으로 본다.

답 ③

010 국제무역이론에 대한 설명으로 옳지 않은 것은?

□□□

① J. Gowa의 정부간주의(Intergovernmentalism)에 따르면 동맹국가에 대해서 일국은 자유무역정책을 구현하기 쉬우며 보다 협력적인 통상외교를 펼칠 가능성이 크다.

② W. Nordhaus의 선거주기이론에 의하면 전반적 경제성황이 정치적 선거와 맞추어 순환한다는 것으로, 국민적지지 획득의 차원에서 선거 당해에 보다 보호주의적인 통상정책을 취할 가능성이 있다.

③ S. Strange의 잉여능력이론에 의하면 잉여능력이 자유국제무역을 약화시키며, 개별 국가는 잉여생산에 의한 경제불황의 시기에 보호무역정책을 취하고, 경제호황의 시기에 무역자유화로 나가려는 경향이 있다.

④ 경기순환이론은 보호무역주의의 중요 결정요인으로서 국내외적 경제상황을 지적한다.

정답 및 해설

J. Gowa의 안보통상연계이론에 대한 설명이다.

답 ①

011 □□□ **국제무역과 국제질서의 안정성에 관한 견해들이다. 다음 중 자유주의 중에서도 상호의존론자의 입장으로 옳은 것은?**

① 국제무역의 증가로 인해 자유무역을 규율하는 제도가 형성될 가능성이 커지고 이러한 제도의 역할로 인해 국제질서는 보다 안정화될 것이다.
② 국제무역이 심화되면 상대적 이득의 배분상태가 변화하여 특정 국가들의 취약성이 커지므로 국제질서의 안정성에 부정적 영향을 줄 것이다.
③ 국제무역을 실시할 경우 무역의 이익은 중산층이 향유하게 되며 국제무역으로 인해 중산층이 성장한다. 이로 인한 민주주의 심화는 국제질서를 보다 안정화시킬 것이다.
④ 국제무역 범위 및 정도가 확대되면 여러 분야에서 국가 간 관계가 긴밀해지기 때문에 무력사용을 자제하고 타협과 협상을 선호하게 될 것이며 국제질서는 안정화될 것이다.

정답 및 해설

선지분석
① 신자유주의적 제도주의의 입장이다.
② 현실주의의 입장이다.
③ 민주평화론의 입장이다.

답 ④

012  **국제무역이론에 대한 설명으로 옳지 않은 것을 모두 고른 것은?**

ㄱ. 국제무역을 설명하는 절대우위론에 따르면 한 국가가 모든 분야에서 절대우위에 있는 경우에도 무역이 발생하는 현실을 설명할 수 있다.
ㄴ. 국제무역을 설명하는 비교우위론은 한 나라가 두 상품 모두 절대우위에 있고 상대국은 두 상품 모두 절대열위에 있더라도 생산비가 상대적으로 더 적게 드는 상품에 특화하여 교역하면 상호이익을 얻을 수 있다는 이론이다.
ㄷ. 헥셔-올린모형은 비교우위가 발생하는 원인을 기술력의 차이로 설명한다.
ㄹ. 립진스키정리(Rybczinski theorem)는 한 생산요소의 부존량이 증가하면, 그 생산요소를 집약적으로 사용하는 재화의 생산량은 증가하고 여타 재화의 생산량은 감소한다는 이론으로 경제성장과 산업구조 변화의 관계를 보여준다.

① ㄱ, ㄴ ② ㄱ, ㄹ
③ ㄴ, ㄹ ④ ㄱ, ㄷ

정답 및 해설

국제무역이론에 대한 설명으로 옳지 않은 것은 ㄱ, ㄷ이다.
ㄱ. 절대우위론에 따르면 한 국가가 모든 분야에서 절대우위에 있는 경우에도 무역이 발생하는 현실을 설명할 수 없다.
ㄷ. 헥셔-올린모형은 비교우위가 발생하는 원인을 국가 간 부존요소의 차이로 설명한다.

답 ④

013 국제정치경제론에 대한 설명으로 옳지 않은 것은?

□□□

① 종속이론은 세계무역체제가 선진국과 개발도상국 사이의 상품의 불균등한 교환으로 특징지어진다고 주장한다.

② 교역조건론은 관세 등을 통한 수입억제로 교역조건을 개선하려는 보호무역의 정책이념이다.

③ 국가주의이론은 증가된 경제관계는 필연적으로 지구촌을 초래하는 것이 아니라 국가 간 경제적 갈등을 증폭시킬 수 있다고 본다.

④ 소비자이익론은 다수의 소비자의 이익을 극대화시키기 위하여 생산자의 이익을 보호해야 한다는 보호무역 정책이념이다.

정답 및 해설

다수의 소비자의 이익을 극대화시키기 위하여 생산자의 이익을 위한 보호장치를 제거해야 한다는 자유무역 정책이념이다.

답 ④

014 통상외교에 대한 설명으로 옳은 것을 모두 고른 것은?

□□□

ㄱ. W. Nordhaus의 안보통상연계이론에 따르면 동맹국가에 대해서 일국은 자유무역정책을 구현하기 쉬우며 보다 협력적인 통상외교를 펼칠 가능성이 크다.
ㄴ. J. Gowa의 선거주기이론에 의하면 전반적 경제성황이 정치적 선거와 맞추어 순환한다는 것으로, 국민적 지지 획득의 차원에서 선거 당해에 보다 보호주의적인 통상정책을 취할 가능성이 있다.
ㄷ. 길핀에 의해 발전된 패권안정모델에 의하면 패권국의 정치적 그리고 경제적 쇠퇴는 필수불가결하게 자유무역질서의 붕괴를 가져온다.
ㄹ. S. Strange의 잉여능력이론에 의하면, 개별 국가는 잉여생산에 의한 경제불황의 시기에 보호무역정책을 취하고, 경제호황의 시기에 무역자유화로 나가려는 경향이 있다.

① ㄱ, ㄴ ② ㄴ, ㄷ
③ ㄴ, ㄹ ④ ㄷ, ㄹ

정답 및 해설

선지분석

ㄱ. Gowa의 안보통상연계이론에 따르면 동맹국가에 대해서 일국은 자유무역정책을 구현하기 쉬우며 보다 협력적인 통상외교를 펼칠 가능성이 크다.
ㄴ. W. Nordhaus의 선거주기이론에 의하면 전반적 경제성황이 정치적 선거와 맞추어 순환한다는 것으로, 국민적 지지 획득의 차원에서 선거 당해에 보다 보호주의적인 통상정책을 취할 가능성이 있다.

답 ④

015 도하개발의제(Doha Development Agenda; DDA)에 대한 설명 중 옳지 않은 것은? 2009년 외무영사직

□□□

① 2001년 11월 도하(Doha)에서 개최된 WTO 제4차 각료회의에서 시작된 다자간 무역협상을 의미한다.
② 주요 의제로 농업, 서비스, 비농산물 시장 접근, WTO 규범, 환경문제 등을 다루었다.
③ 1994년 타결된 우루과이라운드에 비해 참여국 수는 줄었지만 의제상으로는 가장 포괄적인 무역협상이다.
④ 농산물 관세인하, 농업보조금 삭감 등의 쟁점에 대하여 미국과 EU, 브라질, 인도 등 주요 무역국들 간에 마찰을 빚기도 하였다.

정답 및 해설

우루과이라운드는 105개국이 참여하였고, DDA는 현재 약 153개 회원국이 참여하고 있다.

답 ③

016 GATT체제 하의 다자간 통상협상이 아닌 것은? 2014년 외무영사직

① 우루과이 라운드
② 케네디 라운드
③ 도쿄 라운드
④ 도하 라운드

정답 및 해설

도하 라운드(DDA)는 2001년 출범한 협상체제로서 WTO체제 하의 다자간 통상협상이다.

답 ④

017 밑줄 친 부분에 적합한 국제현상으로 옳은 것은?

□□□

__________은/는 자국의 이익을 위해서 다른 국가에게 손해를 입히는 정책을 의미한다. 극심한 경제침체를 겪던 국가들은 내수진작보다는 수출진흥을 통해 경기를 부양하기 위해 환율의 평가절하와 관세율 인상으로 대표되는 보호주의 무역정책을 추진했다. 이로 인해 오히려 세계경제는 더욱 위축되었다.

① 트리핀 딜레마
② 회전차액거래
③ 근린궁핍화정책
④ 경쟁정책

정답 및 해설

해당 설명은 근린궁핍화정책을 의미한다.

선지분석

① 트리핀 딜레마는 금 1온스를 35달러에 태환할 수 있는 고정환율제에 기반한 브레튼우즈 체제에 내재된 근본적 모순을 의미한다. 즉 국제유동성확보를 위한 달러의 지속적 발행과 달러의 지속적 발행에 따른 재정적자, 그리고 그로 인한 달러의 신뢰도 하락이 나타나면서 발생하는 상충관계를 의미한다.

② 금융계에서 펀드자금을 회전시키거나, 한 국가에서 다른국가로 금융행위를 회전시키는 행위를 말한다. 이는 정부규제로 인해 생기는 제한을 피해서 이익을 증가시키기 위해 행해진다.

④ 경쟁정책은 기업, 특히 국영기업을 포함하는 독점기업에 의한 반경쟁적 행위와 상호작용을 금지하는 정책들을 말한다.

답 ③

018 도하개발아젠다협상(DDA) 지연에 대한 국제정치이론적 설명으로 옳은 것은?

① 신자유제도주의에 따르면 국가들은 국제협상에 있어서 상대적 이득을 추구하기 때문에 근본적으로 DDA는 타결되기 어렵다.

② 신현실주의에 따르면 국제협력에 있어서 국가들은 절대적 이득을 추구한다는 점을 고려하면 DDA가 장기 정체 상태에 빠진 것은 DDA 타결의 이득보다 비용이 더 크기 때문이라고 볼 수 있다.

③ 패권안정론에 따르면 DDA 타결이 어려운 이유는 현 패권국인 미국이 적절한 리더십을 공급해 주지 못하고 있기 때문이다.

④ 구성주의는 국제관계에 있어서 집합정체성이라는 구조적 요인을 강조하는 이론으로서 DDA의 정체는 미국과 중국이 상대적 이득보다는 절대적 이득을 추구해야 해결될 수 있다.

정답 및 해설

선지분석

① 신자유제도주의에 따르면 DDA타결의 비용이 이득보다 크다고 국가들이 판단하기 때문에 타결이 어렵다.

② 신현실주의는 무정부적 국제체제에서 국가들이 배반가능성이나 상대적 이득에 대해 우려하기 때문에 협력이 어렵다고 본다.

④ 구성주의에 따르면 실제로 협상을 주도하고 있는 미국과 중국이 '적대적 정체성'을 내면화하고 있어 협력이 어렵다.

답 ③

019 GATT 체제의 역사적 전개과정에 대한 설명으로 옳지 않은 것은?

□□□

① 케네디 라운드에서는 품목별관세인하 방식을 적용하여 관세율을 현저히 감축하였다.
② 도쿄 라운드에서는 시장질서유지협정과 수출자율규제에 관한 규약을 마련하였다.
③ 1970년대 보호주의 조치들이 강화되면서 GATT체제는 심각한 위기를 경험하였다.
④ GATT 체제는 협의 및 패널절차를 통해 분쟁해결을 도모하였으나 패널보고서 채택이 총의제에 기초함에 따라 실질적인 효과를 거두기 어려웠다.

정답 및 해설

선형관세인하방식을 도입하였다.

답 ①

020 WTO 뉴라운드 전개과정에 있어서 싱가포르 이슈에 해당되는 것은 모두 몇 개인가?

□□□

ㄱ. 무역과 투자	ㄴ. 무역과 경쟁정책
ㄷ. 정부조달 투명성	ㄹ. 무역원활화
ㅁ. 무역과 환경	

① 1개　　② 2개
③ 3개　　④ 4개

정답 및 해설

싱가포르 이슈에 해당되는 것은 ㄱ, ㄴ, ㄷ, ㄹ로 4개이다.

선지분석

ㅁ. 싱가포르 이슈는 아니나, DDA 의제이다. 싱가포르 이슈 중 무역원활화만 DDA의제이다.

답 ④

021 국제무역협상에 대한 설명으로 옳지 않은 것은?

□□□

① Quad 그룹: UR협상 주도국으로 미국, EU, 일본, 캐나다를 말한다.
② 케언즈 그룹: 호주의 주도로 1989년 공식 발족된 농산물 수출국 그룹을 말한다.
③ 5대 이해관계국: 미국, EU, 브라질, 인도, 인도네시아을 말하며 DDA출범 초기 DDA협상을 주도하였다.
④ G7: 5대 이해관계국에 중국과 일본이 포함되며, 최근 들어 DDA협상 주도국들이다.

정답 및 해설

5대 이해관계국은 미국, EU, 브라질, 인도, 호주이다.

답 ③

022 □□□ **원유, 금, 다이아몬드 등의 천연자원을 많이 보유한 국가에서 나타날 수 있는 '자원의 저주'에 대한 설명으로 옳지 않은 것은?**

2019년 외무영사직

① 해당 천연자원의 수출 비중이 낮다.
② 소수만 부유하게 만들어 다수의 빈곤층이 생긴다.
③ 민주화는 진전되기 어렵다.
④ 자원을 둘러싼 정부, 반군, 다국적기업 간의 분쟁이 발생할 수 있다.

정답 및 해설

자원의 저주(resource curse, paradox of plenty)는 천연 자원(화석 연료와 특정 광물 등)이 풍부한 국가가 천연 자원이 더 적은 국가들보다 낮은 수준의 경제 성장, 낮은 수준의 민주주의를 보이는 역설을 가리킨다. 광물 자원이 풍부한 국가가 어떻게 자국의 경제를 상승시키기 위해 부를 사용하지 못하는지, 또 어떻게 이러한 국가들이 천연자원이 풍부하지 않은 국가들에 비해 더 낮은 경제 소득을 가졌는지를 기술하기 위해 1993년 리처드 오티(Richard Auty)에 의해 처음 사용되었다. 이들 국가들에서는 이권 다툼으로 풍부한 자원의 이익이 국가가 아닌 특정 집단에 돌아감으로써 국민은 빈곤을 면치 못한다. 자원과 관련된 산업은 자본집약적(capital intensive)인 특성을 가지고 있어 고용 창출 효과가 미미하다. 특히 대다수 개발도상국들에서는 천원자원을 채굴하고 정제하는 등의 제대로 된 기술조차 가지고 있지 않아서 외국자본에 의존하는 형편이다. 이런 특성이 정치적인 부패와 결합하여 자원을 이용하여 벌어들인 돈은 극소수 부유층으로만 흘러들어가고 대다수 국민들은 빈곤에서 벗어나지 못한다. 최악의 경우 자원으로 벌어들일 수 있는 이득을 차지하기 위한 권력다툼이 내전 양상으로 번지기도 한다.

답 ①

제5절 I RTA

001  **자유무역협정(FTA: Free Trade Agreement)에 관한 설명으로 옳지 않은 것은?**

① 세계무역기구(WTO)의 다자질서가 출범한 이후에 FTA 체결 추세가 감소하고 있다.
② FTA는 나라와 나라 간의 제반 무역장벽을 완화하거나 철폐하여 무역 자유화를 실현하기 위한 특혜무역협정이다.
③ FTA는 EFTA나 NAFTA와 같이 인접국가나 일정한 지역을 중심으로 이루어져 지역무역 협정으로 불려지기도 한다.
④ FTA는 기본적으로 WTO의 최혜국대우와 다자주의 원칙을 벗어난 양자주의 혹은 지역주의적인 특혜무역협정이다.

정답 및 해설

FTA로 대표되는 지역주의(regionalism)는 세계화와 함께 오늘날 국제경제를 특징짓는 뚜렷한 조류가 되고 있으며, WTO 출범 이후 오히려 확산 추세에 있다. 예컨대, 47년간의 GATT 시대에 GATT에 통보된 지역무역협정이 91건인데 비해, WTO 초기 9년간 이보다 많은 120건의 지역무역협정의 통보가 이루어졌다.

답 ①

002 다음은 지역경제통합의 형태에 대한 설명이다. 명칭을 짝지은 것으로 옳은 것은?

□□□

> ㄱ. 회원국 간 역내 관세철폐와 함께 역외국에 대해 공동관세율을 적용한다. MERCOSUR 등이 해당한다.
> ㄴ. 단일통화, 회원국의 공동의회 설치와 같은 정치 경제적 통합을 통해 완전 경제통합을 달성하는 것이다. EU가 해당한다.
> ㄷ. 회원국 간 역내 관세 철폐를 중심으로 한다. NAFTA 등이 해당한다.
> ㄹ. 관세동맹에 추가해서 회원국 간 생산요소의 자유로운 이동이 가능한 형태를 말한다. EEC 등이 해당한다.

① ㄱ - 자유무역협정
② ㄴ - 단일시장
③ ㄷ - 경제공동체
④ ㄹ - 관세동맹

정답 및 해설

지역경제통합의 형태와 그 명칭을 짝지은 것으로 옳은 것은 ㄴ - 단일시장이다.

선지분석

ㄱ. 관세동맹에 대한 설명이다.
ㄷ. 자유무역협정에 대한 설명이다.
ㄹ. 공동시장에 대한 설명이다.

답 ②

003 국가 간 경제통합의 단계를 순서대로 바르게 나열한 것은?

2023년 외무영사직

> (가) 관세동맹(Customs Union)
> (나) 자유무역협정(Free Trade Agreement)
> (다) 화폐동맹(Currency Union)
> (라) 공동시장(Common Market)

① (가) → (다) → (라) → (나)
② (나) → (가) → (라) → (다)
③ (나) → (가) → (다) → (라)
④ (라) → (가) → (다) → (나)

정답 및 해설

(가) 관세동맹(Customs Union)은 역내국 간 관세나 비관세조치를 폐지하는 한편, 역외국에 대해 공동조치를 취하는 형태이다.
(나) 자유무역협정(Free Trade Agreement)은 역내국 간 관세나 비관세조치를 폐지하는 한편, 역외국에 대해서는 독자적 경제조치를 취하는 단계이다.
(다) 화폐동맹(Currency Union)은 단일시장(Single Market)이라고도 한다. 경제통합의 최종단계로서 공동통화를 사용한다. 지금의 유럽연합이 화폐동맹단계이다.
(라) 공동시장(Common Market)은 관세동맹 단계에서 더 나아가 생산요소의 자유 이동을 허용하는 경제통합체이다.

답 ②

004 자유무역협정(FTA) 체결 요인을 설명한 것으로 가장 옳지 않은 것은?

① 신기능주의에 따르면 자유무역협정체결을 위해서는 국가이익에 기초한 국가 최고 엘리트의 선택이 필요하다.
② FTA를 통한 관세철폐는 상대국으로의 시장 접근성을 강화하여 경제적 효율성을 확대시킨다.
③ 미국은 경제적 요인뿐 아니라 패권을 강화하고 협상력을 높이는 국제정치적 요인에서도 FTA 체결을 확대하고 있다.
④ 자유주의적 정부 간 주의 입장에 따르면 개방경제를 지지하는 집단의 세력이 보호주의세력보다 강력해야 FTA가 체결될 수 있다.

정답 및 해설

FTA를 국익 실현을 위한 정치적 결단으로 보는 입장은 현실주의의 관점이다. 신기능주의에서는 엘리트의 결단보다는 이익집단의 요구가 중요한 변수라고 본다.

선지분석

② FTA는 관세철폐를 통해 비교우위에 입각한 효율적 경제질서를 구축한다.
③ 미국은 동맹을 강화시키고 정치적 영향력을 확보하기 위해 요르단이나 이스라엘과 FTA를 체결하였다.
④ 자유주의적 정부 간 주의는 개방지지 세력이 우위에 있을 때 그 정권의 선호도에 따라 개방이 이루어진다고 주장한다.

답 ①

005 지역무역협정(RTA)에 대한 설명으로 옳지 않은 것은?

① 자유무역협정(FTA)는 역내국 상호간 관세나 비관세 장벽을 폐지하되 역외국에 대해서는 독자적 관세 또는 비관세 조치를 취하는 형태로서 우리나라가 체결한 RTA는 모두 FTA에 해당한다.
② FTA는 경제적 효과로서 무역창출효과와 무역전환효과가 있으며 전자는 역내국 상호간 무역량이 증가하나 후자는 역내국 상호간 무역량이 감소하는 효과가 있다.
③ WTO체제에서는 지역주의가 예외적으로 허용되고 있으며 지역주의는 최혜국대우원칙의 예외임에도 불구하고 다자주의와의 보완성을 기대하며 허용되고 있다.
④ 관세동맹(Customs Union)은 회원국 상호간 관세 및 비관세 장벽을 폐지하는 한편 역외국에 대해 공동으로 관세 또는 비관세 조치를 취하는 형태로서 베네룩스관세동맹이나 남미공동시장이 대표적이다.

정답 및 해설

무역전환효과는 역내국 상호간 무역량은 증가하나, 역외국과 역내국 간 무역량은 감소할 수 있다. 무역전환효과(trade diversion effect)는 역내국 간 관세 등 무역장벽이 완화됨으로써 역외국과의 무역이 역내국과의 무역으로 대체되는 것을 말한다.

답 ②

006 자유무역협정(FTA)과 다자주의의 관계를 설명한 것으로 옳지 않은 것은?

① FTA 체결에 따라 무역창출효과보다 무역전환효과가 크다면 다자주의에 부정적 영향을 미칠 것이다.
② 역내국 상호간 투자의 위험성 감소, 기업경쟁력 강화, 요소이동성 증대 등 긍정적 효과가 커질수록 역외국과의 다자무역을 실행할 유인이 낮아질 수 있다.
③ 다자무역 협상과정과 체결과정은 FTA 추진을 위한 정보를 제공하는 등 지역주의를 촉진할 수 있다.
④ FTA는 모든 체약국에 대한 무조건적 · 무차별적 최혜국대우를 규정하고 있는 WTO 다자주의와 본질적으로 상충될 수밖에 없으므로 WTO협정에서는 명시적으로 금지된다.

정답 및 해설

WTO 체제 하에서는 제한적인 수준에서나마 제24조가 규정하는 지역주의 예외를 통해 FTA의 형성을 허용하고 있다.

선지분석

① 무역창출(trade creation)이란 FTA 체결에 의해 비효율적인 재화공급원이 효율적인 역내공급원으로 대체되는 것이고, 무역전환(trade diversion)이란 FTA에 따른 차별적 대우로 인해 비효율적인 역내공급원이 효율적인 역외공급원을 대체하는 것이다. 전자가 클수록 다자주의에 긍정적 효과를, 후자가 클수록 부정적 효과를 가져온다.
② 역내국 상호간 긍정적 효과가 증대될 경우 국가들은 역외국과의 다자무역의 필요성을 실감하지 못할 수 있다. 이에 따라 다자주의가 지연될 것이다.
③ 다자무역 협상과정에서 합의된 내용, 절차적 법규들이 FTA 협상의 기준으로 직접 활용되어 신속하고 효율적인 타결을 촉진할 수 있다.

답 ④

007 RTA 사례에 대한 설명이 옳지 않은 것은?

① EFTA: 유럽전체를 결집하는 자유무역지역 설립 구상이 깨진 뒤 영국을 중심으로 EEC에 대항하여 설립된 것으로 회원국의 경제 확대, 완전 고용 등을 목표로 한다.
② NAFTA: 지역적 경제통합을 위해 미국, 캐나다, 멕시코 3국 간 체결된 무역협정으로 가맹국 상호간의 무역장벽 제거에 목적을 둔 소극적 경제통합체이다.
③ CACM: 엘살바도르, 니카라과, 온두라스, 과테말라, 코스타리카 5개국 간 창설된 것으로 역내무역의 자유화, 역외관세의 통일화, 공동시장의 형성을 목적으로 한다.
④ MERCOSUR: 1958년 로마조약에 의해 발효된 것으로 유럽 석탄, 철강 공동체에서 발전해나간 형태이다. 발족 후 대대적인 관세인하를 추진하였으며, 공동 대외관세를 실시하였다.

정답 및 해설

유럽경제공동체(EEC)에 관한 설명이다. MERCOSUR는 남미공동시장으로 남미지역의 자유무역, 관세동맹을 목표로 결성되었다.

선지분석

③ CACM(중미공동시장)은 명칭과 달리 실질적으로는 불완전한 관세동맹에 불과하다는 평가를 받고 있다.

답 ④

008 다음 설명에 해당하는 것은? 2010년 외무영사직

> 1991년 브라질, 아르헨티나, 파라과이, 우루과이가 참여한 아순시온 조약에 의해 지역의 경제통합을 목적으로 설립되었다. 이후 이 지역에서 회원국을 확대하면서 사회, 경제통합과 발전뿐만 아니라 국제사회에서 회원국들의 목소리를 강화하는 역할 또한 수행하고 있다.

① 안데스공동체(ANCOM)
② 남미자유무역연합(LAFTA)
③ 남미공동시장(MERCOSUR)
④ 중미공동시장(CACM)

정답 및 해설

선지분석

① 안데스공동체(Andean Community: ANCOM)는 1969년 카르타헤나 협정을 바탕으로 창설된 남아메리카 4개국(콜롬비아, 에콰도르, 볼리비아, 페루) 간의 경제협력체로, 본부는 페루 리마에 있다.
② 남미자유무역연합(Latin American Free Trade Area: LAFTA)은 1960년 결성되었고 본부를 우루과이에 두고 있다. 중남미 국가들 간에 자유무역을 증진하고 국제수지 불균형 문제가 심각한 국가에 자금을 공여하는 것을 목표로 하고 있으며, 회원국은 아르헨티나, 볼리비아, 브라질, 칠레, 콜롬비아, 에콰도르, 멕시코, 파라과이, 페루, 우루과이, 베네수엘라 등이다.
④ 중미공동시장(Central American Common Market: CACM)은 '중미경제통합에 관한 일반조약'을 바탕으로 코스타리카, 엘살바도르, 과테말라, 온두라스, 니카라과 등 중미 5개국 간에 설립된 지역경제 통합기구이다.

답 ③

009 다음에 설명하는 자유무역지대는? 2009년 외무영사직

> 미국의 부시 전 대통령은 1990년 6월 알래스카에서 칠레 남단에 이르는 전 미주대륙을 자유무역지대화할 것을 제의했다. 쿠바를 제외한 미주전역의 국가들이 참여하여 2005년까지 설립하기로 합의했으나, 현재까지 설립되지 못하고 있다.

① NAFTA
② MERCOSUR
③ FTAA
④ SAFTA

정답 및 해설

미주자유무역지대(FTAA: Free Trade Area of the Americas)에 관한 서술이다.

답 ③

010 다음 중 남미공동시장(MERCOSUR)에 관한 설명으로 옳은 것은?

① 1959년 11월 스톡홀름 협약을 체결하고 이에 따라 1960년 5월에 영국, 덴마크, 노르웨이, 스웨덴, 스위스, 오스트리아, 포르투갈 7개국의 합의로 자유무역지역을 결성하였다.

② 권내 인구 3억 6,759만 명(1992), GNP 6조 2,030억 달러(1990)의 대(大)자유무역시장을 형성하는 협정으로, 유럽공동체(EC)를 능가하는 경제권을 형성하였다.

③ 회원국은 아르헨티나, 브라질, 파라과이, 우루과이, 베네수엘라 5개국이며, 1995년에는 유럽연합(EU)과 협력을 합의하였다.

④ 1991년 멕시코 · 베네수엘라와 협정을 맺었고, 1993년에는 카라카스 협정에 의거 G3와도 협력체제를 구축, 이들과 함께 거대 자유무역지대 결성을 목표로 활동하고 있으며 1997년 8월 중미 5개국과 한국년 외무장관들이 엘살바도르에서 제1차 대화협의체 회의를 가진 바 있다.

정답 및 해설

선지분석

① EFTA에 관한 내용이다.
② NAFTA에 관한 내용이다.
④ 중미공동시장(CACM: Central American Common Market)에 관한 내용이다.

답 ③

011 다음 중 자유무역 확대를 위한 국제기구 및 제도에 관한 설명으로 옳지 않은 것은?

① EFTA는 1959년 11월 스톡홀름 협약을 체결하고 이에 따라 영국, 덴마크, 노르웨이, 스웨덴, 스위스, 오스트리아, 포르투갈 7개국의 합의로 자유무역지역을 결성하여 현재에 이르고 있다.

② NAFTA는 1992년 12월 미국, 캐나다, 멕시코 정부가 합의하여 만든 자유무역협정으로 유럽공동체(EC)를 능가하는 경제권을 형성하였다.

③ New Zealand-Trans Pacific SEP는 뉴질랜드, 칠레, 싱가포르, 브루나이가 만든 자유무역협정으로, 2003년 9월 공식협상을 개시하여 2005년 6월 협상을 타결하였으며 2006년 11월에 칠레가 마지막으로 비준함으로써 공식적으로 발효되었다.

④ SAFTA는 남아시아 자유무역협정으로 인도, 파키스탄, 네팔, 부탄, 스리랑카, 몰디브, 방글라데시 등 7개국이 만든 자유무역체계이다.

정답 및 해설

EFTA는 영국, 덴마크, 노르웨이, 스웨덴, 스위스, 오스트리아, 포르투갈 7개국의 합의로 자유무역지역을 결성하였으나, 이 기구의 중심인 영국이 EC에 가입하면서 EFTA를 탈퇴함으로 인해 존재 의의가 없어지자, 잔류 각국은 각기 1972년 7월 EC와 자유무역협정을 체결하였고 2007년 기준 아이슬란드, 리히텐슈타인, 노르웨이, 스위스 4개국이 활동하고 있다.

답 ①

012 다음 설명에 해당하는 지역무역협정은?

□□□

> 2008년 5월에 창립된 협정이다. 메르코수르와 안데스공동체 12개국이 유럽연합형의 국가연합을 목표로 기구를 창설했다. 회원국은 안데스 공동체 회원국(볼리비아, 에콰도르, 콜롬비아, 페루), 메르코수르 회원국(베네수엘라, 브라질, 아르헨티나, 우루과이, 파라과이), 가이아나, 수리남, 칠레 등 12개국이다.

① 북미 FTA
② 중미공동시장
③ 라틴아메리카 FTA
④ 남미국가연합

정답 및 해설

남미국가연합(UNASUR)에 대한 설명이다. 남미국가연합은 미국 주도의 미주기구(OAS)에 대항해 '남미 문제는 남미 스스로 해결한다'는 기치를 내걸고 출범했다. 남미를 양분하는 경제블록인 남미공동시장과 안데스공동시장의 통합을 추구하고 있는데, 이것이 실현되면 세계에서 유럽연합(EU)과 북미자유무역협정(NAFTA)에 이어 세계에서 세 번째로 큰 무역블록이 형성된다. 남미국가연합은 이를 위해 자유로운 인적 교류, 경제 개발, 공동 방위정책, 관세 철폐를 추진하고 있다. 또 우고 차베스 베네수엘라 대통령의 제안으로 베네수엘라의 수도 카라카스와 아르헨티나 수도 부에노스아이레스를 잇는 1,200km의 대륙횡단 철도 건설도 추진 중이다.

답 ④

013 북미자유무역협정(NAFTA)에 대한 설명으로 옳은 것만을 모두 고른 것은?

□□□

> ㄱ. 1992년 8월 미국, 캐나다, 멕시코 3국이 합의한 협정으로, 상품 무역의 자유화를 목표로 GATT와 유사한 지역 내 자유무역체제를 구축하려는 시도를 보여주었다.
> ㄴ. NAFTA의 경우, 가맹국 상호간의 무역장벽 제거에 목적을 둔 소극적 형태의 경제통합체이다.
> ㄷ. NAFTA는 국제기구라기보다 하나의 자유무역협정으로 자체적인 분쟁해결제도를 가지고 있지 않아 분쟁발생시 WTO 분쟁해결절차를 이용하고 있다.
> ㄹ. 미주자유무역지대(FTAA) 창설과 관련하여 클린턴 정권의 1994년 미주정상회담을 기점으로, 부시 정권의 무역촉진권한법 통과, 2005년 4차 미주정상회담 성공으로 가시화되었다.

① ㄴ
② ㄱ, ㄷ
③ ㄴ, ㄹ
④ ㄷ, ㄹ

정답 및 해설

북미자유무역협정(NAFTA)에 대한 설명으로 옳은 것은 ㄴ이다.

선지분석

ㄱ. NAFTA는 무역의 자유화를 기초로 하고 있으면서 투자규칙, 지적재산권 등 보다 넓은 범위를 다루고 있는 것이 특징이다. 구체적으로 극히 일부 예외 상품을 제외한 나머지 상품에 대해 10년 이내 단계적인 관세 철폐를 표명함과 동시에 투자에 관한 활동 요건의 철폐와 지적재산권의 보호, 서비스 무역이나 정부조달의 자유화와 개방, 실효성이 높은 분쟁 처리 방식의 도입 등 경제통합이라는 측면에서 GATT보다 훨씬 진보적인 내용을 담고 있다.
ㄷ. 분쟁해결절차에 있어 WTO 분쟁해결절차와 다른 NAFTA의 고유한 절차를 운용하고 있다.
ㄹ. FTAA에 대한 논의는 2005년 11월 제4차 미주정상회담에서 FTAA합의에 실패하였다.

답 ①

014 지역주의에 대한 설명으로 옳은 것은?

① WTO체제 이후 진행되는 대부분의 지역협정이 WTO-Plus 방식으로 이루어지고 있다는 점을 고려할 때 다자무역 협상과정과 체결과정이 지역협정의 추진을 위한 정보를 제공하고 지역무역협상의 초점을 제공함으로써 지역주의를 촉진하는 경향이 있다.

② USMCA는 협정 당사국들에 대하여 비시장경제국과의 FTA 체결을 촉구하는 내용의 규정을 도입하였다.

③ 중미공동시장(CACM: Central American Common Market)은 1961년 7월 카르타헤나협정(Tratado de Cartagena)에 의거하여 창설되었으며 창설 목적은 역내무역 자유화와 관세동맹설립을 위한 협력과 역내 공동시장의 창설에 있다.

④ CPTPP는 미국이 TPP에서 탈퇴한 이후 일본 주도로 창설되었으며, 참가국은 일본, 캐나다, 멕시코, 호주, 뉴질랜드, 베트남, 말레이시아, 싱가포르, 칠레, 페루, 브루나이이며, 최근 영국이 가입하였다.

정답 및 해설

선지분석

② 비시장경제국과의 FTA 체결을 사실상 제한하는 내용의 규정을 도입하였다.

③ 마나구아 협정(Tratado de Managua)에 의거하여 창설되었다.

④ 영국은 가입국은 아니며, 가입절차를 진행하고 있는 국가이다.

답 ①

015 남미공동시장(MERCOSUR)에 대한 설명으로 옳지 않은 것만을 모두 고른 것은?

ㄱ. 1991년 브라질, 아르헨티나, 우루과이, 파라과이 4개국이 조인한 아순시온 조약에 기초해 발족하였다.
ㄴ. MERCOSUR는 상호 무역자유화에 추가하여 대외공동관세를 설정하는 관세동맹이라는 점에서 NAFTA와 다르다.
ㄷ. 북미지역의 NAFTA와의 경쟁구도를 이룸으로써, 중남미 지역의 국가들 간 경제통합 노력의 산물인 MERCOSUR은 내부적 경제통합의 응집력을 보여 순조롭게 진행되어 왔다.
ㄹ. 이러한 경제통합의 노력을 상호의존론 측면에서 살펴본다면, 경제적 상호의존이 파급효과(spill-over)를 띠고 정치적 통합으로 이어진다는 점에서 의미가 있다고 인식된다.

① ㄹ　② ㄱ, ㄴ　③ ㄴ, ㄷ　④ ㄷ, ㄹ

정답 및 해설

남미공동시장(MERCOSUR)에 대한 설명으로 옳지 않은 것은 ㄷ, ㄹ이다.

ㄷ. MERCOSUR의 발족 이후, 역내국가 간의 갈등이 존재하였다. 멕시코 통화위기와 아시아 통화위기의 여파가 미쳤던 1995년과 1999년에는 국제자본 철수로 인해 아르헨티나와 브라질의 외환보유도 타격을 받아 양국은 수입을 억제하는 조치를 취했다. 자동차와 설탕을 둘러싸고 양국 간에 무역마찰이 일어난 적도 있었다.

ㄹ. 신기능주의 측면에서 바라본 경제통합의 효과이다.

답 ④

016 ☐☐☐ '걸프협력회의(Gulf Cooperation Council, GCC)'에 관한 설명으로 옳지 않은 것은?

① 1981년 석유공급과 관련된 경제협력을 주요 목표로 하여 출범했다.
② 사우디아라비아, 쿠웨이트, 아랍에미리트, 오만, 카타르, 바레인 등 걸프지역 6개 산유국으로 구성되어 있다.
③ 2008년 GCC 공동시장이 창설되어 공동시장 내에서 모든 GCC 회원국 국민들은 영업, 투자 등 경제활동 및 거주, 여행 등 제반 생활분야에서도 모든 회원국 내에서 동일한 권리를 누리게 되었다.
④ 금융위기를 계기로 '공동통화 창설협정'을 체결하고, 2013년에 걸프중앙은행(GDB)을 창설하기로 합의하였다.

정답 및 해설

출범당시에는 안보협력이 주요 목표였으나, 점차 경제협력도 주된 과제로 다루기 시작하였다. 2008년 창설된 GCC 공동시장이 그간 경제협력을 위한 노력의 산물이라 볼 수 있다.

선지분석

③ GCC 공동시장 내에서 GCC 회원국 국민들은 영업활동, 투자, 취업 등 경제활동은 물론 여행, 거주, 교육 등의 제반 생활분야에서도 모든 회원국 내에서 동일한 권리를 누린다.

답 ①

017 ☐☐☐ 아프리카국가들의 지역주의에 대한 설명으로 옳지 않은 것은?

① 1963년 5월 아프리카국가 정상회의에서 아프리카국가들의 완만한 연대를 위해 '아프리카 단결기구(OAU)'가 창설되었으며, 당초 회원국은 32개국이었으나 이후 남아프리카공화국을 제외한 아프리카 모든 국가가 가입하여 세계 최대 지역기구가 되었다.
② OAU는 식민지주의 및 남아프리카의 아파르트헤이트 철폐를 주도함으로써 존재감을 과시하였으나, 그 밖의 영역에서는 다양한 국가들이 참가하는 거대한 조직인 만큼 통일적이거나 구체적인 행동을 취하는 데는 한계가 있었다.
③ 2002년 남아프리카공화국 더번에서 개최된 OAU정상회의에서 EU형 지역주의를 지향하며 '아프리카연합(African Union)'으로 발전하였다.
④ AU는 EU를 모방하여 아프리카 의회, 중앙은행 등의 전문기관, 분쟁해결을 위한 이사회를 설치하고, 공동 통화를 도입하기로 하였다.

정답 및 해설

당초 회원국은 32개국이었으나 이후 아프리카 모든 국가가(53개국) 가입하여 세계 최대 지역기구가 되었다. 남아프리카공화국도 가입하고 있다.

답 ①

018 지역주의에 대한 설명으로 옳지 않은 것은?

2019년 외무영사직

□□□

① 남미공동시장(MERCOSUR)은 경제협력뿐 아니라 민주주의 공고화 및 아르헨티나와 브라질 간의 경쟁 종식 등 정치적 목적도 추구하였다.
② 아세안지역안보포럼(ARF)은 신뢰구축, 예방외교 확대, 역내 분쟁에 대한 효과적 접근 등을 통해 역내 평화와 안정을 모색하였다.
③ 상하이협력기구(SCO)는 중국, 태국, 베트남, 라오스, 미얀마 등으로 구성되었으며, 신뢰구축과 함께 테러, 마약, 무기밀매 등의 영역에서 협력을 추구하였다.
④ 유럽연합(EU)은 유럽의회의 권한을 강화하고 정책결정의 효율성을 증대하려는 과정에서 리스본 조약을 채택하였다.

정답 및 해설

상하이 협력기구 가입국은 중국, 러시아, 인도, 파키스탄, 카자흐스탄, 키르기스스탄, 타지키스탄, 우즈베키스탄이다.

선지분석

④ 리스본조약은 공동결정절차를 확대하여 의회의 권한을 강화하였다. 한편, 니스조약상의 의결제도를 개혁하여 이중다수결제도를 도입함으로써 정책결정의 효율성을 증대하였다. 이중다수결제도 하에서는 국가별 가중치를 삭제하여 의사결정절차를 상대적으로 단순화하였다.

답 ③

019 2018년 '포괄적·점진적 환태평양경제동반자협정(CPTPP)'에 대한 설명으로 옳은 것만을 모두 고른 것은?

□□□

ㄱ. 전체 회원국 GDP의 85% 이상을 대표하는 최소 6개국 이상의 비준이 발효조건이다.
ㄴ. 환태평양경제동반자협정(TPP)에 비해 신규 회원국의 가입조건이 완화되었다.
ㄷ. 기존 TPP에서 지적재산권 보호, 투자자-국가 간 분쟁해결규정 등이 추가되었다.
ㄹ. 기존 TPP 회원국에서 미국을 제외한 11개국이 원회원국이다.

① ㄱ, ㄴ
② ㄱ, ㄹ
③ ㄴ, ㄷ
④ ㄴ, ㄹ

정답 및 해설

포괄적·점진적 환태평양경제동반자협정(CPTPP)에 대한 설명으로 옳은 것은 ㄴ, ㄹ이다.

선지분석

ㄱ. TPP의 발효 조건이다. CPTPP는 '회원국 50% 이상 또는 6개국 이상 비준 시'로 완화되었다.
ㄷ. 미국의 주장으로 TPP에 들어갔던 조항이다. 미국의 탈퇴로 해당 조항은 유예되거나 적용 범위가 축소되었다.

답 ④

020 미주대륙을 위한 볼리바르 동맹(ALBA)에 대한 설명으로 옳지 않은 것만을 모두 고른 것은?

□□□

ㄱ. 베네수엘라가 미국 주도의 미주자유무역지대(FTAA)에 대항하여 2001년 최초로 제안하였다.
ㄴ. 2009년 5개 회원국 간 무역거래 결제수단으로 공동통화 'SUCRE'를 창설하였다.
ㄷ. 미국을 제외한 라틴아메리카의 회원국 간의 자유무역협정(FTA) 체결을 목표로 한다.
ㄹ. 각국 정부 주도로 라틴아메리카를 대표하는 다국적기업의 성장을 지원한다.

① ㄱ, ㄴ
② ㄱ, ㄹ
③ ㄴ, ㄷ
④ ㄷ, ㄹ

정답 및 해설

볼리바르 동맹(ALBA)에 대한 설명으로 옳지 않은 것은 ㄷ, ㄹ이다.

ㄷ. ALBA는 이윤창출을 목적으로 하는 서구식 개념의 자유무역(FTA)이 아닌, 연대주의, 상호주의, 기술이전 등에 근거하여 대중의 필요에 부응하는 방향으로 경제협력을 추진한다.

ㄹ. 기존의 자본주의식 이윤창출이나 자본축적 지향적인 다국적 기업과는 달리 대중에게 필요한 재화나 서비스 생산을 목적으로 다국적기업을 설립하고자 하였다.

답 ④

021 지역주의에 대한 설명으로 옳지 않은 것은?

□□□

① CPTPP는 미국이 TPP에서 탈퇴한 이후 일본 주도로 창설되었으며, 참가국은 일본, 캐나다, 멕시코, 호주, 뉴질랜드, 베트남, 말레이시아, 싱가포르, 칠레, 페루, 브루나이이다.
② 2017년 12월 일본은 유럽연합과 일본-EU 경제동반자협정(EPA)을 체결하여 특히 서비스 시장 개방폭 확대에 합의했다.
③ 이베로아메리카 공동체(Communidad)는 이베리아반도와 중남미 22개국의 문화적 · 언어적 일체성을 기반으로 하여 1991년 출범했으며, 한국은 2016년 옵서버로 가입했다.
④ 태평양동맹(PA)은 2011년 4월 콜롬비아 · 브라질 · 멕시코 · 페루 4개국의 '리마 선언'에 의해 설립되었다.

정답 및 해설

브라질 대신 칠레가 포함된다.

답 ④

001 국제통화 · 금융질서에 대한 설명으로 옳지 않은 것은? 2023년 외무영사직

□□□

① 미국과 일본은 2016년에 설립된 아시아인프라투자은행(AIIB)에 참여하지 않았다.
② 국제통화기금은 '트리핀 딜레마'를 완화하기 위하여 특별인출권(SDR)을 제안하였다.
③ 1985년 플라자합의는 미국 달러화에 대한 일본 엔화와 서독 마르크화를 평가 절상하기로 합의한 것이다.
④ 일본, 중국, 미국은 동아시아 금융위기를 극복하기 위해 아시아통화기금(AMF) 창설에 합의하였다.

정답 및 해설

아시아통화기금(AMF)은 당초 일본이 제안하였으나 미국의 반대로 무산되었다. 중국은 당초 일본의 제안에 반대하였으나, ASEAN 국가들이 이에 동조하자 입장을 변경하여 지지하기로 하였었다.

선지분석

① 유럽의 주요국들은 대거 가입하고 있으나, 미국과 일본은 AIIB에 가입하지 않고 있다.
② 트리핀의 딜레마는 특정국 화폐를 기축통화로 설정한 경우 내재되는 문제로서 '유동성'과 '신뢰성'의 상충관계를 말한다. 1960년대 미국의 학자 트리핀이 명명한 문제이다.
③ 플라자합의는 미국 달러화의 평가절하, 즉 마르크나 엔화의 평가절상을 통해 미국 상품의 대외적 가격 경쟁력을 강화하여 무역적자를 줄이기 위해 합의된 것이다.

답 ④

002 기축통화국에 대한 설명으로 옳지 않은 것은? 2018년 외무영사직

① 기축통화국이 되면 국제사회에서 위상이 증진되고 영향력을 확대할 수 있다.
② 국제무역 및 금융거래가 자국의 통화로 이루어져 무역적자로부터 자유롭다.
③ 기축통화국 금융기관들의 해외활동이 증가할 수 있다.
④ 기축통화국은 자국 화폐의 신뢰를 유지하기 위해 비용을 지불해야 한다.

정답 및 해설

기축통화국도 무역적자로부터 자유롭지 못하다. 기축통화 가치의 변동에 따라 무역흑자나 적자를 볼 수 있다. 다만, 기축통화국이 기축통화를 공급하기 위해서는 대체로 무역적자를 볼 수밖에 없다. 그래야 국제시장에 자국 화폐를 공급할 수 있기 때문이다.

선지분석

① 기축통화국은 '화폐주조차익'도 기대할 수 있어 정치적 영향력뿐 아니라 경제적 영향력도 확대될 수 있다.
③ 기축통화에 대한 수요가 증가함에 따라 해외활동이 증가할 수 있다.
④ 화폐 신뢰를 유지하기 위해서는 화폐가치가 높게 유지되어야 할 것이다. 이로써 무역적자 등의 비용을 지불해야 할 수 있다.

답 ②

003 □□□

브레턴우즈(Bretton Woods) 체제에 대한 설명으로 옳지 않은 것은? 2015년 외무영사직

① 내재적 자유주의(embedded liberalism)에 기초하여 국가와 시장이 타협을 이룬 체제이다.

② 국제무역의 다자화와 안정성과 함께 국제금융통화체제의 자유화와 개방성을 확보하기 위해 만든 체제이다.

③ 미국 달러의 가치가 금의 가치에 일정비율로 고정되고, 다른 화폐의 가치가 미국 달러의 가치에 일정비율로 고정되는 고정환율제였다.

④ 국제통화기금(IMF)은 일시적 국제수지 적자국을 지원할 목적에서, 세계은행(World Bank)은 다른 국가들의 개발을 지원할 목적에서 만들어졌다.

정답 및 해설

브레턴우즈 체제의 기본 구도는 무역의 자유화 및 금융의 통제와 안정으로 요약할 수 있다. 금융질서의 안정화는 무역자유화를 위한 수단 또는 토대로 간주되었다. 즉, 국제금융통화체제는 자유화나 개방성 확보가 아니라 통제에 초점을 둔 것이다.

선지분석

① 내재적 자유주의 또는 배태된 자유주의는 고전적 자유주의와 달리 국가의 시장개입을 통한 금융질서나 국내질서의 안정을 추구한다.

③ 미국 달러의 가치를 금 1온스당 35달러로 고정한 금환본위제도였다. 환율제도의 경우 조정가능한 고정환율제도를 채택하여 환율 안정을 추구하였다.

④ 제도적 차원에서 브레튼우즈체제는 IMF 및 IBRD(World Bank)를 창설하였다.

답 ②

004 □□□

브레튼우즈 체제의 경제질서에 대한 설명으로 옳지 않은 것은? 2020년 외무영사직

① 고정환율제를 채택하였기 때문에 미국이 국제수지 적자를 기록하면 국제유동성이 감소하는 문제가 있었다.

② 국제적으로는 국제금융에 대한 통제와 무역자유화를 추구하였고, 국내적으로는 케인즈주의적 총수요관리를 추구하였다.

③ 기축통화인 달러 가치의 신뢰성을 유지하면서도 세계경제의 확장에 따라 충분한 양의 달러를 시장에 공급해 주어야 하는, 트리핀의 딜레마(Triffin's Dilemma)에 처하게 되었다.

④ IMF, GATT, IBRD라는 세 가지 제도가 이 체제를 유지하는 핵심이었다.

정답 및 해설

미국이 국제수지 적자를 기록하면 국제유동성, 즉 달러공급은 '증가'한다.

선지분석

② 이러한 질서를 '배태된 자유주의(embedded liberalism)'이라고도 한다.

③ 유동성(liquidity)과 신뢰성(credibility)의 상충관계(trade-off)를 트리핀의 딜레마라고 한다.

④ IMF는 위기 시 최종 대부자, GATT는 자유무역질서 유지, IBRD는 전후 복구문제 관리 차원에서 형성되었다.

답 ①

005 1985년 플라자합의(Plaza Accord)에 대한 설명으로 옳지 않은 것은? 2015년 외무영사직

□□□

① 달러의 금태환이 정지됨으로써 변동환율제가 채택되었다.
② 플라자합의로 인한 엔화절상은 1990년대 일본의 장기불황을 촉발시킨 도화선이 되었다.
③ G5 경제선진국(미국, 서독, 영국, 일본, 프랑스) 모임에서 발표된 환율과 경기부양에 관한 합의였다.
④ 대미 무역에서 막대한 흑자를 기록하던 일본과 독일 통화에 대한 인위적인 평가절상으로 미국의 무역수지를 개선하기 위한 조치였다.

정답 및 해설

달러화의 금태환정지는 1971년 닉슨의 신경제정책선언에 해당한다. 한편, 변동환율제는 1976년 킹스턴 체제에서 합의된 사항이다.

선지분석

②, ④ 플라자합의에서는 미국의 경상수지 적자문제를 조정하기 위해 달러화의 엔화 또는 마르크화에 대한 평가절하를 단행하고, 전 세계적으로 동시적 경기부양을 합의하였다.

답 ①

006 1944년 미국을 포함한 연합국 대표들이 미국 뉴햄프셔 주, 브레튼우즈(Bretton Woods)에서 합의한 사실로 옳지 않은 것은?

□□□

① 변동환율제도 채택
② 달러의 금태환 허용
③ 통화의 자유교환 원칙
④ 국제통화기금(IMF)의 설립

정답 및 해설

브레튼우즈 체제는 세계 각국 통화가치를 달러를 기준으로 일정하게 유지하는 '고정환율제'를 채택하되 근본적인 불균형이 있을 때만 변경하도록 하였다. 기준이 되는 달러는 순금 1온스당 35달러로 정했다.

답 ①

007 트리핀 딜레마(Triffin Dilemma)에 대한 설명으로 옳지 않은 것은? 2013년 외무영사직

□□□

① 트리핀(Robert Triffin)은 미국의 방만한 재정운영정책이 지속될 경우 금태환이 가능하지 않을 수 있다는 예측을 하였고, 국제통화기금(IMF)은 달러화의 신뢰성을 유지하기 위한 방안으로 플라자합의(Plaza Accord)를 제안하였다.

② 1960년대 후반 미국정부가 대대적인 사회복지 투자와 베트남 전쟁 전비로 금보유량보다 훨씬 더 많은 통화를 발행함으로써 트리핀 딜레마 문제가 현실화되었다.

③ 1971년 닉슨 행정부는 금태환정책의 포기를 공식적으로 선언하였다.

④ 트리핀 딜레마는 금 1온스를 35달러에 태환할 수 있는 고정환율제도에 기반한 브레턴우즈 금융체제에 내재된 근본적인 모순을 의미하는 개념이다.

정답 및 해설

플라자합의는 1985년 미국을 비롯한 주요 국가들이 미국의 쌍둥이 적자 문제를 해결하기 위해 개최한 회의에서 합의한 사항을 말한다. 달러화의 평가절하 용인, 전 세계적인 동시적 경기부양 등에 합의하였다.

답 ①

008 브레튼우즈(Bretton Woods) 국제금융통화 체제의 내재적 불안정성을 지적한 다음의 이론은 무엇인가?

□□□ 2011년 외무영사직

> 미국의 내국통화인 달러를 기축통화로 하는 브레튼우즈 국제금융통화 체제에서는 미국이 국제수지 균형을 엄격히 유지할 경우 유동성 부족 문제가 발생하고, 유동성의 원활한 공급을 위해 국제수지 적자를 방치할 경우 달러화의 해외 과잉보유 현상이 일어나 기축통화에 대한 신뢰도가 떨어지게 되므로 유동성의 충분한 공급과 기축통화의 신뢰성 확보를 동시에 이룰 수 없다는 문제가 있다.

① 달러 딜레마(Dollar Dilemma)
② 유동성 딜레마(Liquidity Dilemma)
③ 유연성 딜레마(Flexibility Dilemma)
④ 트리핀 딜레마(Triffin's Dilemma)

정답 및 해설

트리핀의 딜레마는 트리핀이라는 학자가 명명한 현상으로서, 특정 국가의 통화를 기축통화로 설정하는 경우 필연적으로 발생하는 '유동성'과 '신뢰성'의 상충관계를 의미한다. 1970년대 미국의 국력이 쇠퇴하면서 달러화에 대한 신뢰가 급격히 하락하는 문제가 발생하였고, 닉슨은 '신경제정책'을 선언함으로써 브레튼우즈 체제가 부분적으로 붕괴하게 되었다.

답 ④

009 **제2차 세계대전 이후 국제통화질서의 변천과정을 설명한 것으로 옳지 않은 것은?** 2009년 외무영사직

□□□

① 1944년 확립된 브레튼우즈 체제는 미국 달러화에 기반을 두고 금에 연동되는 국제통화레짐을 구축했으며, 1970년대 초까지 유지되었다.

② 브레튼우즈 체제의 붕괴 원인 중 하나는 달러의 과잉평가와 신인도 하락이다.

③ IMF는 브레튼우즈 체제의 결함을 보완하기 위해서 특별인출권(SDR)을 창출하였고 이것을 주요 준비자산으로 격상시켰다.

④ 회원국들이 미국의 세계통화질서 독주에 반발한 이후 IMF의 결정구조는 미국, 영국, 프랑스, 일본과 같은 세계 통화 4대 강대국들이 함께 협력하여 결정하는 '4대 강국 공동 표결제'를 채택하여 세계통화질서를 유지해오고 있다.

정답 및 해설

IMF의 의사결정구조는 각 회원국의 출자액에 따른 가중투표제이다.

답 ④

010 **다음 내용에 해당하는 개념은?** 2017년 외무영사직

> 브레튼우즈 체제에서 미국 달러의 총액이 통화로 보유한 미국의 금 가치를 넘어서면 달러의 금태환성에 대한 믿음은 약화된다. 1960년대 미국이 베트남전쟁을 치르고 국내적으로 복지정책을 확대하면서 미국의 재정수지 적자와 경상수지 적자가 심화되자, 프랑스는 보유한 미국 달러로 금을 매수했다.

① 트리핀 딜레마

② 먼델 - 플레밍 모델

③ 가격 - 정화 - 흐름(price-specie-flow) 메커니즘

④ 헥셔 - 오린 정리

정답 및 해설

신뢰성과 유동성의 상충관계를 의미한다. 특정국가의 통화를 기축통화로 설정할 때 내재되는 문제이다.

선지분석

② 먼델 - 플레밍 모형은 국제수지론에서 주로 분석되는 모형이다. 재정정책, 통화정책이 자본이동성의 정도에 따라 어떤 효과를 갖는지를 분석하는 것이 초점이다.

③ 고전파경제학자들이 중상주의자들을 비판하면서 제시한 논리로서 금은의 증가는 장기적으로 인플레이션을 유발하게 되어 국부의 증가에 도움이 되지 않는다는 논리이다.

④ 헥서 - 오린정리는 리카르도의 비교우위가설을 좀 더 정교하게 다듬은 모형으로서 국가간 비교우위는 자원의 상대적 부존도에 의해 결정된다는 것이다.

답 ①

011 □□□ **브레튼우즈 체제 해체 시기와 관련된 설명으로 옳은 것은?** 2017년 외무영사직

① 미국 존슨 대통령이 미국 달러의 금태환을 중지했다.
② 미국 달러로 표시되는 금 가격이 올랐다.
③ 원유와 같은 주요 상품이 미국 달러 가격으로 거래되기 시작했다.
④ 국제부흥개발은행(IBRD)의 설립이 모색되었다.

정답 및 해설

달러화 가치가 하락했다는 의미로 옳은 설명이다.

선지분석

① 금태환정지는 '닉슨' 대통령이 신경제정책선언을 통해 시행하였다.
③ 달러의 신뢰도가 저하됨에 따라 달러화 거래 빈도가 낮아졌다.
④ IBRD는 1944년 채택된 브레튼우즈 협정을 통해 설립되었다.

답 ②

012 □□□ **제2차 세계대전 이후 국제 정세에 대한 서술로 옳은 것만을 모두 고른 것은?**

ㄱ. 1944년 7월에 열린 브레튼우즈 회의는 제2차 세계대전 이후의 새로운 국제통화 체제를 창설하기 위한 협의로, IMF와 IBRD, GATT를 설립하기로 결정하였다.
ㄴ. 내재된 자유주의(embedded liberalism)는 국제적인 규범과 독립적인 국내정책 사이의 충돌을 회피하려는 시도로 브레튼우즈 체제 이후의 대안으로 제시되었다.
ㄷ. 브레튼우즈 체제에서 유동성의 근원은 달러였으며, 금 1온스에 고정된 달러를 통해 미국은 유동성을 지속적으로 공급하여 장기적으로 안정적인 국제 통화질서를 구축하였다.
ㄹ. 브레튼우즈 체제의 환율은 금 1온스와 35달러를 교환하게 하는 고정환율제도이나 이전과 달리 국제수지의 '기초적 불균형'의 시정에 한해 환율 변경을 인정하였다.

① ㄴ ② ㄱ, ㄷ ③ ㄱ, ㄴ, ㄷ ④ ㄴ, ㄷ, ㄹ

정답 및 해설

제2차 세계대전 이후 국제 정세에 대해 옳은 것은 ㄱ, ㄴ, ㄷ이다.
ㄱ. 1944년 7월 미국 뉴햄프셔주 브레튼우즈에서 44개국이 참가하여 개최된 연합국 통화 금융회의에서 제2차 세계대전 이후 국제통화체제를 창설하기 위한 최종적인 협의가 이루어졌다. 이 협의의 결과 IMF와 국제부흥개발은행(IBRD)을 설립하기로 결정했다. 브레튼우즈 체제는 1947년 GATT 체결로 IMF, IBRD, GATT를 포함한 전후의 국제경제체제를 일컫는다.
ㄴ. 러기(John G. Ruggie)는 브레튼우즈 체제의 특징을 '내재된 자유주의(embedded liberalism)'라고 불렀다. '내재된 자유주의'란 국제적인 규범(다각적인 통화질서의 유지)과 독립적인 국내정책(고용확보와 경제성장을 위한 정부의 국내 시장 개입) 사이의 충돌을 회피하려는 시도였다.
ㄷ. 브레튼우즈 체제의 유동성의 근원은 달러였다. 미국 이외의 국가가 충분한 유동성을 확보하려면, 미국의 국제수지가 적자여야 한다. 그러나 미국의 적자가 지속될 경우, 달러에 대한 신인도가 저하될 가능성이 생겨난다. 이를 트리핀 딜레마(Triffin's dilemma)라고 한다. 이러한 상황이 심화되면서 결국 닉슨정권에 이르러 고정환율제를 포기하고 변동환율제로 변화하게 된다.

선지분석

ㄹ. 브레튼우즈 협정에 바탕을 둔 고정환율제는 조정 가능한 페그 제도(adjustible Peg Regimes)였다.

답 ③

013 브레튼우즈 체제에 대한 설명으로 옳은 것은?

① 미국 포드 대통령은 1971년 8월 금-달러 교환 중지, 대미 수출품에 대한 과징금 부과를 발표하여 브레튼우즈 체제는 붕괴되었다.
② IMF, IBRD와 함께 GATT를 포함한 전후 국제경제체제를 브레튼우즈 체제라고 한다.
③ 창설 당시 영국 재무부의 화이트가 만든 '화이트 안'은 IMF 가맹국으로부터의 50억 달러 상당 출자금에 의해 국제유동성을 확보하고자 했다.
④ 창설에 있어서 미국 재무부의 '케인즈 안'은 각국이 외화 준비금으로 보유한 금과 별도로 새 국제통화 '방코르(bancor)'를 창설하여 350억 달러 규모의 '청산동맹'을 구축하자는 내용이었다.

정답 및 해설

선지분석
① 닉슨 대통령의 정책이다.
③ 화이트안은 미국 재무부의 입장이다.
④ 영국 재무부 입장의 입장이다.

답 ②

014 다음 중 브레튼우즈 체제에 관한 설명으로 옳지 않은 것은?

2005년 외무영사직

① 브레튼우즈 체제의 출범에는 금환본위 고정환율제도의 채택으로 무엇보다도 안정된 환율제도 하에서만 무역의 안정성과 성장을 이룩할 수 있다는 믿음이 깔려 있다.
② 따라서 영국만이 중앙은행을 통해 환율조정을 할 수가 있었다.
③ 1971년 닉슨 대통령은 106억 달러의 국제수지 적자를 기록하자 금태환 정지, 10%의 부가관세, 인플레이션 억제를 위한 임금 가격통제를 골격으로 하는 신경제정책을 추진하였다.
④ 1976년 킹스턴에서 열린 IMF회의에서 스미소니언 협정 이후 현실화된 변동환율체제를 공식화하고 금의 화폐로서의 기능을 없애며 금-달러 본위제를 특별인출권(SDR) 본위로 전환시키는 국제통화체제의 다자적 관리로의 전환을 모색하였다.

정답 및 해설

브레튼우즈 체제 하에서는 일국이 국제수지의 일시적인 불균형에 직면하게 될지라도 환율을 平價(par value)의 상하 1%의 범위 내에서 고정시켜야만 되었다. 그러나 장기적이고 기초적인 국제수지의 불균형에 봉착하게 되면 IMF와의 협의 하에 환율을 변경시킬 수 있는 소위 '조정 가능한 고정환율제도(Adjustable Peg System)'를 채택하고 있었다.

답 ②

015 국제통화체제의 역사적 전개과정을 순서대로 배열한 것은?

□□□

> ㄱ. 금본위제도(gold standard system): 통화단위를 순금의 일정한 중량으로 정해놓고 금화와 자유주조를 허용하며 지폐나 예금통화 등은 아무런 제한 없이 금화와 교환할 수 있게 하는 제도
> ㄴ. 플라자합의(Plaza Agreement): 선진 5개국이 뉴욕 플라자호텔에 모여 세계경제의 회복, 국제통화체제의 안정, 적정선의 환율유지 등을 논의
> ㄷ. 브레튼우즈 체제(Bretton Woods system): 미국의 달러화만이 금 1온스 당 35달러로 일정교환비율을 유지하고 각국의 통화는 기축통화와의 기준환율을 설정, 유지하려는 제도
> ㄹ. 닉슨의 신경제정책(New Economic Policy): 기축통화로서의 달러화에 대한 문제점이 누적되어 달러화의 금태환을 중지시킨 정책

① ㄱ - ㄴ - ㄷ - ㄹ
② ㄱ - ㄷ - ㄴ - ㅁ
③ ㄱ - ㄷ - ㄹ - ㄴ
④ ㄱ - ㄹ - ㄷ - ㄴ

정답 및 해설

ㄱ. 금본위제도 → ㄷ. 브레튼우즈 체제 → ㄹ. 신경제정책 → ㄴ. 플라자합의 순서로 전개되었다.

ㄱ. 금본위제도는 1870년대 이후이다.

ㄷ. 브레튼우즈 체제(1944년, 제2차 세계대전이 끝날 무렵): 동 체제하에서는 미국의 강력한 경제력을 바탕으로 달러화의 금태환성을 보장함으로써 국제경제체제의 유동성문제를 해결하였다.

ㄹ. 신경제정책(1960년대 후반): 타국들이 자국통화의 평가절상을 거부하는 데다 미국은 무역수지 적자국으로 전락해 닉슨 대통령이 동 정책을 통해 달러화의 금태환을 중지시켜 브레튼우즈 체제가 막을 내리게 되었다.

ㄴ. 플라자합의(1985년): 미국, 일본, 독일, 영국, 프랑스 5개국은 뉴욕 플라자호텔에서 엔화, 마르크화에 대한 달러의 평가절하와 각국의 경기부양을 주된 내용으로 하는 플라자합의를 내렸다.

답 ③

016 국제통화체제란 국가 간 외환거래, 국제대차 결제 등의 원활을 기하기 위해 마련된 국제제도이다. 현 국제통화체제 상의 주요 문제를 서술한 것으로 옳지 않은 것은?

□□□

① 국제수지 적자를 해결하기 위한 긴축정책은 교역대상국의 저항을 유발할 수 있다.
② 단기투기성 자본이 급격히 증가함에 따라 국제통화체제의 불안정성이 높아지고 있다.
③ 국제통화의 유동성(liquidity) 문제란 국가가 독자적 통화정책을 수행할 능력이 부족한 것을 의미한다.
④ 국제통화를 보유한 국가의 만성적 재정적자나 경제위기는 통화의 신뢰도를 떨어뜨려 국제통화 전체의 혼란을 초래할 수 있다.

정답 및 해설

국제통화의 유동성 문제는 충분한 양의 국제통화가 공급되지 않아 국제경제활동에 제약을 받는 현상을 의미한다. 여러 국가가 유동성 문제에 처할 경우 세계경제가 심각한 타격을 입을 수 있다.

선지분석

① 긴축정책은 소비축소와 임금, 가격 인하를 통해 수출을 촉진하고 수입을 억제하는 형태로 나타난다. 따라서 타국의 반발을 야기할 수 있다.
④ 달러, 엔, 마르크를 보유한 국가가 통화체제의 불안정성에 직면할 경우 국제통화 전체의 혼란으로 확대될 수 있다.

답 ③

017 □□□ **국제통화체제는 역사적으로 다양한 형태로 변모해왔다. 국제통화체제의 역사적 전개과정을 설명한 것으로 옳지 않은 것은?**

① 금본위제도는 전형적인 고정환율제도로, 1870년대 성립되어 제1차 세계대전 직전까지 국제경제 발전에 공헌하였다.
② 브레튼우즈 체제 하에서의 국제통화제도는 미국의 달러화를 기축통화로 하는 금환본위제도로, 미국의 강한 경제력을 바탕으로 한 것이다.
③ 1960년대 후반 미국은 유동성 부족문제에 시달리면서 트루먼 독트린을 발표하여 달러화의 금태환을 중지시켰다.
④ 브레튼우즈 체제가 실패하자 1985년 미국, 일본, 독일, 영국, 프랑스 5개국은 세계경제 회복, 국제통화체제 안정, 적정선의 환율유지를 논의한 플라자합의를 도출했다.

정답 및 해설

재정적자에 의존한 미국의 유동성 제공이 달러화에 대한 신뢰도의 하락을 유발하는 트리핀 딜레마(Triffin's Dilemma)가 발생하자, 닉슨 대통령은 신경제정책을 발표하여 달러화의 금태환을 중지시켰다.

선지분석

① 금본위제도는 제1차 세계대전 직전까지 유효했으나 1930년대 대공황의 발생으로 국가들이 자국의 실업과 적자를 해결하기 위해 경쟁적 평가절하를 단행하여 붕괴되었다.
② 브레튼우즈 체제 하 국제통화제도는 미국의 달러화만이 금 1온스 당 35달러로 일정교환비율을 유지하고 각국의 통화는 기축통화와의 기준환율을 설정·유지하는 제도로, 미국의 강력한 경제력이 뒷받침되었다.
④ 새로운 국제통화질서를 모색하려는 노력의 일환으로, 플라자합의는 엔화와 마르크화에 대한 달러의 평가절하와 각국의 경기부양을 주된 내용으로 하고 있다.

답 ③

018 □□□ **플라자합의 당시의 상황에 대한 지문으로 빈칸에 들어갈 단어로 옳은 것은?**

플라자합의란 1985년 뉴욕 플라자 호텔에서 미국, 일본, (ㄱ), 프랑스, 영국의 5개국 재무장관·중앙은행총재 회의에서 주로 달러 (ㄴ)를 시정하기 위해 합의한 것을 일컫는다. 1980년대 전반 미국은 쌍둥이 적자에 빠져 있었지만, (ㄷ) 정권은 팽창적인 재정정책과 재정적자를 관리하기 위해 고금리 정책을 유지했다. 한편 다른 선진국들은 국내수요 억제정책을 펼쳤고, 이로 인해 (ㄹ)과 (ㅁ)의 경상수지 흑자는 늘어났다.

	ㄱ	ㄴ	ㄷ	ㄹ	ㅁ
①	캐나다	강세	레이건	일본	프랑스
②	서독	강세	레이건	서독	일본
③	캐나다	약세	닉슨	영국	프랑스
④	서독	약세	닉슨	서독	영국

정답 및 해설

ㄹ과 ㅁ에 대한 추가 설명으로 당시 미국은 고금리 정책을 실시하였고, 이에 비해 다른 선진국들은 미국의 정책이 초래하는 인플레이션 압력을 우려해 국내 수요를 억제하는 정책을 실시했다. 그 결과로 달러 강세가 계속되어 미국의 경상수지 적자는 확대되었고, 일본과 서독의 경상수지 흑자가 늘어났다.

답 ②

019 국제경제질서에 대한 설명으로 옳은 것은?

□□□

① 특별인출권(SDR)은 1970년 IMF가 정식 채택한 가상통화이자 보조적 준비자산이다.
② G20정상회의는 2008년 미국 금융위기를 배경으로 독일 메르켈 총리의 제안에 기초하여 제1차 회의가 미국에서 개최되었다.
③ 2008년 G20 워싱턴정상회의를 앞두고 G20 비즈니스 서밋이 처음으로 개최되었다.
④ 자국물품이나 용역으로 개발원조를 실시하여 자국의 수출을 촉진시키는 것을 경제적 원조(Economic Aid)라고 한다.

정답 및 해설

선지분석

② 프랑스 사르코지 대통령 제안에 기초하였다.
③ 2010년 G20 서울정상회의에 앞서 처음 개최되었다.
④ 타이드 원조(Tied Aid)라고 한다.

답 ①

020 국제 금융질서에 대한 설명으로 옳은 것은?

① 닉슨(Nixon) 대통령이 1971년 신경제정책(New Economic Policy)을 발표하여 달러화의 금태환을 중지시킴으로서 브레턴우즈체제는 막을 내리게 되었다.
② 특별인출권(SDR)은 IMF가 1969년 국제준비통화인 달러와 금의 문제점 보완을 위해 도입해 1970년에 정식 채택한 가상 통화이자 보조적인 준비자산으로 현재 달러, 유로, 위안, 엔화 등 4개 통화로 구성돼 있다.
③ 1973년 3월 19일 EC 6개국과 스웨덴, 노르웨이는 조정 가능한 공동 고정 환율제도를 채택했다.
④ 1978년 4월에 출범한 스미소니언체제에서 IMF는 각국에 환율제도의 선택재량권을 부여했다.

정답 및 해설

선지분석

② 파운드도 포함된다.
③ 공동 변동환율제를 채택했다.
④ 킹스턴체제에 대한 설명이다.

답 ①

021 국제금융질서에 대한 설명으로 옳지 않은 것만을 모두 고른 것은?

> ㄱ. 1985년 9월 미국, 일본, 서독, 영국, 캐나다 5개국은 플라자합의(Plaza Agreement)를 통해 엔화, 마르크화에 대한 달러의 평가절하를 추진하기로 하였다.
> ㄴ. 1987년 미국, 일본, 서독, 영국, 프랑스, 캐나다는 '루브르합의'(Louvre Accord)를 채택하여 달러화의 가치 하락을 막기 위해 공동 노력을 전개하기로 하였다.
> ㄷ. 크루그먼(Paul Krugman)은 1990년대 동아시아의 경제위기가 1990년대 들어 범세계적으로 금융 및 자본자유화가 급진전되면서 헤지펀드 등 투기성 단기자본을 포함한 자본의 유출입이 빈번해진 데 원인이 있다고 분석하였다.
> ㄹ. 스티굴리츠(Joseph Stiglitz)는 동아시아 경제위기 분석에 있어서 동아시아 정부들이 경제성장을 최우선 목표로 하고 있었으므로 기업의 외채에 대한 묵시적 지급보증을 제공, 기업들의 도덕적 해이(moral hazard)를 조장한 것에 주요 원인이 있다고 하였다.
> ㅁ. 동아시아 경제위기를 해결하기 위해 IMF는 저성장과 고금리, 긴축재정을 제시하였으나 이러한 방안은 동아시아 국가들의 경제를 더욱 악화시켰고 채무상환을 어렵게 만들었다.

① ㄱ, ㄴ, ㄷ　　② ㄱ, ㄴ, ㅁ
③ ㄱ, ㄷ, ㄹ　　④ ㄴ, ㄷ, ㄹ

정답 및 해설

국제금융질서에 대한 설명으로 옳지 않은 것은 ㄱ, ㄷ, ㄹ이다.
ㄱ. 캐나다 대신 프랑스가 참가하였다.
ㄷ. 스티글리츠(Joseph Stiglitz)의 입장이다.
ㄹ. 크루그먼(Paul Krugman)의 입장이다.

답 ③

022 2010년 11월 개최된 제5차 서울 G20 정상회의 합의내용이 아닌 것은?

2011년 외무영사직

① 세계은행 투표권의 4.59%를 개도국으로 이전
② 경쟁적 환율평가절하 자제
③ 선진 유럽국 이사 축소 및 신흥개도국의 대표성 확대
④ 글로벌 수요의 진작, 유지 및 성장잠재력을 제고하기 위한 다양한 구조 개혁 이행

정답 및 해설

선진국들의 IMF 지분의 약 6%를 신흥개발도상국으로 이전하기로 합의하였다.

답 ①

023 □□□

G20(Group of Twenty)에 관한 설명으로 옳지 않은 것은? 2010년 외무영사직

① 2009년 G20 정상회의는 영국의 런던과 미국의 피츠버그에서 개최되었다.
② 1999년 워싱턴에서 개최된 G20 정상회담이 그 기원이다.
③ 인도, 아르헨티나, 사우디아라비아, 러시아가 포함된다.
④ 유럽연합(EU) 회원국 중 영국, 프랑스, 독일, 이탈리아, EU 의장국 등이 G20에 포함된다.

정답 및 해설

1999년 9월 IMF 연차총회 당시 개최된 G7 재무장관회의에서 G7 국가와 주요 신흥시장국이 참여하는 G20 창설에 합의하고 1999년 12월 독일 베를린에서 처음으로 주요 선진국 및 신흥국의 재무장관 및 중앙은행 총재가 함께 모여 국제사회의 주요 경제 · 금융 이슈를 폭넓게 논의하는 G20 재무장관회의가 개최되었는데 이것이 G20의 기원이다.

선지분석

① G20 정상회의는 제1차 정상회의: 미국 워싱턴(2008년 11월) / 제2차 정상회의: 영국 런던(2009년 4월) / 제3차 정상회의: 미국 피츠버그(2009년 9월) / 제4차 정상회의: 캐나다 토론토(2010년 6월) / 제5차 정상회의: 대한민국 서울(2010년 11월) 순으로 진행되었다.
③, ④ 구성원은 기존의 G7 참가국(미국, 일본, 독일, 영국, 프랑스, 이탈리아, 캐나다)과 아시아 4개국(한국, 중국, 인도, 인도네시아), 중남미 3개국(아르헨티나, 브라질, 멕시코), 유럽 등 4개국(러시아, 터키, 호주, EU의장국), 아프리카 · 중동 2개국(남아프리카공화국, 사우디아라비아) 등 총 20개국이다.

답 ②

024 □□□

1999년 아시아 외환위기를 계기로 주요 신흥 20개국 재무장관과 중앙은행 총재들이 모여 경제이슈를 논의하며 시작된 G20(Group of 20, G20 major economies, Group of Twenty Finance Ministers and Central Bank Governors)은 세계금융위기가 격화되면서 2008년 11월 워싱턴에서 처음으로 정상들이 참여하는 G20 정상회의로 확대되었다. 다음 국가들 중 G20 참여 국가는 몇 개국인가?

> 싱가포르, 아르헨티나, 인도, 인도네시아, 일본, 중국, 대만, 터키, 스위스, 러시아, 칠레, 뉴질랜드, 미국, 사우디아라비아, 말레이시아

① 5개국 ② 7개국 ③ 9개국 ④ 11개국

정답 및 해설

2008년 G20 정상회의 참여 국가는 아르헨티나, 인도, 인도네시아, 일본, 중국, 터키, 러시아, 미국, 사우디아라비아로 9개국이다.

답 ③

2010년 11월 제5차 서울 G20 정상회의에서 합의된 내용 중 옳은 것은?

□□□

① 미국의 양적완화 조치로 격화된 환율갈등과 글로벌 불균형을 해소할 구체적 합의를 도출하여 글로벌 경상수지 불균형 해소를 위한 가이드라인을 만들었다.

② G20의 경우, 국가들의 자발적인 협력을 넘어서서 세계경제 회복을 위한 구속력있는 결정을 내리는 제도로서 한 단계 진일보한 점에 의의가 있다.

③ G20의 경우, 국제기구에 대해 특정정보와 구체적 이행조치를 요구함으로써 거버넌스 네트워크를 구축하고 있다.

④ G20 정상들은 기존 국제기구를 통한 문제해결에서 벗어나 국가중심의 새로운 문제해결 프로세스를 갖춤으로써 국제기구에 대한 지원보다 개별국가에 대한 지원을 확대하였다.

정답 및 해설

우선 G20의 성격이 비공식 정부 간 네트워크로 기본적으로 공식국제기구와 달리 회원국을 구속하는 결정을 내리기보다 세계경제 문제에 대한 관심 공유와 의견교환 및 공약의 반복적인 재확인을 통해 문제해결의 자발적 참여를 유도하는 데 그 목적이 있음을 확인해야 한다. 정상들은 IMF에 대해 쿼터 개혁의 효과적 이행 조치와 감독임무 현대화 계획을 요구했다. 또 국제증권감독위원회기구(IOSCO)에게 상품선물시장의 효율성 증진 대책을 제안토록 요청하고, FSB에게는 소비자 금융보호 조치를 강구, 보고하도록 했다. 보호무역 동결과 관련, WTO, OECD, UNCTAD에게 각국의 동향을 연 2회 보고토록 했다. 뿐만 아니라, 국제에너지기구(IEA), World Bank, OECD 등에 대해 화석연료 보조금의 단계적 감축을 모니터하고 진행상황을 보고토록 요구했다.

선지분석

① 가이드라인을 2011년 6월까지 만들 것이란 일정에 합의하는 데 만족했다.

② 앞서 다룬 G20의 성격을 감안하면 해당지문의 내용은 틀렸다.

④ G20에서 정상들은 국제기구에 대한 재정지원 및 정치적 지지를 부여한 바 있다. 예를 들면 IMF의 금융안정평가 프로세스를 정례화한 점 등에 대해 지지를 표명한 바 있다. 국제기구를 벗어나 국가중심의 해결이 아닌 상호협조하에서 문제해결에 나서고 있음을 확인할 수 있다.

답 ③

026 **2010년 11월 개최된 제5차 G20 서울 정상회의에서 합의된 '서울액션플랜(Seoul Action Plan)'의 내용이 아닌 것은 몇 개인가?**

□□□

> ㄱ. 선진국은 재정건전화 계획을 수립하고 이행한다.
> ㄴ. 은행 자본규제 등 새로운 국제기준을 완전하게 집행하고 추가적인 개혁 노력을 지속한다.
> ㄷ. 각국별로 특화된 구조개혁을 추진한다.
> ㄹ. 보호주의를 배격하고 개도국 성장의 저해요인을 해소한다.
> ㅁ. 안정적 환율관리를 위해 잠정적으로 관리변동환율제도로 이행하고 경쟁적 평가 절하를 자제 한다.

① 없음　　② 1개　　③ 2개　　④ 3개

정답 및 해설

서울액션플랜의 내용으로 옳지 않은 것은 ㅁ으로 1개이다.

서울액션플랜은 G20 회원국이 정책공조, 실천지향, 목표 간 균형이라는 3대 원칙을 기준으로, 재정, 금융, 구조개혁, 대외개발, 환율·통화정책의 5개 분야에 대해 정책공조 사항과 국가별 정책 공약을 제시한 계획이다.

ㅁ. 가장 관심이 집중됐던 환율 정책에 대해 회원국들은 '경제 펀더멘털이 반영될 수 있도록 시장결정적 환율제도로 이행하고 환율 유연성을 제고하며, 경쟁적 평가 절하를 자제할 것'이라고 합의했다.

답 ②

027 □□□

제5차 G20 정상회의(2010)에서는 다양한 의제들이 다루어졌다. 이들 의제들은 기존 문제를 해결하기 위한 의제도 있는 반면, 새로이 제시된 의제도 있다. 다음 의제들을 기존 의제와 새로운 의제로 분류한 것 중 옳은 것은?

ㄱ. 환율의 유연성 제고 및 경쟁적 평가절차 자제
ㄴ. IMF쿼터를 100% 증액하고, 6% 이상의 쿼터를 과다대표국에서 과소대표국으로 이전함
ㄷ. 바젤은행감독위원회에서 제안한 Basel Ⅲ 채택
ㄹ. 개도국의 빈곤 해소 및 개발 격차를 줄이기 위한 지원
ㅁ. IMF가 마련한 탄력대출제도의 강화 및 '다국가 탄력대출제'의 도입

	기존의제	새로운 의제
①	ㄱ, ㄴ	ㄷ, ㄹ, ㅁ
②	ㄴ, ㄷ	ㄱ, ㄹ, ㅁ
③	ㄹ, ㅁ	ㄱ, ㄴ, ㄷ
④	ㄱ, ㄴ, ㄷ	ㄹ, ㅁ

정답 및 해설

새로이 제시된 의제들로는 ㄹ, ㅁ이 있다. 개발도상국 빈곤 해소를 위한 서울 컨센서스는 한국이 제시한 새로운 의제로서, 세계 경제문제에 대해 보다 포괄적으로 접근한 것이다. 또한 글로벌 금융 안전망을 새로이 신설하여 IMF가 마련한 탄력대출제도(Flexible Credit Line, FCL)의 강화와 예방대출제도(Precautionary Credit Line, PCL)의 신설을 추인함으로써 선제적 신용 라인 개설을 환영하고, 다수 국가에 FCL을 동시에 제고할 수 있도록 하는 "다국가 탄력대출제(multi-country FCL)" 도입에 합의하였다. 향후 '치앙마이 이니셔티브(Chiang Mai Initiative Multilateralization, CMIM)'와 같은 지역 안전망과 IMF와의 협력 확대를 모색하기로 함으로써, 글로벌 금융 안전망 구축 노력의 제2단계 진입을 가능하게 하였다.

답 ④

028 □□□

2011년 깐느(Cannes) G20 정상회의의 주요 합의 내용이 아닌 것은 몇 개인가?

ㄱ. 유럽 각국 정부들은 종합적 패키지를 통해 유로존 안정조치를 이행하기로 했다.
ㄴ. 보호무역 조치 동결(standstill)과 무역제한 조치 원상회복 원칙을 2013년까지 지속할 것을 재확인하였다.
ㄷ. 환율전쟁의 위험을 극복하기 위해 IMF에 의한 강화된 상호평가제(MAP)를 시행하기로 하였다.
ㄹ. '성장과 일자리를 위한 글로벌 전략'으로 단기적으로는 재정 건전화와 무역 흑자국의 환율 유연성을 제고해 나가기로 하였다.
ㅁ. 개발 문제를 G20 주요 의제로 지속 추진하기로 합의하였다.
ㅂ. IMF 특별인출권(SDR)의 국제통화로서의 역할 강화 논의를 계속해 가기로 하였다.

① 없음 ② 1개 ③ 2개 ④ 3개

정답 및 해설

2011년 깐느(Cannes) G20 정상회의의 주요 합의 내용이 아닌 것은 ㄷ, ㄹ으로 2개이다.
ㄷ. 환율전쟁의 위험을 극복하고 글로벌 무역 불균형을 시정하기 위해 추진하기로 한 예시적 가이드라인과 관련하여 중요한 의미를 지니는 IMF에 의한 강화된 상호평가(Mutual Assessment Process)제의 시행에는 이르지 못하였다.
ㄹ. 단기적으로는 각국이 자국 사정에 맞는 정책을 추진하기로 하는 한편, 중장기적으로는 재정 건전화와 무역 흑자국의 환율유연성을 제고해 나가기로 하였다.

답 ③

029 다음 G20 정상회의와 G8 정상회의에 대해 비교한 내용으로 옳지 않은 것만을 모두 고른 것은?

□□□

ㄱ. G8 정상회의와는 달리 G20 정상회의에서는 미국의 지도력이 필수적으로 필요했던 G8 정상회의에 비해 구조적 제약이 완화되었다.
ㄴ. G20 정상회의에서는 기후변화, 에너지 안보, 식량안보 등 다양하게 상호 연관된 이슈들을 다룰 수 있게 되었다.
ㄷ. G8 정상회의에 비해 G20 정상회의는 다수의 국가가 참여함으로써 대표성을 띠게 되었다.
ㄹ. 독자적인 제도를 갖춰나감으로써 G20 정상회의는 G8 정상회의의 영향력을 배제할 수 있게 되었다.

① ㄱ, ㄴ ② ㄱ, ㄹ ③ ㄴ, ㄷ ④ ㄷ, ㄹ

정답 및 해설

G20 정상회의와 G8 정상회의의 비교로 옳지 않은 것은 ㄱ, ㄹ이다.

ㄱ. G20 정상회의도 나름의 취약성을 지니고 있는데, 미국 주도력의 필수 불가결성이다. 비록 G20이 국제적 현안들을 다루어 나가는 데 있어 미국을 중심으로 하는 G7, G8을 넘어선 국가들의 모임으로서의 역할을 모색하고는 있으나, 현재의 국제정치경제적 상황은 미국이 단독적으로만 문제를 해결할 수 없게 되었음도 사실이나, 미국의 주도 없이는 어떠한 문제도 해결하지 못한다는 엄연한 현실을 보여주고 있다(neither US alone, nor without US). 이러한 상황 인식은 비록 무대는 확장되었으나 여전히 G8에서 보인 미국의 압도적인 영향력이 G20의 과정에서도 유효함을 말하는 것으로, 미국의 실질적인 주도라는 관점에서 볼 때 G20이 G8과의 실질적 차이를 보여주기에는 구조적 제약 요인이 있음을 일깨워 주고 있다.

ㄹ. G20 정상회의는 1999년 시작된 G20 재무장관 회의의 토대 위에서 시작되었음은 주지의 사실이다. G20 재무장관 회의가 브레튼우즈 체제 범위 내에서 G7의 관리와 영향력 하에 있었음을 상기해 보면, 결과적으로 G20 정상회의가 G20 재무장관 회의의 기반에서 벗어나 독자적인 제도적 기반을 갖추지 않는 한, G7의 영향력은 재무장관 회의를 매개로 지속될 것으로 보인다.

답 ②

030 다음 중 서울 G20 정상회의(2010)에 참석한 국가들 중 G20 회원국이 아닌 국가는?

□□□

① 인도네시아 ② 터키 ③ 스페인 ④ 인도

정답 및 해설

스페인은 서울 G20 정상회의에 참석하기는 하였으나, 비회원 초청국으로 참여하였다.

답 ③

031 정상회담(summit)에 대한 설명으로 옳지 않은 것만을 모두 고른 것은?

□□□

> ㄱ. 정상회담은 1975년 G6에서 출발하여 1976년 캐나다 참가, 1997년 러시아가 옵서버로 참가하면서 'G8 정상회담'으로 불리게 되었다.
> ㄴ. G8의 의의는 초기의 경제문제 중심에서 벗어나 정치, 외교 분야까지 협의의 폭을 넓히는 동시에 합의 결과의 구속력을 부여하게 되었다는 점이다.
> ㄷ. G20에는 IMF, 세계은행, 유럽중앙은행(ECB), 국제통화금융위원회(IMFC)가 옵서버 자격으로 참가한다.
> ㄹ. 2008년 미국에서 발생한 금융위기로 인해 G8이 한계에 부딪히면서 중국, 한국, 브라질, 인도 등 신흥 경제국가들이 G8에 참가, G20으로 확대 개편하였다.

① ㄴ ② ㄷ, ㄹ ③ ㄱ, ㄴ, ㄹ ④ ㄱ, ㄷ, ㄹ

정답 및 해설

정상회담(summit)에 대한 설명으로 옳지 않은 것은 ㄱ, ㄴ, ㄹ이다.

ㄱ. G8은 1998년 버밍햄 정상회담부터 러시아가 정식 멤버가 되면서 불리게 된 이름이다. 옵서버 자격을 가진 것이 아니다. 1977년부터 유럽공동체(EC)대표가 옵서버로 참가했으며, 1978년 정식 멤버가 되었다.

ㄴ. G8은 초기의 경제문제 중심에서 벗어나 정치, 외교 분야까지 협의의 폭을 넓히고 있으나 합의 결과의 구속력이 없어 한계가 있다는 지적이다.

ㄹ. G20은 G8를 수정·보완한 것이 아니라 별도의 독자적인 정상회담이다. 2008년, 제34회 G8 정상회담은 일본의 도야코에서 7월 7일~9일 3일간 열렸으며, 2009년 제35회 G8 정상회담은 이탈리아의 라퀼라에서 열렸다. 2010년 회의는 캐나다 헌츠빌에서 개최되었다. G20의 경우, 2010년 한국에서 개최된 바 있다.

> **관련 이론 G20 정상회의**
>
> 선진 7개국 정상회담(G7)과 유럽연합(EU) 의장국 그리고 신흥시장 12개국 등 세계 주요 20개국을 회원으로 하는 국제기구이다. 1999년 12월 독일에서 첫 회의가 열린 이래 매년 정기적으로 회원국의 재무장관과 중앙은행 총재가 회담하다가 세계적 금융위기 발생을 계기로 2008년부터 정상급 회의로 격상되었다. 회의의 주요 내용은 국제금융의 현안이나 특정 지역의 경제위기 재발 방지책, 선진국과 신흥시장 간의 협력체제 구축 등이며, IMF, 세계은행(IBRD), 유럽중앙은행(ECB), 국제통화금융위원회(IMFC)가 옵서버 자격으로 참가한다.

답 ③

032 G7 또는 G8에 대한 설명으로 옳은 것은?

□□□

① G7은 1970년대 세계경제가 브레튼우즈 체제 붕괴, 1973년 1차 석유파동을 겪으면서, 통화가치 팽창, 저성장으로 인한 스태그플레이션, 경기후퇴, 보호무역주의 대두 등 어려운 상황에 직면하자 이를 타개하기 위해 출범하였다.

② 1973년 미국, 영국, 프랑스, 일본 재무장관은 백악관 도서관에서 세계 경제 4% 이상을 차지하는 국가들을 중심으로 Library Group을 결성하고, 세계금융이슈를 논의하기로 하였다.

③ 1976년 회의 시 미국의 강력한 희망으로 이탈리아가 참여하여 G7 정상회의로 확대되었다.

④ 프랑스는 1992년 뮌헨 정상회의에 러시아를 초청할 것을 제안한 이후 러시아는 초청국 지위로 G7 정상회의에 참여하였으며, 1998년 버밍엄 회의에서 정식회원이 되었다.

정답 및 해설

선지분석

② 일본이 아니라 서독이 참여하였다.

③ 캐나다가 참여하였다.

④ 미국이 제안하였다.

답 ①

033 G7정상회의에 대한 설명으로 옳지 않은 것은?

① G7 정상회의는 비형식적(informal) 협의체이므로 그의 결정이 G7 및 G7 외부국가들에 구속력을 갖는 것은 아니나 G7이 세계 주요 경제국들이므로 G7 정상회의는 실질적, 정치적 영향력을 발휘하고 관련 국제기구에도 파급효과를 가진다.

② 2020년 2월 1일 브렉시트가 발효한 후에 국제무대에서 독자적인 리더십을 확보해야 하는 과제를 안고 있는 영국은 브렉시트 이후의 외교정책을 "글로벌 브리튼(Global Britain)"으로 제시하고, 2021년 G7 정상회의는 "글로벌 브리튼"의 첫 번째 실행에 해당하였다.

③ 2021년 G7 정상회의에서 영국은 "더 나은 회복(Building Back Better)"이라는 G7 정상회의 주제 하에 팬데믹/보건, 경제회복, 기후변화, 글로벌 공급망 회복력(global resilience), 개방 사회라는 5개 어젠다를 제시했다.

④ 영국은 미국과의 특수관계 재강화 차원에서 G7 정상회의 어젠다로 민주주의 수호와 중국 대응 방안을 포함시키고, G7 정상회의에 한국, 호주, 인도, 뉴질랜드를 초청함으로써 G7 정상회의를 민주주의 국가로 구성하여 2014년부터 논의되어 온 "D10(Democracy 10)"과 바이든 행정부의 "민주주의 정상회의(Summit for Democracy)" 개최에 지지를 보냈다.

정답 및 해설

G7 정상회의에 한국, 호주, 인도, 남아공이 초청되었다.

답 ④

034 2012년 멕시코 G20정상회의에 대한 설명으로 옳지 않은 것은?

① 2012년 6월 로스카보스에서 개최되었다.

② 유럽안정메카니즘(ESM)의 조기 설립과 유로존 내 리밸런싱을 비롯한 유로존의 자구적 노력을 요구하였다.

③ 유럽 경제위기의 영향으로 브릭스(BRICs) 국가, 브릭스를 제외한 신흥국, 기존 G7국가 간 공조체제가 보다 견고하게 형성되는 계기가 되었다는 평가를 받았다.

④ 재정여력국의 성장 촉진, 환율유연성 제고로 세계경제 회복을 위한 국제공조에 합의하였으며, IMF의 위기대응 자금을 확충하기 위해 4,650억 달러를 추가 확보하기로 하였다.

정답 및 해설

브릭스(BRICs)를 비롯한 신흥국의 부상과 기존 G7 국가의 상대적 침체, G20과 병행한 브릭스의 공식회의 및 선언문 발표 등으로 신흥국의 주도권 강화 및 G7 그룹과 브릭스 간 경쟁구도 심화현상이 대두되었다.

답 ③

035 신자유주의 질서를 옹호하는 'Washington Consensus'와 중국식 발전 모델을 일컫는 'Beijing Consensus'를 비교한 내용 중 옳은 것만을 모두 고른 것은?

□□□

ㄱ. Washington Consensus는 국제경제질서에서 시장의 기능을 강조하는 한편, Beijing Consensus는 국가의 기능을 강조한다.
ㄴ. Washington Consensus는 지속가능한 발전과 평등한 부의 분배를 중시하는 한편, Beijing Consensus는 풍부한 자원과 노동의 효율적인 활용을 중시한다.
ㄷ. Washington Consensus는 규제의 철폐, 시장의 자유화 및 민주화를 중시하는 반면, Beijing Consensus는 자결권을 중시한다.
ㄹ. Washington Consensus는 1980 ~ 1990년대 유일한 경제 모델이였으나 1990년대 말 동아시아 금융위기에 대한 Washington Consensus에 기반한 처방이 성공하지 못하면서 현재는 Beijing Consensus가 유일한 경제 모델로 인정된다.

① ㄱ, ㄷ
② ㄱ, ㄹ
③ ㄴ, ㄷ
④ ㄱ, ㄴ, ㄷ

정답 및 해설

Washington Consensus와 Beijing Consensus를 비교한 내용으로 옳은 것은 ㄱ, ㄷ이다.

선지분석

ㄴ. Washington Consensus는 효율성을, Beijing Consensus는 평등과 지속가능성을 강조한다.
ㄹ. Beijing Consensus는 아직 보편적 발전모델로 인정받지 못하고 있으며, 중국이 장차 채택할 가능성이 있는 것으로 보고 있으나, 채택된 것도 아니다.

답 ①

036 공적개발원조(ODA)에 대한 설명으로 옳은 것은?

□□□

① 유엔이 제시한 ODA 목표치를 넘은 나라는 개발원조위원회(DAC) 회원국 중 노르웨이, 룩셈부르크, 스웨덴, 덴마크 등이다.
② 우리나라는 1990년 1월 외자도입촉진법이 제정되어 선진국으로부터 적극적으로 외자를 도입하기 시작했다.
③ 담비사 모요는 『빈곤의 종말』이라는 책에서 외국의 원조가 충분한 양으로 오래 지속되어 가계 소득이 최저생계비 수준 이상으로 충분해지면 저축을 통한 자본 축적과 납세가 가능해질 것이라고 하여 긍정적으로 평가하였다.
④ 제프리 삭스는 『죽음의 원조』라는 책에서 아프리카 원조를 서서히 줄여 5년 이내로 원조 전체를 끊자고 주장하고, 그 대안으로 아프리카의 장기적 발전을 위해서는 무역과 외국인 직접투자, 마이크로 크레디트 등이 함께 발전해야 한다고 주장하였다.

정답 및 해설

목표치는 GNI대비 0.7%이다.

선지분석

② 1960년 1월 제정되었다.
③ 제프리 삭스의 입장이다.
④ 담비사 모요의 입장이다.

답 ①

037 공적개발원조(ODA)에 대한 설명으로 옳지 않은 것은?

□□□

① 현실주의는 선진국 원조가 철저히 국익을 추구하며 특히 군사, 경제적 이익을 목표로 한다고 지적한다. 미국은 냉전 체제하에서 원조를 비군사적 영향력 확대 수단으로 인식했고, 많은 국가들이 원조를 통해 동맹, 수출 시장, 자원 확보 수단으로 활용하고 있다고 주장한다.

② 자유주의는 인도주의적 동기를 강조한다. 인간다운 생활을 유지할 수 있도록 돕는 것은 도덕적인 의무이며, 개발도상국에서 일어나는 환경 파괴, 질병 확산 등이 인류의 생존을 공동으로 위협하기 때문에 선진국들이 적극적으로 개발원조에 참여해야 한다는 인식이다.

③ 제프리 삭스는 『빈곤의 종말』에서 ODA의 형태를 띤 외국의 원조가 빈국에서 일시적으로 자본을 축적할 수 있으나 장기적인 경제성장이나 가계소득 증가로 이어지긴 어렵다고 하여 원조에 대해 부정적 입장을 피력하였다.

④ 담비사 모요는 『죽음의 원조』에서 아프리카 원조를 서서히 줄여 5년 이내에 원조 전체를 끊자고 주장한다. "아프리카로 흘러든 원조금은 부패를 조장하고, 정부의 재정 독립 의지를 꺾는 등의 부작용을 낳았다."라는 것이다.

정답 및 해설

제프리 삭스는 『빈곤의 종말』에서 ODA의 형태를 띤 외국의 원조가 빈국에서 자본 축적, 경제성장, 가계 소득 증대로 연결될 수 있다고 하여 원조에 대해 긍정적 입장을 보여 주었다.

답 ③

제 6 편

지역이슈

제1장 유럽통합

제1절 | 총설

001 **EU의 외교정책에 대한 설명으로 옳지 않은 것은?** 2021년 외무영사직

① 1990년대 유고슬라비아 내전 등과 같은 국제정치적 환경 변화는 EU의 공동외교안보정책에 대한 필요성을 강화시켜 주는 계기가 되었다.
② EU는 유럽헌법조약에 따라 유럽이사회 상임의장과 외교안보정책 고위대표직을 신설하였다.
③ EU의 공동외교안보정책은 정부 간 절차의 성격을 지니며, 정책결정은 기본적으로 회원국의 만장일치를 요구한다.
④ EU와 NATO의 동진은 러시아와의 갈등을 야기하고 있다.

정답 및 해설

2004년의 유럽헌법조약은 발효되지 못했다. 유럽이사회 상임의장과 외교안보정책 고위대표직은 2007년 체결된 리스본조약을 통해 신설되었다.

선지분석

① EU의 공동외교안보정책은 1992년 유럽연합조약(마스트리히트조약)에 처음 명시된 것이다. 1990년대 구유고 내전에 공동외교안보정책이 투영되었으나 영국은 독일 및 프랑스와 입장차를 노정하면서 성공적으로 전개되지 못했다는 평가를 받는다. 이는 오히려 공동외교안보정책 강화의 필요성을 제기한 것이기도 하다.
③ 공동외교안보정책 결정은 원칙적으로 만장일치를 요구한다. 그러나 1998년 암스테르담조약은 공동외교안보정책 결정에서도 다수결제도를 일부 도입하기도 하였다.
④ EU와 NATO의 동진(東進)이란 과거 소련권 국가들이 EU와 NATO에 편입되는 것을 말한다. 현재는 조지아나 우크라이나가 EU와 NATO 가입을 추진하면서 러시아와 갈등을 빚고 있다.

답 ②

002 **제2차 세계대전 이후 유럽통합과정이 시작된 배경으로 옳지 않은 것은?** 2008년 외무영사직

□□□

① 독일의 재부상에 대한 경계심 고조
② 미·소 냉전체제의 형성
③ 유럽에서의 국민국가 형성의 확산
④ 유럽에서의 민족주의의 문제점에 대한 공감대 확산

정답 및 해설

유럽에서 국민국가가 형성되기 시작한 시점에 대해서는 여러 주장이 있으나, 국제정치학에서는 일반적으로 1648년 베스트팔렌조약을 그 시작으로 본다.

답 ③

003 유럽연합에 대한 설명으로 옳지 않은 것은?

□□□ 2016년 외무영사직

① 유럽연합의 전신인 유럽경제공동체는 1958년 창설되었으며 창립회원국은 벨기에, 서독, 프랑스, 이탈리아, 룩셈부르크, 네덜란드였다.
② 기본적인 의사결정 과정은 일반입법절차(Ordinary Legislative Procedure)에 따라 진행된다.
③ 2013년 크로아티아의 가입으로 28개 회원국으로 확대되었다.
④ 유로화는 현재 영국, 폴란드, 체코, 불가리아, 루마니아를 제외한 모든 회원국에서 사용된다.

정답 및 해설

유럽연합회원국 중 유로화 사용국은 총 19개국이며, 현재 9개국이 가입하지 않고 있다. 유로화 미사용국은 덴마크, 스웨덴, 영국, 불가리아, 체코, 헝가리, 크로아티아, 폴란드, 루마니아이다.

답 ④

004 유럽 각국이 공통의 출입국관리정책을 시행하여 국가 간의 통행에 제한이 없게 한다는 내용을 담은 조약은?

□□□ 2016년 외무영사직

① 마스트리히트조약 ② 니스조약
③ 셍겐조약 ④ 리스본조약

정답 및 해설

선지분석
① 유럽연합(EU)창설조약이다.
② 유럽연합 회원국의 확대에 따른 기관을 재정비한 조약이다.
④ 유럽이사회 상임의장, 외교안보고위대표체제 등을 창설함으로써 유럽의 정치통합을 한 단계 발전시킨 조약이다.

답 ③

005 1993년 코펜하겐 유럽이사회에서 채택된 '유럽연합 회원국이 되기를 희망하는 국가들이 충족해야 하는 3대 원칙'의 내용으로 옳지 않은 것은?

□□□ 2015년 외무영사직

① 민주주의, 법치, 인권, 소수민족의 보호를 보장하는 안정된 제도
② 회원국으로서 의무를 다하기 위해 행정조직 조정을 통한 통합조건 달성
③ 유럽연합 내에서 경쟁압력과 시장의 힘에 대응할 수 있는 시장경제 체제
④ 정치 · 경제 및 통화연합 목표에 충실하면서 회원국 의무를 이행할 수 있는 능력

정답 및 해설

코펜하겐 기준(Copenhagen criteria)은 정치적, 경제적, 법적 기준으로 이루어져 있다. 정치적으로 가입 후보국은 민주주의, 법치, 인권과 소수자의 보호를 보장하는 제도적 안정성을 가져야 한다(①). 경제적으로 시장경제와 유럽연합의 경쟁과 시장의 힘을 견딜 수 있는 능력을 가져야 한다(③). 법적으로 정치, 경제, 통화동맹의 목표에 대한 참여를 포함한 회원국으로서의 의무를 수행할 수 있는 능력을 가져야 한다(④).

답 ②

006 다음 중 유럽연합(EU)의 최근 정세에 관한 설명으로 옳지 않은 것은? 2005년 외무영사직

□□□

① 2002년부터 유로화가 민간수준에서 유통되기 시작하였다.
② 마스트리히트조약 체결 이후 기관, 경제, 외교, 사법분야에서의 통합의 구도가 완성되기 시작했다.
③ 동유럽 국가들은 유럽연합 참여에 소극적이다.
④ 터키의 가입에 대하여 유럽연합국들은 소극적이다.

정답 및 해설

2004년 5월 1일 라트비아, 리투아니아, 몰타, 슬로바키아, 슬로베니아, 에스토니아, 체코, 키프로스, 폴란드, 헝가리 등 10개국이, 2007년 1월 1일 루마니아, 불가리아 등 2개국이 EU에 가입하였다. 즉 동유럽 국가들은 EU 참여에 적극적이라 할 수 있다.

답 ③

007 다음 중 최근의 유럽의 안보 상황에 관한 설명으로 옳지 않은 것은? 2005년 외무영사직

□□□

① 다자동맹으로서의 NATO가 공동안보를 표방하면서 계속 회원국을 늘려오고 있다.
② EU는 NATO를 배제하고 WEU를 강화하기로 하였다.
③ 미국과 영국은 독일과 프랑스의 유럽연합군 창설과 독자적인 방위정책에 반대 입장을 보이며 유럽연합의 방위기구로 부상하고 있는 WEU의 NATO와의 양립문제로 고심하고 있다.
④ NATO에는 미국과 캐나다 등 유럽 이외의 국가도 포함되어 있어 유럽통합의 가장 큰 장애물이 될 것으로 보인다.

정답 및 해설

서유럽연합(WEU: Western European Union)은 공산세력에 대항하기 위한 군사·경제·사회·문화 협력의 촉진을 목적으로 한다. 1954년 12월 파리협정에서 논의가 되어 1955년 5월 정식 발족하였다. 유럽연합회원국 내부적으로 WEU를 NATO를 대체하는 독자적 방위체제로 승격시키기 위한 주장이 있는 것은 사실이나, 아직까지는 NATO를 대체하는 방위조직으로서 합의가 된 것은 아니다.

답 ②

008 유럽통합에 대한 설명 중 옳지 않은 것은?

① 유럽석탄철강공동체(ECSC)를 통해 유럽통합의 구체적인 성과가 도출되면서, 유럽방위공동체(EDC), 유럽정치공동체(EPC) 단계로 이행하는 데 도움을 주었다.
② 1958년 1월에 발효한 로마조약은 경제통합을 목표로 역내관세의 전폐와 공통의 대외관세를 이뤄내었다.
③ 영국의 경우 1957년 2월 유럽경제협력기구(OEEC) 회원국에 의한 자유무역지대(FTA) 창설을 제안하였으나 드골 대통령의 반대로 실패하게 되었다.
④ 프랑스의 경우 국가주권을 유지하려는 차원에서 유럽통합의 연방주의적 발전에 대해 반발하였다.

정답 및 해설

ECSC를 통해 통합의 결실을 맺는 듯하였으나, 유럽농업공동체, 유럽방위공동체, 유럽정치공동체 등의 공동체 구상은 모두 실패하였다.

선지분석

② 로마조약 2조는 공동시장의 설립, 회원국 경제정책의 격차 해소, 공동체 전체의 경제활동의 조화로운 발전이 명기되어 있다. 3조에서는 구체적인 대책으로 역내관세와 수출입 수량(quota)제한의 철폐, 공통의 대외관세와 공통의 통상정책의 설정, 노동력과 서비스 및 자본의 자유로운 이동 등을 규정하고 있다.
③ 초국가적인 기구를 목표로 했던 EC에 대해서 각국의 주권 존중을 전제로 한 국가연합주의를 주장했던 영국은 OEEC를 통한 FTA 체결은 실패했지만, 1959년 12월 영국, 덴마크, 노르웨이, 스웨덴, 스위스, 포르투갈, 오스트리아는 '유럽자유무역연합(EFTA)' 협약을 체결하였다.
④ 1965년 7월부터 1966년 1월까지 프랑스가 EEC의 여러 기관에서 대표를 철수시키는 공석(公席)정책을 실시하였다. 이러한 프랑스의 반발에 EEC위원회의 역할 제한 및 주요 국익과 관련한 문제의 경우, 만장일치제 채택을 조건으로 프랑스 복귀를 이끌어내었다.

답 ①

009 유럽연합(EU)에 대한 설명으로 옳지 않은 것은?

① EU는 유럽연방국(United States of Europe)이라 불릴 수 있는 수준의 하나의 국가로서, 국제사회에서 중요한 행위자로 평가받고 있다.
② EU의 공동외교안보정책(CFSP)은 EPC가 발전된 것으로, EU는 EPC의 틀 속에서 이루어져 오던 협의, 조절의 기능을 넘어 공동입장의 채택과 공동조치를 취할 수 있는 권한을 보유하게 되었다.
③ 보스니아 내전과 코소보 사태의 해결과정에 있어 EU는 내부조율의 어려움을 극복하지 못하여 공동외교안보정책에 있어 한계를 보였다.
④ EU의 독자적 군사작전 수행 능력 측면에서의 취약성은 회원국 간 의견 불일치 외에도 군사력의 투사능력 부족에서 기인하는 면이 크다.

정답 및 해설

EU는 총 28개 국가로 구성된 연합체란 측면에서 전통적인 외교정책의 주체와는 성격이 다르다.
답 ①

010 ☐☐☐

유럽연합(EU)에 대한 설명으로 옳은 것은?

① 1999년 12월 헬싱키정상회담에서는 공동외교안보정책의 틀 안에서 유럽안보방위정책이 본격적으로 추진되기 시작했으며, 이와 함께 5만 명에서 6만 명에 이르는 신속대응군의 창설이 공식화되었다.
② 1999년 6월 쾰른정상회담에서 과거 서유럽동맹(WEU)이 수행하던 이른바 페레스트로이카 임무의 수행을 EU가 흡수하는 데 합의가 이루어졌다.
③ 빈 의자의 위기란 1965년 프랑스의 드골 대통령이 당시 EEC의 주요 기구에 파견되어 있던 프랑스 외교관과 공무원, 유럽의회 의원들로 하여금 모든 업무를 보이콧하라는 지시를 내림으로써 EEC의 운영이 6개월 가량 마비된 사건을 일컫는다. 빈 의자의 위기는 1966년 제네바 타협으로 해소되었다.
④ 푸쉐플랜(Fouchet Plan)은 이탈리아의 주도하 제안된 것으로 모든 자유민주주의국가들과의 협력을 바탕으로 유럽의 외교방위공동정책 설정과 유럽국가 간의 과학 및 문화 분야의 협력 증진을 주요 내용으로 담고 있다.

정답 및 해설

선지분석

② 1999년 6월 쾰른정상회담에서는 과거 서유럽동맹(WEU)이 수행하던 이른바 페테르스베르크(Petersberg) 임무의 수행을 EU가 흡수하는 데 합의가 이루어졌다.
③ 빈 의자의 위기는 1966년 룩셈부르크 타협으로 해소되었다.
④ 푸쉐플랜(Fouchet Plan)은 프랑스의 주도하 제안된 것이다.

답 ①

011 ☐☐☐

유럽통화협력에 대한 설명으로 옳지 않은 것은?

① 베르너보고서(1970)는 3단계에 걸쳐 경제통화동맹형성을 구상하였으나 1970년대 중반 이후 회원국들 간 이견으로 중단되었다.
② 1972년 터널 속의 뱀(snake in the tunnel)이라는 공동고정환율제도를 실시하였다.
③ 1989년 들로르보고서가 제출되어 통화통합노력이 본격적으로 재개되었다.
④ 1999년 EMU 제3단계가 시작되어 유럽중앙은행제도, 유럽중앙은행, 단일통화가 창설되었다.

정답 및 해설

공동변동환율제도이다.

답 ②

012 유럽연합 탈퇴절차에 대한 설명으로 옳은 것은 모두 몇 개인가?

□□□

ㄱ. 리스본조약에서 처음 규정되었다.
ㄴ. EU탈퇴는 유럽의회의 동의를 얻은 이사회의 가중 다수결을 통해 탈퇴협정을 체결함으로써 완료된다.
ㄷ. 탈퇴협정 체결은 이중다수결에 의하며 회원국의 72% 및 EU회원국 총인구의 65% 이상의 찬성을 얻어야 한다.
ㄹ. 탈퇴협정 체결에 대해 유럽의회가 동의하는 경우 단순 과반수로 의결하며, 탈퇴 통고국은 유럽의회 표결에 참여할 수 없다.
ㅁ. 탈퇴협정은 탈퇴 의사 통지 후 2년 내에 체결되어야 하며, 유럽이사회의 만장일치 결정 시 연장할 수 있다.

① 1개 ② 2개 ③ 3개 ④ 4개

정답 및 해설

유럽연합 탈퇴절차에 대한 설명으로 옳은 것은 ㄱ, ㄴ, ㄷ, ㅁ으로 4개이다.

선지분석

ㄹ. 탈퇴 통고국도 표결에 참여할 수 있다.

답 ④

013 다음 빈칸에 들어갈 말로 옳은 것은?

□□□

1950~60년대 유럽의 지역통합은 빠르게 진전되었으나, 초국가적 성격의 지역통합 움직임은 민족주의의 강한 저항을 받았다. EC(유럽공동체)의 다수결제도 도입 움직임에 (A)가 반대했고, 결국 1966년 (B)이 성립되었다. 이에 따라 중요한 국가이익에 관한 사항은 (C)로 결정하는 방식이 관습으로 정착되었고, 이후 정치통합은 중대한 지장을 받게 되었다.

	A	B	C
①	네덜란드	룩셈부르크 타협	총의제
②	네덜란드	베를린 선언	총의제
③	프랑스	룩셈부르크 타협	만장일치
④	프랑스	베를린 선언	만장일치

정답 및 해설

프랑스(A)는 각료이사회 의사결정을 다수결로 변경하려 하자 이에 반발하여 자국 대표단을 철수시켜 각료이사회 기능을 마비시켰다. 이것을 '공석의 위기'라고 한다. 이후 룩셈부르크 타협(B)을 통해 의사결정에 있어서 만장일치(C)를 유지하기로 하였다.

답 ③

014 유럽연합(EU)에 대한 설명으로 옳은 것은?

□□□

① 1999년 12월 헬싱키정상회담에서 공동외교안보정책의 틀 안에서 유럽안보방위정책이 본격적으로 추진되기 시작했으며, 5만 명에서 6만 명에 이르는 신속대응군의 창설이 논의되었으나 영국의 반대로 공식화되지 못했다.

② 빈 의자의 위기란 1965년 프랑스의 드골 대통령이 당시 EEC의 주요 기구에 파견되어 있던 프랑스 외교관과 공무원, 유럽의회 의원들로 하여금 모든 업무를 보이콧하라는 지시를 내림으로써 EEC의 운영이 6개월 가량 마비된 사건을 일컫는다.

③ ECSC의 창설에 고무된 유럽인들은 1952년 잇달아 유럽방위공동체(European Defense Community) 및 유럽정치공동체(European Political Community)의 탄생을 추진했지만, 1954년 제안당사국이었던 서독이 의회비준에 실패함으로써 무산되었다.

④ 푸쉐플랜(Fouchet Plan)은 벨기에가 제안한 것으로서 모든 자유민주주의국가들과의 협력을 바탕으로 유럽의 외교방위공동정책 설정과 유럽국가 간의 과학 및 문화 분야의 협력 증진을 주요 내용으로 담고 있다.

정답 및 해설

선지분석

① 5만 명에서 6만 명에 이르는 신속대응군의 창설이 공식화되었다.
③ 1954년 제안당사국이었던 프랑스가 의회비준에 실패함으로써 무산되었다.
④ 푸쉐플랜(Fouchet Plan)은 프랑스가 제안한 것이다.

답 ②

015 유럽연합(EU)의 대외정책에 대한 설명으로 옳지 않은 것을 모두 고른 것은?

□□□

ㄱ. 쌩 말로(Saint Malo)정상회담 공동선언문에서 영국과 프랑스의 두 정상은 EU가 국제무대에서 충분히 그 역할을 수행하기 위해서는 EU는 국제적 위기 상황에 대처하기 위해 실질적인 군사력과, 그 사용을 결정할 수 있는 수단 및 사용의 준비태세를 갖춤으로써 자율적인 군사 활동의 능력을 반드시 구비해야 한다고 하였다.
ㄴ. 2001년 4월 1일 한국과 EU 사이에 정치, 경제, 문화 등 포괄적 협력을 가능케 하는 한-EU 기본협력협정이 발효되었다.
ㄷ. 1994년, 1993년에 발생한 제1차 북핵위기의 해결을 위해 체결된 미국과 북한 간의 제네바협약에 따라 한반도에너지개발기구(KEDO)가 설립되자, EU는 12월 KEDO 참여를 결정하고 1996년부터 재정지원을 시작했다.
ㄹ. 1999년 6월 3일 독일의 베를린에 모인 EU회원국들의 정상들은 유럽경제공동체가 창설된지 42년만에 처음으로 EU를 군사적인 실체로 발전시키는 데 합의하였다.

① ㄱ, ㄴ
② ㄱ, ㄷ
③ ㄴ, ㄹ
④ ㄷ, ㄹ

정답 및 해설

유럽연합(EU)의 대외정책에 대한 설명으로 옳지 않은 것은 ㄷ, ㄹ이다.
ㄷ. 1995년에 한반도에너지개발기구(KEDO)가 설립되었다.
ㄹ. 쾰른 정상회담에 대한 설명이다.

답 ④

001 유럽연합의 주요 조약들을 연대순으로 바르게 나열한 것은? 2009년 외무영사직

□□□

ㄱ. 니스(Nice)조약
ㄴ. 마스트리히트(Maastricht)조약
ㄷ. 암스테르담(Amsterdam)조약
ㄹ. 로마(Rome)조약

① ㄴ - ㄱ - ㄹ - ㄷ
② ㄴ - ㄹ - ㄱ - ㄷ
③ ㄷ - ㄹ - ㄴ - ㄱ
④ ㄹ - ㄴ - ㄷ - ㄱ

정답 및 해설

ㄹ. 로마조약(1957) → ㄴ. 마스트리히트조약(1992) → ㄷ. 암스테르담조약(1997) → ㄱ. 니스조약(2000) 순서이다.

답 ④

002 유럽연합의 통합과정에서 이루어진 주요 합의들을 시기 순으로 바르게 나열한 것은? 2015년 외무영사직

□□□

ㄱ. 단일유럽의정서
ㄴ. 암스테르담조약
ㄷ. 마스트리히트조약
ㄹ. 니스조약

① ㄱ - ㄷ - ㄴ - ㄹ
② ㄱ - ㄹ - ㄷ - ㄴ
③ ㄷ - ㄴ - ㄱ - ㄹ
④ ㄷ - ㄹ - ㄱ - ㄴ

정답 및 해설

ㄱ - ㄷ - ㄴ - ㄹ 순서이다.
ㄱ. 단일유럽의정서(1986) - 공동시장을 완성하였다.
ㄷ. 마스트리히트조약(1992) - EU를 창설하고 보충성원칙을 명문화하는 한편, 공동외교정책을 도입하였다.
ㄴ. 암스테르담조약(1997) - 다단계통합방안을 도입하고, EU에 국제법인격을 부여하였다.
ㄹ. 니스조약(2000) - 회원국 확대에 따른 기관 정비를 추구한 조약이다.

답 ①

003 유럽에서 결성된 다음 지역협력체들을 설립 순서대로 바르게 나열한 것은? 2008년 외무영사직

□□□

- EC: 유럽공동체
- ECSC: 유럽석탄철강공동체
- EEC: 유럽경제공동체
- EFTA: 유럽자유무역연합
- OEEC: 유럽경제협력기구

① OEEC - ECSC - EEC - EC - EFTA
② ECSC - EEC - OEEC - EC - EFTA
③ OEEC - ECSC - EEC - EFTA - EC
④ ECSC - EEC - OEEC - EFTA - EC

정답 및 해설

OEEC(1948) → ECSC(1951) → EEC(1958) → EFTA(1960) → EC(1967)(통합조약 또는 브뤼셀조약) 순으로 설립되었다.

답 ③

004 유럽 통합 과정에 대한 설명으로 옳지 않은 것은?

2018년 외무영사직

□□□

① 유럽석탄철강공동체(ECSC)에 프랑스, 독일, 이탈리아, 벨기에, 룩셈부르크, 네덜란드가 참여하였다.
② 단일유럽의정서(SEA)를 통해 회원국들은 1992년까지 단일시장을 완성하겠다는 목표를 세웠고 각료이사회의 의사결정 방식을 만장일치제로 변경하였다.
③ 마스트리히트조약을 통해 유럽연합 회원국들은 단일 화폐인 유로화를 만들기 위한 경제통화동맹(EMU) 설립에 합의하였다.
④ 유럽연합은 2003년 유럽헌법조약 초안에 서명하였지만 이후에 일부 회원국에서 비준이 부결되었다.

정답 및 해설

단일유럽의정서(1986)은 '공동시장'을 창설한 조약이다. '단일시장'은 마스트리히트조약(1992)에서 창설하기로 하였다. 의사결정제도는 기존의 만장일치제에서 다수결제로 변경하였다.

선지분석

① ECSC는 1951년 창설되었다.
④ 프랑스와 네덜란드가 비준을 거부하여 유럽헌법조약은 발효되지 않았다.

답 ②

005 유럽통합의 발전과정에 대한 설명으로 옳지 않은 것은?

① 1951년 유럽 석탄철강공동체(ECSC)가 설치되었다. 이는 프랑스와 독일의 최대 산업인 석탄과 철강 산업 부흥을 통해 전후 복구를 이룩한다는 경제적인 목적 이외에도 두 국가 간의 적대관계를 해소한다는 정치적 목적을 가지고 있었다.
② 1958년 로마조약이 발효되어 유럽경제협력기구(OEEC)가 설치되었다. 경제공동체는 발족되자마자 대대적인 관세인하를 추진하였고 공동 대외관세를 실시하였다.
③ 1968년 유럽경제공동체(EEC)는 역내 교역관세 철폐 및 역외 공동관세를 실시하는 관세동맹을 완성하였다.
④ 1993년 마스트리히트조약이 채택, 발효되어 유럽공동체(EC)는 유럽연합(EU)으로 개편되었다. 이로써 유럽은 단일시장에서 정치 · 경제 · 안보동맹으로 격상되었다.

정답 및 해설

1958년 로마조약에 의해 설립된 것은 유럽경제공동체(EEC)이다. 유럽경제협력기구(OEEC)는 1948년 설립된 것으로 유럽석탄철강공동체보다 앞서 창설된 것이다.

선지분석

④ 마스트리히트조약은 유럽시민권 제도를 도입하여 회원국 국민은 국적에 관계없이 거주지 지방선거 및 유럽의회 선거에 참여할 수 있도록 하였고, 의회의 입법기능과 집행위원회 견제기능을 대폭 강화하였다.

답 ②

006 유럽연합에 대한 설명으로 옳지 않은 것은?

① 1941년 이탈리아의 유럽통합주의자였던 스피넬리(A. Spinelli)의 벤토테네 선언(Ventotene Manifesto)은 유럽연방을 기초로 한 유럽통합의 토대를 마련하는데 기여하였다.
② 프랑스에 의해 촉발된 공석위기(Empty Chair Crisis)는 1966년 1월 29일 룩셈부르크 타협(Luxemburg Compromise)으로 일단락되었다. 룩셈부르크 타협은 각료이사회 의사결정에 있어서 다수결에 의한 의사결정을 축소하고 만장일치 방식을 유지하며, 집행위원회 권한을 확대하기로 한 것이다.
③ 1965년 회원국들은 공동체 기구 통합조약(Merger Treaty)을 체결하였으며, ECSC, EEC, Euratom의 기구들의 통합이 이루어져 1967년 7월 1일 유럽공동체(European Community)가 창설되었다.
④ 1985년 체결된 단일유럽의정서(Single European Act;SEA)는 각료이사회 의사결정 방식을 만장일치에서 가중다수결로 전환하였다.

정답 및 해설

집행위원회 권한을 축소하기로 한 것이다.

답 ②

007 유럽국제관계에 대한 설명으로 옳지 않은 것은?

① 1차대전 후 쿠덴호프-칼레기 백작의 운동은 유럽통합운동에 큰 영향을 미쳤다.
② 1952년 7월 유럽석탄철강공동체(ECSC)가 연방주의자인 장 모네를 위원장으로 하여 발족했다.
③ 스파크위원회의 보고를 바탕으로 유럽경제공동체(EEC)와 유럽원자력공동체(EURATOM)조약의 기초가 시작되었다.
④ 프랑스는 EEC 재원 자립, 유럽의회에 예산 감독권 부여, 각료이사회에서 다수결 제도 적용 등을 포함한 '모겐소 플랜'에 반발하여 1965년 7월부터 1966년 1월까지 여러 EC 기관에서 자국 대표를 철수시키는 '공석정책'을 추진하였다.

정답 및 해설

프랑스는 EEC 재원 자립, 유럽의회에 예산 감독권 부여, 각료이사회에서 다수결 제도 적용 등을 포함한 할슈타인 플랜에 반발하였다.

답 ④

008 유럽지역협력(통합)의 전개과정에 대한 설명으로 옳은 것은?

□□□

① 1948년 3월 17일 브뤼셀조약을 통해 영국, 프랑스, 서독, 벨기에, 네덜란드, 룩셈부르크가 동맹을 형성하였다.

② 1965년 7월부터 6개월간 서독은 공동농업정책 예산문제를 이유로 각료이사회에서 대표단을 철수시킨 '공석의 위기'를 촉발하였다. 공석의 위기는 1966년 1월 29일 룩셈부르크 타협으로 일단락되었다. 룩셈부르크 타협을 통해 의사결정에 있어서 만장일치 방식을 유지하기로 하였다. 이로 인해 로마조약에 의해 1966년 1월부터 대부분의 의사결정을 다수결로 하기로 한 것이 무산되었다.

③ 단일유럽의정서(1986)를 통해 역내시장(공동시장)을 완성하고, 제1심 재판소를 설치하였으며, 입법절차에 있어서 협력절차를 도입하였다. 단일유럽의정서를 통해 의사결정 방식에 있어서 최초로 이중다수결을 도입하였다.

④ 1952년 5월 27일 프랑스, 이탈리아, 베네룩스 3국, 서독은 초국가적 성격의 서유럽군사공동체인 유럽방위공동체(European Defense Community; EDC)를 결성하였으나, 1954년 8월 프랑스 의회가 비준을 거부하면서 무산되었다.

정답 및 해설

선지분석

① 서독은 포함되지 않는다.
② 공석의 위기는 프랑스가 야기한 사건이다.
③ 가중다수결을 도입하였다.

답 ④

009 유럽중앙은행 창설과 단일통화 사용의 경제통화동맹(EMU), 공동 방위정책, 단일 사회정책 등의 내용을 핵심으로 유럽연합(EU)이 시장통합을 넘어 완전한 경제 및 통화동맹뿐 아니라 실질적으로 정치연합까지도 달성하는 데 있어 중요한 전환점이 되었던 조약은? 2010년 외무영사직

□□□

① 니스조약(Nice Treaty)
② 로마조약(Rome Treaty)
③ 헌법조약(Constitutional Treaty)
④ 마스트리히트조약(Maastricht Treaty)

정답 및 해설

EC(유럽공동체)가 시장통합을 넘어 정치 · 경제적 통합체로 결합하기 위해 네덜란드의 마스트리히트에서 EC 정상 간에 합의한 유럽통합조약으로, 유럽동맹조약(Treaty on European Union)이라고도 한다. 이 조약은 첫째, 유럽중앙은행의 창설과 단일통화의 사용 등을 내용으로 하는 경제통화동맹(European Economic and Monetary Union: EMU)의 추진, 둘째, 공동외교 및 안보, 유럽의회의 권한확대, 내무 및 사법협력, 역내 낙후국에 대한 재정지원 확대 등을 내용으로 하는 정치통합(European Political Union: EPU)으로 이루어져 있다.

선지분석

① 2000년 12월 프랑스 니스에서 열린 유럽연합(EU) 정상회담의 결과로 만들어진 니스조약(Nice Treaty)은 유럽 중동부 및 지중해 지역 국가 가운데 12개국을 향후 10년간 새 회원국으로 맞아들이기 위해 EU 정책결정기구를 개혁하고 유럽의회 의석을 재할당할 것을 규정하였다.
② 로마조약은 프랑스, 룩셈부르크, 이탈리아, 서독, 벨기에, 네덜란드 등 6개국에 의하여 1957년 3월 로마에서 조인되어 1958년 1월 1일 발효한 조약으로, 유럽경제공동체(EEC)를 설립하기 위한 조약이다.
③ 유럽연합의 기초가 되는 로마조약, 마스트리히트조약, 암스테르담조약, 니스조약 등을 통합한 유럽연합의 헌법과 같은 기능을 하는 조약이다. 2004년 6월 18일 벨기에 브뤼셀에서 개최된 EU정상회담에서 유럽헌법조약에 대한 합의가 이루어졌다. 조약의 형태로 유럽연합에 가맹하는 25개국의 비준을 받아 발효되며, 대외적으로 유럽연합을 대표하는 '대통령'의 직위가 신설되었다. 현재는 가맹 각국이 차례로 유럽연합 수뇌회의의 의장을 맡고 있는데 유럽헌법에서는 상임의장으로 격상된 형태로 대통령을 갖게 된다.

답 ④

010 다음 중 EU가 CFSP를 창설한 계기가 되는 조약은? 2006년 외무영사직

□□□

① 북대서양조약 ② 암스테르담조약
③ 마스트리히트조약 ④ 니스조약

정답 및 해설

마스트리히트조약은 첫째, 유럽중앙은행의 창설과 단일통화의 사용 등을 내용으로 하는 경제통화동맹(European Economic and Monetary Union: EMU)의 추진, 둘째, 공동외교 및 안보 정책(Common Foreign and Security Policy: CFSP), 유럽의회의 권한 확대, 내무 및 사법 협력, 역내 낙후국에 대한 재정지원 확대 등을 내용으로 하는 정치통합(European Political Union: EPU)으로 이루어져 있다.

답 ③

011 유럽통합과 관련하여 다음 사항에 해당하는 조약으로 옳은 것은?

□□□

> 단일유럽의정서로 4대 생산요소의 자유이동이 보장되었으나, 각국은 독자적인 통화 단위를 사용함으로써 광범위한 환율 변경이 인정되어 역내 가격체계가 왜곡되었다. 이를 시정하기 위해 경제·통화동맹조약인 이 조약을 채택하여 1993년 발효하게 되었다. 이 조약의 합의와 발효는 험난하였다. 영국의 반발과 더불어 1991년 룩셈부르크 유럽의사회에서도 합의에 도달하지 못하였다. 조약의 발효도 1992년 덴마크가 조약의 비준을 국민투표로 거부하였고, 프랑스는 근소한 차로 조약 비준에 성공하였다.

① 암스테르담조약 ② 마스트리히트조약
③ 니스조약 ④ 리스본조약

정답 및 해설

선지분석

① 암스테르담조약은 1997년 유럽연합(EU) 15개국 사이에 체결된 유럽통합에 관한 기본 협정이다. 마스트리히트조약에서 정한 유럽의 통합을 현실적으로 추진하기 위한 정치체제를 보다 실효성있게 구축하기 위해 체결된 조약이다.

③ 니스조약은 2000년에 합의되었고, 2003년 정식 발효된 조약으로 신규 회원국의 가입과 유럽연합의 확대에 따른 제도개혁에 합의한 조약이다.

④ 리스본조약은 2007년에 채택되었다. 유럽헌법조약의 비준이 무산된 이후 유럽헌법 제정시도를 포기하고 기존 조약을 다시 수정한 것이다. 암스테르담조약과 니스조약에 명시된 유럽연합의 효율성과 민주적 정당성을 강화하기 위한 내용을 담고 있다.

답 ②

012 유럽연합(EU)의 '공동외교안보정책(CFSP)' 수립에 공식적 근거가 된 최초의 국제조약은?

□□□

① 마스트리히트조약(Maastricht Treaty) ② 암스테르담조약(Amsterdam Treaty)
③ 북대서양조약(North Atlantic Treaty) ④ 헬싱키최종안(Helsinki Final Act)

정답 및 해설

마스트리히트조약은 첫째, 유럽중앙은행의 창설과 단일통화의 사용 등을 내용으로 하는 경제통화동맹(European Economic and Monetary Union: EMU)의 추진, 둘째, 공동외교 및 안보(Common Foreign and Security Policy: CFSP), 유럽의회의 권한 확대, 내무 및 사법 협력, 역내 낙후국에 대한 재정지원 확대 등을 내용으로 하는 정치통합(European Political Union: EPU)으로 이루어져 있다.

답 ①

013 □□□ **2004년에 채택된 유럽연합 헌법 초안의 내용으로 옳지 않은 것은?** 2004년 외무영사직

① EU 대통령(엄밀히 말해 유럽이사회 의장)의 임기는 2년 6개월이고 1차에 한해 연임이 가능하다.

② EU 외무장관은 집행위원회 내에서 대외관계를 책임지는 동시에 EU의 공동외교, 안보, 방위정책을 수행한다. 그의 임기는 유럽헌법 발효시 임기중인 집행위원회의 구성원들의 임기가 끝날 때까지 직책을 유지한다.

③ 각료이사회(Council of Ministers)에서 가중다수결로 결정할 경우, 이사회 회원국의 최소 55%, 즉 15개국 이상의 찬성과 유럽연합의 인구 중 최소 65% 이상의 찬성이 필요하다.

④ 전체 750명을 넘을 수 없는 의원으로 구성되는 유럽의회는 유럽연합 대통령과 유럽연합 외무장관을 선출하게 되고 또한, 어떤 회원국도 의회 내에서 96석보다 더 많이 할당받을 수가 없고, 아무리 작은 국가도 최소 6석은 보장받는다.

정답 및 해설

유럽연합 대통령과 유럽연합 외무장관은 EU 27개국 정상들이 선출하도록 하였다.

답 ④

014 □□□ **외교정책 주체로서 EU의 발전과정에 대한 설명으로 옳지 않은 것은?**

① 제2차 세계대전 직후 미국의 강력한 지원 하에 설립된 유럽석탄철강공동체(ECSC)를 초석으로 한다.

② 1967년 ECSC, 유럽경제공동체(EEC), 유럽원자력공동체(Euratom)를 통합하여 유럽공동체를 형성하였다.

③ 관세동맹 완성, 유럽의회 직선제 도입, 유럽통화체제(EMS) 출범 등 통합을 가속화하여 꾸준히 발전하였다.

④ 1991년 네덜란드 마스트리히트에서 조약을 체결함으로써 EU 헌법을 제정하였다.

정답 및 해설

마스트리히트조약은 유럽공동체(EC), 공동외교안보정책(CFSP), 사법과 내무분야의 협력으로 구성되는 EU를 창설한 것이다. 유럽헌법조약은 2005년 부결된 바 있으며 2006년 새로운 유럽헌법조약이 마련되었다.

답 ④

015 □□□ **리스본조약(2007)에 대한 설명으로 옳지 않은 것은 모두 몇 개인가?**

ㄱ. EU조약의 명칭은 유지하되, EC설립조약을 EU기능조약으로 명칭을 변경하였다.
ㄴ. 유럽원자력공동체설립조약은 리스본조약을 통해 공식 종료 되었다.
ㄷ. 가중다수결 적용 범위를 확대하면서 이중다수결제도를 도입하였다. 이중다수결제도 하에서는 적어도 이사회 구성원의 55%가 찬성하고, 적어도 27개 회원국 중 15개국을 포함하며, EU인구의 65% 이상을 포함하는 회원국을 대표하면 가결된다.
ㄹ. 유럽의회와 이사회가 공동결정하는 절차(공동결정절차)가 통상적인 입법절차가 되었다.
ㅁ. 탈퇴규정을 처음 도입하였으며, 탈퇴협정 체결을 위해서는 회원국의 72% 및 EU회원국 총인구의 65% 이상 찬성해야 한다.
ㅂ. 탈퇴협정 체결 기한은 탈퇴 의사 통지 후 2년이지만, 이중 다수결에 의해 연장할 수 있다.

① 2개　② 3개　③ 4개　④ 5개

정답 및 해설

리스본조약(2007)에 대한 설명으로 옳지 않은 것은 ㄴ, ㅂ으로 2개이다.

선지분석

ㄴ. 유럽원자력공동체설립조약을 리스본조약에 맞게 수정하여 존속시켰다.
ㅂ. 만장일치에 의해 연장할 수 있다.

답 ①

016 유럽통합에 있어서 리스본조약(2007)에 대한 설명으로 옳은 것은 모두 몇 개인가?

□□□

ㄱ. 유럽연합 조약의 명칭은 유지하였으나, 유럽공동체(EC)설립조약은 EU기능조약으로 명칭을 변경하였다.
ㄴ. 이중다수결제도를 도입하여 이사회 구성원의 55%에 해당되고, 적어도 27개 회원국 중 15개국을 포함하며, EU인구의 65% 이상을 포함하는 회원국을 대표하면 가결된다.
ㄷ. 이사회와 공동결정절차로 입법하는 분야의 수를 축소하여 유럽의회의 권한을 강화하였다.
ㄹ. 유럽이사회 결정은 원칙적으로 다수결에 의하며, 표결 시 유럽이사회 상임의장과 집행위원장은 표결에 참여하지 않는다.

① 1개　② 2개　③ 3개　④ 4개

정답 및 해설

리스본조약(2007)에 대한 설명으로 옳지 않은 것은 ㄷ, ㄹ로 2개이다.

선지분석

ㄷ. 공동 결정 절차 분야를 확대했다.
ㄹ. 원칙적으로 총의에 의한다.

답 ②

제3절 | 기관

001 유럽연합(EU)의 기구 중 정부 간 기구는?

2018년 외무영사직

□□□

① 유럽이사회(European Council)
② 유럽집행위원회(European Commission)
③ 유럽의회(European Parliament)
④ 유럽사법재판소(European Court of Justice)

정답 및 해설

유럽이사회는 주로 유럽연합 가입국 정상들의 회합으로서 자국의 이익을 추구한다. 그런 점에서 정부 간 기구라고 한다.

선지분석

②, ③, ④ 집행위원회, 의회, 사법재판소는 '초국가기구' 또는 '초정부기구'라고 한다. 유럽연합 전체의 이익을 대변하고 추구하는 기관이다.

답 ①

002 유럽의회에 대한 설명으로 옳은 것은 모두 몇 개인가?

□□□

ㄱ. 유럽의회의 기원은 1952년 석탄철강공동체와 관련하여 설립된 공동의회(Common Assembly)이다.
ㄴ. 유럽의회는 각료이사회와 함께 예산에 대한결정 및 심의 권한을 갖고 있다.
ㄷ. 리스본조약 이후 유럽의회는 일반입법절차(Ordinary Legislative Procedure: OLP)를 통해 집행위원회 및 각료이사회와 동등한 정책결정 권한을 갖는 기구가 되었다.
ㄹ. 유럽의회는 일반입법절차를 통해 각료이사회와 함께 공동입법자로서 동등한 정책 결정권한을 누린다.
ㅁ. 리스본조약을 통해 의회가 본래 가져야 하는 입법제안권을 보유하게 되었다.
ㅂ. 유럽의회는 집행위원회의 위원장 및 위원들에 대한 임명동의권과 신규 회원국 가입에 대한 동의권을 보유한다.

① 모두 맞음　② 2개　③ 4개　④ 5개

정답 및 해설

유럽의회에 대한 설명으로 옳은 것은 ㄱ, ㄴ, ㄷ, ㄹ, ㅂ으로 5개이다.

선지분석

ㅁ. 유럽의회는 의회 본연의 기능인 입법제안권을 보유하지 않는다. 다만, 정책결정 기능이 입법 기능을 대신하여 일반입법절차와 특별입법절차를 통해 의제수정 및 의견제기 그리고 최종 합의 등의 권한을 행사한다.

답 ④

003 유럽연합 집행위원회에 대한 설명으로 옳지 않은 것은 모두 몇 개인가?

□□□

ㄱ. 집행위원회는 새로운 정책과 입법을 제안하고, 그 정책과 입법에 대해 각료이사회와 유럽의회의 승인을 받아 집행하는 기관이다.
ㄴ. 집행위원회는 국제협상에서 유럽연합을 대표한다.
ㄷ. 집행위원회는 각료이사회와 달리 각 회원국의 이익이 아닌 유럽연합의 공동이익을 추구하는 기관이다.
ㄹ. 집행위원회 위원은 니스조약 이후 '1국 1집행위원 원칙'에 따라 28명이나, 리스본조약은 2014년 11월 1일부터 회원국 간 균등한 윤번제에 따라 위원장 및 외교안보정책 고위 대표를 포함하여 회원국 수의 3분의 2에 해당하는 수의 위원을 구성하기로 하여 현재 '1국 1집행위원 원칙'은 수정되었다.
ㅁ. 집행위원장은 유럽이사회가 가중다수결로 위원장 후보자 한 명을 제안하고 유럽의회에 의해 재적의원 과반수로 선출한다.
ㅂ. 집행위원들은 회원국 정부에서 임명하나 국가이익을 대표하는 것은 아니므로 출신국가와 무관한 정치적 독립성이 요구된다.

① 없음　② 1개　③ 2개　④ 3개

정답 및 해설

유럽연합 집행위원회에 대한 설명으로 옳지 않은 것은 ㄹ로 1개이다.

ㄹ. 리스본조약에서 수정하기로 규정하였으나, 2008년 12월 개최된 유럽이사회는 아일랜드의 리스본조약 비준 국민 투표 통과를 위해 현행 '1국 1집행위원제'를 그대로 유지하기로 결정하였다.

답 ②

004 유럽연합 각료이사회에 대한 설명으로 옳지 않은 것은 모두 몇 개인가?

ㄱ. 각료이사회는 회원국 장관들의 모임으로 유럽연합의 모든 입법과정에서 최종적인 결정권한을 갖는 입법부이다.
ㄴ. 각료이사회가 유럽의 일반적인 이익을 대변하는 기구인 반면, 유럽연합집행위원회는 회원국의 이익을 담보하는 기구이다.
ㄷ. 각료이사회는 유럽의회와 함께 유럽연합의 예산을 결정한다.
ㄹ. 각료이사회는 정책영역에 따라 참석하는 장관을 달리하는 10개 이사회로 구성되어 있으며, 외무장관의 회합을 '일반이사회'라 한다.
ㅁ. 각료이사회 의장은 6개월 주기로 교체된다.
ㅂ. 각료이사회의 의사결정은 사항의 중요도에 따라 단순다수결제, 가중다수결제, 만장일치제가 사용되며, 외교, 안보, 회원국 확대 및 조세 등 주요한 사안은 가중다수결가 적용된다. 리스본조약에서는 '이중다수결제(Double Majority)'가 도입되어 모든 회원국은 1국 1표를 갖되, 의결을 위해서는 각료이사회에서 55% 이상 찬성하고, 찬성국의 인구는 유럽 연합 전체 인구의 65% 이상이어야 한다.

① 없음　② 1개　③ 2개　④ 3개

정답 및 해설

유럽연합 각료이사회에 대한 설명으로 옳지 않은 것은 ㄴ, ㅂ으로 2개이다.
ㄴ. 집행위원회가 유럽의 일반적인 이익을 대변하는 기구인 반면, 각료이사회는 회원국의 이익을 담보하는 기구이다.
ㅂ. 외교, 안보, 회원국 확대 및 조세 등 주요한 사안은 '만장일치제'가 적용된다.

답 ③

005 유럽연합(EU)의 주요 기관에 대한 설명으로 옳지 않은 것은?

① 이사회는 회원국 대표로 구성되는 유럽연합의 최고 입법기구이자 최종 정책결정기구이다. 유럽 이사회, 각료이사회로 나뉘며 보조기구로 상주대표부, 자문위원회, 사무국이 있다.
② 집행위원회는 유럽연합의 행정부로서 공동정책을 입안하고 집행하는 기능을 수행한다. 위원장과 부위원장, 집행위원으로 구성되며 기능별로 편성된 36개의 총국과 각종 위원회를 두고 있다.
③ 유럽의회는 유럽시민의 직접선거로 구성되는 유일한 기구로 유럽통합의 상징적 역할을 수행한다. 선거절차는 각국에 위임하여 대부분 자국 내 국회의원 선거법을 준용한다.
④ 사법재판소는 유럽연합의 최고 법원으로서 27명의 법관으로 구성되며 회원국 내 대법관, 혹은 이에 준하는 자 중에서 나라별로 1명을 추천한다. 유럽사법재판소에서 유럽 시민은 제소권을 갖지 않는다.

정답 및 해설

개인 또는 법인의 제소권을 긍정한다.

답 ④

제2장 동아시아 지역 이슈

제1절 | 북핵문제

001 **북한의 핵 문제와 관련된 사건을 시기가 이른 순서대로 바르게 나열한 것은?** 2023년 외무영사직

(가) 개성공단 폐쇄
(나) 북한의 6차 핵 실험
(다) 핵무력정책법 채택
(라) 유엔안보리 대북제재 결의안 제2270호 채택

① (가) → (나) → (라) → (다)
② (가) → (라) → (나) → (다)
③ (나) → (가) → (다) → (라)
④ (라) → (가) → (나) → (다)

정답 및 해설

(가) 개성공단 폐쇄는 2016년 2월 박근혜정부에서 북한의 미사일 발사 실험에 대한 대응으로 단행되었다.
(나) 북한의 6차 핵 실험은 2017년 9월 3일 시행되었다. 이후 유엔안전보장이사회는 9월 11일 결의 제2375를 통해 대북 제재조치를 강화하였다.
(다) 핵무력정책법은 북한이 2022년 9월 채택하였다. 동법은 핵무기 관련 결정권은 오직 김정은한테만 있다는 걸 명시했다. 특기할 점은 '핵 선제 불사용 원칙'을 명시적으로 밝히지 않았다는 사실이다. 오히려 '핵무력정책법'은 제6조에서 "핵무기의 사용조건"을 상세하게 밝혀 놨다. 모두 5가지 경우다. 첫째, 조선민주주의인민공화국에 대한 핵무기 또는 기타 대량살육무기 공격이 감행됐거나 임박했다고 판단되는 경우. 둘째 국가지도부나 국가핵무력지휘기구에 대한 적대세력의 핵 및 비핵공격이 감행됐거나 임박했다고 판단되는 경우. 셋째 국가의 중요전략적 대상들에 대한 치명적인 군사적 공격이 감행됐거나 임박했다고 판단되는 경우. 넷째 유사시 전쟁의 확대와 장기화를 막고 전쟁의 주도권을 장악하기 위한 작전상 필요가 불가피하게 제기되는 경우. 다섯째 기타 국가의 존립과 인민의 생명안전에 파국적인 위기를 초래하는 사태가 발생해 핵무기로 대응할 수밖에 없는 불가피한 상황이 조성되는 경우. 또한, 비핵국가라도 다른 핵무기 보유국과 야합하여 조선민주주의인민공화국을 반대하는 침략이나 공격행위에 가담(제5조 제2항)하는 경우 핵무기를 사용할 수 있다고 하여 미국과 군사동맹을 맺고 정기적으로 연합훈련을 하고 있는 한국과 일본 등을 견제하고 있다.
(라) 유엔안보리 대북제재 결의안 제2270호 채택은 북한의 2016년 1월 제4차 핵실험을 배경으로 2016년 3월 채택되었다.

답 ②

002 **2012년 2월 23~24일 베이징(北京)에서 열린 북·미 3차 회담의 합의사항이 아닌 것은?** 2013년 외무영사직

□□□

① 북한은 장거리미사일 발사와 핵실험을 잠정 중단한다.
② 북한은 영변에 있는 우라늄농축 시설의 가동을 잠정 중단한다.
③ 북한은 국제원자력기구(IAEA)의 사찰을 다시 수용한다.
④ 한반도 평화를 위해 정전협정을 평화협정으로 대체한다.

정답 및 해설

정전협정의 평화협정 대체는 북한의 지속적인 대미 요구사항이나 오바마 행정부에서는 이를 인정하지 않고 있다. 북·미 제3차 회담에서도 합의되지 않았다.

답 ④

003 1992년 한반도의 비핵화에 관한 공동선언 내용으로 옳지 않은 것은? 2012년 외무영사직

□□□

① 남과 북은 핵에너지를 평화적 목적에만 이용한다.
② 남과 북은 핵재처리시설과 우라늄농축시설을 보유하지 아니한다.
③ 남과 북은 핵무기의 시험, 제조, 생산, 보유, 저장, 사용 등을 하지 아니한다.
④ 남과 북은 공동선언의 이행을 위하여 1년 안에 '남북핵통제공동위원회'를 구성·운영하며 한반도의 비핵화를 객관적으로 검증하기 위하여 제3국에 사찰을 맡긴다.

정답 및 해설

비핵화검증을 위해 '상대방이 선정하고 쌍방이 합의하는 대상물'에 대해 남북핵통제공동위원회가 규정하는 절차와 방법으로 사찰을 받기로 합의하였다.

답 ④

004 2009년 6월 12일 대북 안전보장이사회 결의 1874호의 주요 내용이 아닌 것은? 2012년 외무영사직

□□□

① 소형무기 대북수출을 제외한 모든 무기에 대한 대북 수출입 금지
② 북한 핵 실험 규탄, 추가 핵실험 및 탄도미사일 발사 금지
③ 북한이 완전하고, 검증 가능하며, 불가역적인 방식으로 모든 핵무기와 현존 핵프로그램 포기 및 관련 활동 즉각 중단
④ 인도주의적 목적을 포함한 모든 대북 무상원조 및 금융지원 전면 금지

정답 및 해설

동 결의 제19항에는 "모든 회원국과 국제 금융 및 신용기관은 북한 주민에게 직접적으로 도움이 되는 인도주의 및 개발 목적이거나 비핵화를 증진시키는 용도를 제외하고는 북한에 새로운 공여나 금융지원, 양허성 차관을 제공하지 말 것을 촉구한다. 또 회원국은 현재의 금융활동을 줄이는 쪽으로 경계 강화를 시행할 것을 촉구한다."라고 규정되어 있다.

답 ④

005 북핵문제의 역사적 전개과정에 대한 서술로 옳지 않은 것은?

□□□

① 2002년 미국의 켈리 차관보가 특사 자격으로 평양을 방문했을 때 북한이 농축우라늄 프로그램을 시인했다고 미국이 주장하면서 직접적 발단이 되었다.
② 미국이 중유공급을 중단하자 북한은 핵개발 재시도를 천명하고 2002년 IAEA 감시단을 추방, 2003년 NPT 탈퇴를 선언하였다.
③ 6자회담은 미국의 '선(先)체제보장 후(後)핵폐기' 논리와 북한의 '선(先)핵폐기 후(後)보상' 논리가 첨예하게 대립하면서 진전과 교착을 거듭해왔다.
④ 2007년 베를린 양자회동에서 미국이 BDA(방코델타아시아) 동결 자금의 부분적 해제를 약속하였고, 이후 제5차 6자회담을 통해 2.13 합의가 도출되었다.

정답 및 해설

'선(先)체제보장 후(後)핵폐기' 논리는 북한이, '선(先)핵폐기 후(後)보상' 논리는 미국이 각각 주장한 것이다.

답 ③

006 북한 핵위기의 연도별 주요사건들이다. 빠른 시간 순으로 정렬한 것으로 옳은 것은?

□□□

ㄱ. 미국이 마카오의 BDA 은행 북한계좌 동결
ㄴ. 9.19 공동성명 이행을 위한 초기조치 합의(2.13 합의)
ㄷ. 북한의 IAEA Safeguards 서명
ㄹ. 제네바합의 타결

① ㄷ - ㄹ - ㄱ - ㄴ
② ㄷ - ㄹ - ㄴ - ㄱ
③ ㄹ - ㄱ - ㄷ - ㄴ
④ ㄹ - ㄷ - ㄱ - ㄴ

정답 및 해설

ㄷ. 북한의 IAEA Safeguards 서명(1992) → ㄹ. 제네바합의 타결(1994) → ㄱ. 미국이 마카오의 BDA 은행 북한계좌 동결(2005) → ㄴ. 9.19 공동성명 이행을 위한 초기조치 합의(2007) 순서이다.

답 ①

007 탈냉전기 북한핵문제의 전개과정에 대한 설명으로 옳은 것은?

① 미국과 북한은 1994년 10월 21일 제네바합의를 통해 한반도비핵화에 합의하고 미국은 북한에 제공할 경수로의 자금조달을 위해 한국의 주도하에 국제콘소시엄을 구성하도록 협조할 것을 약속하였다.
② 2005년 9월 19일 9.19 공동성명 채택을 통해 미국은 BDA를 통한 금융제재조치를 철회하고 북한과 한반도 비핵화를 위한 양자조치를 전개하기로 합의하였다.
③ 2007년 2월 13일 9.19 공동성명 이행을 위한 초기조치의 일환으로 북한은 사용 후 연료봉으로부터 추출된 플루토늄을 포함하여 9.19 공동성명에 명기된 모든 핵프로그램의 목록을 6자 회담 참가국들과 협의하기로 하였다.
④ 2009년 5월 북한은 제2차 핵실험 사실을 공표하였으며 이에 대응하여 미국은 북한을 테러지원국으로 재지정하였다.

정답 및 해설

선지분석
① 미국 주도를 규정하였다.
② 공동성명 채택 이후 BDA 경제제재 조치가 취해졌다.
④ 재지정논의는 있었으나 실제 재지정되지는 않았다.

답 ③

008 2002년 이후 발생한 제2차 북핵문제의 전개과정을 순서대로 바르게 나열한 것은?

□□□

ㄱ. 북한의 핵보유 선언과 9.19 공동성명
ㄴ. 북·미 입장 선회와 2.13 합의
ㄷ. 북한의 핵시설 재가동과 NPT 탈퇴 선언
ㄹ. 북한의 농축우라늄 프로그램 시인(HEU)

① ㄱ - ㄷ - ㄹ - ㄴ
② ㄴ - ㄹ - ㄷ - ㄱ
③ ㄷ - ㄴ - ㄱ - ㄹ
④ ㄹ - ㄷ - ㄱ - ㄴ

정답 및 해설

ㄹ - ㄷ - ㄱ - ㄴ 순서로 전개되었다.
ㄹ. 북한의 농축우라늄 프로그램 시인(HEU)(2002년 10월)
ㄷ. 북한의 핵시설 재가동과 NPT 탈퇴 선언(2002년 12월~2003년 1월)
ㄱ. 북한의 핵보유 선언과 9.19 공동성명(2005년 9월)
ㄴ. 북·미 입장 선회와 2.13 합의(2007년 2월)

답 ④

009 □□□ **1993년 제1차 북핵위기로 이뤄진 제네바합의문 및 2000년대 초반 제2차 북핵위기에 대한 설명으로 옳지 않은 것은?**

① 제1차 위기는 플루토늄 핵이 문제되었으며 '제네바합의문'은 보상에 관한 내용이 주를 이루고 있다.
② 제네바합의문에서 미국은 북한에게 비핵화에 대한 대가로 경수로 건설과 중유제공을 제의하였다.
③ 북한은 2003년 NPT 탈퇴를 선언하였으며 2004년 제3차 6자회담 이후 회의는 장기간 교착국면에 접어들었으나, 2005년 9.19 선언으로 해결 국면에 접어들기도 하였다.
④ 2.13 합의에서는 미국이 반대했던 '핵에너지의 평화적 이용'과 '경수로 제공'이 명시되어 이의 이행을 놓고 북한과 미국은 다시 갈등국면에 빠져들었다.

정답 및 해설

미국이 반대했던 '핵에너지의 평화적 이용'과 '경수로 제공'이 명시되어 이의 이행을 놓고 북한과 미국은 다시 갈등국면에 빠져들었다는 것은 9.19 공동성명의 내용이다.

선지분석

① 제1차 위기에서는 플루토늄 핵만이 문제시되었으나 제2차 위기에서는 우라늄 핵까지 논란거리로 확장되었다.
③ 9.19 선언에서는 1992년 한반도 비핵화에 대한 남북공동선언을 재확인하였으며 경수로 제공문제를 논의하였다. 또한 대한민국은 북한에게 200만 킬로와트의 전력을 공급하기로 하였다.

답 ④

010 □□□ **북핵문제에 대한 동북아 국가들의 입장을 연결한 것으로 가장 옳지 않은 것은?**

① 중국: 완충지대론과 북한부담론의 딜레마
② 일본: CVID 방식의 핵폐기 요구
③ 한국: 한반도 비핵화 촉구 및 북 · 미 간 상호신뢰 구축 필요성 강조
④ 러시아: 미국 영향력 제어를 위한 북한 핵개발 지지

정답 및 해설

러시아는 기본적으로 한반도 비핵화를 지지하며 북한 핵개발은 절대 용인할 수 없다는 입장을 취하고 있다. 특히 한반도 비핵화, 제네바합의 준수, 양자 및 다자 차원의 대화 채널 마련, 대북 인도적 지원 및 경제적 지원 재개 등을 일괄 타결하는 방안을 제시하였다.

선지분석

① 완충지대론은 북한의 전략적 중요성을 고려해 북한지역에서 전쟁발발을 억제하고 북한의 정권연장에 적극 협력해야 한다는 입장이다. 한편 북한부담론은 북한의 핵보유가 동북아 정세를 불안정화하여 중국의 경제성장 우선 전략에 차질을 빚을 것으로 보는 견해이다.
② 일본은 북핵이 일본에 대한 직접적 안보위협이 된다고 보고, 미국과 같은 입장을 취하여 CVID 방식의 핵폐기를 요구하고 있다.

답 ④

011 북한 핵문제에 대한 설명으로 옳은 것은?

□□□

① 북한이 1994년 11월 1일 핵무기 폐기를 선언함으로써 제1차 북핵 위기는 종료되었다.
② 한반도에너지개발기구(KEDO)는 북한에 대한 한국표준형 경수로 지원 및 자금조달을 추진하기 위해 한미 · 일 3국이 KEDO의 설립에 관한 협정에 합의함으로써 1995년 3월 9일 설립되었다.
③ 트럼프 행정부는 핵폐기 방향으로 FFVD(final, fully verified denuclearization)를 제시했으며, 이는 합의의 포괄성에 강조점을 둔 것이다.
④ 중국은 한반도의 평화와 안정 유지, 한반도의 비핵화 실현, 단계적 군축 실현이라는 '한반도 3원칙'하에서 북핵문제를 보고 있다.

정답 및 해설

선지분석

① 폐기가 아니라 동결 조치를 취했다.
③ FFVD는 검증에 초점을 둔 전략이다.
④ 한반도의 평화와 안정 유지, 한반도의 비핵화 실현, 대화와 협상을 통한 문제 해결이 3원칙이다.

답 ②

012 다음 중 북핵문제에 대한 관련 국가들의 입장을 바르게 짝지은 것은?

□□□

ㄱ. 북핵문제가 자국의 핵심적 안보사안이기 때문에 적극적으로 개입한다. 북한이 CVID방식으로 핵을 폐기해야 체제 보장과 물질적 보상을 해줄 수 있다는 입장이다.
ㄴ. 북한에 대하여 '완충지대론'과 '북한부담론'의 딜레마를 안고 있다. 최근에는 완충지대론의 입장을 강화하고 있다.
ㄷ. 기본적으로 한반도 비핵화를 지지하며 지속적으로 일괄타결 방안을 제시하고 있다. 특히 자국 남부 이슬람권 국가들로 대량살상무기운반이 확산될 것을 우려하고 있다.
ㄹ. 자국까지 사정거리에 두는 미사일을 보유한 북한이 핵무기를 보유하는 것은 자국에 대한 직접적인 안보위협이라고 본다. 북한과의 국교정상화를 중대한 외교적 과제로 설정하고 그 전제로서 북핵 폐기, 납치자 문제 해결을 요구하고 있다.

① ㄱ - 러시아
② ㄴ - 미국
③ ㄷ - 중국
④ ㄹ - 일본

정답 및 해설

ㄹ은 북핵문제에 대한 일본의 입장이다.

선지분석

ㄱ. 미국의 입장이다.
ㄴ. 중국의 입장이다.
ㄷ. 러시아의 입장이다.

답 ④

013 북핵문제에 대한 주요국의 입장을 설명한 것으로 옳지 않은 것은?

□□□

① 북한은 미국에 대해 선체제 보장, 후 핵폐기론을 주장하는 한편, 최근에는 핵보유국지위를 인정해 줄 것으로 요구하고 있다.

② 중국은 1차위기와 달리 2차위기에는 적극적으로 개입하고 있으며 북한의 지정학적 중요성을 고려하여 북한지역에서 전쟁발발을 억제하고 북한 김정은 정권의 연장을 우선적으로 고려하는 '북한부담론'의 입장을 견지해 오고 있다.

③ 일본은 북한의 핵보유가 일본에 대한 직접적인 안보 위협이라고 보고 북한과의 국교정상화의 전제로서 핵폐기를 요구하고 있다.

④ 오바마 행정부는 중국과 협력하여 안전보장이사회를 통한 대북제재를 유지하는 한편, 전략적 인내의 기조하에 북한의 실질적 핵폐기를 유도하고자 하였다.

정답 및 해설

지정학적 중요성을 고려하여 북한 김정은 정권의 안정에 우선적 목표를 두는 것은 '완충지대론'의 입장이다. 북한부담론은 북한의 핵보유는 대만과 일본의 핵무장을 부추기고 동북아정세를 불안정화하여 중국이 최우선시하는 경제성장 우선 전략에 차질을 빚을 것을 보는 견해를 말한다. 완충지대론이 북핵문제보다 북한문제를 우선시하는 전략인 반면, 북한부담론은 북핵문제 해결을 보다 중요한 문제로 보는 입장이다.

답 ②

014 다음 중 1994년 북·미 제네바 핵 합의서에 대한 설명으로 옳지 않은 것은?

□□□

① 북한은 흑연 감속로와 관련시설을 동결, 해체하고 중유 50만 톤을 제공한다.

② 쌍무 관계를 대사급으로 승격시킨다.

③ 북한은 NPT의 성원국으로 남는다.

④ 국제원자력기구의 강제사찰이 재개된다.

정답 및 해설

합의문 제4항 - 2. "경수로 제공을 위한 계약 체결 즉시 동결 대상이 아닌 시설에 대해 북한과 IAEA간 안전조치협정에 따라 임시 및 일반 사찰이 재개된다.". 1994년 북·미 제네바합의에서 북·미 양국은 북한 핵위기를 해소하기 위해 정치·경제관계를 정상화하고 핵문제를 단계적으로 해결하기로 약속했다. 서로에 대한 공동 상응조치로 이루어진 이 합의문에서 미국은 북한에 대한 핵무기 위협과 사용을 하지 않겠다는 공식적인 보장을 해주기로 했으며, 북한의 흑연감속로를 대체하는 2기의 경수로를 제공하는 문제를 주선해 주기로 했다. 또한 합의문 서명 후 3개월 내에 통신 및 금융거래를 포함해 무역·투자 장벽을 완화키로 했으며, 상대방의 수도에 연락사무소를 개설하고 진전 상황에 따라 쌍무 관계를 대사급으로 격상시키기로 했다. 또한 북한의 핵 프로그램 동결로 인한 에너지 부족분을 보충하기 위해 연간 50만 톤의 중유를 북한에 공급해 주기로 합의했다. 이에 대해 북한은 자신들의 핵 프로그램을 동결하고 핵확산방지조약(NPT)의 회원국 지위를 계속해서 유지하면서 조약하의 '안전담보협정(Safeguards Agreement)'의 규정을 이행하기로 약속했다. 북한은 또 남북한 관계에 대해서도 1991년 12월 31일 남북한 사이에서 합의된 '한반도 비핵화 공동선언'의 단계적 이행과 남북회담의 시행을 약속했다. 이에 따라 미국은 한국 및 일본과 함께 다국적 컨소시엄인 '한반도에너지개발기구(Korean Peninsula Energy Development Organization: KEDO)'를 설립하여 제네바합의의 실질적 이행에 들어갔으며, 북한 역시 기존의 핵 프로그램을 동결하였다.

답 ④

015 □□□ 제1차 북핵 위기와 관련하여 설립된 한반도 에너지 개발기구(KEDO)에 참여하지 않은 국가는 모두 몇 개국인가?

ㄱ. 한국	ㄴ. 미국
ㄷ. 일본	ㄹ. 중국
ㅁ. 핀란드	ㅂ. 호주

① 없음(모두 가입) ② 1개국 ③ 2개국 ④ 3개국

정답 및 해설

한반도 에너지 개발기구(KEDO)에 참여하지 않은 국가는 ㄹ. 중국으로 1개국이다.
한반도 에너지 개발기구는 원회원국 - 한국, 미국, 일본과 일반회원국 - 핀란드, 캐나다, 뉴질랜드, 호주, 인도네시아, 칠레, 아르헨티나, EU가 참여하였다. 한반도 에너지 개발기구(KEDO)는 1994년 10월 21일 체결된 북미 제네바합의 이행을 위해 창설된 국제기구로서 북한에 2기의 경수로를 건설하기 위한 재원을 제공하는 것을 주된 역할로 하였다. 이 기구는 2006년 6월 31일 신포 경수로사업의 공식 종결을 발표하였다.

답 ②

016 □□□ 1994년 채택된 '북 · 미 제네바합의서'에서 합의된 사항이 아닌 것은?

① 북한과 미국은 북한의 흑연 감속로와 관련시설을 경수로 발전소들로 교체하기 위해 협조한다.
② 북한과 미국은 정치 및 경제관계를 완전히 정상화하는 방향으로 나아간다.
③ 북한은 핵 재처리시설과 우라늄 농축시설을 보유하지 않는다.
④ 북한과 미국은 상호 관심사가 되는 문제들을 해결하는 데 진전이 이루어짐에 따라 쌍무관계를 대사급으로 승격시킨다.

정답 및 해설

우라늄 핵에 대한 문제는 2002년 이후 제2차 북핵위기에서 거론된 문제이다.

답 ③

017 □□□ 2005년 제4차 6자회담의 9.19 공동성명의 내용과 일치하지 않는 것은? 2011년 외무영사직

① 북한은 모든 핵무기와 현존하는 핵계획을 포기할 것을 공약
② 6자는 북한에 경수로 2기 등 에너지 자원을 제공하기로 합의
③ 미국은 핵무기 또는 재래식 무기로 북한을 공격 또는 침공할 의사가 없다는 것을 확인
④ 6자는 동북아시아의 항구적인 평화와 안정을 위해 공동 노력할 것을 공약

정답 및 해설

경수로 제공을 확약한 것은 아니며, 이 문제에 관한 논의해 나가기로 하였다. 경수로 제공문제는 부시 행정부에서 반대했던 사안으로, 9.19 공동성명 최종합의 단계에서 미국과 다른 국가들 간 격렬한 논쟁이 있었던 것으로 보도되었다. 9.19 공동성명은 경수로 제공문제에 대해 논의할 수 있다는 정도로 절충된 형태로 기술되었다.

답 ②

018 □□□ **제4차 6자회담 공동성명(9.19 선언) 및 9.19 공동성명 이행을 위한 초기조치(2.13 합의)에 대한 설명으로 옳지 않은 것은?**

① 9.19 선언의 골자는 한반도 비핵화를 달성하고 북한은 모든 핵무기를 포기하는 것과 함께 조속한 시일 내에 NPT에 복귀하고 미국은 북한을 공격하지 않는다는 점을 확인하며 북한에 에너지 지원을 확인하는 것 등이었다.
② 9.19 공동성명 이후 대북 금융제재(방코델타아시아) 문제와 북한인권문제, 탈북자문제 등을 거론하면서 북한을 압박함으로써, 북한은 2006년 10월 9일 핵실험을 강행하였다.
③ 패권안정론자들은 북핵문제에 있어서 핵심당사자는 미국이라고 본다. 미국의 의도에 의해 6자회담이 구성되었으며, 진전 또는 정체 역시 미국의 영향력 때문이었다고 분석한다.
④ 제2차 위기에서 중국은 상당한 대북영향력을 가지고 있음에도 불구하고 이념적 유대 및 미국에 대한 견제심리 등으로 북한을 옹호함으로써 국제사회의 비난을 받았다.

정답 및 해설

1차 위기시와는 달리 제2차 위기에서는 중국의 대북 영향력에 기초한 중재가 상당한 역할을 했는데, 이는 중국의 책임대국론에 힘입은 바가 크다. 예컨대 중국은 6자회담의 출범에 있어서 북한의 북·미 양자회담의 고집스런 요구를 철회하게 함으로써 중요한 역할을 하였다.

선지분석

③ 실제로 미국이 강경한 입장을 취하면 북한이 협상을 결렬시키고, 미국이 유화적인 제스처를 취하면 북한이 어느 정도 응답하는 등 실질적인 협상의 결렬 및 진행에 미국의 태도가 결정적인 경우가 많았다.

답 ④

019 □□□ **2007년 2월 베이징 제5차 6자회담 3단계 회의에서 채택된 '2.13 합의(9.19 공동성명 이행을 위한 초기조치)'에 명기된 '실무그룹(W/G)'으로 옳지 않은 것은?** 2008년 외무영사직

① 한반도 비핵화
② 북·일관계 정상화
③ 경제 및 에너지 협력
④ 한반도 평화체제

정답 및 해설

한반도 평화체제가 아니라 '동북아 평화·안보체제'이며 기타 '북·미관계 정상화' 그룹도 설치하기로 하였다.

답 ④

020 □□□ **북한 핵문제와 관련하여 2007년 2월 13일 베이징에서 열린 6자회담 당사국들 간에 '2.13 합의'가 채택되었다. '2.13 합의'의 내용과 일치하지 않는 것은?**

2007년 외무영사직

① 북한은 영변 핵시설을 폐쇄·봉인하고 모든 필요한 감시와 검증활동을 수행하기 위해 IAEA 요원을 복귀하도록 초청한다.

② 북한과 미국은 양자 간 현안을 해결하고 전면적인 외교관계로 나아가기 위한 양자 대화를 개시한다.

③ 미국은 북한을 테러지원국 지정으로부터 해제하기 위한 과정을 개시하고 대적성국 교역법 적용을 종료시키기 위한 과정을 진전시켜 나간다.

④ 참가국들 모두가 참여하는 6자회담에서 한반도의 항구적인 평화체제에 관한 협상을 갖는다.

정답 및 해설

제6항에 "직접 관련 당사국들은 적절한 별도 포럼에서 한반도의 항구적 평화체제에 관한 협상을 갖는다."라고 적시되어 있다.

답 ④

021 □□□ **9.19 공동성명 이행을 위한 초기조치(2.13 합의)에 대한 설명으로 옳지 않은 것은?**

① 2006년 10월 핵실험 이후 UN안전보장이사회의 대북결의안을 비롯한 국제사회의 압력이 점차 고조되는 상황 하에서 북한이 협상 복귀 의사를 표명하고, 미국 부시 행정부의 대북 '정책 전환(policy swing)'도 더욱 가시화됨으로써 2007년 2월 13일 향후의 비핵화 일정과 조건에 대한 논의들을 포괄하는 '2.13 합의' 도출에 성공하였다.

② '9.19 공동성명'을 구체화하는 '2.13 합의'를 가능하게 하였는데, 이에는 북핵 문제의 해결을 둘러싸고 비확산 정책의 공고화 흐름 속에서 자국의 외교적 입지를 강화하는 계기로 삼으려는 주변 주요국들의 제고된 관심과 관여 또한 작용하였다.

③ 2.13 합의에서는 중유 100만 톤 이상의 지원 등이 약속되었으나 이는 모든 핵 프로그램에 대한 완전한 신고와 핵시설의 불능화를 포함하는 '다음 단계 기간'에 제공된다고 하는 문언 때문에 북·미 간에 지원시기에 관해 논란이 있었다.

④ 미국은 핵무기와 핵 관련 물질의 이전이 미국의 안보에 가장 큰 위협요인이라고 인식하고 있기 때문에 이에 대한 국제적 방지를 위해 2.13 합의를 서두른 것이다.

정답 및 해설

PSI에 대한 내용이다.

관련 이론 2.13 합의의 의미

'2.13 합의'로 대변되는 북핵 6자회담의 진척은 비핵화를 위한 1994년 '제네바합의(General Agreed Framework)'의 연장선에 있다고 보아야 할 것이나 2005년 '9.19 공동성명'으로 해결의 계기가 마련된 제2차 북핵 위기는 제네바 합의가 가능했던 1990년 초반, 즉 냉전 구도가 해체된 직후의 시기와는 다른 냉전 이후 시대의 국제 정치경제적 변화, 예컨대 세계화의 흐름 속에서 9·11 테러, 중국의 부상 및 남북정상회담의 성사 등이 많은 영향을 미치고 있는 환경 속에서 다루어지고 있었다. 이러한 점을 감안할 때 향후 6자회담 '2.13 합의'의 진척은 세계적 차원의 반확산 정책, 지역적 차원에서의 관련국 간의 역학 변화 및 소지역 차원에서의 북한 문제 등이 총체적으로 작용하는 장으로서의 의미를 지니고 있다고 보이므로 이러한 변화들에 대한 종합적·체계적 고찰을 통해서 '2.13 합의'의 국제정치·경제적 함의를 도출하고, 이와 관련된 정책적 고려 사항들을 점검해 보는 것이 중요하다.

답 ④

022 북한 핵실험에 따른 다음 유엔 안전보장이사회 결의로 옳은 것은?

□□□

> • 국제사회의 거듭된 경고에도 불구하고, 북한이 2006년 10월 9일 핵실험을 실시하자 국제사회는 즉각 (　　　　　　)(10.14)를 만장일치로 채택하여 북한 핵실험을 규탄하고 UN헌장 제7장 제41조에 근거한 경제제재를 결정하였다.
> • (　　　　　　)은/는 (1) 중화기 및 관련 물품과 부품, 대량살상무기와 모든 관련 품목, 사치품의 대북 판매와 이전금지, (2) 북한으로부터 (1)의 품목 구매 및 수송금지, (3) 회원국 내 북한 WMD 관련 자금동결, (4) WMD 관련 북한 인사와 가족의 입국과 경유 금지, (5) 북한 출입 화물검색 등 유엔 회원국의 이행조치를 규정하였다.
> • 또한 동 결의안에 따라 (1) UN 회원국은 제재조치 이행 방안을 30일 이내 안전보장이사회에 보고하고, (2) 안전보장이사회 산하에 (　　　　　　) 제재위원회를 설치하며, (3) 제재위원회는 매 90일마다 대북 제재 이행 동향과 효율적인 이행방안을 안전보장이사회에 보고해야 한다.

① UN 안전보장이사회 결의 1540호
② UN 안전보장이사회 결의 1559호
③ UN 안전보장이사회 결의 1718호
④ UN 안전보장이사회 결의 1874호

정답 및 해설

UNSCR 1718호의 이행으로 북한의 WMD 또는 재래식 무기거래가 급감하는 추세에 있으며, 그 외 다양한 불법 무역활동도 크게 위축되었을 것으로 보인다. 또한 마카오 소재 방코델타아시아에 대한 금융제재의 여파로 국제금융 활동도 대폭 위축되어 사실상 동결 수준에 이르고, 전반적인 교역과 금융환경이 급속히 악화된 것으로 평가된다(외교부 논평).

선지분석

① UN 안전보장이사회 결의 1540호는 모든 국가는 WMD와 WMD 관련 물자의 생산, 사용, 수송 등에 대하여 효과적인 국내통제체제를 구비하고 이행하도록 요구하는 내용이다.
② UN 안전보장이사회 결의 1559호는 레바논과 헤즈볼라에 관한 내용으로 한국과는 관계가 없다.
④ UN 안전보장이사회 결의 1874호는 무기 금수대상 확대, 북한의 모든 무기 관련 물자의 대외수출 금지(단, 소형무기 제외), 회원국들의 북한 무기수출 및 이전 금지 등 초기조치인 1718호보다 강화된 조치를 명시하고 있다.

답 ③

023 북한 제재와 관련된 UN 안전보장이사회 결의 1718호에 대한 내용으로 적절하지 않은 것은?

① UN 헌장 7장을 적용한 결의이다. 제7장에 명기된 대북결의는 지난 1991년 북한의 유엔가입 이후 처음이다.
② 외교적·경제적 제재 등 비군사적 강제조치와 함께 군사적 강제조치까지 제시하고 있다.
③ 북한의 WMD 및 미사일 불법거래를 막기 위해 유엔 회원국들이 북한으로 드나드는 화물을 공해상 등에서 검색할 수 있도록 해상 및 공중수송을 제한토록 하였다.
④ 북핵과 미사일뿐만 아니라 재래식 무기에 대한 거래도 금지하도록 총망라하였다.

정답 및 해설

유엔 안전보장이사회 결의 1718호는 유엔헌장 제41조의 외교적·경제적 제재 조치만을 명기하고 있다. 제42조의 군사적 제재조치는 제시하지 않고 있다.

답 ②

024 2005년 9.19 공동성명의 내용으로 사실과 다른 것은?

□□□

① 6자회담의 목표가 한반도의 검증가능한 비핵화를 평화적인 방법으로 달성하는 것임을 만장일치로 재확인하였다.

② 6자는 상호 관계에 있어 UN헌장의 목적과 원칙 및 국제관계에서 인정된 규범을 준수할 것을 약속하였다.

③ 북한은 재처리 시설을 포함한 영변 핵시설을 폐쇄 · 봉인하고 IAEA 요원을 복귀하도록 하여 감시와 확인 조치를 취하기로 하였다.

④ 6개국은 공약 대 공약, 행동 대 행동 원칙에 입각해 상호 조율된 조치를 취할 것을 합의하였다.

정답 및 해설

2007년 2.13 합의에 구현된 조치의 내용이다.

선지분석

①, ②, ④ 9.19 공동성명은 한반도의 검증가능한 비핵화를 평화적으로 달성할 것, UN헌장의 목적과 원칙 및 국제관계에서 인정된 규범을 준수할 것, 에너지와 교역 및 투자 분야에서의 경제협력을 양자 및 다자적으로 증진시킬 것, 동북아의 항구적 평화와 안정을 위해 공동 노력할 것, 공약 대 공약, 행동 대 행동 원칙에 입각해 상호 조율된 조치를 취할 것 등의 내용을 담고 있다.

답 ③

025 2007년 2.13 합의가 담고 있는 조치로서 옳지 않은 것은?

① 북한은 궁극적 포기를 목적으로 재처리 시설을 포함한 영변 핵시설을 폐쇄 · 봉인하고 IAEA 요원을 복귀하도록 초청한다.

② 북한과 미국은 전면적 외교관계로 나아가기 위해 상호 명시적 국가승인을 추구한다.

③ 북한과 일본은 과거사와 미결 관심사의 해결을 기반으로 양국관계 정상화를 달성하기 위한 양자대화를 개시한다.

④ 참가국들은 9.19 공동성명을 상기하여 북한에 대한 경제, 에너지, 인도적 지원을 위해 협력한다.

정답 및 해설

2.13 합의에서는 북 · 미가 전면적 외교관계로 나아가기 위해 양자대화를 개시할 것을 명시하고 있다. 미국은 북한을 테러지원국 지정으로부터 해제하기 위한 과정을 개시하고, 북한에 대한 적성국 교역법 적용을 종료하기 위한 과정을 진전시킨다.

답 ②

026 다음 중 1991년 한반도 비핵화 공동선언의 내용으로 옳은 것은?

□□□

① 남과 북은 핵무기의 실험, 제조, 생산은 하지 않으나 접수, 보유, 저장은 한다.
② 남과 북은 평화적 목적만으로 사용되는 핵에너지는 보유한다.
③ 남과 북은 핵 재처리 시설을 보유하지 않으나 우라늄 농축시설은 보유한다.
④ 한반도의 비핵화를 검증하기 위해 자국이 선정하고 쌍방이 합의한 대상들에 의해 IAEA와 공동으로 사찰을 실시한다.

정답 및 해설

한반도 비핵화 공동선언의 주요내용은 첫째, 핵무기의 실험, 제조, 생산, 접수, 보유, 저장, 배비(配備)·사용의 금지, 둘째, 핵에너지의 평화적 이용, 셋째, 핵재처리시설 및 우라늄 농축시설 보유 금지, 넷째, 비핵화를 검증하기 위해 상대측이 선정하고 쌍방이 합의하는 대상에 대한 상호 사찰, 다섯째, 공동선언 발효 후 1개월 이내에 남북핵통제공동위 구성 등이다.

답 ②

027 제3차 북미회담과 2.29 합의(2012)에 관한 내용으로 옳지 않은 것은?

□□□

ㄱ. 김정은 체제 들어 북핵문제와 관련하여 처음으로 불거진 문제는 '2.29 합의'와 '광명성 3호' 발사계획 선언이다.
ㄴ. 2.29 합의 체결 이후 얼마 지나지 않은 3월 16일 북한은 '김일성 주석의 100회 생일'을 기념하기 위하여 '광명성 3호'위성을 탑재한 장거리 로켓 '은하 3호'를 발사하였으며, 이는 안전보장이사회 결의 2087호에 위반된다.
ㄷ. 북한과 미국은 2012년 2월 베이징에서 제3차 북미회담을 개최하고 '2.29 합의'를 성립하였으며, 이는 북한에 대해서는 '비핵화 사전조치'를 이행할 것을 규정하고, 미국은 24만 톤 규모의 대북영양지원을 제공하기로 합의하였다.
ㄹ. 북한은 2.29 합의를 통해 북한의 핵실험 및 장거리 미사일 시험발사 유예, 우라늄농축 프로그램을 포함한 모든 핵활동 중단을 수용하였으나 국제원자력기구(IAEA) 핵 사찰단의 복귀는 수용하지 않았다.

① ㄱ, ㄴ　　② ㄱ, ㄷ　　③ ㄴ, ㄹ　　④ ㄷ, ㄹ

정답 및 해설

제3차 북미회담과 2.29 합의(2012)에 관한 내용으로 옳지 않은 것은 ㄴ, ㄹ이다.

ㄴ. 당시 은하 3호를 발사한 사건은 안전보장이사회 결의 1874호 위반이었으며, 안전보장이사회 대북제재결의 2087호의 경우 2012년 12월 12일 북한의 장거리 미사일 발사에 대한 대북 제재 결의안으로, 이전의 대북 제재 결의안보다 핵, 미사일 관련 품목이 추가되고 관련 금융제재도 강화하였으며 선박검색기준도 강화하였다.
ㄹ. 북한은 2.29 합의를 통해 북한의 핵실험 및 장거리 미사일 시험발사 유예, 우라늄농축 프로그램을 포함한 모든 핵활동 중단을 수용하고 국제원자력기구(IAEA) 핵 사찰단의 복귀역시 수용하였다. 미국은 이러한 '비핵화 사전조치'이행을 6자회담 재개의 전제조건으로 내세우며 북한의 수용을 압박해왔으며, 북한은 조건 없는 6자회담 재개를 주장해왔으나 이러한 2.29 합의가 성립됨에 따라 6자회담의 재개를 위한 초석이 마련되었던 것으로 평가되었다.

답 ③

028 2013년 3월 7일 대북 안전보장이사회 결의 2094호의 주요 내용이 아닌 것은?

□□□

① 금수 물품을 적재한 항공기에 대해서는 이착륙과 영공 통과를 허가하지 않도록 유엔 회원국들에게 촉구하였다.
② 우라늄 농축 등 모든 핵활동을 안전보장이사회 결의 위반으로 규정하고 원심분리기 부품 등 핵이나 탄도 미사일 개발에 필요하다고 판단되는 물품의 수출입을 금지하였다.
③ 금수 물품을 적재했다는 정보가 있는 선박에 대해서는 회원국 재량으로 화물검사를 실시하고 검사를 거부하면 입항을 금지하였다.
④ 핵이나 미사일 개발에 사용할 가능성이 있는 현금 등 금융자산의 이동이나 금융서비스 제공을 금지하도록 의무화하였다.

정답 및 해설

금수 물품을 적재했다는 정보가 있는 선박에 대해서는 '의무적으로' 화물검사를 실시하고 검사를 거부하면 입항을 금지하였다. 유엔 안전보장이사회는 2012년 12월 12일에 이뤄진 북한의 장거리 미사일 발사를 규탄하며, 2013년 1월 22일에 안전보장이사회 결의 1718호 및 1874호에 이어 대북 제재를 확대·강화한 안전보장이사회 결의 2087호를 이사국 만장일치로 채택했다. 이어 2013년 3월 유엔 안전보장이사회는 2013년 2월에 이뤄진 북한의 제3차 핵실험에 대응하여 강력한 대북제재 결의안인 2094호를 채택했다. 안전보장이사회 결의 2094호는 이전 결의에서 몇몇 제재 사항들이 기존의 권고 수준에서 의무화로 바뀌면서 제재 수위가 한층 강해졌다는 특징을 지닌다. 기본적으로 선별금융 제재를 보다 강화하였으며, 처음으로 북한외교관들의 불법 행위를 감시하기로 하였고, 금수품목 적재가 의심되는 항공기에 대한 이착륙 및 영공통과 금지 등 제재범주가 확장되었다. 북한을 오가는 선박이 금수 물품을 실었을 것이란 정보만으로도 화물 검사가 가능해진 것 역시 새로 강화된 부분이다.

답 ③

029 유엔 안전보장이사회결의 제1874호(2009)에 대한 설명으로 옳지 않은 것은?

□□□

① 북한은 모든 무기들 및 관련 물자는 물론 이런 무기 및 물자의 제공이나 제조, 유지나 사용과 관련된 금융거래, 기술훈련, 자문, 서비스나 지원을 제공할 수 없다.
② 회원국들은 모든 무기들 및 관련 물자의 대북 수출이 금지되나, 안전보장이사회의 승인을 조건으로 소형무기와 경화기 및 관련 물자는 예외로 할 수 있다.
③ 모든 회원국들은 북한을 오가는 화물이 공급, 판매, 이전, 수출이 금지되는 품목을 포함하고 있다고 믿을만한 합당한 이유가 있는 경우 자국의 법적 권한 및 국제법에 맞춰 북한을 오가는 모든 화물을 자국의 항구와 공항을 포함한 영토에서 검색할 것을 촉구한다.
④ 모든 회원국들은 공해상에서 선박이 수출 금지 폼목을 포함하고 있다고 믿을만한 합당한 이유가 있다면 기국의 동의를 거쳐 해당 선박을 검색할 것을 촉구한다.

정답 및 해설

예외 인정 조건으로는 5일 전에 관련 위원회에 '통보'하는 것이다. '승인'이 아니다.

답 ②

030 북한의 핵보유와 미국의 확장억제와 관련한 내용으로 옳은 것은?

□□□

> ㄱ. 확장억제란 핵무기 보유국이 자신의 핵전력을 통해 핵무기를 보유하지 않은 동맹국 및 우방국의 안전을 보장하는 것이며, 핵우산이란 핵무기보유국이 동맹국 및 우방국에 대한 제3국의 공격위협에 대하여 자국의 억제개념을 이들 국가들에 확장하여 제공하는것을 의미한다.
> ㄴ. 2009년 6월 16일 워싱턴 한미정상회담에서 채택된 '한미동맹 공동비전'에 "핵우산을 포함한 확장억제"가 명시되어 그간 한미국방장관 사이의 연례안보협의회의(SCM) 공동성명에서 거듭 제시했던 '핵우산을 통한 확장억제' 제공 약속을 정상간 약속으로 승격시켰다.
> ㄷ. 확장억제는 동맹국들을 핵위협으로부터 보호하고, 핵보유 욕망을 억제시킴으로써 핵확산을 방지하며, 재래식 및 다른 WMD 공격을 억제하는 수단이다. 즉 확장억제의 궁극적인 목적은 전쟁이 아닌 전쟁억제에 있다.
> ㄹ. 오바마 정부는 '핵 없는 세계(a nuclear free world)'를 제창하며 핵억제(nuclear-deterrence)가 아닌 비핵화(denuclearization)를 강조하고, 북한의 핵보유 현황에 대하여 끊임없는 경제제재와 안전보장이사회를 통한 결의의 이행을 촉구하고 있다.

① ㄱ, ㄴ　　② ㄴ, ㄷ　　③ ㄴ, ㄹ　　④ ㄷ, ㄹ

정답 및 해설

북한의 핵보유와 미국의 확장억제와 관련한 내용으로 옳은 것은 ㄴ, ㄷ이다.

선지분석

ㄱ. 확장억제란 핵무기보유국이 동맹국 및 우방국에 대한 제3국의 공격위협에 대하여 자국의 억제개념을 이들 국가들에 확장하여 제공 하는 것이며, 핵우산이란 핵무기 보유국이 자신의 핵전력을 통해 핵무기를 보유하지 않은 동맹국 및 우방국의 안전을 보장하는 것을 의미한다.
ㄹ. 오바마 정부는 '핵 없는 세계(a nuclear free world)'를 제창하고 있으나 적을 억제하고 동맹국의 방어를 보장하는 핵무기의 역할과 기능을 현실적으로 인정하기 때문에 핵억제(nucleardeterrence)와 비핵화(denuclearization)의 조화와 균형을 강조한다.

답 ②

031 유엔 안전보장이사회결의 제1874호(2009)에 대한 설명으로 옳지 않은 것은?

① 모든 회원국들은 북한을 오가는 화물이 공급, 판매, 이전, 수출이 금지되는 품목을 포함하고 있다고 믿을만한 합당한 이유가 있는 경우 자국의 법적 권한 및 국제법에 맞춰 북한을 오가는 모든 화물을 자국의 항구와 공항을 포함한 영토에서 검색할 것을 촉구한다.
② 모든 회원국들이 공해상에의 검색에 협조할 것을 촉구하며, 만약 기국이 공해상에서의 선박 검색에 동의하지 않는다면 기국은 선박을 각국의 권한에 의해 필요한 검색을 할 수 있기에 적합하고 편리한 항구로 가도록 지시할 수 있다.
③ 모든 회원국들은 공급, 판매, 이전, 수출이 금지되는 품목을 검색하고 관련 조약상의 의무와 불일치되지 않는 방법으로 압류·처분할 권한이 부여되고 그렇게 해야 하며 또한 그런 노력에 협력할 것을 결정한다.
④ 모든 회원국들은 수출이 금지되는 품목을 운송하는 것으로 믿을만한 합당한 이유가 있을 경우 북한 선박에 연료나 물자 및 기타 서비스를 자국인이나 자국 영토 내 시설에서 제공하는 것을 금지해야 한다.

정답 및 해설

해상 선박 검색에 기국이 동의하지 않는 경우 선박이 검색을 위한 항구에 입항하도록 지시할 '의무'가 있다(재량이 아님).

답 ②

032 유엔 안전보장이사회결의 제1718호(2006)에 대한 설명으로 옳은 것만을 모두 고른 것은?

□□□

ㄱ. 모든 회원국들은 전차, 장갑차량, 전투기, 공격용 헬기, 전함, 미사일이나 미사일 시스템 일체와 관련 물품, 부품 등 관련 물자 및 안전보장이사회나 안전보장이사회 위원회가 결정하는 품목들이 그 원산지를 불문하고 각국의 영토나 국민, 국적선, 항공기 등을 이용해 북한으로 직간접적으로 제공되거나, 판매·이전되지 못하도록 막는다.
ㄴ. 북한은 모든 재래식 무기의 수출을 중단해야 하며 모든 회원국들은 자국민이나, 국적선, 항공기 등이 북한으로부터 수출 금지 품목을 획득하지 못하도록 금지해야 한다.
ㄷ. 모든 회원국들은 각국의 법절차에 따라 핵 및 대량살상무기 및 재래식 무기를 지원하는 자국내 자금과 기타 금융자산, 경제적 자원들을 결의안 채택일부터 즉각 동결하며, 북한의 지시에 따라 움직이나 개인이나 단체들도 자국 내 자금이나 금융자산, 경제적 자원들을 사용하지 못하도록 조치한다.
ㄹ. 모든 회원국들은 각국의 재량에 따라 북한의 핵, 탄도미사일, 대량살상무기와 연루된 것으로 지정된 자와 그 가족들이 자국에 입국하거나 경유하지 못하도록 적절한 조치를 취한다.
ㅁ. 모든 회원국들은 국내법과 국제법에 따라 특히 핵 및 화생방무기의 밀거래와 이의 전달수단 및 물질을 막기 위해 안전보장이사회 결의가 이행될 수 있도록 북한으로부터의 화물검색 등 필요한 협력조치를 취하도록 요구한다.

① ㄱ, ㄴ, ㅁ
② ㄱ, ㄹ, ㅁ
③ ㄱ, ㄴ, ㄷ, ㅁ
④ ㄱ, ㄴ, ㄷ, ㄹ, ㅁ

정답 및 해설

유엔 안전보장이사회결의 제1718호(2006)에 대한 설명으로 옳은 것은 ㄱ, ㄹ, ㅁ이다.

선지분석

ㄴ. 모든 재래식 무기가 아니다. 전차, 장갑차량, 전투기, 공격용 헬기, 전함, 미사일이나 미사일 시스템 일체와 관련 물품, 부품 등 관련 물자 및 안전보장이사회나 안전보장이사회 위원회가 결정하는 품목들이다.
ㄷ. 재래식 무기를 지원하는 자금 등에 대해서는 규제되지 않았다.

답 ②

033 유엔 안전보장이사회결의 제1874호(2009)에 대한 설명으로 옳지 않은 것은?

□□□

① 북한의 핵이나 탄도 미사일 또는 기타 대량살상무기 그리고 재래식 무기 관련 프로그램이나 활동에 기여할 수 있는 금융서비스를 제공하거나 금융 또는 기타 자산 및 자원이 이전되는 것을 막을 것을 촉구한다.

② 모든 회원국과 국제 금융 및 신용기관은 북한 주민에게 직접적으로 도움이 되는 인도주의 및 개발 목적이거나 비핵화를 증진시키는 용도를 제외하고는 북한에 새로운 공여나 금융지원, 양허성 차관을 제공하지 말 것을 촉구한다.

③ 모든 회원국들은 금융지원이 북한의 핵관련 또는 탄도미사일 또는 다른 대량살상무기 관련 프로그램이나 활동에 이용될 수 있는 북한과의 교역을 위해 공적인 금융지원을 제공하지 말 것을 촉구한다.

④ 모든 회원국들은 자국민들이, 또는 자국 영토 내에서 북한의 민감한 핵 활동 확산과 핵무기 운반 시스템 개발에 기여할 수 있는 활동을 북한 국민에게 가르치거나 훈련시키는 것을 금지하고 면밀히 관찰할 것을 촉구한다.

정답 및 해설

금융제공 금지는 대량살상무기에 한정되어 있다. 재래식 무기에 대한 금융지원이 명시적으로 금지된 것은 아니다.

답 ①

034 유엔 안전보장이사회 결의 제2094호(2013)에 대한 설명으로 옳지 않은 것은?

□□□

① 우라늄 농축을 포함하여 북한이 진행중인 모든 핵활동을 규탄하며 북한이 완전하고, 검증가능하며, 불가역적인 방식으로 모든 핵무기와 기존 핵 프로그램을 포기하고 모든 활동을 즉각 중단해야 한다.

② 제재 결의를 위반한 개인이 북한 국민인 경우 회원국들은 동 개인을 적용가능한 국내법과 국제법에 따라 북한으로의 송환을 목적으로 자국 영토에서 추방해야 한다.

③ 회원국들은 제재 결의를 회피하는 데 기여할 수 있는 금융서비스 또는 대량현금(bulk cash)을 포함한 어떠한 금융 재원의 제공을 방지해야 한다.

④ 북한이 결의를 회피하는데 기여할 수 있다고 믿을만한 합리적 근거를 제공하는 정보가 있는 경우 금융 서비스의 제공을 방지하기 위해 북한 은행들이 자국 영토에 신규 지점을 개소하지 못하도록 적절한 조치를 취해야 하며, 나아가 기존 북한 은행 지점에 대해서는 90일 이내에 폐쇄해야 한다.

정답 및 해설

기존 은행 지점의 폐쇄는 결의 제2270호에서 명시된 조치이다.

답 ④

035 유엔 안전보장이사회 결의 제2094호(2013)에 대한 설명으로 옳지 않은 것은?

① 국가들이 해당 금융 서비스가 결의에서 금지된 여타 활동에 기여할 수 있다고 믿을만한 합리적 근거를 제공할 정보가 있는 경우 자국 영토 또는 자국 관할권 내에 있는 금융기관들이 북한 내 대표 사무소나 자회사, 또는 은행계좌를 개설하는 것을 금지하기 위해 적절한 조치를 취할 것을 촉구한다.
② 모든 국가들이 자국 영토 내에 있거나 자국 영토를 경유하는 북한발 또는 북한행 모든 화물이 결의에 위반되는 품목을 포함하고 있다고 믿을만한 합리적 근거를 제공하는 신뢰할만한 정보를 갖고 있을 경우 결의의 엄격한 이행을 위해 동 화물을 검색할 수 있다.
③ 북한선박이 검색을 거부하는 경우 동 선박에 대해 자국 항구로의 입항을 거부해야 한다.
④ 항공기가 결의에 위반되는 품목을 적재하고 있다고 믿을만한 합리적 근거를 제공하는 정보를 갖고 있을 경우 비상착륙의 경우를 제외하고는 동 항공기의 자국 영토 내 이착륙 및 영공 통과를 불허할 것을 촉구한다.

정답 및 해설

이 경우 화물 검색은 재량이 아니라 의무이다. 즉, 화물을 검색할 수 있다가 아닌 "검색할 것을 결정한다."

답 ②

036 유엔 안전보장이사회 결의 제2270호(2016)에 대한 설명으로 옳지 않은 것은?

① 북한의 4차 핵실험에 대한 결의로서 중국과 러시아를 포함하여 안전보장이사회 만장일치로 채택되었다.
② 재래식무기 생산에 사용될 수 있는 모든 물품의 거래를 불허하는 catch-all 수출통제를 의무화하여 북한의 무기생산을 억제한다.
③ 북한의 국가우주개발국, 정찰총국, 39호실 등이 제재 대상에 포함되었다.
④ 제재 회피나 위반에 연루된 북한 외교관이나 정부대표에 대해 강화된 주의를 기울일 것을 요구하였다.

정답 및 해설

제재 회피나 위반에 연루된 북한 외교관이나 정부대표를 추방하도록 규정하였다.

답 ④

037 유엔 안전보장이사회 결의 제2270호(2016)에 대한 설명으로 옳지 않은 것은?

① 북한의 불법 행위에 연루된 외국인에 대한 추방을 최초로 명시하였다.
② 북한행, 북한발 화물에 대한 전수조사를 의무화하여 북한의 금지품목 거래를 전면 봉쇄하였다.
③ WMD 관련 품목에 대한 catch - all 수출통제를 의무화하였다.
④ WMD 개발과의 연관성과 상관없이 북한의 석탄과 철의 수출을 금지하였다.

정답 및 해설

WMD 개발 연관된 석탄이나 철의 수출을 금지하였다.

답 ④

038 유엔 안전보장이사회 결의 제2270호(2016)에 대한 설명으로 옳지 않은 것은?

□□□

① WMD와 무관하며 관련 위원회에 사전통보를 조건으로 외국산 석탄의 나진항을 통한 수출은 허용된다.
② 원유를 포함하여 대북 항공유의 판매 또는 공급을 금지하였다.
③ 북한은행의 회원국 내 지점이나 사무소 개설을 금지하며, 기존 지점은 90일 이내에 폐쇄 및 거래활동을 종료해야 한다.
④ 대북제재 결의 사상 최초로 북한 인권문제를 거론하여 북한 주민이 처한 심각한 고난에 대해 깊은 우려를 표명하고 북한 주민들의 수요가 미충족된 상태에서 북한이 무기거래로 얻는 소득이 WMD개발에 전용되는 것을 우려하였다.

정답 및 해설

원유는 금지되지 않았다.

답 ②

039 북한의 제5차 핵실험 이후 형성된 안전보장이사회결의 제2321호에 대한 설명으로 옳지 않은 것은?

□□□

① 석탄수출상한제를 도입하였으나 WMD개발과 무관하며 민생목적인 경우 등 일정한 경우 예외를 허용하였다.
② 제재위원회는 의심선박에 대해 기국 취소(de-flagging)나 특정항구에 입항을 명령할 수 있다.
③ 회원국은 북한 내에 기존의 금융기관이나 사무소를 유지할 수 있으나, 추가로 금융기관을 설치하거나 계좌를 개설할 수 없다.
④ 북한 관련 안전보장이사회 결의 최초로 결의 본문에 북한 주민의 인권 문제를 거론함으로써 향후 북한 인권문제에 안전보장이사회가 개입할 수 있는 근거를 마련하였다.

정답 및 해설

기존 금융기관이나 계좌도 90일 내에 폐쇄해야 한다.

답 ③

040 북한의 6차 핵실험 이후 형성된 안전보장이사회결의 제2375호에 대한 설명으로 옳지 않은 것은?

□□□

① 대북 정유제품 공급량에 상한선을 부과하였다.
② 대북 원유 공급량을 현 수준으로 동결하였다.
③ 대북 액화천연가스 공급을 현 수준으로 동결하였다.
④ 북한 해외노동자에 대한 신규 노동허가 발급을 전면 금지하였다.

정답 및 해설

전면 금지하였다.

답 ③

041 북핵문제에 대한 설명으로 옳지 않은 것은?

① 중국은 한반도의 평화와 안정 유지, 한반도의 비핵화 실현, 대화와 협상을 통한 문제 해결이라는 '한반도 3원칙'하에서 북핵문제를 보고 있다.

② 북한의 2차 핵실험 이후 제시된 안전보장이사회결의 제1874호는 의심선박이 공해상에 있을 때 기국의 동의를 얻어 검색이 가능하며, 동의를 얻지 못한 경우 제재위원회의 승인을 얻어 해당국이 검색하도록 하였다.

③ 북한의 4차 핵실험 이후 제시된 안전보장이사회결의 제2270호는 북한에 허용되었던 소형무기 수입 및 판매도 금지하였다.

④ 대북제재와 관련하여 미국이 시행하고 있는 세컨더리 보이콧은 제재 국가와 거래하는 제3국 정부뿐 아니라 기업 · 금융기관 · 개인까지 제재하는 행위로서 원칙적으로 제3국이 그 제재에 동의했는지와 관련이 없고 제재발동국의 일방적 조치이다.

정답 및 해설

동의를 얻지 못한 경우 적절한 항구로 유도하여 해당국이 검색하도록 하였다. 제재위원회의 승인 규정은 없다.

답 ②

제2절 | 동아시아 지역 안보

001 아세안지역포럼(ARF)과 동북아협력대화(NEACD)에 대한 설명으로 옳지 않은 것은? 2013년 외무영사직

① 아세안지역포럼은 아 · 태지역의 정부 간 다자안보협의를 위하여 1994년 출범하였다.

② 북한은 2002년 방콕의 제8차 회의를 통하여 아세안지역포럼에 가입하였다.

③ 동북아협력대화는 1993년 미국 국무부 후원 하에 캘리포니아 주립대학 세계분쟁협력연구소(IGCC) 주도로 조직되었다.

④ 동북아협력대화는 동북아 지역 국가 간 상호이해와 신뢰구축 및 협력증진을 목적으로 조직되었고, 외교 및 안보분야의 민간 전문가와 정부대표가 참여한다.

정답 및 해설

북한은 2000년 7월 ARF에 가입하였다.

답 ②

002 동북아 안보에 대한 설명으로 옳은 것을 모두 고른 것은?

□□□

> ㄱ. 2012년말 자민당 아베총리가 재집권하면서 일본의 국수주의적 우경화가 노골화됐다.
> ㄴ. 미국과 일본은 2006년 주일미군재편 로드맵에 대한 공동발표문을 채택해 양국 간 군사동맹을 최고수준의 동맹관계로 끌어올렸다.
> ㄷ. 2010년 센카쿠열도를 둘러싸고 일본과 중국이 충돌했고 당시 미국은 개입하지 않겠다는 입장을 밝혔다.
> ㄹ. 북한은 김정은 시대에 들어와 핵 보유를 헌법에 명시하고 경제발전보다 핵 우선 노선을 국가전략기조로 삼아 핵 개발을 기정사실화했다.

① ㄱ, ㄴ　　② ㄴ, ㄷ
③ ㄴ, ㄹ　　④ ㄷ, ㄹ

정답 및 해설

선지분석

ㄷ. 2010년 센카쿠열도를 둘러싸고 일본과 중국이 충돌했고 미국은 일본을 지원하겠다고 공언했다.
ㄹ. 핵-경제 병진노선을 국가전략기조로 삼아 핵 개발을 기정사실화했다.

답 ①

003 다자안보의 개념과 논의배경에 대한 설명 중 옳지 않은 것은?

□□□

① 다자안보는 안보 개념과 다자주의 개념이 결합된 것으로, 안보 달성에 있어서 다자주의에 기초하는 것을 의미한다.
② 다자주의는 '3개국 이상 국가들이 일반화된 행위원칙에 따라 정책을 조정하는 방식', 안보는 '획득된 가치에 대한 위협의 결여'로 일반적으로 정의된다.
③ 탈냉전기에 들어 안보의 관심분야가 군사안보에 집중되면서 다자안보 논의 필요성이 제기되었다.
④ 초국경적 안보위협의 등장에 따라 국제협력의 필요성이 제기되면서 다자주의 논의가 활성화되고 있다.

정답 및 해설

탈냉전기에는 군사안보뿐 아니라 경제, 환경, 인종, 인권, 테러문제 등 저위정치(low politics)에 대한 관심이 확대되면서 안보에 대한 기존의 개념과 인식이 변화하였다.

선지분석

② 다자주의 개념은 러기(J. Ruggie)의 정의, 안보 개념은 울퍼스(A. Wolfers)의 정의에 따른 것이다.
④ Low Politics 분야의 안보문제들은 통상 국경을 초월하므로, 한 국가의 일방적 행동에 의한 해결보다는 다수 국가들의 협력이 요구된다.

답 ③

004 다자안보체제의 특징을 설명한 것으로 옳지 않은 것은?

① 국제 문제에 대해 국가들 간 공통의 의견을 도출할 수 있는 기회를 제공한다.
② 쌍무관계에 비해 협상비용, 준수 감시 비용 등 거래비용이 늘어난다.
③ 강대국 등 특정 국가에 의해 협상이나 회담이 주도되는 일방주의를 견제할 수 있다.
④ 쌍무적 문제를 공론화하여 문제 해결을 용이하게 한다.

정답 및 해설

다자주의는 쌍무관계에서 발생하는 거래비용의 절감효과를 가져다준다. 이러한 거래비용에는 협상비용, 합의된 내용의 준수 여부를 감시하는 비용 등이 포함된다.

답 ②

005 다자안보의 사례로 옳은 것만을 모두 고른 것은?

□□□

ㄱ. 유럽협조체제
ㄴ. 미·일 신 안보가이드라인
ㄷ. 유럽안보협력기구(OSCE)
ㄹ. NATO

① ㄱ, ㄴ　　② ㄱ, ㄷ
③ ㄴ, ㄷ　　④ ㄷ, ㄹ

정답 및 해설

다자안보의 사례로 유럽협조체제, 로카르노 체제, 유럽안보협력기구(OSCE) 등을 들 수 있다. 미·일 신 안보가이드라인은 미·일 동맹을 지역차원의 동맹으로 격상한 것이고, NATO는 외부의 적 소련을 상정하여 공동 대응을 추구하는 집단방위(collective defense)의 대표적 예이다.

답 ②

006 다자안보협력의 효과와 한계에 대해 설명한 것으로 옳지 않은 것은?

□□□

① 안보 불안요인들을 협력을 통해 해소함으로써 국제사회의 평화와 안보에 기여한다.
② 군축 및 군비절감으로 발생하는 여유자본을 국가들의 경제발전 및 국민 복지 향상에 사용할 수 있다.
③ 무정부적 국제체제에서 다자안보가 형성되면 상호 배반의 유인이 근절된다.
④ 긴급한 판단을 요하는 문제에 있어서 의사결정이 지연될 가능성이 있다.

정답 및 해설

무정부적 국제체제에서는 다자안보가 형성되더라도 검증문제가 해결되지 않는 한 상호 배반의 유인이 있으므로 다자안보의 기반이 매우 취약할 수 있다. 또한 국가 간 신뢰형성 과정에 오랜 시간을 요한다는 한계가 있다.

선지분석

①, ② 다자안보의 효과로 이해관계국 간 대화관습 축적, 규범공유 추구, 국제사회의 평화와 안보에 기여, 상호의존 증대, 경제발전과 복지향상에 이바지, 일방주의 견제 등을 들 수 있다.
④ 다자안보의 한계로는 국력격차, 신뢰형성의 어려움, 좁은 조정비용과 의사결정 지연, 안보의 불확실성 등이 있다.

답 ③

007 동아시아 다자안보에 관한 각국의 입장 설명으로 옳지 않은 것은?

□□□

① 미국은 아·태지역에 대한 전략방향을 '참여와 확대'로 설정하고 그 수단으로서 다자안보협력을 상정하였으나, 실질적으로는 기존 양자동맹관계를 강화하는 가운데 다자안보대화를 상징적으로 국한하는 데 그치고 있다.
② 중국은 초기 다자안보를 추구하여 미국의 입김에서 벗어나려는 시도를 하였으나 여의치 못함을 느끼고 북·중, 중·러 동맹 중심의 관계를 강화시켜 나가는 데 힘을 기울이고 있으며, 현재로서는 다자안보에 원칙적인 지지만을 하고 있다.
③ 일본은 다자안보의 효용성을 부인하는 것은 아니나, 전면적인 다자안보협력의 실현가능성이 불확실하고 미국 중심의 패권질서가 계속되리라는 판단 하에 미·일 양자동맹에 집중하고 있다.
④ 러시아는 탈냉전기 동아시아 지역에서의 안보확보와 자국의 영향력 확대를 위해 다자안보 협력체 창설을 지속적으로 제의하였으나 별다른 호응을 얻지 못하였다.

정답 및 해설

중국은 1990년대 중반까지 다자안보를 중국에 대한 포위 전략으로 간주하고 유보적 입장이었으나, 그 이후 다자안보협력에 적극성을 띠면서 주도하기 시작하였다. 이는 중국의 지속적인 성장과 발전에 우호적인 외부환경을 조성하기 때문이며, 미국과 일본에 대한 견제의 의미도 담겨있다.

선지분석

③ 일본은 탈냉전 초기 일본의 군사대국화나 보통국가화에 대한 아시아 국가들의 우려를 해소하고 정치적 영향력을 제고시키기 위해 다자안보를 적극적으로 추진했었으나 9·11 테러 이후 노선을 변경하였다.
④ 러시아의 다자안보기구 창설 옹호는 현재까지 유효하다.

답 ②

008 다음 설명에 해당하는 것은?

□□□

> 동아시아 지역 최초의 정부레벨(Track I) 다자안보대화체로서, 협력안보를 지향한다. 정치 및 안보 문제에 있어 공동의 이익과 관심사에 관한 건설적인 대화와 협력을 추구하는 한편, 아태지역에서의 신뢰구축과 예방 외교를 위한 다양한 노력에 의미 있는 기여를 하기 위해 설립되었다.

① ARF(ASEAN Regional Forum)
② CSCAP(Council for Security Cooperation in the Asia-Pacific)
③ NEACD(Northeast Asia Cooperation Dialogue)
④ NEASED(Northeast Asia Security Dialogue)

정답 및 해설

ARF은 아태지역 최초의 공식적 다자안보대화체로서, 동남아를 위한 평화, 안정, 협력의 새로운 장을 열었다. 특히 동남아 지역의 최대 불안정 요인이 될 수 있는 중국을 안보대화의 광장으로 끌어들였으며, 최근 중국은 다자안보에 참여하면서 책임있는 강대국으로서의 외교행태를 보이고 있다.

선지분석

② CSCAP은 ARF를 지원하기 위한 자료 축적과 연구를 위해 창설되었으며 실질적인 활동은 현재 해양안보협력, 포괄적 협력안보, 신뢰 및 안보구축조치, 북태평양 워킹 그룹을 통해 이루어지고 있다.
③ NEACD는 미국 캘리포니아 주립대학(UCSD) 산하 세계분쟁협력연구소(Institute on Global Conflict and Cooperation)가 주관하여 남북한 및 미, 일, 중, 러 6개국의 외교, 국방관리 및 학계 인사들을 개인 자격으로 초청, 개최하는 Track 1.5 안보대화. 한반도 및 동북아 지역의 안보·및 군사 환경에 대한 동북아 지역 국가 간 대화를 통한 상호이해, 신뢰구축 및 협력증진이 목적이다.
④ NEASED는 한국이 1993년 제26차 태평양경제협의회 및 1995년 ARF-SOM에서 제의하였으나 아직 구체화되지 못했다.

답 ①

009 ARF(ASEAN Regional Forum)에 대한 설명으로 옳지 않은 것은?

① ARF는 ASEAN의 주도적 역할 아래 1994년에 창설되었는데, 창설 배경에는 1974년 베트남 통일 이후 급격히 증가한 동남아지역의 불안정성을 관리하기 위한 노력이 있다.
② ARF는 Two Track방식을 이용하고 있는데, 제1트랙은 정부차원으로 CSCAP, ASEAN-ISIS가 있으며, 제2트랙으로는 ARF 각료회의 및 ARF 고위관료회의가 있다.
③ ARF는 정치, 안보 문제에 관한 건설적 대화와 협의의 습관을 조성하기 위한 고위협의포럼(high-level consultative forum)의 성격을 가지고 있다.
④ ARF는 아태지역 최초의 공식적인 다자안보대화체이고, 동아시아의 예방외교를 이끌고 있으며, 동아시아의 최대 불안정 요소인 중국을 안보대화의 광장으로 끌어들였다는 점이 크게 평가되고 있다.

정답 및 해설

제1트랙은 정부차원, 제2트랙은 민간차원이므로 CSCAP 및 ASEAN-ISIS는 제2트랙에, 각료회의 및 관료회의는 제1트랙에 속한다. 참고로 제1.5트랙은 민간 자격의 관료와 학자 등의 민간인이 참여하는 것을 의미한다.

선지분석

④ 전략 환경의 변화와 중국의 부상에 따른 국제사회의 책임 있는 강대국으로서의 역할을 전제로 한 진정한 변화의 과정으로 볼 수 있다.

답 ②

010 ☐☐☐

동북아 다자안보협력을 제도화하기 위한 한국 역대 정부의 노력과 그 시기가 바르게 연결되지 않은 것은?

① 노태우 정부: UN에서 '동북아 평화협의회(Consultative Conference for Peace in Northeast Asia)' 창설을 제안

② 김영삼 정부: 제1차 ARF 고위관리회의(SOM)에서 '동북아안보대화(North-East Asia Security Dialogue: NEASD)' 설립 제안

③ 김대중 정부: 김대중 대통령이 한·일, 한·중, 한·러 정상회담을 통해 관련국들과 사전 협의, 후속조치 약속 등 구체적 성과

④ 노무현 정부: 6자회담을 다자안보협력체로 발전시켜 역내 안보현안을 협의하도록 추진

정답 및 해설

국민의 정부 시기에 김대중 대통령이 한·일(1998.10), 한·중(1998.11), 한·러(1999.5) 정상회담에서 동북아 다자안보대화의 필요성을 제기한 바 있으나, 관련국들과의 사전 협의 부재, 후속조치 미비 등으로 구체적인 결실을 맺는 데에는 실패하였다.

답 ③

011 ☐☐☐

동아시아 다자안보 형성과정에 대한 설명으로 옳은 것은 모두 몇 개인가?

ㄱ. 다자안보협력과 관련해서는 1973년 7월부터 시작된 유럽안보협력회의(CSCE, Conference on Security and Cooperation in Europe)가 효시라고 할 수 있다.
ㄴ. 동아시아 다자안보협력체에 대한 최초의 공식 제안은 1986년 7월 구소련의 고르바쵸프 대통령이 블라디보스톡에서 행한 연설에서 전아시아안보회의(All Asia Security Conference)를 제안한 것이다.
ㄷ. 1988년 10월 18일 노태우 대통령은 유엔연설에서 동북아 평화를 위한 3단계 접근법을 핵심으로 하는 「동북아 평화협의회」의 설립을 제안하였다.
ㄹ. 1991년에는 미국의 제임스 베이커 국무장관은 「Foreign Affairs」 기고 논문에서 미국이 남북대화를 지원하고 남북한 간의 협상결과를 보장하며 한반도 주변 강대국들의 안보이해를 조정하기 위한 2+4 형태의 동북아 6자회담에 대해 언급하였다.
ㅁ. 1994년 5월 한국의 한승주 외무장관은 ARF에서 동북아 역내 국가간 신뢰구축과 지역 안보환경을 개선하기 위한 동북아안보대화(NEASeD, Northeast Asia Security Dialogue)를 제안하였다.
ㅂ. 1994년 7월 태국 방콕에서 결성된 아세안 지역안보포럼(ARF: ASEAN Regional Forum)은 아태지역을 대상으로 하는 최초의 정부차원 다자안보대화이다.

① 2개　② 3개
③ 5개　④ 6개

정답 및 해설

ㄱ, ㄴ, ㄷ, ㄹ, ㅁ, ㅂ 모두 동아시아 다자안보 형성과정에 대해 옳은 설명이다.

답 ④

012 샹그릴라 대화에 대한 설명으로 옳지 않은 것은?

① 정식명칭은 아시아 안보회의(Asian Security Summit)이며, 매년 싱가포르 샹그릴라 호텔에서 개최된다.

② 아태지역에 국방·군사분야 최고위급 협의체를 설립하고자 하는 영국 국제전략문제연구소(IISS: International Institute for Strategic Studies)의 구상과, 지역 다자안보협력을 주도하려는 싱가포르 국방부의 전략이 결합되어 2002년 싱가포르에서 출범하였다.

③ 아시아·태평양 및 유럽지역 30여 개국의 외교부장관, 고위관료, 안보전문가 등이 참가하여 국방정책·안보현안에 대해 의견을 교환한다.

④ 아태지역 최고 권위의 다자간 안보협의체로서, Track 1.5에 해당한다.

정답 및 해설

국방부장관들이 참여한다.

답 ③

013 동아시아 국제관계에 대한 설명으로 옳은 것은?

① 북미정상회담 선언문(2018년 6월 12일)에 의하면 트럼프 대통령은 조선민주주의인민공화국의 안전보장을 제공하기로 약속했다.

② 우리나라는 아세안지역포럼(ARF)에 1996년부터 참가하였다.

③ 아태안보협력이사회(CSCAP)는 아시아 태평양 지역의 안보를 위한 정부 부문의 대화를 위해 설립된 안보 문제 연구소 간 정부 차원의 협의 기구로서 1994년 1차 회의를 개최했다.

④ 샹그릴라 대화는 아태 및 유럽지역 30여 개국의 외교장관, 고위관료, 안보전문가 등이 참가하여 국방정책·안보현안에 대해 의견을 교환하는 아태지역 최고 권위의 외교장관급 다자간 안보협의체이다.

정답 및 해설

선지분석

② 1994년부터 참가하였다.
③ CSCAP는 민간차원의 다자안보틀이다.
④ 국방장관이 참여한다.

답 ①

제3절 | 동아시아 영토분쟁

001 동아시아 영토분쟁에 대한 설명으로 옳은 것은? 2023년 외무영사직

□□□

① 한국과 중국 모두 형평의 원칙에 입각하여 이어도가 자국의 관할권에 포함된다고 주장한다.
② 일본은 1905년 9월 포츠머스 조약을 통해 러시아로부터 쿠릴열도 전체와 남부 사할린을 양도받았다.
③ 고유영토론을 근거로 중국은 센카쿠열도/댜오위다오에 대해 영유권을 주장하고 있다.
④ 중국은 역사적 관할권을 근거로, 베트남은 지리적 근접성을 근거로 난사군도/쯔엉사군도에 대해 영유권을 주장하고 있다.

정답 및 해설

중국은 댜오위다오를 일본보다 앞서 발견하여 선점하였으므로 중국의 고유영토라고 주장하고 있다. 일본 역시 선점이론에 기초하여 영유권을 주장하고 있다.

선지분석

① 한국과 중국은 이어도가 자국의 200해리 배타적경제수역(EEZ)에 포함된다는 이유로 자국 관할권에 포함된다고 주장하고 있다. 한국은 양국이 주장하는 EEZ가 중첩되므로 '중간선'원칙을 적용하면 한국의 관할권에 속한다고 주장하고 있기도 하다.
② 포츠머스 강화조약을 통해 러시아는 북위 50° 이남의 사할린섬, 그 부속도서를 일본 제국에 할양하기로 하였다. 쿠릴열도는 포함되지 않는다.
④ 중국은 오래전에 남사군도를 발견하여 선점했다고 주장하고 있다. 베트남은 역사적 증거, 지리적 근접성 등을 영유권의 근거로 들고 있다.

답 ③

002 아시아 지역 영토분쟁에 대한 설명으로 옳지 않은 것은? 2021년 외무영사직

① 러시아 - 일본은 쿠릴열도/북방4개도서 분쟁 해결의 실마리를 찾고자 다양한 접촉을 시도하였다.
② 남중국해 분쟁과 관련하여 UN 안전보장이사회는 중국이 주권을 주장하는 경계선인 구단선에 국제법상의 근거가 없다고 발표했다.
③ 일본은 센카쿠열도/댜오위다오를 자국의 영토라고 주장하며 현재까지 실효적 지배를 하고 있다.
④ 인도와 파키스탄은 카슈미르 지역을 둘러싸고 분쟁을 지속하고 있다.

정답 및 해설

UN 안전보장이사회의 결의는 존재하지 않는다. 다만, 중국-필리핀 중재재판소는 구단선이 유엔해양법협약과 불일치하여 국제법적 효력이 없다고 판단한 바 있다.

선지분석

① 쿠릴열도 분쟁은 러시아와 일본의 영토 분쟁 대상지역이다. 일본은 당해 지역은 19세기 러시아와 양자조약을 통해 영유하게 되었다고 주장하나, 러시아는 당해 지역이 1905년 포츠머스 강화조약을 통해 일본이 약탈한 영토로서 1945년 2월 얄타협정 등을 통해 적법하게 반환받았다고 주장하고 있다.

③ 센카쿠열도는 중국과 일본의 분쟁대상지역이다. 중국은 1895년 시모노세키조약 이전 자국이 선점을 통해 영유하고 있었으나 일본이 동 조약을 통해 약취한 영토로서 반환의무가 있다고 주장한다. 반면, 일본은 동 조약 이전 일본이 선점하고 있었으므로 조약으로 약취한 영토가 아니므로 반환의무가 없고 적법하게 지배하고 있다는 입장이다.

④ 카슈미르지역은 인도와 파키스탄의 분쟁지역으로 상당부분을 인도가 실효적으로 지배하고 있다. 당해 지역은 인도, 파키스탄 이외에 중국도 특히 인도와 마찰을 빚고 있는 지역이기도 하다.

답 ②

003 □□□ 독도영유권에 대한 설명으로 옳지 않은 것은?

① 샌프란시스코 강화조약(1951)에서 일본은 한국의 독립을 승인하며, 제주도와 거문도, 및 울릉도를 포함하여 한국에 대한 모든 권리 · 권원과 청구권을 포기하였다.

② 1954년 인접해양주권에 대한 대통령선언(평화선선언)으로 독도에 대한 한국의 영유권을 주장하자 일본이 이에 항의하며 양국 간 분쟁이 발생했다.

③ 일본은 시마네현 고시 제40호를 통해 독도에 대한 영유권을 확립했다고 주장하고 있다.

④ 포츠담선언(1945)은 카이로선언의 이행을 재확인하면서, 일본의 주권은 홋카이도, 혼슈, 시코쿠, 큐슈와 연합국이 정하는 소도에 국한한다고 하였다.

정답 및 해설

평화선은 1952년 1월 18일 대한민국의 이승만 대통령이 대통령령 '대한민국 인접해양의 주권에 대한 대통령의 선언'을 공표함으로써 설정된 대한민국과 주변국가간의 수역 구분과 자원 및 주권 보호를 위한 경계선이다. 평화선의 설정목적은 해양 분할이 국제적 경향이 됨에 따라 해안 어족(魚族)의 보호와 생물자원의 육성을 기하고, 특히 발달한 일본 어업활동으로부터 영세적인 한국어민을 보호하려는 데 있었으며, 국제관계상 합법적인 조치였다. 이 경계선은 독도를 대한민국의 영토로 포함하고 있다. 1952년 2월 12일 미국은 이승만 대통령의 평화선을 인정할 수 없다고 이승만 대통령에게 통보하였다. 일본 역시 이 선언에 반대하여 1965년 국교정상화 전까지 격렬한 한일 간 갈등을 빚기도 하였다.

답 ②

004 □□□ **남중국해를 둘러싼 영토 분쟁과 관련하여 옳지 않은 것만을 모두 고른 것은?**

ㄱ. 남중국해의 영유권을 둘러싼 갈등이 본격화된 것은 1970년대 해양자원의 개발 및 UN해양법협약이 구체화되면서이다.
ㄴ. 남중국해의 서사군도는 중국과 대만, 일본이, 남사군도의 경우 앞의 3국 이외에 필리핀, 인도, 브루나이가 영유권을 주장하고 있다.
ㄷ. 1990년에는 ASEAN국가들을 중심으로 '남중국해 워크숍'이 시작되었으나 중국의 참가를 이끌어내지 못하고 있다.
ㄹ. 중국의 경우, 남중국해 문제에 대한 입장은 다국 간의 협력보다는 2국 간의 협력방식을 고집하고 있다.

① ㄱ, ㄹ ② ㄴ, ㄷ ③ ㄴ, ㄹ ④ ㄷ, ㄹ

정답 및 해설

남중국해를 둘러싼 영토 분쟁과 관련하여 옳지 않은 것은 ㄴ, ㄷ이다.
ㄴ. 서사군도는 중국, 대만, 베트남이 남사군도는 앞의 3국 이외에 필리핀, 말레이시아, 브루나이가 영유권을 주장하고 있다.
ㄷ. 1990년에는 ASEAN국가들을 중심으로 '남중국해 워크숍'을 시작하였고, 1991년 제2차 회합부터 중국의 참가를 유치하는 데 성공하였다.

답 ②

005 □□□ **동아시아 해양분쟁과 관련한 내용으로 옳은 것만을 모두 고른 것은?**

ㄱ. 북한과 중국은 PSI를 미국을 중심으로 한 해적행위(act of piracy)로 규정하고 크게 반발하였으나 2013년부터 '하이난 성 영해'에서 외국 선박과 인원의 불법행위를 단속할 수 있도록 하는 내용을 담은 「하이난연안변경치안관리조례」를 시행, 하이난 섬 연안에서 PSI와 유사한 수준의 조치를 취할 수 있도록 하는 등 국제법에 대한 이중적 태도를 보이고 있다.
ㄴ. 2010년 클린턴 미 국무장관은 마에하라 세이지 일본 외무상을 만난 자리에서 중-일 간 영유권 분쟁 대상지역은 「미-일안보조약」 제5조의 대상이라고 직접적으로 언급하고 일본 지지 입장과 미국의 개입의지를 천명하였으며 이로 인해 중-일간 영유권 분쟁이 심화되었다.
ㄷ. 2011년 7월 제 18차 아세안지역안보포럼(ARF) 외교장관 회의에서 중국은 남중국해에 대한 중국의 적극개입을 표명하여 남중국해 긴장이 심화되었다.
ㄹ. 남중국해상의 문제 해결을 위해 중국과 ASEAN 국가들은 2016년 12월 남중국해상의 행동강령(Code of Conduct for the South China SEA)을 채택하였으며, 이는 법적 구속력을 갖는다.

① ㄱ, ㄴ ② ㄴ, ㄷ ③ ㄴ, ㄹ ④ ㄷ, ㄹ

정답 및 해설

동아시아 해양분쟁과 관련한 내용으로 옳은 것은 ㄱ, ㄴ이다.

선지분석

ㄷ. 중국은 제18차 ARF 외교장관회의에서 예상을 깨고 '남중국해에서 자유항행의 중요성은 자명하며 모든 국가가 그 수혜국이 되어야 한다'는 적극적 입장을 피력하고, 중국-ASEAN 외교장관 회담에서는 지난 2002년 양자간에 합의된 '남중국해 당사국 행동강령'의 실행을 위한 지침(guidelines for the implementation)을 채택하는 등 한발 물러서 유화적 태도를 취했다.
ㄹ. 중국과 ASEAN은 지난 2002년 남중국해상의 문제 해결을 위해 남중국해상의 행동선언(Declaration of Conduct for the South China Sea)에 서명하였으며, 이는 법적 구속력이 없다. 따라서 관련국들은 법적구속력을 갖는 행동강령(Code of Conduct)을 채택하고자 하나, 현재 채택되지 못하고 있다.

답 ①

006 다음 내용과 관련 있는 지역은?

- 중국, 대만, 베트남, 브루나이, 필리핀, 말레이시아
- 인도양과 태평양으로 진출할 수 있는 전략적 요충지

① 센카쿠열도, 조어도, 댜오위다오 군도(Pinnacle Islands)
② 쿠릴열도(Kuril Islands)
③ 남사군도(Spratly Islands)
④ 서사군도(Paracel Islands)

정답 및 해설

Spratly Islands(=남사군도)는 인도양과 태평양으로 진출할 수 있는 전략적 요충지로서 군사적인 가치가 매우 높을 뿐 아니라 177억 톤에 달하는 석유와 천연가스가 매장된 사실이 밝혀져 중국, 대만, 베트남, 필리핀, 말레이시아, 브루나이 등 6개국이 영유권을 주장하고 있다.

선지분석

① 센카쿠열도, 조어도, 댜오위다오 군도(Pinnacle Islands)는 동중국해 남서부에 위치한 다섯 개의 무인도와 세 개의 암초로 구성된 군도이다. 현재 일본이 실효 지배하고 있으나 중국과 대만도 영유권을 주장하고 있다.
② 쿠릴열도(Kuril Islands) 최남단의 2개 섬과 홋카이도 북동쪽의 2개 섬에 대해 러시아와 일본 사이의 영토 분쟁이 있다. 일본은 이 4개 도서군을 소위 북방 영토라고 지칭하고 있다.
④ 서사군도(Paracel Islands)는 중국 해남도 남쪽 336km, 베트남 동쪽 445km 지점에 위치한 2개의 군도, 총 40여개의 소도, 사주 및 암초로 구성되어 있는 해역과 수면 위 돌출물에 대한 중국, 베트남 간의 분쟁 지역이다.

답 ③

007 남중국해 영유권 분쟁에 대한 설명으로 옳지 않은 것은?

① 남사군도에 대해서는 중국, 대만, 베트남, 말레이시아, 필리핀, 부르나이가 영유권 분쟁 당사국이다.
② 서사군도에 대해서는 중국과 필리핀이 영유권 분쟁 당사국이며 1974년 중국의 무력점령이후 현재 중국이 실효적으로 지배하고 있다.
③ 스카버러섬(황암도)는 중국과 필리핀이 영유권 분쟁 중이며 여러 개의 바위와 사주로 구성되어 있다.
④ 중국은 1992년 영해법을 제정하여 남사군도 전체를 자국 영역으로 귀속시켰다.

정답 및 해설

서사군도는 중국과 베트남의 영유권 분쟁지역이며 중국이 실효적 지배하고 있다.

답 ②

008 동아시아 영토분쟁에 대한 설명으로 옳지 않은 것은?

□□□

① 독도와 관련하여 연합국최고사령부각서(SCAPIN) 677호는 독도가 일본의 통치권에서 배제됨을 명시하였다.
② 센카쿠제도(조어도)와 관련하여 미국과 일본은 1972년 오키나와반환협정을 체결하여 센카쿠제도를 포함한 오키나와를 일본에 반환하였다.
③ 1855년 러시아와 일본은 시모다조약을 체결하여 사할린은 러시아영토, 북방4도는 일본 영토로 하기로 하였다.
④ 15개의 섬으로 구성된 파라셀군도는 중국과 베트남의 분쟁지역이며 1974년 중국의 무력 점령 후 중국이 실효적으로 지배하고 있다.

정답 및 해설

사할린 - 치시마교환조약(1875)의 내용이다. 시모다조약은 북방4도를 모두 일본 고유 영토로 인정한 것이다.

답 ③

009 동아시아 영토분쟁에 대한 설명으로 옳은 것은?

□□□

① 독도영유권 문제와 관련하여 한일협정(1965)은 독도 주변 12해리를 공동어업수역으로 설정함으로써 현상유지를 추구하였다.
② 포츠담선언(1945.7)에서 조어대 열도를 중국에 반환하기로 하였으나 미군정청은 조어도를 제외한 일본의 점령 영토를 중국에 반환하였다.
③ 러시아와 일본 간 체결된 사할린 - 치시마 교환조약(1875)은 쿠릴열도(북방4도)를 러시아 영토로, 사할린을 일본영토로 하기로 합의하였다.
④ ASEAN국가들이 합의한 남중국해 당사국 행동 선언문(2002)은 아세안국가들이 중국의 동 선언문에 대한 가입을 촉구하면서 중국이 남중국해에서 긴장을 고조시키는 행위를 자제할 것을 요청하였다.

정답 및 해설

선지분석

① 한일협정은 독도 주변 12해리 '전관어업수역'으로 설정하였다.
③ 사할린 - 치시마 교환조약에서는 쿠릴열도를 일본 영토로, 사할린을 러시아 영토로 하기로 합의하였다.
④ 남중국해 당사국 행동 선언문은 아세안 국가들이 중국과 '함께' 합의한 것으로서 남중국해 당사국간에 긴장을 고조시키거나 상황을 복잡하게 만드는 행위를 스스로 자제할 것을 규정하였다. 즉, 중국도 동 선언문에 참여하였다.

답 ②

제4절 | 동아시아 지역주의

001 □□□

유럽과 동아시아의 지역협력의 특징들을 설명한 내용이다. 옳은 것만 모두 고른 것은? 2012년 외무영사직

ㄱ. 냉전기간 미국은 유럽에서 상대적으로 독립적인 다자간안보(NATO) 및 경제(유럽경제공동체)협력기구를 통해 동맹관계를 유지한 반면, 동아시아에서는 쌍무적 동맹관계(한미 및 미일 동맹 등)를 유지하였다.
ㄴ. 유럽에서는 냉전질서가 거의 종식된 데 반해, 동아시아의 경우 냉전적 질서가 부분적으로 잔존하고 있어 지역협력이 저해되고 있다.
ㄷ. 유럽의 지역협력체들은 상당한 정도로 제도화되고 법제화된 반면에, 동아시아의 지역협력체들은 비공식적 채널과 미흡한 제도화 속에서 운영되고 있다.
ㄹ. 아세안지역포럼(ARF)은 동아시아 안보협력을 위한 정부 간 다자협력기구이다.
ㅁ. 유럽사법재판소(ECJ)는 유럽연합법의 회원국 국내법에 대한 우위의 원칙(principle of supremacy)을 확립하고 있다.

① ㄱ, ㄴ
② ㄴ, ㄷ, ㄹ
③ ㄷ, ㄹ, ㅁ
④ ㄱ, ㄴ, ㄷ, ㄹ, ㅁ

정답 및 해설

유럽과 동아시아의 지역협력 특징에 대한 설명으로 ㄱ, ㄴ, ㄷ, ㄹ, ㅁ 모두 옳은 설명이다.
ㄴ. 지역협력을 위해서는 국가 간 협력의지가 중요하다. 유럽의 경우 적대국이었던 독일과 프랑스의 협력의지가 존재했던 반면, 동아시아의 경우 중국과 일본의 지역패권경쟁이 지속되면서 동아시아 지역통합 논의가 장기 표류되고 있다.
ㄷ. 유럽의 경우 유럽연합(EU)의 경우에서 보듯이 이사회, 위원회, 재판소, 의회, 중앙은행 등 높은 제도화 수준을 자랑하지만, 동아시아의 경우 아세안지역포럼(ARF)과 같이 제도화의 수준이 낮다. 이는 동아시아 지역의 경우 국가들이 주권침해에 상당히 민감하여 의사결정에 있어서도 만장일치를 고수하고, 비구속적 합의 방식을 선호하기 때문으로 평가된다.
ㄹ. 동아시아 다자안보의 경우 정부차원의 ARF, 민간차원의 CSCAP 또는 NEACD(동북아협력대화) 등이 존재하고 있다.
ㅁ. 유럽연합법은 회원국 국내법에 대해 우위이고, 회원국에 대해 직접적용성 및 직접효력성을 갖는다. 즉, 별도의 입법조치 없이 회원국 국내법체계에 도입되고(직접적용성), 회원국 국민은 유럽연합법을 원용할 수 있다(직접효력성).

답 ④

002 □□□

동아시아 지역협력과 관련하여 각국의 입장으로 옳지 않은 것은?

① 중국 - ASEAN+1
② 일본 - 동아시아공동체론
③ 호주 - 아시아 - 태평양공동체(APC)
④ 한국 - 환태평양파트너십(TPP)

정답 및 해설

환태평양파트너십(Trans - Pacific Partnership: TPP)은 싱가포르, 칠레, 브루나이, 뉴질랜드 등 4개국이 연합하여 창설한 다자무역협정으로 미국, 호주, 페루, 베트남 등이 참여하기로 하여 2015년 10월 협상을 타결하였다.

선지분석

① 중국은 기존 아세안+3(한중일)에서 아세안+1(중국)에 집중하고 있다.
② 일본의 동아시아공동체론은 2009년 민주당 정권이 제시한 것으로 아직은 그 실체가 모호하다.
③ 호주는 동아시아 지역협력을 위한 틀로서 2008년 아시아 - 태평양공동체(Asia - Pacific Community: APC)를 제안했다.

답 ④

003 □□□ **세계화와 탈냉전이 진행됨에 따라 동아시아 경제공동체 논의가 진행되고 있다. 동아시아 경제공동체 논의의 배경으로 옳지 않은 것은?**

① 미국의 적극적인 지지
② 역내 무역과 직접투자 증대에 따른 상호의존 강화
③ 1997년 아시아 경제위기의 경험 공유
④ 중·일 지역패권 경쟁

정답 및 해설

미국은 미국을 배제한 동아시아 경제공동체의 형성을 원하지 않는다. APEC은 미국이 동아시아 국가들 간 배타적 경제협력체가 출현하기 전에 느슨한 경제공동체를 창설한 것이다.

선지분석

② 동아시아 국가들 간 역내무역과 역내투자의 비중은 점차 높아지고 있는 추세이다. 이는 경제공동체 논의를 활성화시키는 주요 요인이다.
③ 1997년 경제위기 이후 공동의 정체성을 갖게 되었고 금융위기 재발을 방지하기 위한 지역제도의 필요성을 공유하게 되었다.
④ 중국과 일본은 지역패권 경쟁 차원에서 각각 ASEAN에 대한 적극적 접근을 추구하고 있는데, 이러한 경쟁을 완화하기 위한 수단으로서 동아시아 경제공동체 논의가 가속화되고 있다.

답 ①

004 □□□ **다음 중 동아시아 지역협력체에 해당하지 않는 것만을 모두 고른 것은?**

ㄱ. APEC
ㄴ. AI
ㄷ. ASEAN
ㄹ. OAS
ㅁ. CIS

① ㄱ, ㄴ, ㄷ　② ㄱ, ㄴ, ㄹ　③ ㄴ, ㄷ, ㄹ　④ ㄴ, ㄹ, ㅁ

정답 및 해설

동아시아 지역협력체에 해당하지 않는 것은 ㄴ, ㄹ, ㅁ이다.
ㄴ. AI는 국제사면위원회로, 비정부 간 국제기구 중 하나이다. 1961년 창설되었으며, 인권보호의 목적을 지닌다.
ㄹ. OAS는 미주국가기구로, 1948년에 채택되었으며, 종전의 아메리카 지역 협력기구인 미주연합을 개편, 강화하여 지역적 집단안전보장기구로 설립하였다.
ㅁ. CIS는 독립국가연합으로, 1991년 소련이 소멸되면서 구성 공화국 중 11개국이 결성한 정치공동체이다.

선지분석

ㄱ. APEC은 아시아 태평양경제협력체로, 아시아 및 태평양 연안 국가들의 원활한 정책대화와 협의를 목적으로 1989년 설립되었다.
ㄷ. ASEAN은 동남아시아국가연합으로, 동남아시아 내의 경제, 사회, 문화발전의 촉진, 평화와 안전의 확보, 상호협력 및 협조를 위하여 설립되었다.

답 ④

005 □□□ **아시아유럽정상회의(ASEM: Asia Europe Meeting)에 대한 설명으로 옳지 않은 것은?**

① 1994년 10월 말레이시아는 APEC과 같은 경제협력을 위한 동아시아-EU 정상회의(Europe Asia Summit, EAS) 개최를 제안하였다.
② 1996년 3월 제1차 ASEM 정상회의가 태국에서 개최됨으로써 본격 출범하였다.
③ 제3차 정상회의는 2000년 10월 서울에서 개최되어, 새로운 천년을 맞아 향후 10년간 ASEM의 비전·원칙·목적을 담은 '아시아·유럽 협력 기본 지침서'를 채택하였다.
④ ASEM에서 모든 의사결정은 총의제(consensus)에 의한다.

정답 및 해설

싱가폴이 제안하였다.

답 ①

006 □□□ **동아시아 정상회의(EAS)에 참여하는 국가가 아닌 것은?**

ㄱ. 호주	ㄴ. 뉴질랜드
ㄷ. 미국	ㄹ. 러시아

① 없음 ② ㄹ ③ ㄱ, ㄴ ④ ㄷ, ㄹ

정답 및 해설

ㄱ, ㄴ, ㄷ, ㄹ 모두 동아시아 정상회의(EAS)에 참여하는 국가이다.
동아시아 정상회의에는 ASEAN의 10개국(인도네시아, 말레이시아, 필리핀, 싱가포르, 타이, 브루나이, 베트남, 라오스, 미얀마, 캄보디아)과 한국, 중국, 일본, 그리고 인도, 호주, 뉴질랜드, 러시아, 미국이 참여하고 있다. 이 중, 미국과 러시아는 2010년부터 공식 참가하게 되었다.

답 ①

007  **동아시아 정상회의(EAS)에 대한 설명으로 옳지 않은 것을 모두 고른 것은?**

ㄱ. 2002년 11월 제6차 ASEAN+3 정상회의에서 동아시아 공동체 형성을 위해 동아시아연구그룹(East Asia Study Group: EASG)이 권고한 협력사업의 하나로 2003년 출범하였다.
ㄴ. 원회원국(2005년)은 ASEAN 10개국, 한국, 중국, 일본, 호주, 뉴질랜드이며, 인도는 2006년에 가입했고, 2011년 미국과 러시아가 가입하였다.
ㄷ. 6대 중점 협력 분야는 환경과 에너지, 금융, 교육, 보건, 재난관리, ASEAN 연계성이다.
ㄹ. 외교장관회의 및 고위관리회의 이외에 EAS 정상회의는 매년 ASEAN+3 정상회의와 연이어 개최하며 주요지역 국제정세에 대한 의견교환의 장으로 활용된다.
ㅁ. EAS외교장관회의는 당초 ASEAN+3 외교장관회의를 계기로 업무 오찬 형식으로 시작하였으나, 2008년 7월 싱가포르 회의부터 별도의 비공식회의(Informal Consultations Among the EAS Foreign Ministers)로 개최하며 EAS 정상회의 준비 및 주요지역·국제정세, EAS 협력사업 등을 논의한다.

① ㄱ, ㄴ ② ㄱ, ㄷ ③ ㄴ, ㄹ ④ ㄷ, ㅁ

정답 및 해설

동아시아 정상회의(EAS)에 대한 설명으로 옳지 않은 것은 ㄱ, ㄴ이다.
ㄱ. 2005년 출범하였다.
ㄴ. 인도도 원회원국이다.

답 ①

008 □□□ **지역 내 협력의 무드가 가속화됨에 따라 현재 동아시아 지역 내에도 여러 가지 가시적인 지역협력의 모습이 나타나고 있다. 이에 관한 설명으로 옳지 못한 것은?**

① ASEAN은 초기 경제 · 문화 등 비정치적 분야의 협력을 주로 하였으나, 1975년 베트남 공산화 이후의 캄보디아 문제, 중국-베트남 전쟁, 난민 문제 등 일련의 주변 사태로 인해 안전보장기구화 내지는 군사기구화의 경향이 강해지고 있다.
② ASEAN은 경제통합을 완성하고, 정치통합을 추진하고 있다.
③ ASEAN+3은 동남아국가연합(ASEAN)의 10개국과 한국 · 중국 · 일본 3국 간의 협력체제로 단시간 동안 동아시아 지역 내 제도화에 대한 가시적 성과를 보여주고 있다.
④ APEC은 아시아 · 태평양 지역 내 경제 협력과 무역자유화 촉진을 목적으로 21개국이 참여하고 있다.

정답 및 해설

경제협력이 강화되고는 있으나 경제통합이 완성된 것은 아니며 정치통합을 추진하고 있는 것도 아니다.

답 ②

009 □□□ **동아시아 지역협력과 관련한 각국의 외교정책을 설명한 것으로 옳지 않은 것은?** 2009년 외무영사직

① 미국은 ASEAN+3 협력체제에 대해 대체로 관망적 태도를 취해 왔으나 중국이 동아시아 지역에서 급속하게 영향력을 확대해 나가는 것을 우려하고 있다.
② 중국은 ASEAN에게 2007년 상호 정치적 신뢰, 경제 및 무역관계 강화, 비전통적 안보분야 협력, ASEAN 통합과정 지지, 사회 · 문화 · 인적 교류 확대를 강조하는 5대 제안을 하였다.
③ 일본은 미국과의 공조보다는 중국과 협력하여 동아시아 공동체의 주도적 일원이 되고자 노력하고 있다.
④ ASEAN 국가들이 ASEAN+3 협력을 추진하게 된 배경은 한 · 중 · 일 3국의 협력과 지원을 확보하여 동반성장을 도모함으로써 내부적 취약성을 극복하기 위한 것이다.

정답 및 해설

일본은 중국이 아닌 미국과의 공조를 중시한다.

답 ③

010 □□□ **ASEAN+3에 대한 주요 국가들의 입장을 짝지은 것으로 옳지 않은 것은?**

① ASEAN - 주도권을 유지하려 함
② 미국 - 적극적인 지지의사를 밝힘
③ 일본 - 중국이 주도할 것을 경계함
④ 중국 - 미국을 배제하고자 함

정답 및 해설

미국은 ASEAN+3 협력에 대해 관망하면서 상대적으로 유연한 태도를 견지해 왔으나, 최근 중국 주도로 협력이 가속화되는 것을 보면서 동아시아 지역에서 중국의 영향력이 강화되는 것에 대해 경계심을 늦추지 않고 있다.

답 ②

011 다음은 동아시아 공동체 추진에 대한 각국의 입장을 설명한 것이다. 옳지 않은 것은?

① 중국: ASEAN+3과 EAS 형성을 적극 지지할 뿐만 아니라 ASEAN 주도를 지지함으로써 ASEAN과의 관계 강화에 노력하고 있다.

② 미국: ASEAN+3에 대하여 관망적인 태도를 보였으나, 최근 ASEAN+3과 EAS 협력이 가속화되면서 중국 주도의 동아시아 공동체 형성에 적극 지지를 보이고 있다.

③ 일본: 1980년대 이후 ASEAN 국가들에 대한 대규모 경제적 지원을 바탕으로 정치적 영향력을 증진시키려는 노력을 지속해 왔으나, 동아시아 지역통합보다는 APEC과 같은 광역 아태협력에 중점을 두고 있다. 중국 주도의 지역경제통합을 우려하여 역외국을 포함시키기 위한 노력을 지속하고 있다.

④ ASEAN: 독자적으로 생존이 어려운 동남아 국가들이 한 · 중 · 일 3국의 지원과 협력을 확보하여 내부적 취약성을 극복하기 위해 ASEAN+3을 추진하였다. 따라서 ASEAN의 주도권 유지가 기본적 입장이다.

정답 및 해설

미국은 초기에는 ASEAN 내부의 다양성으로 인해 지역협력이 진전될 가능성이 없으며, 우방국인 일본 주도의 공동체 형성을 기대하여 관망적인 태도를 유지할 수 있었다. 그러나 중국 주도의 동아시아 공동체 형성이 가속화되는 것을 보면서 중국의 영향력 강화와 미국의 상대적인 영향력 쇠퇴를 우려하게 되었다. 또한 탈미적 성향의 동아시아 지역통합이 전개되는 것을 경계하여, 중국이 일방적으로 통합을 전개한다면 직접적인 개입을 통해 이를 저지 또는 무산시키려고 할 가능성도 있다.

답 ②

012 동아시아 지역주의에 대한 설명으로 옳지 않은 것은?

① 치앙마이이니셔티브다자화(CMIM)체제 의사결정은 근본적 사안의 경우 합의제로, 자금지원 관련 사안은 다수결로 결정한다.

② CMIM에서 분담금 대비 인출 배수는 중국과 일본 각각 0.5, 한국 1.0, 아세안 Big 5국가 2.5, Small 5국가 5.0으로 결정되었다.

③ AMRO(동아시아 역내 거시경제 조사기구)는 CMI 부속기구였으나, 2016년 2월 다자간 협약에 기초한 국제기구로 승격되었다.

④ 역내포괄적경제동반자협정(RCEP) 회원국으로는 ASEAN 10개국(브루나이, 캄보디아, 인도네시아, 라오스, 말레이시아, 미얀마, 필리핀, 싱가포르, 태국, 베트남)을 비롯하여 한국, 중국, 일본, 호주, 뉴질랜드, 인도가 있으며, 베트남은 최종 협정문 서명에 참가하지 않았다.

정답 및 해설

베트남이 아니라 인도가 최종 협정문에 서명하지 않았다.

답 ④

013 다음 설명에 해당하는 것은?

□□□

> 한국에 의해 주도된 정부 차원의 프로젝트로서, ASEAN+3의 발전을 위한 노력의 일환이다. 2001년 3월 17일 베트남 호치민에서 첫 회의를 열고 정식 발족했다. 2002년에 채택된 보고서에서는 ASEAN+3국가들이 동아시아 공동체를 구현하기 위한 구체적인 행동계획을 제시하고 있다. 단기적으로 동아시아 비즈니스 협의회 형성, 동아시아 포럼 설립 등을, 중장기적으로는 동아시아 자유무역지대 형성, 역내 금융협력기구 설립 등을 과제로 제시하고 있다.

① EASG ② EAVG ③ EAS ④ EAC

정답 및 해설

제시된 설명은 ASEAN+3의 발전 노력 중 EASG에 해당한다.

선지분석

② EAVG: 한국에 의해 주도되었으며, EASG와 달리 민간 차원의 연구그룹이다.
③ EAS: 동아시아 정상회의로서, 한·중·일 3국이 동남아 국가들과 동등하게 정상회의를 개최할 수 있는 새로운 정상회의체제이다. 동아시아 협력의 궁극적 목표인 동아시아공동체(EAC)의 형성을 본격화하는 가시적 조치이다.
④ EAC: EAVG에서 제안되었고 현재 동아시아 정상회의에서 추진되고 있다. 동아시아 협력의 궁극적 목표인 동아시아 공동체를 말한다.

답 ①

014 ASEAN+3에 대한 설명으로 옳지 않은 것만을 모두 고른 것은?

□□□

> ㄱ. 현재 ASEAN+3의 경우, 일본의 주도하에서 한국과 일본의 협력체제 형태 모습을 띠고 있으며, 사무국 설치 등 동아시아 지역주의의 제도화가 가시화되고 있다.
> ㄴ. 정부관료로 구성된 '동아시아 비전 그룹(EAVG: East Asia Vision Group)'은 동아시아 지역주의를 체현하는 제도로 '진화'시키려는 발상에서 나온 것이다.
> ㄷ. ASEAN+3은 기존 레짐인 ASEAN에서 탈피하여 독자적으로 포괄적인 동아시아 지역주의를 실현할 제도로 조직되었다.
> ㄹ. 치앙마이 이니셔티브(Ching Mai Initiative)가 제시되고, AEM+3, AMAF+3 등이 개최되어 다차원적으로 동아시아 지역주의 실현을 위한 협력이 이루어지고 있다.

① ㄱ, ㄴ ② ㄱ, ㄴ, ㄷ
③ ㄱ, ㄷ, ㄹ ④ ㄴ, ㄷ, ㄹ

정답 및 해설

ASEAN+3에 대한 설명으로 옳지 않은 것은 ㄱ, ㄴ, ㄷ이다.

ㄱ. ASEAN+3의 주요쟁점으로 제기되는 사안은 역내 리더십의 부재와 사무국 설치문제 등이다. 현재 ASEAN+3은 ASEAN이 주도하고 있기는 하나 동남아 중소국가의 모임인 ASEAN만으로는 동아시아 지역통합에 이르기는 어려운 실정이다. 이러한 상황에서 중·일이 주도권 다툼을 벌이면서 ASEAN에 경쟁적으로 접근하면서 이러한 협력관계는 아직 요원하다. 사무국설치 문제도 각 국가들의 의견이 대립하고 있다.

ㄴ. 동아시아 비전그룹은 민간인으로 구성되어 있다. 덧붙여, 민관 공동의 '동아시아 스터디 그룹(EASG: East Asian Study Group)'은 '동아시아 정상회의' 구상이나 '동아시아 자유무역권' 구상을 제창한 바 있다.

ㄷ. ASEAN+3은 기존 레짐에서 탈피하는 것이 아니라 ASEAN 레짐의 일부로 '동아시아 지역주의'를 구체화한 것임과 동시에 한·중·일이 ASEAN을 지원하기 위한 틀이다.

선지분석

ㄹ. 치앙마이 이니셔티브는 통화·금융협력의 가시적 형태로 2국간 통화스왑협정에 의한 자금 협력 네트워크의 구축 등이 진전되고 있고, 단기 자금 플로우의 모니터링이나 데이터교환, 각국의 경제 상황이나 정책 과제 등에 대한 정책 대화가 이루어지고 있다. AEM+3은 ASEAN+3 경제장관회의를 말하며, AMAF+3은 ASEAN+3 농림담당 장관회의를 의미한다.

답 ②

015 □□□

ASEAN+3(APT)는 ASEAN 10개국과 한·중·일 정상이 참석하여 경제, 안보, 기타 역내 이슈에 대한 견해를 주고받는 포럼의 성격을 갖고 있다. 이 중 궁극적으로 역내국가 간 동아시아공동체 형성을 추구하기 위해 결성한 것으로 한국이 주도한 민간차원의 연구그룹은?

① 동아시아 비전그룹(EAVG)
② 동아시아 연구그룹(EASG)
③ 동아시아 정상회의(EAS)
④ 동북아 협력대화(NEACD)

정답 및 해설

선지분석

② 동아시아 연구그룹(EASG)은 동아시아 FTA 형성, 역내 금융협력기구 설립을 추구하는 정부 차원의 연구그룹이다.

③ 동아시아 정상회의(EAS)는 ASEAN+3와 달리 한·중·일 3국이 동남아 국가들과 동등하게 정상회의를 개최하는 새로운 체제로서 동아시아 공동체 형성을 본격화하는 가시적 조치이다.

④ NEACD는 미국 캘리포니아 주립대학(UCSD) 산하 세계분쟁협력연구소(Institute on Global Conflict and Cooperation)가 주관하여 남북한 및 미, 일, 중, 러 6개국의 외교, 국방관리 및 학계 인사들을 개인 자격으로 초청, 개최하는 Track 1.5 안보대화. 한반도 및 동북아 지역의 안보·및 군사 환경에 대한 동북아 지역 국가 간 대화를 통한 상호이해, 신뢰구축 및 협력증진이 목적이다.

답 ①

016 APT(ASEAN Plus Three)에 대한 설명으로 옳지 않은 것은?

□□□

① APT는 기본적으로 ASEAN이 주도하고 있으나, 동남아 중소국가들의 연합체인 ASEAN의 리더십만으로는 동아시아 지역통합에 한계가 있을 수밖에 없다는 것이 지적되고 있다.
② 중국은 동아시아 지역경제통합에 가장 적극성을 보이는 국가로서, 중국은 ASEAN을 최소한 중립화, 최대한 친중국화 하는 것을 목표로 외교적 노력을 경주하고 있다.
③ EAS(East Asian Summit: 동아시아정상회의)는 APT 정상회의와 같은 형식으로서 ASEAN의 리더를 자처하는 국가들(인도네시아, 싱가포르, 베트남 등)은 EAS로 인해 ASEAN의 위상이 높아질 것을 기대하고 있다.
④ ASEAN은 가장 중요한 중·장기적 과제로 동아시아 자유무역지대(EAFTA) 결성 문제를 꼽고 있다.

정답 및 해설

동아시아 정상회의는 APT와는 달리 한·중·일 3국이 동남아 국가들과 동등하게 정상회의를 개최할 수 있는 새로운 정상회의 체제로서, 동아시아 협력의 궁극적 목표인 동아시아 공동체(EAC) 형성을 본격화하는 가시적 조치이다. 그러나 APT의 틀에서 내부적으로 ASEAN의 위상이 약화될 것을 우려하고 있다. ASEAN 국가들의 국력을 모두 합쳐도 '+3'에 해당하는 한·중·일의 국력에 당할 수 없기 때문이다.

선지분석

② 중국과 ASEAN은 회원국 확대보다는 기존 회원국을 중심으로 역내 협력의 심화를 추구하는 반면, 일본은 미국 등 역외국들로 외연의 확대를 추구하고 있다. 중국과 일본의 동아시아 패권 싸움은 ASEAN 내부에서도 들여다 볼 수 있다.

답 ③

017 다음 설명과 관련 있는 것은?

□□□

- 2006년 5월 싱가포르, 칠레, 뉴질랜드, 브루나이에 의해 발효되었으며 현재 호주, 미국, 페루, 말레이시아, 베트남 등 5개국이 참여하기 위해 협상중인 자유무역협정
- 기존 당사국들이 합의한 조건하에 추후에 참가국을 추가할 수 있는 개방성을 특징으로 함
- 상품·서비스뿐만 아니라 투자, 지적재산권, 인적이동, 환경 등 WTO-Plus 조항을 포함하고 있으며 협상국에 예외 없는 자유화를 추구

① 동아시아자유무역지대(EAFTA)
② 아시아태평양경제협력체(APEC)
③ 환태평양경제동반자협정(TPP)
④ 동아시아포괄적경제파트너십(CEPEA)

정답 및 해설

선지분석

①, ④ EAFTA는 아세안과 한·중·일 간 자유무역지대를 창설하자는 주장으로 한국과 중국이 주도하고 있으며, CEPEA는 아세안과 한·중·일, 인도, 호주, 뉴질랜드 등 16개국이 궁극적으로 EU와 같은 경제공동체를 만들자는 방안으로 일본이 주도하고 있다.
② APEC 1989년 호주 캔버라에서 12개국 간 각료회의로 출범했으며, 회원국 사이의 경제·사회·문화적 이질성을 극복하고 지속적 경제성장에 기여함으로써 궁극적으로는 아·태 지역 경제공동체를 추구함을 목적으로 하고 있다. 현재 한국을 포함해 미국, 중국, 일본, 러시아 등 총 21개국이 가입해 있다. '개방적 지역주의'를 특징으로 한다.

답 ③

018 환태평양경제동반자협정(TPP)에 대한 설명으로 옳은 것은 모두 몇 개인가?

> ㄱ. 2006년 싱가포르, 칠레, 뉴질랜드, 브루나이에 의해 발효된 환태평양전략경제동반자협정(약칭 P4)을 원형으로 한다.
> ㄴ. P4에 호주, 페루, 그리고 ASEAN 등이 참여를 추진하고 있는 자유무역협정이다.
> ㄷ. 단순히 상품과 서비스뿐만 아니라 투자, 지적재산권, 정부조달, 경쟁, 인적 이동, 환경 등 WTO가 다루고 있지 않은 이슈를 포함하는 'WTO-Plus'조항을 포함하고 있다.
> ㄹ. FTA의 일반적 특성상 다른 국가들이 추가적으로 참여하는 것은 불가능하다.
> ㅁ. 미국은 2017년 1월 TPP 탈퇴를 선언하였으며, 이후 일본 주도로 11개 회원국이 CPTPP를 추진하였고, 2018년 12월 발효되었다.

① 없음　　② 1개　　③ 2개　　④ 3개

정답 및 해설

환태평양경제동반자협정(TPP)에 대한 설명으로 옳은 것은 ㄱ, ㅁ이다.

선지분석

ㄴ. ASEAN은 아직 참여하지 않았다. 호주, 페루, 말레이시아, 베트남 등이 참여를 추진하고 있다.
ㄷ. 정부조달, 지적재산권은 WTO에서도 다루고 있다.
ㄹ. EU를 제외하고 FTA체결 후에 참가국을 추가로 받아들인 사례는 거의 없지만, TPP는 기존 FTA와 달리 장래에 참가국을 추가할 수 있는 개방성을 특징으로 한다. 자유무역 의지가 강한 소수 국가 사이에 수준 높은 FTA를 먼저 체결하고, 점차로 참가국을 확대해 나간다는 입장을 취하고 있다.

답 ③

019 다음 ASEAN회원국 중 환태평양파트너십(TPP)에 가입한 국가를 모두 고른 것은?

□□□

> ㄱ. 싱가포르　　ㄴ. 베트남
> ㄷ. 필리핀　　ㄹ. 말레이시아
> ㅁ. 브루나이

① ㄱ, ㄴ, ㄹ　　② ㄱ, ㄷ, ㅁ
③ ㄱ, ㄴ, ㄹ, ㅁ　　④ ㄴ, ㄷ, ㄹ, ㅁ

정답 및 해설

당초 미국을 포함하여 12개국이었으나 현재 미국은 탈퇴하였다. 가입국은 싱가포르, 베트남, 말레이시아, 브루나이, 일본, 호주, 뉴질랜드, 미국, 페루, 칠레, 캐나다, 멕시코이다.

답 ③

020 동아시아 지역협력에 대한 각국의 이해관계와 관련하여 옳지 않은 것만을 모두 고른 것은?

□□□

ㄱ. 일본의 경우 잃어버린 10년의 경제침체기에도 불구, 동남아시아에서의 영향력이 여전히 건재하며, 동남아 경제성장의 견인차 역할을 하고있다.
ㄴ. 중국은 ASEAN과 FTA를 체결하고, ASEAN이 주도하는 RCEP에 적극 참여하는 동시에 호주, 스위스, 노르웨이, 칠레 등 전 지구적 FTA 네트워크를 추진하며 동아시아 뿐만 아니라 전 세계에 걸친 영향력을 확대하고자 한다.
ㄷ. 미국의 경우, 아시아로의 재 개입(Pivot to Asia) 정책기조에 따라 Enterprise for ASEAN Initiative, ASEAN Cooperation Plan 그리고 몇몇 대 테러 협력 제안을 들고 동남아로 재진입하였으며 성공적으로 ASEAN 국가들을 포섭하였다.
ㄹ. ASEAN은 RCEP를 주도하여 동아시아의 소국가군의 가치를 높이고 동아시아 지역의 동학 중심부에서 지역협력의 확대를 추구하여 강대국 사이에서 균형을 추구하고자 한다.

① ㄱ, ㄷ　　② ㄱ, ㄹ　　③ ㄴ, ㄷ　　④ ㄴ, ㄹ

정답 및 해설

동아시아 지역협력에 대한 각국의 이해관계와 관련하여 옳지 않은 것은 ㄱ, ㄷ이다.

ㄱ. 일본은 1970~1990년대까지 FDI와 ODA를 동남아에 막대하게 쏟아 부어 동남아 경제성장의 견인차 역할을 했고, 그로 인해 동남아에서 막강한 영향력을 행사해 왔다. 그러나 잃어버린 10년의 경제침체기 동안 일본의 동남아에서 영향력은 경제력의 약화에 따라 감소되었고, 그 사이 빠르게 성장한 중국이 동남아에서 일본의 영향력을 대체했다.
ㄷ. 미국의 경우, 아시아로의 재개입(Pivot to Asia) 정책기조에 따라 Enterprise for ASEAN Initiative, ASEAN Cooperation Plan 그리고 몇몇 대 태러 협력 제안을 들고 동남아로 재진입하였으나 전통적 우방국인 필리핀을 제외하고는 큰 소득을 거두지 못하였다.

답 ①

021 괄호 안에 들어갈 지역협력체로 옳은 것은?

□□□

2012년 11월 캄보디아에서 개최된 동아시아정상회의 및 통상장관 회의에서 일본과 ASEAN의 주도로 ASEAN+6 경제통합의 시발을 의미하는 (　　　　　)의 협상 개시가 선언되었다. 이는 ASEAN 10개국 및 ASEAN과 양자 FTA를 체결한 6개국(한, 중, 일, 호주, 뉴질랜드, 인도)이 참여하는 아·태지역경제통합 논의이다. 2013년 5월 브루나이에서 진행된 1차 협상에서 각국은 주요 분야에 대한 각국별 입장을 확인하고 의견을 교환했으며, 무역협상위원회 운영규칙에 합의했다.

① 치앙마이 이니셔티브(CMI)　　② 환태평양경제동반자협정(TPP)
③ 아시아통화기금(AMF)　　④ 역내포괄적경제동반자협정(RCEP)

정답 및 해설

선지분석

① 치앙마이 이니셔티브(CMI)는 동아시아 지역 내 16개 중앙은행들이 체결한 양자 간 통화스왑협정이다. 2009년 개최된 ASEAN+3(APT) 재무장관회의에서는 이의 다자화에 합의하였다.
② 2015년까지 아시아·태평양 지역의 관세 철폐를 목표로 뉴질랜드·싱가포르·칠레·브루나이 등 4개국이 2005년 체결하였다. 이후 미국·호주·뉴질랜드 등이 참여를 선언하여 2013년 3월 기준 11개국이 교섭에 참여 하였다.
③ 아시아 경제위기 이후 일본이 주도적으로 제안한 아시아 지역 국가들 간 금융협력 논의이다. 동아시아의 IMF를 목표로 하였으나 미국 등의 반대로 이루어지지 못했다.

답 ④

022 **동아시아 공동체 형성이 부진한 원인에 대한 국제정치 이론적 설명으로 옳지 않은 것은?**

① 신현실주의: 동아시아 국제체제의 무정부성이 가장 큰 원인이며 이러한 무정부적 성격으로 동북아 국가들은 상대적 이득이나 배반가능성에 민감하게 되므로 협력이 곤란하다.
② 패권안정론: 국제협력이 가능하기 위해서는 협력을 유인할 수 있는 지도력을 가진 국가가 필요하나 동아시아의 경우 그러한 패권국이 부존재하여 협력이 일어나기 어렵다.
③ 신자유제도주의: 동아시아 국가들이 주권침해에 민감하고 근시안적·비합리적으로 행동하는 경향이 강하기 때문에 협력의 이익이 있음에도 불구하고 실제 협력은 일어나지 않는다.
④ 구성주의: 국제협력에서 집합정체성이나 지역정체성이 중요하나 동아시아 경우 국가들 상호 간 다차원적 이질성과 갈등적 역사와 전략으로 조화적 정체성 형성이 어렵기 때문에 국제협력도 정체된다.

정답 및 해설

신자유제도주의는 국가의 합리성을 가정한다. 즉, 비용과 편익에 기반하여 절대적 이득을 추구하는 행위자로 보는 것이다. 따라서 동아시아 지역주의의 정체는 국가들의 협력의 이익보다는 비용이 더 크다고 보는 것이다.

답 ③

001 동아시아 금융협력에 대한 설명으로 옳지 않은 것은?

□□□

① 일본은 아시아통화기금(AMF)을 제안하였으나, 미국의 반대로 무산되었다.
② 치앙마이 이니셔티브(CMI)는 치앙마이이니셔티브다자화(CMIM)과 달리 IMF link 없이 양자 합의를 통해 긴급 유동자금을 지원할 수 있다.
③ CMI는 중앙은행 간 계약 형태를 띠었으며 자금 공여국은 자금 제공을 거부할 수 있는 권한(opt-out option)을 보유하였다.
④ CMIM은 자금 공급의 법적 구속력을 갖는 단일의 다자 협약으로서 자금 지원의 확실성이 확보되었다.

정답 및 해설

CMI와 CMIM 모두 IMF link조건을 갖는다. 즉, 자금을 제공받고자 하는 국가는 IMF와 일정한 합의를 해야 한다. CMIM의 경우 그 비중은 70%이다. 즉, 30%는 IMF와 무관하게 인출할 수 있으나, 70%는 IMF와 합의를 거쳐야 인출할 수 있다.

답 ②

002 동아시아 금융협력사례에 대한 설명으로 옳지 않은 것은?

□□□

① 2000년 5월 태국 치앙마이에서 열린 APT 재무장관회의에서 AMF의 대안으로 CMI를 만들 것을 결정하였다.
② 2005년 제8차 APT 재무장관회의에서는 외환위기 시 유동성 지원을 위한 통화스와프 규모를 400억 달러에서 800억 달러로 2배 확대하기로 하고, IMF연계지원 통화스와프비율(IMF link)은 80%로 낮추어 IMF와 무관하게 지원 가능한 통화스와프 비율을 20%로 상향했다.
③ 기존 CMI 양자통화스와프계약은 느슨한 형태의 중앙은행간 계약이었으며 자금공여국이 자금제공을 거부할 수 있는 권한을 보유한 점이 한계로 지적되었다.
④ CMIM 의사결정은 출자비중에 따른 가중 다수결이 원칙이나, 총의제를 적용하기도 한다.

정답 및 해설

근본적 사안의 경우 합의제로, 자금지원 관련 사안은 다수결로 결정한다. 가중다수결제도는 도입되지 않았다.

답 ④

003 1990년대 후반 동아시아에 찾아온 금융위기에 관한 서술로 옳지 않은 것은?

① 동아시아 경제위기는 1990년대 금융 및 자본 자유화가 급진전되면서 투기성 단기자본을 포함한 자본의 유출입이 빈번해진 데 원인이 있다.
② 또한 이러한 위기는 그동안 고도성장을 지속하기 위해 유지해 온 높은 외채비율의 문제에서 기인한다.
③ 동아시아 금융위기 이후 국가들의 통화가치는 큰 폭으로 하락하여 수출상품의 가격 경쟁력이 하락하고 수출증대 역시 달성되지 못하였다.
④ 또한 이러한 위기를 해결하기 위해 IMF는 저성장과 고금리, 긴축재정을 실시하였다.

정답 및 해설

통화가치 하락으로 인하여 수출상품의 가격경쟁력은 올라갔으나, 수출증대를 달성하기에는 역부족이었다.

답 ③

004 괄호 안에 들어갈 지역협력체로 옳은 것은?

( )은/는 역내 16개 중앙은행들이 체결한 양자 간 통화스왑협정이다. 1990년대 말의 동아시아 외환위기가 재발되는 것을 방지하기 위하여 맺은 금융협력 협정으로, 특정국가에서 유동성 부족 사태 등의 금융위기가 발생할 경우 아시아 국가들이 제도적 장치를 마련하여 스스로 위기에 대응하자는 취지에서 논의가 시작되었다. 2009년 개최된 ASEAN+3(APT) 재무장관회의에서는 이의 다자화에 합의하였다.

① 아시아통화기금(AMF)
② 환태평양경제동반자협정(TPP)
③ 치앙마이 이니셔티브(CMI)
④ 동아시아 경제회의(EAEC)

정답 및 해설

선지분석

① 아시아 경제위기 이후 일본이 주도적으로 제안한 아시아 지역 국가들 간 금융협력 논의이다. 동아시아의 IMF를 목표로 하였으나 미국 등의 반대로 이루어지지 못했다.
② P4와 미국 등 9개국이 참여하는 자유무역협정이다.
④ 1990년 말레이시아의 마하티르가 제안한 아시아 국가들만의 협력체이다.

답 ③

005 □□□ **1990년대 후반 한국을 비롯한 동아시아에서 발생한 금융위기에 대해 기술한 내용으로 옳지 않은 것은?**

① 1990년대 들어 일본의 거품경제 붕괴현상은 증권과 부동산 가격의 폭락, 은행의 도산으로 이어졌다.
② 일본은 국내 금융위기 수습을 위해 해외투자했던 자본을 회수하였다.
③ 가장 먼저 외환 보유고 고갈상태를 맞이했던 나라는 태국이었다.
④ 일본은 금융위기를 겪으면서 아시아에 대한 투자가 갖는 위험성을 느끼고 아시아통화기금(AMF)의 창설에 부정적 입장을 보였다.

정답 및 해설

일본은 금융위기를 겪으면서 아시아에 대한 투자가 갖는 위험성을 느끼고 아시아통화기금(AMF)의 창설을 주장하였다.

답 ④

006 □□□ **아시아 경제위기 이후 일본이 주도적으로 제안한 것으로, 일본이 금융위기를 겪고 있는 아시아 국가들을 위해 300억 달러를 지원하여 구제하고 국제 금융시장을 안정화한다는 내용을 담고 있는 계획안은?**

① AMF 구상
② 미야자와 플랜
③ ASEAN+3 플랜
④ 보아오 아시아 포럼 계획

정답 및 해설

선지분석

① AMF는 아시아 국가들의 통화 안정을 위해 일본이 제안한 통화기금으로, 중국과 미국, IMF의 강한 반대에 부딪혀 구체화되지 못했다.
③ 말레이시아의 이니셔티브에 의해 출범한 것으로, 동남아 10개국과 한·중·일이 참가하여 연례 정상회의 및 년 외무·재무·통상장관 회의 등 13개 각료회의가 주기적으로 개최되고 있다.
④ 필리핀의 라모스 전 대통령이 아시아 경제공동체를 위한 구상으로 제안한 것으로, 매년 중국 하이난성 보아오에서 정계, 학계, 경제계 인사들이 모여 지역협력 문제를 논의한다.

답 ②

007 □□□

1997년 발생한 동아시아 금융위기에 대한 동아시아 국가들의 대응에 대한 설명으로 옳지 않은 것만을 모두 고른 것은?

> ㄱ. 1998년 베트남에서 열린 ASEAN 서밋(Summit)에서 ASEAN 9개국과 한, 중, 일 3국으로 구성되는 APT(ASEAN Plus Three) 회의 상설화를 결정하였다.
> ㄴ. 아시아 금융위기시 IMF의 역할의 한계가 드러나면서 중국이 아시아 통화기금(AMF) 설립을 제안하였으나 미국의 반대로 무산되었다.
> ㄷ. 당시 일본은 아시아재무장관회의에서 금융위기를 겪고 있는 아시아 국가들에게 300억 달러를 지원한다는 내용의 '미야자와구상'을 발표하였다.
> ㄹ. 역내 외환위기 발생을 방지하기 위하여 2000년 치앙마이에서 1200억달러 규모의 통화교환 협정이 체결되었는데, 이를 치앙마이 이니셔티브(CMI)라 한다.

① ㄱ, ㄷ　　② ㄴ, ㄷ
③ ㄴ, ㄹ　　④ ㄷ, ㄹ

정답 및 해설

옳지 않은 것은 ㄴ, ㄹ이다.
ㄴ. AMF의 창설은 일본이 제안하였으나, 무산되었다.
ㄹ. 2000년 협정 체결 당시 ASEAN 5개국(태국, 말레이시아, 인도네시아, 싱가포르, 필리핀)과 한중일 3국이 780억 달러 규모로 상호지원을 합의하였고, 이후 베트남, 라오스, 캄보디아, 브루나이, 미얀마 등 나머지 ASEAN국가들도 참여함으로써 2010년 공동기금이 1200억 달러로 확대되었다. 이를 치앙마이이니셔티브 다자화(CMIM)라고 한다.(한편, 2012년 5월, 필리핀에서 열린 ASEAN+3 재무장관 및 중앙은행 총재회의에서 CMIM기금 규모 2배 확대, 위기예방프로그램 도입 방안 등이 합의되었다.)

답 ③

008

아시아인프라투자은행(AIIB)에 대한 설명으로 옳지 않은 것은?

① 설립목적은 인프라투자를 통해 아시아 경제 · 사회발전 및 지역 내 연결성과 지역 간 협력을 증진하는 것이다.
② 창립회원국은 총 57개국으로서 역내 37개국 및 역외 20개국으로 구성되었으며, 러시아는 역내국으로 분류된다.
③ 회원국, 회원국의 기관 및 기업에 자금을 제공하는 것이 원칙이나 총회 의결 시 비회원국에도 자금을 제공할 수 있다.
④ 모든 권한은 이사회에 귀속되나 총회에 위임할 수 있다.

정답 및 해설

총회가 모든 권한을 가지나 이사회에 위임할 수 있다.

답 ④

009 아시아인프라투자은행(AIIB)에 대한 설명으로 옳은 것만을 모두 고른 것은?

□□□

> ㄱ. 총회, 이사회, 총재, 1인 이상의 부총재 및 임직원으로 구성된다.
> ㄴ. 이사회는 12명으로 구성되며 역내 9명, 역외 3명으로 구성된다.
> ㄷ. 이사의 임기는 3년이고 연임할 수 있다.
> ㄹ. 총재는 총회에서 국가수 3분의 2이상, 투표권 4분의 3이상 찬성으로 선출되고 4년 임기로 재선될 수 있다.
> ㅁ. 투표권은 지분에 비례하는 지분투표권, 회원국에 균등배분되는 기본투표권, 그리고 창립회원국투표권으로 구성된다.
> ㅂ. 비회원국 지원, 수권자본금 변경, 이사회 규모나 구성 변경, 협정문 개정 등은 최대다수결로 의결한다. 최대다수결은 국가 3분의 2이상 찬성 및 투표권 4분의 3이상 찬성으로 의결한다.

① ㄱ, ㄴ, ㄹ, ㅁ
② ㄱ, ㄴ, ㅁ, ㅂ
③ ㄱ, ㄹ, ㅁ, ㅂ
④ ㄴ, ㄷ, ㄹ, ㅁ

정답 및 해설

아시아인프라투자은행(AIIB)에 대한 설명으로 옳은 것은 ㄱ, ㄴ, ㅁ, ㅂ이다.

선지분석

ㄷ. 이사의 임기는 2년이고 연임 가능하다.
ㄹ. 총재 임기는 5년, 재선될 수 있다.

답 ②

010 아시아인프라투자은행(AIIB)에 대한 설명으로 옳지 않은 것은?

① 창립회원국 57개국이며 역내국은 아시아국가, 오세아니아, 러시아를 포함한다.
② 창립 시 수권자본금은 1,000억 달러이며 한국은 37.4억 달러를 배분받아 지분율은 3.81%이다.
③ 총재의 임기는 5년이며 재선될 수 있다.
④ 신규회원국 가입, 비회원국 자금 지원, 협정문 개정, 부속기관 설립 등은 최대다수결로 표결한다.

정답 및 해설

- 신규회원국 가입, 부속기관 설립은 특별다수결로 의결한다. 특별다수결은 국가 2분의 1 이상 찬성 및 투표권 2분의 1 이상 찬성으로 의결한다.
- 비회원국 지원, 협정문 개정, 수권자본금 변경, 이사회 규모나 구성 변경 등은 최대다수결로 의결한다.
- 최대다수결은 국가 3분의 2 이상 찬성 및 투표권 4분의 3 이상 찬성으로 의결한다.

답 ④

제3장 기타 지역 이슈

001 중동 국제정세 및 대외정책에 대한 설명으로 옳지 않은 것은?

□□□

① 선지자 무함마드가 632년 사망하자, 권력승계를 둘러싸고 표출된 수니파와 시아파 간의 갈등구조가 현대 중동정치에 중요한 이슈로 작동하고 있다.

② 이슬람권에서 수니파는 인구비례상 압도적 다수인 85%를 점유하고 있고 13~14% 내외의 시아파는 이란, 이라크, 바레인 및 아제르바이잔 4개국에서만 인구의 다수를 점유하고 있다.

③ 역내 강국을 자처하는 수니파 사우디아라비아와 시아파 이란 간의 갈등이 심화되면서 종파 간 진영론이 형성되고 있다.

④ 냉전기 소련의 남진봉쇄를 위한 중동 - 서남아권 방어망으로 파키스탄부터 영국에 이르는 안보조약인 런던조약이 체결되었다.

정답 및 해설

바그다드조약을 통해 소련의 남하정책에 대응하고자 하였다.

답 ④

002 이스라엘 - 팔레스타인 관계에 대한 설명으로 옳지 않은 것은?

□□□

① 1973년 사다트는 평화협상에 관심 없는 이스라엘을 움직일 수 있는 유일한 방법은 전쟁밖에 없다는 결론을 내리고 유대인의 속죄일(욤키푸르)에 기습공격하여 제4차 중동전쟁이 발발했다.

② 지미 카터 미국 대통령의 지원하에 므나헴 베긴 이스라엘 총리와 낫셀 이집트 대통령은 1978년 9월 17일 시나이 반도에서 이스라엘의 완전 철수를 포함해 양국 간의 적대관계를 청산하기로 하는 캠프 데이비드 협정에 합의했다.

③ 캠프 데이비드협정 체결 이후 아랍권은 팔레스타인 문제 해결 없이 이스라엘과 평화협정을 맺은 이집트를 아랍연맹에서 퇴출했다.

④ 1991년 10월 조지 H. 부시 미국 대통령은 마드리드정상회담을 성사시켰으나, 팔레스타인 측은 독립국가 건설을 주장하고, 이츠하크 샤미르 이스라엘 총리는 팔레스타인 자치를 고수하면서 진전을 이루지 못했다.

정답 및 해설

므나헴 베긴 이스라엘 총리와 사다트 이집트 대통령이 회동하였다.

답 ②

003 □□□ **이스라엘 – 팔레스타인 관계에 대한 설명으로 옳지 않은 것은?**

① 1915년 후세인 – 맥마흔 선언에서 프랑스는 프랑스의 패권지역인 이집트와 아덴 지역을 제외한 오스만 제국의 서아시아 지역에 대한 아랍인들의 주장에 동정을 표시함으로써 아랍인들이 추후 팔레스타인 지역에 대한 영유권 주장의 근거가 되었다.
② 1916년 영국과 프랑스는 사이크스 – 피코 협정을 체결하여 팔레스타인 지역 대부분은 공동관리 지역과 영국의 영향권 지역으로 규정하였다.
③ 1993년 9월 13일 이츠하크 라빈 이스라엘 총리와 야세르 아라파트 PLO 의장은 백악관에서 오슬로협정에 서명했다.
④ 밸푸어 선언(1917)에서 영국 정부는 팔레스타인 내(In Palestine)에 하나의 유대인 향토(a national home)를 세우는 것에 대해 호의를 보이고 있다고 하였다.

정답 및 해설

영국의 입장이다.

답 ①

004  **이스라엘-팔레스타인 관계에 대한 설명으로 옳은 것은?**

① 포드 미국 대통령의 지원하에 므나헴 베긴 이스라엘 총리와 사다트 이집트 대통령은 1978년 9월 17일 시나이 반도에서 이스라엘의 완전 철수를 포함해 양국 간의 적대관계를 청산키로 하는 캠프데이비드 협정에 합의했다.
② 1915년 후세인 – 맥마흔 선언에서 영국은 영국의 패권지역인 이집트와 아덴 지역을 제외한 오스만 제국의 서아시아 지역에 대한 유대인들의 주장에 동정을 표시함으로써 유대인들이 추후 팔레스타인 지역에 대한 영유권 주장의 근거가 되었다.
③ 밸푸어 선언(1917년)에서 영국 정부는 팔레스타인 내(In Palestine)에 하나의 유대인 향토(a national home)를 세우는 것에 대해 호의를 보이고 있다고 하였다.
④ 1973년 낫세르는 평화협상에 관심 없는 이스라엘을 움직일 수 있는 유일한 방법은 전쟁밖에 없다는 결론을 내리고, 유대인의 속죄일(욤키푸르)에 이스라엘을 기습공격하여 제4차 중동전쟁이 발발했다.

정답 및 해설

선지분석

① 지미 카터 미국 대통령의 지원하에 체결된 조약이다.
② 1915년 후세인 – 맥마흔 선언에서 영국은 영국의 패권지역인 이집트와 아덴 지역을 제외한 오스만 제국의 서아시아 지역에 대한 아랍인들의 주장에 동정을 표시함으로써 아랍인들이 추후 팔레스타인 지역에 대한 영유권 주장의 근거가 되었다.
④ 당시 이집트 대통령은 사다트였다.

답 ③

005 중동국가들의 외교 정책에 대한 설명으로 옳은 것을 모두 고른 것은?

□□□

ㄱ. 중동에서 현존하는 신정체제로는 이슬람의 절대적 가치를 수호하는 통치이념을 명시한 이란과, 반대로 이슬람 공화주의를 설파하며 독특한 이슬람 법학자 통치를 통해 신이 다스리는 공화국을 만들겠다는 사우디아라비아가 있다.
ㄴ. 바그다드조약은 냉전기 소비에트의 남진봉쇄를 위한 중동-서남아권 방어망으로 파키스탄부터 영국에 이르는 일종의 안보 조약이다.
ㄷ. 이슬람권에서 수니파는 인구비례상 압도적 다수인 85%를 점유하고 있고 13~14% 내외의 시아파는 이란, 이라크, 바레인 및 아제르바이잔 4개국에서만 인구의 다수를 점유하고 있다.
ㄹ. 2013년 6월 이란대선에서 미국과의 관계 개선 공약을 내걸었던 중도파 로하니(Hasan Rouhani) 후보가 1차 투표에서 바로 당선되자, 미-이란 양국은 오만의 중재로 이란 핵관련 비밀 고위급회담을 진행하였고, 종국에는 2015년 7월 14일에 국제사회(P5+1, 안보리 상임이사국+호주)와 이란 간에 포괄적 공동행동계획이라 명명한 최종 핵협상 이행계획이 타결되었다.

① ㄱ, ㄴ　　② ㄴ, ㄷ
③ ㄴ, ㄹ　　④ ㄷ, ㄹ

정답 및 해설

선지분석

ㄱ. 현재 신정체제로는 이슬람의 절대적 가치를 수호하는 통치이념을 명시한 사우디아라비아와, 반대로 이슬람 공화주의를 설파하며 독특한 이슬람 법학자 통치를 통해 신이 다스리는 공화국을 만들겠다는 이란 정도를 들 수 있다.
ㄹ. 종국에는 2015년 7월 14일에 국제사회(P5+1, 안보리 상임이사국+독일)와 이란 간에 포괄적 공동행동계획이라 명명한 최종 핵협상 이행계획이 타결되었다.

답 ②

제 7 편

한반도의 국제정치

제1장 한국의 대외전략

제1절 | 한국의 주요 대외 정책

001 **중견국에 대한 설명으로 옳지 않은 것은?** 2021년 외무영사직

① 자유주의 시각에서는 인구, 경제력, 군사력에 따른 외교적 기능과 행태에 따라 중견국을 구분한다.
② 오건스키(Organski)는 중견국을 지역적으로 중요한 역할을 할 수 있고, 국제이슈에서 일정 정도의 영향력을 행사할 수 있는 국가로 제시했다.
③ 현실주의 시각에서 중견국 분류의 기준은 각국의 물질적 능력과 같은 경성권력에 기초한다.
④ 쿠퍼(Cooper)는 중견국은 다자적 해법의 모색, 타협적인 자세의 견지, 국제시민의식을 포용하는 경향을 가진다고 주장했다.

정답 및 해설

인구, 경제력, 군사력에 따라 중견국을 정의하는 것은 현실주의 입장이다. 자유주의 시각은 그보다는 질서나 제도형성을 자극하는 힘을 갖는가의 차원에서 중견국을 정의한다.

선지분석

② 오건스키(Organski)는 지역차원이나 국제체제 차원에서 영향력을 갖는가를 기준으로 중견국을 정의하였다.
③ 현실주의는 강대국 정도의 군사력이나 경제력을 갖지는 않으나 일정 정도의 군사력이나 경제력을 갖는 국가를 중견국이라고 정의한다. 물질적 힘 차원에서 중견국을 정의하는 것이다.
④ 쿠퍼(Cooper)는 자유주의 관점에서 중견국을 정의한 것이다.

답 ①

002 **다음 보기에서 제시하는 정책에 대한 설명으로 옳은 것은?** 2020년 외무영사직

□□□

> 정치 · 경제 · 사회 · 문화 등 폭넓은 분야에서 주변 4강(미국 · 중국 · 일본 · 러시아)과 유사한 수준으로 관계를 강화해, 한반도를 넘어 동아시아, 전 세계 공동번영과 평화를 실현하고자 하는, 문재인 정부의 핵심 외교정책 중 하나이다.

① 평화를 기반으로 유라시아 국가와의 협력을 강화하는 전략이다.
② 문재인 대통령이 2017년 11월 9일 '한-인도네시아 비즈니스포럼' 기조연설을 통해 공식 천명했다.
③ 사람 · 평등 · 상생번영 공동체를 핵심 개념으로 한다.
④ 이 정책의 대상국은 러시아, 중국, 몽골, 우즈베키스탄, 조지아 등이다.

정답 및 해설

문재인 대통령의 '한-인도네시아 비즈니스 포럼' 기조연설 중 신남방정책을 표명하였다(2017.11.9.). "아세안과 한국의 관계를 한반도 주변 4대국과 같은 수준으로 끌어올리는 것이 저의 목표입니다. 이를 위해 한국 정부는 아세안과의 협력관계를 획기적으로 발전시켜나가기 위한 신남방정책을 강력하게 추진하고자 합니다. 상품교역 중심이었던 관계에서 기술과 문화예술, 인적교류로 확대하겠습니다. 교통과 에너지, 수자원 관리, 스마트 정보통신 등 아세안 국가에 꼭 필요한 분야에서부터 협력을 강화할 수 있을 것입니다. 양측 국민의 삶을 잇는 인적교류 활성화는 모든 협력을 뒷받침해주는 튼튼한 기반이 될 것입니다. 이를 통해 사람과 사람, 마음과 마음이 이어지는 '사람(People) 공동체', 안보협력을 통해 아시아 평화에 기여하는 '평화(Peace) 공동체', 호혜적 경제협력을 통해 함께 잘사는 '상생번영(Prosperity) 공동체'를 함께 만들어 가기를 희망합니다."

선지분석

① 신북방정책에 대한 설명이다.
③ 신남방정책은 '사람(People) 공동체', 안보협력을 통해 아시아 평화에 기여하는 '평화(Peace) 공동체', 호혜적 경제협력을 통해 함께 잘사는 '상생번영(Prosperity) 공동체'를 목표로 한다. 이를 3P라고도 한다.
④ 신북방정책의 대상국가로 러시아, 몰도바, 몽골, 벨라루스, 아르메니아, 아제르바이잔, 우즈베키스탄, 우크라이나, 조지아, 중국(동북3성), 카자흐스탄, 키르기스스탄, 타지키스탄, 투르크메니스탄 등이 있다.

답 ②

003 □□□ **한국의 양자 외교에 대한 설명으로 옳지 않은 것은?** 2017년 외무영사직

① 한국전쟁 중 아이젠하워 행정부는 한국과 방위조약을 체결하는 대신 한국군의 전력 증강을 위한 지원을 제안했다.
② 박정희 행정부는 주한미군의 감축을 막기 위하여 베트남전쟁에 전투부대를 파병했다.
③ 닉슨 행정부는 인권외교를 내세웠고, 유신을 추진하던 박정희 행정부와 갈등했다.
④ 노태우 행정부는 북방정책을 추진했고, 한소 수교와 한중 수교를 이루었다.

정답 및 해설

닉슨 행정부는 인권외교와 관련이 없다. 카터 행정부가 인권외교에 주력하였다. 닉슨 행정부는 주한미군철수를 단행함으로써 박정희 행정부와 갈등을 빚었다.

답 ③

004 □□□ **한중관계에 대한 설명으로 옳지 않은 것은?**

① 1986년 서울 아시안게임과 1988년 서울 하계 올림픽에 중국 선수단이 참가했다.
② 한국과 중국은 1991년 무역대표부를 설치하여 영사 기능을 일부 수행하며 새로운 교류를 시작했다.
③ 1994년 8월 24일 양국은 선린우호 협력관계에 합의하여 수교했다.
④ 2012년 5월 FTA협상 개시를 선언한 이후 2015년 6월 타결되었으며 동년 12월 한중FTA협정이 발효되었다.

정답 및 해설

1992년 8월 24일 양국은 수교했다.

답 ③

005 1970년대 일어났던 한국의 다자 외교에 대한 설명으로 옳은 것은? 2017년 외무영사직

□□□

① 남북한이 UN에 동시 가입했다.
② 한국이 아시아 · 태평양경제협력체(APEC)에 가입했다.
③ 한국이 개발원조위원회(DAC)에 가입했다.
④ 한국이 비동맹운동에 가입안을 제출했다.

정답 및 해설

비동맹운동은 1960년대부터 세력화된 제3세계 국가들이 추진한 운동으로서 선진국 중심의 기존질서를 바꾸기 위한 것이다.

선지분석

① 남북한 UN 동시 가입은 1991년이다.
② 한국은 1989년 APEC에 가입하였다.
③ 개발원조위원회는 OECD에서 공적개원조를 담당하는 기관이다. 한국은 2010년 가입하였다.

답 ④

006 한반도 정전협정에 대한 설명으로 옳지 않은 것은? 2017년 외무영사직

□□□

① 조선인민군, 중국인민지원군, 국제연합군이 서명했다.
② 백령도, 대청도, 소청도, 연평도, 우도를 국제연합군 통제하에 두기로 했다.
③ 동해와 서해에 군사분계선을 설정하여 영해선을 획정했다.
④ 쌍방이 군사분계선으로부터 각기 2km씩 후퇴하여 비무장지대를 설정했다.

정답 및 해설

정전협정은 육지에서의 군사분계선은 설정하였으나, 바다에서의 경계선은 명시하지 않았다. 이후 UN군사령관이 획정한 경계선이 서해에서의 경계선으로 묵인되어 왔으나, 북한이 이를 거부함으로써 NLL에서의 충돌이 지속되고 있다.

답 ③

007 우리나라의 수교 현황에 대한 설명으로 옳은 것은?

① 현재 우리나라는 쿠바, 시리아, 코소보, 북제도와 미수교 상태이다.
② 2019년 7월 우리나라는 북마케도니아공화국을 정식 승인하였으나, 공식적인 외교관계를 수립한 것은 아니다.
③ 우리나라는 UN비회원국인 쿠바와 수교하지 않았다.
④ 우리나라는 UN비회원국인 교황청과 수교 상태이다.

정답 및 해설

선지분석

① 쿡제도와는 수교하였다.
② 외교관계 수립에 관한 공동성명에 서명함으로써 양국 간 대사급 외교관계를 수립하였다.
③ 쿠바는 UN회원국이다.

답 ④

008 다음 중 2007년의 한국 미수교 국가들을 모두 고른 것은? 2007년 외무영사직

□□□

ㄱ. 쿠바	ㄴ. 레바논
ㄷ. 시리아	ㄹ. 동티모르

① ㄱ, ㄴ
② ㄱ, ㄷ
③ ㄴ, ㄹ
④ ㄷ, ㄹ

정답 및 해설

레바논과는 1962년 수교했으며, 동티모르와는 2002년 수교하였다. 2020년 10월 기준 미수교국은 쿠바, 시리아, 코소보이다. 그동안 미수교국이었던 마케도니아(북마케도니아)와는 2019년 수교하였다.

답 ②

009 다음 중 한국의 수교 순서로 옳은 것은?

□□□

① 헝가리 - 소련 - 폴란드
② 헝가리 - 중국 - 소련
③ 폴란드 - 헝가리 - 중국
④ 폴란드 - 소련 - 중국

정답 및 해설

한국은 '헝가리(1989.2) → 폴란드(1989.11) → 소련(1990.9) → 중국(1992.8)' 순으로 수교하였다.

답 ④

010 한 · 소 수교가 이루어진 때는?

□□□

① 1990.4 ② 1990.6

③ 1990.9 ④ 1988.7

정답 및 해설

1990년 6월 4일 한국의 노태우 대통령과 소련의 미하일 고르바초프 공산당 서기장 사이의 정상회담의 결과, 동년 9월 30일 유엔본부에서 세바르드나제 소련 외상과 최호중 외무장관이 '한 · 소 수교 공동성명서'에 서명함으로써 수교가 이루어졌다.

답 ③

011 우리나라 외교정책에 대한 설명으로 옳지 않은 것은?

□□□

① 소련의 체제전환과 붕괴과정에서 1990년 한 · 소 수교가 이루어졌고 1992년 8월에는 한 · 중 수교마저 이루어졌다.

② 1980년대 중반 흐루쇼프 등장 이후 소련이 개혁 실패와 민족문제로 붕괴하자 소련을 계승한 러시아는 오히려 친남한정책을 펴다가 1996년 이후 남북한 균형정책을 채택하였다.

③ 1969년 7월 닉슨 대통령이 괌독트린을 선언하여 아시아인에 의한 아시아 안보를 주창하고 주한미군의 일부를 감축하였다

④ 1968년 1 · 21 북한특수부대 청와대기습사건, 울진 · 삼척 무장공비 침투사건과 푸에블로호 납치사건 등으로 박정희 대통령은 대북 군사보복도 마다하지 않는 강경책을 주창하였지만 미 행정부는 북한과 협상을 추진했다.

정답 및 해설

1980년대 중반 고르바초프 등장 이후 소련이 개혁 실패와 민족문제로 붕괴하자 소련을 계승한 러시아는 오히려 친남한정책을 펴다가 1996년 이후 남북한 균형정책을 채택하고 있다.

답 ②

012 다음 중 한반도 문제와 관련이 없는 강대국 간의 회담은?

□□□

① 1943년 카이로회담
② 1945년 얄타회담
③ 1945년 포츠담회담
④ 1946년 파리회담

정답 및 해설

제2차 세계대전 뒤 1946년 7월 29일부터 10월 15일에 걸쳐 연합국 21개국과 독일군 진영에 소속되었던 이탈리아, 헝가리, 불가리아, 핀란드, 루마니아 사이의 강화회담을 말한다.

선지분석

① 카이로회담(1943)에서는 "현재 한국민이 노예상태 아래 놓여 있음을 유의하여 앞으로 적절한 절차에 따라 한국의 자유와 독립을 줄 것이다."라고 언급하고 한국의 독립을 보장하는 국제적 합의를 하였다.
② 얄타회담(1945)에서는 남북의 38도선을 경계로 남쪽이 미군정을 북쪽은 소련군이 군정을 실시하기로 하였다.
③ 포츠담회담(1945)에서는 "카이로선언의 모든 조항은 이행되어야 하며, 일본의 주권은 혼슈 · 홋카이도 · 규슈 · 시코쿠와 연합국이 결정하는 작은 섬들에 국한될 것이다."라고 명시하여 카이로선언에서 결정한 한국의 독립을 재확인하였다.

답 ④

013 탈냉전기 한국과 중국의 관계를 개관한 것으로 옳지 않은 것은?

□□□

① 2003년 전면적 협력 동반자관계 수립
② 2006년부터 차관급 연례회의 개최
③ 2007년 기준 중국은 한국의 제1위 교역상대국이자 수출대상국, 흑자대상국이 됨
④ 2005년 한 · 중 양국 간 핫라인 개설

정답 및 해설

2007년 한 · 중 양국 간 핫라인 개설에 대한 합의가 이루어졌다.

답 ④

014 한국 - 중국 관계에 대한 설명으로 옳지 않은 것은?

□□□

① 1983년 5월 중공 민항기가 한국의 춘천공항에 착륙했던 사건의 처리과정에서 공식 수교 전이었지만 한·중 양국의 합의 문서에 국가의 공식 명칭을 표기했다.

② 1985년 3월에 있었던 중공 어뢰정 사건은 수교 전 한·중 간 외교적 교섭의 대표적인 사례로 중국 지도부의 한중수교에 대한 부정적인 인식을 가중시켰던 대표적인 사건으로 평가받고 있다.

③ 1986년 서울 아시안 게임 및 1988년 서울 하계 올림픽의 개최와 중국 선수단의 참석은 한·중 간의 우호와 신뢰를 높이고, 외교적 접촉을 스포츠 분야로 확대시키며 양국수교의 기반을 강화하는 중요한 계기가 되었다.

④ 노태우 정부는 출범 첫해인 1988년 7월 7일 남·북한 자유왕래, 북한과 서방 및 남한과 사회주의권의 관계 개선과 협력 등을 주요 골자로 하는 '7·7 선언'을 발표하고 북방정책을 추진하였으며, 1992년 중국과 대사급 수교 관계를 체결하였다.

정답 및 해설

중공 어뢰정 사건은 한·중 사이에 외교적 신뢰를 쌓고 중국 지도부로 하여금 한중수교에 대한 긍정적인 인식을 증가시켰던 대표적인 사건으로 평가받고 있다.

답 ②

015 한·미 동맹에 관한 설명 중 옳지 않은 것은?

① 한·미 동맹의 불안요인은 근본적으로 변화한 국제환경에 대해서 양국정부가 동맹의 존속이유와 미래상에 대한 분명한 공감대를 형성하지 못하고 있기 때문이다.

② 미국은 한국에 대해서 연루(entrapment)의 위험이, 한국은 미국에 대해 방기(abandonment)의 위험이 존재한다.

③ 미국은 전시작전권이 미국에서 한국으로 이행되더라도 동맹이 지속되는 동안 미국이 연합방위를 위해 미국 고유의 전력을 계속 제공할 것을 밝히고 있다.

④ 국제상황의 많은 변화에 의해 동맹의 많은 요소들이 변함에도 불구하고, 미군의 한국 주둔의 가장 큰 이유는 변하지 않을 것으로 예상된다. 미래의 한반도 내 미군기지는 '한반도 방어'의 목적으로 운영될 것이다.

정답 및 해설

미래의 한반도 기지는 한반도 방어가 목적이라기보다는 한·미 양국의 전략적 협력을 위한 전진수단으로서 운영될 예정이다. 한반도 기지도 결국 미군의 패권전략을 위한 전초기지 중 하나로 이용될 것이기 때문이다.

선지분석

① 과거에는 뚜렷한 적 세력(북한)이 존재하였으나, 한동안 지속된 남북한 유화무드에서는 미국과 대한민국 간 동맹 목적의 차이가 불거졌었다.

② 제2의 한국전쟁이 일어날 경우 미국은 한국에 연루될 가능성이 있고, 대한민국은 미국이 충분한 전력을 지원하지 않을 위험성(방기)을 가지고 있다.

③ 전시작전통제권 전환이 한반도 전쟁억제 능력을 강화하고 완벽한 한·미 연합방위태세를 유지하는 가운데 추진될 것임을 확고히 보장하였다. 게이츠 장관은 한국이 완전한 자주 방위역량을 갖출 때까지 미국이 상당한 보완전력을 계속 제공할 것임을 재확인하였다. 게이츠 장관은 또한 동맹이 지속되는 동안 미국이 연합방위를 위해 미국 고유의 전력을 계속 제공할 것이라는 점에 유념하였다.(40차 SCM 공동성명 내용)

답 ④

016 한·미 동맹에 관한 사실로 옳지 않은 것은?

① 남북 분단 상황에서 미국이 아시아의 공산화를 방어하기 위해 한국과 동맹을 체결하였다.
② 애치슨라인 선언, 닉슨 독트린 등에 의해 미국의 공약 신빙성이 약화되기도 하였다.
③ 미국의 핵우산 제공 공약에 기초하여 남한은 한반도비핵화 선언을 실행하였다.
④ 최근 미군재배치전략에 따라 평시작전통제권 이전이 합의되었다.

정답 및 해설

평시작전통제권은 1994년 김영삼 정부 시기 환수되었다. 전시작전통제권 환수가 노무현 정부 때 합의되었다. 노무현 정부 당시 2012년 환수하기로 하였으나, 이후 이명박 정부는 2015년 12월 환수로 연기하였다. 박근혜 정부는 북한의 핵무기 보유로 한반도의 긴장이 고조되었다는 판단하에 전작권 전환 일정을 2020년 이후로 재연기하였다.

답 ④

017 한국-미국관계(한미관계) 발전과정에 대한 설명으로 옳지 않은 것은?

① 한미관계는 1882년 양국 간 수교 조약인 <조미우호통상항해조약>을 체결함으로써 시작되었다.
② 1953년 7월 27일 정전 성립 후 10월 1일 상호방위조약을 체결하였다.
③ 1970년대 초반 주한미군 규모가 61,000명 수준에서 41,000명 수준으로 감축되었으나, 양국 간 연합방위체제는 1978년 한미연합군사령부 창설과 함께 더욱 공고화되었다.
④ 양국 간 안보협력 강화를 위해 1994년 평시작전권이 전환되었고, 1998년 방위비 분담특별협정을 체결하여 한국이 방위비를 분담하기 시작했다.

정답 및 해설

1991년 방위비 분담특별협정을 체결하여 한국이 방위비를 분담하기 시작했다.

답 ④

018 주한미군지위협정(SOFA)에 대한 설명으로 옳지 않은 것은?

① 한국과 미국의 상호방위조약 제4조에 의한 시설과 구역 및 주한미군의 지위에 관한 협정이다.
② 한국 사법당국이 속지주의 원칙을 따르게 되어 있다.
③ 미군 주둔의 목적이 명시되어 있지 않으며, 조약의 시효가 무기한으로 규정되어 있다.
④ 불평등한 요소가 많이 존재하여 비판을 받고 있다.

정답 및 해설

주한미군에 의한 범죄를 한국 사법당국이 속지주의 원칙에 따라 사법권을 행사할 수 없도록 규정되어 있다.

답 ②

019 한미관계에 대한 설명으로 옳지 않은 것은?

□□□

① 미국은 1969년 닉슨 독트린을 발표하고 주한미군을 철수하였다.
② 미국은 1995년 동아시아전략보고서(EASR)를 통해 주한미군을 포함한 아시아 - 태평양지역 미군을 10만 명 수준으로 유지하기로 하였다.
③ 미국과 한국은 2007년 2월 국방장관회담을 통해 평시작전통제권 전환을 2012년 4월 17일에 완료하기로 하였다.
④ 미국과 한국은 1953년 10월 상호방위조약을 체결하였으며 동 조약은 무기한 유효하되 12개월 전에 일방적으로 통고하여 종료할 수 있도록 하였다.

정답 및 해설

평시작전통제권은 1994년 환수하였다. 전시작전통제권 전환 합의 일자이다.

답 ③

020 전작권의 기원과 역사적 변화과정으로 옳지 않은 것은?

□□□

① 1950년 한국전쟁 과정에서 UN군 사령관인 미군 장성이 작전통제권을 보유하게 되었다.
② 한국전쟁 종결 후 한 · 미 간 합의에 의해 UN군 사령관에 의한 한국군 작전통제권 행사가 지속적으로 보장되었다.
③ 1978년 한미연합사가 창설되었으며 한국군의 작전통제권은 UN사로부터 한미연합사로 위임되었다.
④ 1994년 한국군의 평시 작전통제권 환수 논의가 진행되었으나 결렬되었다.

정답 및 해설

1994년 한국군에 대한 평시작전통제권이 한국군에 환원되었다. 전시작전통제권은 여전히 한미연합사가 갖고 있었으나 2007년 2월, 전시작전통제권 역시 2012년 4월 17일자로 한국에 환수하기로 합의하였다. 그러나 최근 한 · 미 정상회담에서 전시작전통제권의 환수 시기를 연기하기로 합의한 것에 대한 논란이 있다.

답 ④

021 미국의 한국전쟁 참전에 관한 설명으로 옳은 것만을 모두 고른 것은?

□□□

> ㄱ. 트루먼 대통령이 주일미군의 한반도 전투 참여를 명했다.
> ㄴ. 맥아더 사령관은 한국전쟁의 승리가 상황전환에 도움이 되지 않는다며, 통일에 회의적인 입장이었다.
> ㄷ. 트루먼은 한국전쟁 개전 후 미 의회와 협의에 나섰으나, 미 의회는 지지에 소극적이었다.
> ㄹ. 한국전쟁으로 인해 미국의 대외정책에는 큰 변화가 생겼으며, 그 중 하나가 독일의 재무장이다.
> ㅁ. 1951년 7월 한국전쟁 정전협상이 개시되었다.

① ㄱ, ㄴ, ㄹ ② ㄱ, ㄹ, ㅁ
③ ㄴ, ㄷ, ㄹ ④ ㄷ, ㄹ, ㅁ

정답 및 해설

미국의 한국전쟁 참전에 관한 설명으로 옳은 것은 ㄱ, ㄹ, ㅁ이다.
ㄱ. 당시 한반도 내에서는 미군이 전부 철수한 상황이었다.
ㅁ. 1953.7.27. 휴전까지 긴 기간이 소요되었다.

선지분석

ㄴ. 맥아더는 한국전쟁의 승리가 전체 상황을 완전히 전환시킬 것이라면서, 한반도 통일이 필요하다는 입장이었다.
ㄷ. 트루먼은 미 의회와 협의를 통해, 의회의 강력한 지지를 확인했다.

답 ②

022 21세기 한반도를 둘러싼 안보환경에 대한 한국의 국가안보전략에 대한 설명으로 옳은 것만을 모두 고른 것은?

□□□

> ㄱ. 부상하는 중국의 힘을 고려하여 중국과의 FTA를 적극 추진하고 있는 것은 자유주의 안보전략의 사례이다.
> ㄴ. 한국형미사일방어체계(KAMD) 구축 계획의 추진은 동맹안보 강화 전략에 해당한다.
> ㄷ. 아세안지역안보포럼(ARF)의 운용은 집단방위(collective defense) 전략에 해당한다.
> ㄹ. 동아시아문화공동체 형성의 노력은 동아시아국가들 상호간의 갈등적 집합정체성 완화 및 동아시아 정체성확립을 위한 구성주의적 안보 전략에 해당한다.

① ㄱ, ㄴ ② ㄱ, ㄹ
③ ㄱ, ㄴ, ㄹ ④ ㄱ, ㄴ, ㄷ, ㄹ

정답 및 해설

한국의 국가안보전략에 대한 설명으로 옳은 것은 ㄱ, ㄹ이다.

선지분석

ㄴ. 한국형미사일방어체계(KAMD)는 한국 독자적 미사일방어계획을 의미하는 바, 자주국방 전략에 해당한다고 보는 것이 타당하다. 다만 미국의 MD를 어느 정도 수용한다는 측면에서 상호보완적 성격을 가진 전략이다.
ㄷ. 집단방위란 다수의 국가가 군사동맹조약과 같은 형식으로 방위조직을 만들어 다른 방위조직에 대항하는 체제를 의미한다. NATO와 바르샤바조약기구는 집단방위의 대표적 사례이다. ARF의 경우 잠재적 적을 제도 안으로 끌어 들여 침략이나 분쟁을 사전에 방지하는 예방적 성격의 안보수단이라는 점에서 집단방위보다는 협력안보(cooperative security)적 성격을 갖는다고 볼 수 있다.

답 ②

023 주한미군의 전략적 유연성에 대한 설명으로 옳은 것만을 모두 고른 것은?

□□□

ㄱ. 유연성 개념은 '속도'나 '적응'과 밀접한 관계를 가진 개념으로 '기민하고 유연한 위기반응(rapid, flexible crisis response)'을 의미한다.
ㄴ. 주한미군의 전략적 유연성이란 주한미군이 네트워크화 되어 있는 전 세계 미군의 일부분으로 기능하는 것을 말한다.
ㄷ. 북한의 지속적인 대남도발은 주한미군의 전략적 유연성 강화의 필요성을 제기한다.
ㄹ. 주한미군의 전략적 유연성의 강화 구상에 대하여 한국이 수용할 경우 방기(abandonment)의 문제가, 적극적으로 반대할 경우 연루(entrapment)의 문제가 발생할 가능성이 높다.

① ㄱ, ㄴ
② ㄱ, ㄴ, ㄷ
③ ㄱ, ㄴ, ㄹ
④ ㄱ, ㄴ, ㄷ, ㄹ

정답 및 해설

주한미군의 전략적 유연성에 대한 설명으로 옳은 것은 ㄱ, ㄴ이다.

선지분석

ㄷ. 북한의 지속적인 대남도발은 주한미군의 전략적 유연성 확보를 제한하고 주한미군의 성격을 대북봉쇄로 고정시켜야 할 필요성을 제기한다. 한편, 한국군의 전력증강, 중국의 부상으로 인한 동북아 정세의 불안정성의 증대는 전략적 유연성 강화의 필요성을 제기한다.
ㄹ. 전략적 유연성을 수용함으로써 우리의 의사와는 무관하게 우리가 분쟁에 연루될 수 있으므로 연루(entrapment)의 문제가 발생할 가능성이 높다. 한편 전략적 유연성을 거부할 경우 한미동맹이 약화될 수 있는 바 결과적으로 우리의 안보에 중대한 공백이 발생할 가능성이 있어 방기(abandonment)의 발생이 우려된다.

답 ①

024 노무현 정부 당시 제기된 '동북아균형자론'에 대한 설명으로 옳은 것만을 모두 고른 것은?

□□□

ㄱ. 한-일, 중-일 간 영토분쟁 및 교과서 문제로 대립적인 동북아 질서가 형성되는데 대한 우려의 표현으로 제기되었다.
ㄴ. '영국형 균형자'의 역할을 지향하였다.
ㄷ. 동북아 지역질서를 안정적으로 유지하고 확대시켜나가는 촉진자로서의 한국의 역할을 강조하였다.
ㄹ. 당시 노무현 대통령은 21세기 한국의 외교적 역할을 동북아 균형자로 선언하고 구체적 정책을 통해 추진하였다.

① ㄱ, ㄷ
② ㄱ, ㄴ, ㄷ
③ ㄴ, ㄷ, ㄹ
④ ㄱ, ㄴ, ㄷ, ㄹ

정답 및 해설

'동북아균형자론'에 대한 설명으로 옳은 것은 ㄱ, ㄷ이다.

선지분석

ㄴ. 한국의 균형자적 역할은 네덜란드의 화합적 균형자나, 오스트리아의 다자회의 중재자적 균형자형에 더 가깝다고 할 수 있다.
ㄹ. '동북아균형자론'은 당시 다양한 비판('균형자'의 역할에 대한 정의 대립, 균형자로서의 한국의 능력과 힘에 대한 의구심 등)에 직면하여 결국 구체적 정책으로 추진되지 못하였다.

관련 이론 **균형자의 유형**

1. **패권적 균형자**
   19세기 초 영국, 탈냉전기 미국의 역할
2. **오스트리아형 균형자**
   유럽의 회의외교 체제 하에서 오스트리아의 중재자적 역할
3. **비스마르크형 균형자**
   다양한 이해관계국들과의 동맹관계 형성을 통한 편승적 균형자 역할
4. **네덜란드형 균형자**
   유럽연합의 창설 및 통합과정에서 건설적 역할을 담당한 네덜란드의 역할

답 ①

025  **슈뢰더(Paul Schroeder)의 중견국의 동맹전략에 대한 설명으로 옳지 않은 것은?**

① 위협회피(hiding from threats)전략은 위기상황에서 스스로 중립을 선언하거나 타국과 동맹을 체결하지 않고 단지 외교적, 비군사적 지원을 제공하여 우호적인 입장을 표명하는 전략이다.
② 초월(transcending)전략은 전쟁방지나 위협해소를 위한 국제적 공감대를 형성하려는 전략이다.
③ 협력(cooperating)전략은 전쟁방지나 위협해소를 위해 국제법이나 국제규범 등을 통해 제도적으로 문제를 해소하려는 전략이다.
④ 특화(specializing)전략은 체제 내에서 특정이슈나 분야에서 중요한 국제적 기능을 수행하거나 다른 행위자들이 감당할 수 없는 중요한 특정 역할을 맡으며 이러한 자국의 특수한 기능이나 역할이 체제 내 많은 나라로부터 인정받아서 자국에 대한 지지를 이끌어 내려고 하는 전략을 말한다.

정답 및 해설

초월전략에 대한 설명이다.

답 ③

026 한국의 공공외교 및 중견국 외교에 대한 설명으로 옳은 것만을 모두 고른 것은?

□□□

ㄱ. 박근혜 정부는 '세계의 평화와 발전에 기여하는 중견국외교 구상'을 공식적인 외교분야의 국정과제로 삼고 있다.
ㄴ. 공공외교(public diplomacy)란 국가가 타국 정부와의 직접적인 접촉과 관계 구축을 통해 자국의 가치와 이상, 문화, 정책 등에 대한 이해를 얻으려는 일련의 과정을 의미한다.
ㄷ. 2013년 제68차 UN총회를 계기로 한국, 멕시코, 인도네시아, 터키, 호주로 구성된 중견국 협력체로 MIKTA가 출범되었다.
ㄹ. 한국은 2010년 G20 서울 정상회의, 2012년 서울 핵안보정상회의 개최는 글로벌 이슈에서 한국의 중견국 지위가 대외적으로 입증된 사례이다.

① ㄱ, ㄷ
② ㄱ, ㄷ, ㄹ
③ ㄴ, ㄷ, ㄹ
④ ㄱ, ㄴ, ㄷ, ㄹ

정답 및 해설

한국의 공공외교 및 중견국 외교에 대한 설명으로 옳은 것은 ㄱ, ㄷ, ㄹ이다.

선지분석

ㄴ. 공공외교는 타국의 국민을 대상으로 펼치는 외교 방식이다.

답 ②

027 한국의 국제개발협력(ODA) 정책에 대한 설명으로 옳은 것은? 2019년 외무영사직

□□□

① 1987년 개발도상국에 차관을 제공하기 위해 설립된 대외경제협력기금이 한국 최초의 ODA 프로그램이다.
② 한국은 ODA 규모를 지속적으로 확대한 결과, 2015년에 국민총소득 대비 ODA 비율 0.25%라는 목표를 달성하였다.
③ 한국의 ODA 정책은 효율성을 위해 중앙부처에서 전담하며 지방자치단체는 실시하고 있지 않다.
④ 한국의 양자 간 ODA 사업 중 무상협력은 외교부가, 유상협력은 기획재정부가 주관하고 있다.

정답 및 해설

선지분석

① 우리나라는 1963년 미국 국제개발청 원조자금에 의한 개도국 연수생의 위탁훈련을 시초로, 1965년부터는 우리정부 자금으로 개발도상국 훈련생 초청사업을 시작하였다.
② 2017년 기준 우리나라 국민총소득 대비 ODA 비율은 0.14%에 머물고 있다.
③ 지방자치단체는 자체 판단에 따라 ODA를 실시할 수 있다.

답 ④

028 국제개발협력기본법에 대한 설명으로 옳지 않은 것은?

① 국제개발협력이란 국가·지방자치단체 또는 공공기관이 개발도상국의 발전과 복지증진을 위하여 개발도상국에 직접 또는 간접적으로 제공하는 무상 또는 유상의 개발협력(양자 간 개발협력)과 국제기구를 통하여 제공하는 다자 간 개발협력을 말한다.
② 국제기구란 경제협력개발기구 개발원조위원회가 정한 개발 관련 국제기구로서 비정부간기구를 포함하지 아니한다.
③ 국제개발협력에 관한 계획·전략 및 정책이 종합적·체계적으로 추진될 수 있도록 주요 사항을 조정 및 심사·의결하기 위하여 국무총리 소속으로 국제개발협력위원회를 둔다.
④ 국제개발협력위원회는 국제개발협력을 효과적으로 추진하기 위하여 국제개발협력 종합기본계획을 5년마다 심사·의결하여야 한다.

정답 및 해설

국제기구는 비정부간기구를 포함한다.

답 ②

029 제68차 UN총회를 계기로 중견국 5개국의 합의로 출범한 MIKTA에 대한 설명으로 옳은 것은?

ㄱ. MIKTA개발협력 협의체 형성을 통해 참여의 의무성, 비용분담, 모니터링 등에 관한 협력원칙을 협의할 것을 추진하고 있다.
ㄴ. 3개 차원으로 나뉘어 전개되는 한국의 중견국 외교 추진기제의 차원에서 보았을 때, MIKTA는 '중견국에 대한 외교(Toward Middle Powers)'의 실행이자 '중견국과 함께 하는 외교(With Middle Powers)'의 실행 차원으로서 추진되었다.
ㄷ. 공통적인 역사관을 가지고 국제체제의 안정적 관리를 목적으로 개별적으로 활동하면서 특정사안에 집중하는 경향이 있다.
ㄹ. MIKTA 5개국은 ODA의 규모도 비슷하며, 개발협력에 있어 유사한 지위, 역사, 목표를 갖고 있어 ODA 협력에 있어서 유리한 입장이다.

① ㄱ, ㄴ　② ㄴ, ㄷ　③ ㄴ, ㄹ　④ ㄷ, ㄹ

정답 및 해설

MIKTA에 대한 설명으로 옳은 것은 ㄱ, ㄴ이다.

선지분석

ㄷ. 1945년 이후의 국제관계에 존재해 온 캐나다, 호주, 노르웨이, 스웨덴 등의 북유럽국가 중견국의 특징으로, 이스라엘-팔레스타인분쟁, UN평화유지군, 지역안보/신뢰구축, 헬싱키협정/유럽안보협력회의(CSCE)등을 추진해온 바 있다.
ㄹ. MIKTA 5개국은 서로 ODA 규모도 다르고, 한국, 호주는 OECD 개발원조위원회 회원국이지만 멕시코, 터키, 인도네시아는 비회원국인 상황 등 각기 다른 수준의 경제개발단계를 보이고 있어 각국의 이해관계 조율이 필요하다.

답 ①

030 한일국교정상화에 대한 설명으로 옳지 않은 것은?

□□□

① 국교정상화를 위한 회담은 미국의 주선으로 1951년 10월 예비회담이 열린 이후 7차례의 본회담을 거쳐 1965년 6월 완료되었다.

② 제1차 회담 직전인 1952년 1월 이승만 대통령이 '평화선'을 일방적으로 선포하여 양국 간 대립을 초래하였다.

③ 박정희 정부 등장 이후 경제발전을 위한 자금 도입을 위해 한일협상의 조기 타결을 도모하였으나 미국은 한국과 일본이 베트남전쟁에 참전하여 여건을 조성한 이후 전격적인 협상에 들어갈 것을 희망하였다.

④ 최종조약에는 쟁점이 된 병합조약의 효력에 대해 한일 쌍방이 각각의 해석을 주장할 수 있는 여지를 남겨 두었으며 식민지 지배에 대한 사죄문제가 명시되지 않았다.

정답 및 해설

미국은 베트남 등 제3세계에 대한 개입 부담으로 한일 관계가 조속히 안정화되기를 희망하여 협상 타결 압력을 강화하였다.

답 ③

031 우리나라의 국제연합 평화유지활동 참여에 관한 법률(2015)에 대한 설명으로 옳은 것은?

□□□

① 정부는 이미 파견한 병력규모를 포함하여 병력 규모 1,000명 범위내에서 파견하되, 해당 평화유지활동이 접수국의 동의를 받아야 하고, 파견 기간이 2년 이내여야 한다.

② 정부가 파견부대의 파견기간을 연장하고자 하는 경우에는 사전에 국회의 동의를 받아야 하며, 연장기간은 6개월을 원칙으로 한다.

③ 정부는 원칙적으로 파견연장 동의안을 파견부대의 파견 종료 3개월 전까지 국회에 제출하여야 한다.

④ 국회는 파견부대의 임무나 파견기간이 종료되기 전이라도 의결을 통하여 정부에 대하여 파견의 종료를 요구할 수 있으며 정부는 특별한 사유가 없는 한 국회의 파견 종료 요구에 따라야 한다.

정답 및 해설

선지분석

① 파견 기간이 1년 이내여야 한다.

② 파견부대의 파견 기간 연장은 1년을 원칙으로 한다.

③ 파견 연장 동의안을 파견 종료 2개월 전까지 제출해야 한다.

답 ④

032 한국 및 북한의 대ASEAN 관계에 대한 설명으로 옳지 않은 것은?

□□□

① 1997년 12월 제1차 ASEAN+3 정상회의 및 제1차 한-ASEAN 정상회의가 개최되었다.

② 북한은 미얀마를 제외하고 ASEAN 9개국과 모두 외교관계를 수립하고 있다.

③ 한국은 ASEAN 10개국과 모두 외교관계를 수립하고 있다.

④ 2019년 11월 한-ASEAN 특별정상회의 및 제1차 한-메콩 정상회의를 개최하였다.

정답 및 해설

북한도 ASEAN 10개국 모두와 외교관계를 수립하고 있다.

답 ②

033 

최근 ASEAN 및 관련국의 대외정책 동향에 대한 설명으로 옳지 않은 것은?

① 동남아 10개국들은 2025년까지 ASEAN 공동체(ASEAN Community)의 비전을 구현한다는 목표 하에 정치안보(political-security), 경제(economic), 사회문화(socio-cultural) 등 3대 공동체 건설을 추진하고 있다.
② 2019년 한국 - ASEAN 대화 관계 수립 30주년을 기념하는 특별 정상회의가 개최되었다.
③ 중국과 ASEAN은 남중국해 행동규범(COC)을 2018년 ASEAN+3회의를 통해 공식 채택하였으며, 향후 3년 이내에 발효시킬 예정임을 선언하였다.
④ 한국은 한 - ASEAN 간 '상생공영의 공동체' 구축을 위해 2020년까지 상호 교역액 2천억 달러 달성, 2020년까지 1억 달러 규모의 신남방 지원 펀드 조성, ASEAN 스마트시티 네트워크 구축 사업 참여, 2022년까지 ASEAN에 대한 무상원조 2배 이상 확대, ASEAN 내 기술 지원센터 설치 등을 추진할 예정이다.

정답 및 해설

중국은 남중국해 행동규범(COC) 협상과 관련하여 2019년 중 COC 초안 1회독을 완성할 것이며 3년 안에 최종 합의를 도출할 예정임을 밝혔다.

답 ③

034 

제1회 한국-메콩 정상회의(2019년)에 대한 설명으로 옳은 것은?

① 한국은 최근 메콩강 유역 국가들(캄보디아, 라오스, 브루나이, 태국, 베트남)과 공동번영을 모색하기 위한 '제1차 한 · 메콩 정상회의'를 개최하였다.
② 정상들은 회의에서 양측의 미래협력 방안을 담아 '사람 · 번영 · 평화의 동반자관계 구축을 위한 한강 · 메콩강 선언'을 채택했다.
③ 정상들은 2년마다 개최되는 아세안 관련 정상회의 계기에 한 · 메콩 정상회의도 정례적으로 개최하기로 하였다.
④ 한국은 2019년 한국이 개발 파트너로 가입한 ASEAN 주도의 경제협력체인 애크멕스(ACMECS)와의 협력도 확대해 나가기로 하였다.

정답 및 해설

선지분석
① 미얀마가 포함된다. 부르나이는 포함되지 않는다.
③ 2년이 아니라 매년 개최된다.
④ 에크맥스는 ASEAN이 아니라 메콩국가들이 주도한다.

답 ②

001 □□□ **한미자유무역협정에 적용된 존스법(Jones Act)에 대한 설명으로 옳지 않은 것은?** 2016년 외무영사직

① 미국 연안의 승객과 화물 운송은 미국 국적 선박에 의해서만 가능하다.
② 제1차 세계대전 이후 전역자들의 일자리 마련과 미국의 조선·해운산업의 보호를 위해 제정되었다.
③ 전쟁과 같은 비상상황 발생 시 군사용 선박을 용이하게 확보하기 위해 제정되었다.
④ 선원의 국적 및 선박 수리처는 제한하지 않고 있다.

정답 및 해설

존스법(Jones Act)은 미국의 연안운송제한법(cabotage law)으로 미국 영토 내의 지역 간 해상운송 권한을 ㉠ 미국에 등록하고 미국 국적의 선원을 탑승시킨 ㉡ 미국 시민 소유의 ㉢ 미국에서 건조되거나 상당부분 개조된 선박으로 제한한다는 내용을 규정하고 있다. 선원의 국적 및 선박 수리처도 제한한다. 1920년 제정되었다. 우리나라와 FTA협상 시 미국이 우리나라 쌀 시장 개방을 요구하자, 우리나라는 존스법의 폐기를 연계하였다. 미국은 막강한 경쟁력을 가진 우리나라 조선업계의 상황을 고려하여 조선시장 개방(존스법 폐기)시 피해가 더 클 것을 우려하여 쌀 시장 개방 요구를 철회하였다.

답 ④

002 □□□ **한·미 FTA에 관한 설명으로 옳지 않은 것은?**

① 전형적인 양면게임(two-level game) 사안이라고 할 수 있으며, 광우병 문제는 우리 정부의 윈셋(win-set)을 더욱 축소시키는 결과를 가져왔다.
② 한·미 FTA는 한·중, 한·일, 한·중·일 FTA 등 동아시아 FTA 네트워크 관련 구상을 진전시키는데 중요한 자극요인으로 작용할 것으로 예상되었다.
③ 한국 정부는 FTA가 발효될 시 직물, 자동차, 의류, 기계 및 장비 류의 수출이 크게 늘 것으로 기대하고 있으며 장기적으로 실질GDP가 최대 6.0% 가량 증가할 것으로 분석하였다.
④ 미국의 FTA 체결은 지금까지 대부분 철저하게 경제적 실익만을 따져 체결되었으나, 한·미 FTA는 이보다도 외교 및 동맹적 측면을 강하게 고려한 것으로 분석된다.

정답 및 해설

미국의 FTA 체결은 호주와 NAFTA를 제외하고는 요르단, 이스라엘, 페루, 오만, 파나마 등 주로 미국과 외교·안보 노선을 같이 하는 국가와의 경제동맹 역할을 했으며, 한·미 FTA도 이러한 연장선상으로 볼 수 있다.

선지분석

① 광우병 문제로 국내 여론이 나빠지는 경우 '발목잡히기' 효과가 나게 되어 한국의 윈셋이 축소되는 결과를 낳게 된다. 윈셋이 축소된다는 것은 우리 정부가 선택할 수 있는 폭이 좁아진다는 것을 의미한다.

답 ④

003 한미 FTA협정 상 투자자-국가 분쟁 해결 절차(ISD)에 대한 설명으로 옳지 않은 것은?

① 투자유치국 정부의 조치로 투자자에게 손실이 발생하는 경우 투자자가 투자유치국 정부를 상대로 국제중재를 요청할 수 있다.

② 중재법정은 3인으로 구성되며 투자자와 정부가 각각 1인을 지명하고 의장 중재인을 선임하되, 75일 이내에 합의되지 않는 경우 UN사무총장이 당사자 간 합의하지 않는 한 제3국 국적을 가진 자를 의장 중재인으로 선임한다.

③ 중재재판은 단심제이며 판정은 구속력 및 확정력을 가진다.

④ 투자자가 중재 청구를 제기하기 위해서는 상대국 법원에서 절차를 개시하거나 계속하지 않겠다는 서면포기서를 제출해야 한다.

정답 및 해설

ICSID 사무총장이 의장 중재인을 임명한다.

답 ②

004 한미FTA협정 상 투자자-국가 간 분쟁해결 절차(ISD)에 대한 설명으로 옳지 않은 것은 모두 몇 개인가?

□□□

ㄱ. 투자자와 국가 간 중재 재판을 진행하며 단심제이다.
ㄴ. 중재 재판정은 5인으로 구성하며 의장 중재인은 합의로 정하되 75일 이내에 합의되지 않는 경우 ICSID 사무총장이 제3국 국적자로 선임한다.
ㄷ. 중재판정은 금전적 손해 배상을 명할 수 있으나 당사국의 해당조치를 취소할 수 없다.
ㄹ. 제소주체는 외국인 투자자에 한정되며 투자기업을 소유·통제하는 외국인투자자는 제소할 수 없다.
ㅁ. 중재 청구를 위해서는 상대국 법원에서 절차를 개시하거나 계속하지 않겠다는 서면포기서를 제출해야 한다.
ㅂ. 2018년 7월 기준 우리나라를 상대로 제기된 ISD는 없다.

① 1개　　② 2개
③ 3개　　④ 4개

정답 및 해설

투자자-국가 간 분쟁해결 절차(ISD)에 대한 설명으로 옳지 않은 것은 ㄴ, ㄹ, ㅂ으로 3개이다.
ㄴ. 3인으로 구성한다.
ㄹ. 투자기업을 소유 및 통제하는 외국인투자자도 제소할 수 있다.
ㅂ. 우리나라를 상대로 3건의 ISD가 진행되었거나 진행 중이며, 최근 엘리엇매니지먼트가 ISD를 제기하였다.

답 ③

005 한-EU FTA에 관한 설명으로 옳지 않은 것은?

□□□

① EU가 아시아 국가와 체결한 최초의 FTA이다.
② 쌀은 양허대상에서 제외하였다.
③ 'Made in EU' 원산지 표기에 합의하였다.
④ 미국과 유럽, 동아시아를 연결하는 FTA 허브국가가 되려는 국가전략에 기초하여 추진되었다.

정답 및 해설

EU는 상품이 유럽 여러국가를 통해 생산될 경우 원산지 확정이 어렵다는 이유로 이와 같이 제안했으나, 우리나라는 기만적 행위 가능성 등의 이유로 이에 반대했다.

선지분석

④ 2003년에 수립된 'FTA추진 로드맵'에 기초하고 있다. 이러한 FTA허브정책은 일본 · 중국과의 FTA체결이 이루어진다면 사실상 완결된다.

답 ③

006 한중 FTA에 관한 설명으로 가장 옳은 것만을 모두 고른 것은?

□□□

ㄱ. 성장하고 있는 거대한 중국의 내수시장을 선점하여 미래의 성장동력을 확보할 수 있다.
ㄴ. 중국에 진출한 우리 기업과 투자를 보호할 수 있는 제도적 기반을 확보할 수 있다.
ㄷ. 중국의 한국 투자 증대, 중국 시장을 겨냥한 미국, 유럽 기업들의 한국 투자증대, 고관세로 중국에 진출한 한국기업들의 국내로의 유턴 등으로 인한 투자 증대와 고용 증대 효과가 예상된다.
ㄹ. 북미-유럽-아시아를 연결하는 글로벌 FTA 네트워크를 완성함으로써 한국이 동아시아 경제통합을 주도할 수 있는 위상을 갖게 된다.
ㅁ. 한중 전략적 협력동반자 관계를 실질적으로 실현하여 북한의 안정적 관리를 위해 협력하고 북한의 개혁개방을 유도할 수 있다.

① ㄷ, ㄹ, ㅁ
② ㄱ, ㄷ, ㄹ, ㅁ
③ ㄴ, ㄷ, ㄹ, ㅁ
④ ㄱ, ㄴ, ㄷ, ㄹ, ㅁ

정답 및 해설

한중 FTA에 관한 설명으로 ㄱ, ㄴ, ㄷ, ㄹ, ㅁ 모두 옳다.

ㄱ. 중국은 2008년 세계금융위기 이후 수출 감소, 국내적으로 지역 간 불균형 성장과 심각한 수준의 소득격차에 직면하여 성장전략을 수출주도에서 내수중심으로 전환하고 있다. 이에 따라 중국의 내수시장이 급성장하고 있다. 한중 FTA는 일본, 미국, 유럽국가 등 한국의 경쟁국들 보다 한국이 한발 앞서 중국의 내수시장을 선점함으로써 한국의 수출이 증대될 것으로 기대된다.
ㄴ. 2012년 5월 13일 한중일 3국 간 체결된 '투자보장협정'의 기본원칙이 한중 FTA에도 반영될 것으로 예상되고 있다.
ㄷ. 미국과 유럽 기업들이 한미 FTA, 한EU FTA에 따라 이미 높은 수준의 투자보호를 받을 수 있는 한국에 투자하여 한중 FTA에 따른 낮은 관세로 중국의 내수시장을 공략할 수 있는 유리한 투자환경을 적극 활용함으로써 한국이 중국의 소비시장을 공략하기 위한 생산기지로 부상할 수 있을 것으로 전망된다.
ㄹ. 한미 FTA, 한EU FTA, 한ASEAN FTA가 이미 발효중이고 여기에 세계 2위의 경제규모인 중국과의 FTA가 추가된다면 일본을 제외하고는 글로벌 FTA 네트워크를 갖추게 되어 미래 성장동력의 기반이 될 것으로 예상된다.
ㅁ. 특히 한중 FTA에서 북한의 개성공단 등을 역외가공지역으로 지정하고 특혜관세를 적용하기로 합의한다면 한중 FTA가 북한의 안정적 관리에 기여하고 북한을 개혁개방으로 유도할 가능성은 분명 있다고 할 수 있다.

답 ④

007 한국의 FTA전략에 대한 특징으로 옳은 것만을 모두 고른 것은?

□□□

ㄱ. 김대중 정부 때부터 추진하기 시작한 이래 한국 대외경제 전략에 있어서 최우선 과제로 부상해 있다.
ㄴ. 동시다발적 FTA 체결 전략을 추진한다.
ㄷ. FTA상대국을 선정함에 있어 군사적적·정치적 이익을 배제하고 경제적 요소만을 고려한다.
ㄹ. 관세장벽 철폐를 통한 상품분야에서의 교역증대를 목표로 한정적 FTA를 추진한다.

① ㄱ, ㄴ　　② ㄱ, ㄴ, ㄷ
③ ㄱ, ㄴ, ㄹ　　④ ㄱ, ㄴ, ㄷ, ㄹ

정답 및 해설

한국의 FTA전략에 대한 특징으로 옳은 것은 ㄱ, ㄴ이다.

선지분석

ㄷ. 안보전략적 측면, 국제사회에서의 영향력 강화 등 경제 외적인 요소를 포함한 전략적 고려를 바탕으로 상대국을 선정하는 특징을 보여주고 있다. 대표적으로 한 - 칠레 FTA는 경제적 요소 보다는 남미지역에서의 한국의 영향력 강화라는 전략적 측면이 반영된 FTA체결이라고 평가된다.
ㄹ. 한국이 추진하는 FTA의 특징은 관세장벽 철폐를 통한 상품 분야에서의 교역증대를 넘어 투자, 서비스, 지적재산권 등의 분야를 포함하는 전반적인 경제 관계의 심화를 목표로 현행 WTO규범을 넘어서는 수준의 포괄적 접근을 시도하고 있다는 점이다.

답 ①

008 우리나라 대외정책에 대한 설명으로 옳은 것은?

① 한미 FTA협정에 따르면 간접수용에 대해 행정심판을 거쳐 정당한 보상을 제공해야 한다.
② 한미 FTA협정의 현재유보는 협정상 의무에 불합치되는 현존 조치를 나열한 목록으로, 자유화 후퇴방지(ratchet) 메커니즘이 적용된다.
③ 우리나라 인도적 지원정책의 목표는 우리나라가 비교우위를 갖는 '경제 개발' 분야에 집중 지원하는 것이다.
④ 우리나라 공공외교법에 의하면 공공외교 실태조사로서 정기조사는 매 3년마다 시행한다.

정답 및 해설

선지분석

① 행정심판을 거쳐야 하는 것은 아니다.
③ 우리나라가 비교우위를 갖는 '교육 및 보건' 분야에 집중 지원하는 것이다.
④ 2년마다 시행한다.

답 ②

009 한미FTA에 대한 설명으로 옳은 것만을 모두 고른 것은?

□□□

ㄱ. 농업분야에 있어서 쌀 및 쌀관련 제품은 양허에서 완전히 배제되었다.
ㄴ. 개성공단을 역외가공지역으로 지정하고 한미FTA협정에 따른 관세를 부과하기로 합의하였다.
ㄷ. 직접적인 재산권 이전이 아닌 정부조치로 손실을 입은 간접수용의 경우 손실보상의무가 없다.
ㄹ. 투자자-국가 분쟁해결절차(ISD)에 있어서 중재인은 3인으로 구성하되, 투자자 및 정부가 각각 1인을 지명하고 합의하여 의장 중재인을 선임하고, 75일 이내에 합의되지 않는 경우 ICSID 사무총장이 원칙적으로 제3국 국적을 가진 자를 의장중재인으로 선임한다.
ㅁ. 서비스분야에 있어서 현재유보와 미래유보가 적용되나, 이는 소극적방식(Negative 방식)으로 규정되었다.

① ㄱ, ㄴ, ㄷ
② ㄱ, ㄹ, ㅁ
③ ㄴ, ㄷ, ㄹ
④ ㄷ, ㄹ, ㅁ

정답 및 해설

한미FTA에 대한 설명으로 옳은 것은 ㄱ, ㄹ, ㅁ이다.

선지분석

ㄴ. 역외가공지역위원회 설치에 대해서는 합의하였으나, 개성공단을 역외가공지역으로 명확하게 설정한 것은 아니다. 동 위원회에서 기준을 정하고, 특정 지역의 기준충족여부를 심사한 이후 당사국에 권고하도록 하였다.
ㄷ. 간접수용에 대해서도 보상의무를 명확하게 규정하였다.

관련 이론 한미 FTA 주요 내용

1. 상품에 대한 내국민대우 및 시장접근
- 내국민대우 및 수출입제한금지
- 조정관세 인정 · 국내산업 보호를 위해 100%를 상한으로 관세율을 인상 적용
- 일시반입상품에 대한 면세
- 수리 또는 개조후 재반입되는 상품에 대한 면세
- 승용차
  - 미국: 4년차까지 2.5% 적용. 이행 5년차에 관세 완전 철폐.
  - 한국: 발효되는 날 관세율을 8%에서 4%로 인하. 이행 5년차에 완전폐지
- 우리 측 민감 수산물 및 임산물에 대해 장기 철폐, 비선형 관세 철폐 등 도입

2. 농업
- 관세율할당 도입
  - 한국: 오렌지 등
  - 미국: 낙농품
- 농업긴급수입제한조치 도입. 쇠고기, 돼지고기, 인삼 등
- 양허 제외: 쌀 및 쌀 관련 제품
- 계절관세
  - 민감품목 중 수확 · 유통기간이 뚜렷하게 구분되는 품목

3. 섬유 및 의류: 양자긴급조치 도입

4. 원산지규정: 개성공단 관련 합의
- 한반도역외가공지역위원회설치
- 동 위원회에서 일정 기준하에 역외가공지역을 지정할 수 있는 별도 부속서 채택
- 역외가공지정 기준(예시): 한반도 비핵화 진전. 역외가공지역이 남북관계에 미치는 영향. 역외가공지역 내 일반적인 환경 기준, 노동기준 · 관행, 임금 관행, 영업 및 경영 관행(단, 북한 지역의 일반적인 상황 및 관련 국제 규범 참조)
- 동 위원회에서 기준 충족여부 결정
- 위원회 결정은 당사국들에게 권고되고, 각 당사국은 역외가공지역에 대해 협정문 개정을 위한 입법적 승인을 구할 책임을 짐

5. 위생 및 식물위생 조치(SPS)
- WTO SPS협정상의 권리와 의무 재확인
- SPS조치에 대해 한미 FTA 상의 분쟁해결절차 적용대상에서 배제

6. 투자
- 투자자 재산의 수용 및 국유화 인정: 공공목적, 비차별, 보상(신속 · 적절 · 효과적), 보상 - 지체없이 지불하되, 수용 직전의 공정한 시장가격과 동등한 수준으로 보상
- 간접수용: 명의의 공식적 이전 또는 명백한 몰수 없이도 당사국의 행위가 직접수용과 동등한 정도로 재산권을 침해하는 경우 정당한 보상 제공해야 함

7. 투자자 - 국가 간 분쟁해결절차(ISD)
- 투자유치국 정부의 조치로 투자자에게 손실이 발생하는 경우 투자자가 투자유치국 정부를 상대로 국제중재 요청
- 중재: 3인으로 구성. 투자자와 정부가 각각 1인을 지명하고 의장 중재인을 선임하되, 75일 이내에 합의되지 않는 경우 ICSID사무총장이 당사자간 합의하지 않는 한 제3국 국적을 가진 자를 의장중재인으로 선임
- 중재판정의 효력: 단심제로서 확정력을 가짐
- 중재판정은 금전적 손해와 적용가능한 이윤 및 재산권의 복구만으로 한정되며, 당사국의 해당조치를 취소하도록 할 수 없음
- 적용범위: 협정상 의무 위반, 투자계약 및 투자인가 위반사항
- 제소주체: 외국인투자자, 투자기업을 소유 · 통제하는 외국인투자자
- 투자자는 중재 청구를 제기하기 위해서는 상대국 법원에서 절차를 개시 · 계속하지 않겠다는 서면포기서 제출

8. 국경 간 서비스 무역
- 적용배제되는 서비스: 도박서비스, 금융서비스, 항공운송서비스, 정부서비스, 금융서비스 및 정부조달은 별도 장에서 다룸
- 일반적 의무: MFN, NT, 시장접근 제한조치 도입 금지, 현지주재 의무 부과 금지
- 현재유보와 미래유보
  - 현재유보: 협정상 의무에 합치되지 않는 현존 조치를 나열한 목록으로, 자유화후퇴방지 메커니즘(ratchet mechanism) 적용
  - ratchet mechanism: 현행 규제를 보다 자유화하는 방향으로 개정할 수는 있으나, 일단 자유화된 내용을 뒤로 후퇴하는 방향으로 개정하지 못하도록 하는 원칙
  - 미래유보: 향후 규제가 강화될 가능성이 있는 현존 비합치조치 또는 전혀 새로운 제한 조치가 채택될 수 있는 분야를 나열한 목록

  현재유보와 미래유보에 기재되지 않은 서비스분야는 일반적 의무가 적용되는 것으로 간주됨[소극적(negative) 방식].
- 국내 전문직 서비스(법무 · 회계 · 세무)의 단계적 개방. 미국 변호사 자격 소지자가 국내에서 일부 국제공법 및 미국법에 대한 자문 서비스를 제공하는 것을 허용. 회계사 · 세무사의 경우도 유사하게 개방

답 ②

010 우리나라 FTA전략에 대한 설명으로 옳지 않은 것은?

□□□

① 우리나라는 칠레와 최초로 FTA를 체결하였으며, 한중일 FTA, 역내포괄적경제동반자협정(RCEP) 등의 협상을 진행하고 있다.

② 한미 FTA협정상 국경 간 서비스 무역의 경우 현재유보와 미래유보가 모두 규정되어 있으며, 유보가 명시되지 않은 서비스분야에서는 일반적 의무가 적용되는 적극적방식(positive 방식)이 적용된다.

③ 한-EU FTA협정상 서비스시장 개방은 일부 통신서비스와 환경서비스 분야를 포함하고 있어 한미 FTA보다 그 개방 폭이 더 넓게 설정되어 있다.

④ 한중 FTA협정은 개성공단을 역외가공지역으로 인정하고 있으며, 우리나라 쌀시장은 개방에서 제외하였다.

정답 및 해설

소극적 방식(negative 방식)을 채택하고 있다.

답 ②

011 우리나라 대외정책 및 대외정책 환경에 대한 설명으로 옳지 않은 것만을 모두 고른 것은?

□□□

ㄱ. 1980년대 중반 고르바초프 등장 이후 소련이 개혁실패와 민족 문제로 붕괴하자 소련을 계승한 러시아는 기존 친남한정책을 수정하여 1996년 이후 남북한 균형정책을 채택했다.

ㄴ. 1960년대 후반 북한특수부대 청와대기습 사건, 푸에블로호 납치 사건 등을 계기로 박정희 대통령은 미국의 대북정책기조를 강경기조에서 대화기조로 전환할 것을 주장했고, 미 행정부는 이를 받아들여 북한과 협상을 추진했다.

ㄷ. 전두환 정부는 국내정치적 정통성을 강화하기 위해 박정희가 추진하였던 자주국방 계획을 본격적으로 추진하면서 미국과 심각한 마찰을 빚었다.

ㄹ. 전반적으로 미행정부는 노태우 정부 말기까지 주한미군과 한미동맹을 활용하여 한국의 군사정권에 대한 압박정책을 구사하여 한국정부와 긴장관계를 유지하였다.

ㅁ. 카터(Jimmy Carter) 행정부는 한국의 인권문제를 지적하면서 주한미군 감축 움직임을 보이고 국내정치에도 관여했으나 1980년 군부 쿠데타 세력을 비호함으로써 인권보다 안보관련 국익을 우선시하는 이중적 태도를 보여주었다.

① ㄱ, ㄴ, ㄷ
② ㄱ, ㄴ, ㅁ
③ ㄱ, ㄷ, ㄹ
④ ㄴ, ㄷ, ㄹ

정답 및 해설

우리나라 대외정책 및 대외정책 환경에 대한 설명으로 옳지 않은 것은 ㄴ, ㄷ, ㄹ이다.

ㄴ. 박정희 대통령은 대북 군사보복을 포함한 강경책을 주창하였다.

ㄷ. 자주국방 계획을 후퇴시키면서 동시에 미국과의 우호관계 유지를 최우선시하였다.

ㄹ. 당시 미 행정부는 한국의 군사정권과 긴밀한 관계를 유지하였다.

답 ④

제2장 한국의 대북정책

001 □□□

남북 기본합의서에 명시된 내용으로 옳은 것은? 2021년 외무영사직

① 7·4 남북공동성명에서 천명한 조국통일 3대 원칙을 재확인한다.
② 합의서 발효 후 6개월 안에 판문점에 남북연락사무소를 설치·운영한다.
③ 남과 북은 의견대립과 분쟁문제를 유엔헌장에 따라 평화적으로 해결한다.
④ 남과 북은 국제무대에서 경제, 문화, 외교, 군사 등 여러 분야에서 서로 협력하고, 선의의 경쟁을 벌인다.

정답 및 해설

조국통일 3대 원칙은 자주, 평화, 민족대단결이다.

선지분석

② 3개월 안에 연락사무소를 설치하기로 하였다.
③ "남과 북은 의견대립과 분쟁문제를 대화와 협상을 통해 평화적으로 해결한다."(제10조)
④ "남과 북은 국제무대에서 대결과 경쟁을 중지하고 서로 협력하며 민족의 존엄과 이익을 위하여 공동으로 노력한다."(제6조)

답 ①

002

남북한 관계에 관한 사항을 순서대로 바르게 나열한 것은?

ㄱ. 남북한 동시 유엔 가입
ㄴ. 한반도 비핵화 공동 선언
ㄷ. 7·4 남북공동성명
ㄹ. 남북 화해·불가침·교류협력에 관한 합의서(남북기본합의서) 채택
ㅁ. 아웅산 묘역 테러 사건

① ㄱ - ㄴ - ㄹ - ㄷ - ㅁ
② ㄴ - ㄱ - ㄹ - ㄷ - ㅁ
③ ㄷ - ㄹ - ㄱ - ㅁ - ㄴ
④ ㄷ - ㅁ - ㄱ - ㄹ - ㄴ

정답 및 해설

ㄷ. 7.4 남북공동성명(1972.7) → ㅁ. 아웅산묘역 테러 사건(1983.10.9.) → ㄱ. 남북한 동시 유엔 가입(1991.9) → ㄹ. 남북기본합의서(1991.12.13.) → ㄴ. 한반도 비핵화 공동 선언(1991.12.31.) 순서이다.

답 ④

003 우리나라의 대북정책에 대한 설명으로 옳지 않은 것은?

□□□

① 제1공화국과 제2공화국은 두 개의 한국을 인정하는 할슈타인 원칙을 유지하고 유엔 감시하에 인구 비례에 따른 남북 총선거 전략을 유지하였다.

② 정전협정(1953.7)은 육상경계선은 명확히 하되 해상경계선은 명시하지 않았으며, 백령도, 대청도, 소청도, 연평도 및 우도는 국제연합군 총사령관의 군사통제하에 두기로 하였다.

③ 제3공화국은 남북 당사자 간 직접적·평화적 대화를 통해 통일문제에 접근하였다.

④ 7.4 남북공동성명에서 조국통일원칙의 하나로 사상과 이념 및 제도의 차이를 초월하여 하나의 민족으로서 민족적 대단결을 도모하는 것을 제시하였다.

정답 및 해설

할슈타인 원칙은 2개의 한국을 부인한다. 즉, 북한의 실체를 부정한다.

답 ①

004 우리나라의 대북정책에 대한 설명으로 옳지 않은 것은 모두 몇 개인가?

□□□

ㄱ. 제1공화국은 유엔 감시하 남북한 총선거를 주장하였다.
ㄴ. 제2공화국은 두 개의 한국론을 부인하는 '할슈타인 원칙'을 고수하였다.
ㄷ. 제3공화국은 '두 개의 한국론'을 수용하여 북한정권을 대화나 협상의 실체로 인정했다.
ㄹ. 제4공화국은 6.23 선언을 통해 남북한 유엔 동시 가입에 반대하지 않음을 선언하였다.
ㅁ. 제5공화국은 '선 평화, 후 통일'을 주장했다.
ㅂ. 제6공화국은 기존의 군사적·정치적 접근에서 벗어나 비정치적 접근과 군사적·정치적 접근을 동시에 추구하였다.

① 1개
② 2개
③ 3개
④ 4개

정답 및 해설

우리나라의 대북정책에 대한 설명으로 옳지 않은 것은 ㅂ으로 1개이다.
ㅂ. 기존의 비정치적 접근에서 벗어나 정치, 비정치 동시 접근 전략을 추진하였다.

답 ①

005 우리나라 대북정책에 대한 설명으로 옳지 않은 것은 모두 몇 개인가?

□□□

> ㄱ. 김대중 정부는 정경분리원칙에 기초하여 남북경협의 활성화를 도모하였다.
> ㄴ. 김대중 정부는 제1차 남북정상회담을 개최하고 경제협력을 통해 민족경제를 균형적으로 발전시키고 제반 분야의 협력과 교류를 활성화하여 서로의 신뢰를 다져 나가기로 하였다.
> ㄷ. 노무현 정부는 대북정책과 동아시아 정책을 연계하여 우리나라가 동아시아에서의 중견국으로 발돋움할 수 있는 지렛대로 대북정책을 활용하고자 하였다.
> ㄹ. 노무현 정부는 제2차 남북정상회담을 개최하고 남과 북은 6.15 공동선언을 변함없이 이행해 나가려는 의지를 반영하여 6월 15일을 기념하는 방안을 강구하기로 하였다.
> ㅁ. 이명박 정부는 엄격한 정경연계정책을 기초로 개성공단을 폐쇄하였으며, 북한의 제2차 핵실험 이후 확산방지구상(PSI)에 전격 가입하였다.

① 1개 ② 2개
③ 3개 ④ 4개

정답 및 해설

우리나라 대북정책에 대한 설명으로 옳지 않은 것은 ㄷ, ㅁ으로 2개이다.
ㄷ. 동북아 중심 국가를 지향하였다.
ㅁ. 개성공단은 유지하였다. 박근혜 정부에서 폐쇄되었다.

답 ②

006 정전협정(1953.7.27.)의 내용으로 옳지 않은 것은?

① 육상 및 해상 군사 분계선을 설정하였다.
② 백령도, 대청도, 소청도, 연평도 및 우도는 UN군 총사령관의 군사통제하에 둔다.
③ 10명으로 구성된 군사정전위원회를 설치하였다.
④ 스웨덴, 스위스, 폴란드, 체코슬로바키아 출신으로 구성된 중립국 감시 위원회를 설치하였다.

정답 및 해설

해상 군사분계선은 설정하지 않았다.

답 ①

007 한국전쟁에 대한 설명으로 옳은 것만을 모두 고른 것은? 2020년 외무영사직

□□□

ㄱ. 이승만은 통일에 대한 열망 때문에 휴전에 반대하였다.
ㄴ. 스탈린은 마오쩌둥이 동의한다는 조건하에 김일성의 남침계획을 승인했다.
ㄷ. 1954년 한미상호방위조약이 공식 발효됨으로써 한·미동맹의 근간이 형성됐다.
ㄹ. 미국은 한국전쟁을 계기로 나토(NATO)의 역할을 강화했다.
ㅁ. 포로 교환 문제 때문에 휴전협상이 오래 지연됐다.

① ㄱ, ㄴ ② ㄴ, ㄹ, ㅁ ③ ㄱ, ㄷ, ㄹ, ㅁ ④ ㄱ, ㄴ, ㄷ, ㄹ, ㅁ

정답 및 해설

한국전쟁에 대한 설명으로 ㄱ, ㄴ, ㄷ, ㄹ, ㅁ 모두 옳다.

ㄱ. 이승만은 북한의 위협을 근본적으로 제거하기 위해 한국전쟁 중 북진통일론을 고수하였으나, 결국 한미동맹 체결 약속을 받고 '정전불반대'로 입장을 전환했다.
ㄴ. 소련은 미국과의 전면전을 우려하여 북한을 정면으로 지원한 것은 아니나, 북한의 남침계획은 승인해주었다.
ㄷ. 한미상호방위조약 체결은 1953년 10월 1일이다. 발효는 1954년 11월 18일이다.
ㄹ. 미국은 한국전쟁을 겪으면서 공산주의 세력의 위협이 실재함으로 인지하고 서독을 NATO에 가입시키는 등 NATO를 강화하였다.
ㅁ. 휴전협상 과정에서 포로송환문제가 회담의 주요 장애물이 되었다. 유엔군측은 포로 개개인의 자유의사에 따라 한국·북한·중국 또는 대만을 선택하게 하는 이른바 '자유송환방식'을 주장한 데 대하여, 공산군측은 모든 중공군과 북한군 포로는 무조건 각기 고국에 송환되어야 한다는 이른바 '강제송환방식'을 고집했다. 이로 인해 1952년 2월 27일부터 약 2개월 동안 협상이 중단되었으며, 1952년 10월 8일에는 회담이 무기휴회로 들어갔다. 쌍방이 각자의 주장을 굽히지 않은 것은 유엔군측에서 본다면 공산군측의 주장대로 강제 송환을 한다는 것은 이제까지 주장해 온 인도주의와 자유주의를 스스로 포기하는 것을 의미하는 것이었다. 반대로 공산군측의 입장에서 본다면 만일 포로의 일부가 귀환을 거부하게 되면 그들이 줄기차게 내세웠던 '침략자를 몰아내고 남한을 해방시키다'는 이른바 '정의의 전쟁'이라는 기치가 퇴색되고, 그들이 그토록 주창하던 그러한 전쟁 목적에 의구심을 갖는 자가 발생할 수도 있었다. 이와 더불어 공산군측이 유엔군측의 자유송환방식에 극력 반대한 것은 1952년 4월 10일 유엔군 사령부가 공산군 포로들을 대상으로 조사를 실시한 결과 공산군 포로 약 17만 명(민간인 억류자 포함) 가운데 10만 명의 포로가 자유 송환을 원하고 있는 것으로 나타났기 때문이었다. 그리하여 공산군측은 포로 교환에 관한 문제로 휴전회담이 교착될 때마다 회담을 유리하게 끌고 나가기 위해 포로수용소 내에서 계획적인 폭동을 일으키도록 조종하였는데, 그 가운데 가장 큰 사건은 1952년 5월 7일에 발생한 거제도포로수용소 소장납치사건이었다. 중지와 재개를 거듭하던 휴전협상은 1953년 3월 소련수상 스탈린의 사망을 계기로 급속도로 진척되었다. 무기휴회에 들어간 지 6개월 만인 1953년 4월 16일 공산군측의 요청에 따라 휴전회담이 재개되어 4월 20일부터 26일 사이에 먼저 상병 포로를 쌍방간에 교환하고, 6월 8일에는 그 동안 난항을 거듭하던 본국 송환을 거부하는 포로 처리방법에 합의함으로써 1년 반 동안이나 끌어오던 포로 교환문제를 해결하였다.

답 ④

008 한국전쟁에 관한 다음 설명 중 옳지 않은 것만을 모두 고른 것은?

□□□

ㄱ. 아이젠하워는 미국 대통령 취임 직후 한국에 방문했다.
ㄴ. 이승만 대통령은 1953년 7월 27일의 정전협정에 서명하지 않았으나, 방해하지 않는 형식으로 동의했다.
ㄷ. 이승만 대통령의 반공포로 석방은 UN사령관과의 사전협의 없이 이루어졌다.
ㄹ. 미국은 한국에 경제회복 원조를 제공하는 데에 동의했으나, 해공군 지원 및 육군 사단 확충에는 부정적이었다.

① ㄱ, ㄴ ② ㄱ, ㄷ ③ ㄱ, ㄹ ④ ㄴ, ㄷ

정답 및 해설

한국전쟁에 관한 설명으로 옳지 않은 것은 ㄱ, ㄹ이다.
ㄱ. 아이젠하워는 1952년 11월 대통령 당선 직후 당선자 신분으로 한국을 찾았다.
ㄹ. 경제회복 원조 제공은 물론 해공군을 지원하고 육군 사단을 20개로 확충할 것을 약속했다.

선지분석

ㄴ. 이승만 대통령은 정전 과정에 직접 참여하지 않고 '정전 불방해'에 그쳤다.
ㄷ. 클라크 UN사령관과의 사전협의 없이 이승만 정부의 독단적 조치였다.

답 ③

009 한국전쟁(1950)에 대한 설명으로 옳지 않은 것은?

① 한국전쟁은 미국 대통령의 외교권이 확대되는 계기가 되었고 독일(서독)과 일본의 경제 부흥과 재무장에 일조했다.
② 한국전쟁 발발 이후 트루먼은 의회에 대북 선전포고를 요청하였고 의회는 민주주의 한국을 수호한다는 명분에 따라 대북 선전포고를 함으로써 미국의 한국 전쟁 참전이 가능하게 되었다.
③ 한국전쟁 이후 미국은 서독의 재무장을 결정하였고, 서독은 NATO의 승인 없이는 미사일, 핵무기, 생화학무기를 보유하지 않기로 합의하고 1955년 5월 NATO에 가입하였다.
④ 한국전쟁 이후 미국 덜레스와 요시다 시게루 일본 수상은 일본은 독립 이후 소규모의 방위력만 보유하며 미국에 10년간 군사기지 차용권을 부여한다는 데 합의하고 1951년 9월 8일 정식 강화조약을 체결했다.

정답 및 해설

미국 대통령의 헌법상 총사령관 지위 조항을 발동하여 참전함으로써 한국전쟁은 미국 역사상 처음으로 선전포고 없이 치른 전쟁이다.

답 ②

010 1972년 7월 4일에 발표된 남북공동성명에 포함되지 않은 사항은?

① 통일을 촉진하기 위해서 남북한의 체신교류를 실시한다.
② 통일을 논의하기 위해서 남북한의 정당, 사회단체로 구성된 전민족대회를 소집한다.
③ 통일은 외세에 의존하지 않고 자주적으로 해결한다.
④ 통일은 무력행사에 의거하지 않고 평화적 방법으로 실현한다.

정답 및 해설

7.4 남북공동성명은 당시 이후락 중앙정보부장과 김영주 노동당 조직지도부장이 서울과 평양에서 동시에 발표한 이 성명은 통일의 원칙으로 첫째, 외세에 의존하거나 외세의 간섭 없이 자주적으로 해결하여야 한다. 둘째, 서로 상대방을 반대하는 무력행사에 의거하지 않고 평화적 방법으로 실현하여야 한다. 셋째, 사상과 이념 및 제도의 차이를 초월하여 우선 하나의 민족으로서 민족적 대단결을 도모하여야 한다고 밝힘으로써 자주·평화·민족대단결의 3대 원칙을 공식 천명하였다. 공동성명은 이 밖에도 상호 중상비방과 무력도발의 금지, 다방면에 걸친 교류 실시 등에 합의하고 이러한 합의사항의 추진과 남북 사이의 문제해결, 그리고 통일문제의 해결을 목적으로 이후락 중앙정보부장과 김영주 조직지도부장을 공동위원장으로 하는 남북조절위원회를 구성, 운영하기로 하였다.

답 ②

011 남북은 통일을 이루기 위해서 합의를 이루어왔다. 역대 남북합의서 체결의 시간적 순서로 옳은 것은?

□□□

ㄱ. 한반도 비핵화 공동선언	ㄴ. 6.15 남북공동선언
ㄷ. 남북기본합의서	ㄹ. 7.4 공동성명

① ㄱ - ㄹ - ㄷ - ㄴ
② ㄷ - ㄹ - ㄴ - ㄱ
③ ㄹ - ㄱ - ㄷ - ㄴ
④ ㄹ - ㄷ - ㄱ - ㄴ

정답 및 해설

ㄹ. 7.4 공동성명(1972) → ㄷ. 남북기본합의서(1991) → ㄱ. 한반도 비핵화 공동선언(1992) → ㄴ. 6.15 남북공동선언(2000) 순서이다.

답 ④

012 다음 중 순서대로 바르게 나열한 것은?

□□□

ㄱ. 7.7 선언	ㄴ. 남북기본합의서
ㄷ. 한·소 수교	ㄹ. 남북 UN 동시 가입

① ㄱ - ㄴ - ㄷ - ㄹ
② ㄱ - ㄷ - ㄹ - ㄴ
③ ㄱ - ㄹ - ㄷ - ㄴ
④ ㄷ - ㄴ - ㄱ - ㄹ

정답 및 해설

ㄱ. 7·7선언(1988.7.7.) → ㄷ. 한·소 수교(1990.9) → ㄹ. 남북 UN 동시 가입(1991.9.17.) → ㄴ. 남북기본합의서(1991.12.13.) 순서이다.

답 ②

013 남북한 관계에 관한 사항을 순서대로 바르게 나열한 것은?

□□□

ㄱ. 남북한 동시 유엔 가입
ㄴ. 한반도 비핵화 공동 선언
ㄷ. 7·4 남북 공동성명
ㄹ. 남북 화해·불가침·교류협력에 관한 합의서(남북기본합의서)
ㅁ. 6.23 특별 선언

① ㄱ - ㄴ - ㄹ - ㄷ - ㅁ
② ㄴ - ㄱ - ㄹ - ㄷ - ㅁ
③ ㄷ - ㄹ - ㄱ - ㅁ - ㄴ
④ ㄷ - ㅁ - ㄱ - ㄹ - ㄴ

정답 및 해설

ㄷ. 7.4 남북 공동 성명(1972.7) → ㅁ. 6.23 선언(1973.6) → ㄱ. 남북한 동시 유엔 가입(1991.9) → ㄹ. 남북기본합의서(1991.12.13) → ㄴ. 한반도 비핵화 공동 선언(1991.12.31) 순서이다.

답 ④

014 ☐☐☐ **동서 데탕트 시기의 한국 및 주변국의 한국에 대한 대외정책에 관한 설명으로 옳은 것만을 모두 고른 것은?**

> ㄱ. 미-중 간 상하이 코뮈니케에서 미국은 한국과의 밀접한 관계를 유지하며, 긴장 완화 및 커뮤니케이션 증진 추구 노력을 지지할 것임을 밝혔다.
> ㄴ. 미-중 간 상하이 코뮈니케에서 중국은 1971년 북한이 발표한 평화적 통일 8개항 프로그램, 그리고 UN한국통일부흥위원회의 철폐를 지지했다.
> ㄷ. 1971년 한-미 양국은 동북아지역의 안전을 보장하기 위해 주한미군 증강에 합의했다.
> ㄹ. 1971년 박정희 정부가 제시한 남북한 문제 해결을 위한 3단계 접근 방식이란 비정치적 문제 단계-인도적 문제 단계-정치적 문제 단계로 구성된다.

① ㄱ, ㄴ　　② ㄴ, ㄷ
③ ㄱ, ㄴ, ㄷ　　④ ㄱ, ㄴ, ㄷ, ㄹ

정답 및 해설

동서 데탕트 시기의 한국 및 주변국의 한국에 대한 대외정책에 관한 설명으로 옳은 것은 ㄱ, ㄴ이다. 상하이 코뮈니케는 1972년 2월 미국과 중국이 공동 발표한 성명으로, 한반도 문제에 관한 대목도 포함되었다.

선지분석

ㄷ. 1971년 2월 한-미 양국이 주한미군 감축에 공식적으로 합의하였다.
ㄹ. 1971년 8월 김용식 외무부장관이 제안한 것이며, 인도적 문제 단계-비정치적 문제 단계-정치적 문제 단계로 이루어진다.

답 ①

015 ☐☐☐ **박정희 정부 시기 남북관계에 관한 사건을 순서대로 바르게 나열한 것은?**

> ㄱ. 북한의 김신조 일당이 청와대 습격을 시도하다가 서울에서 체포
> ㄴ. 군사혁명위원회를 창설하고 반공을 국시의 제1의로 표명
> ㄷ. 이후락-김영주 간 7.4공동성명 발표
> ㄹ. 미 해군 푸에블로호가 북한에 나포

① ㄱ-ㄴ-ㄷ-ㄹ　　② ㄱ-ㄷ-ㄴ-ㄹ
③ ㄴ-ㄱ-ㄷ-ㄹ　　④ ㄴ-ㄱ-ㄹ-ㄷ

정답 및 해설

ㄴ. 군사혁명위원회를 창설하고 반공을 국시의 제1의로 표명(1961년 5월 군사정변 직후)-ㄱ. 북한의 김신조 일당이 청와대 습격을 시도하다가 서울에서 체포(1968.1.21.)-ㄹ. 미 해군 푸에블로호가 북한에 나포(1968.1.23.)-ㄷ. 이후락-김영주 간 7.4공동성명 발표(1972) 순서이다.

답 ④

016 □□□

1973년에 발표된 6 · 23선언(평화통일외교정책에 관한 특별성명)에 대한 설명으로 옳지 않은 것은?

2017년 외무영사직

① 한국은 호혜평등의 원칙에 따라 모든 국가에 문호를 개방하겠다는 의사를 밝혔다.
② 한국은 북한을 국가로 인정하겠다고 선언했다.
③ 한국은 우방들과의 기존 유대관계를 더욱 공고히 하겠다고 재천명했다.
④ 한국은 긴장완화와 국제협조에 도움이 된다면 북한이 한국과 같이 국제기구에 참여하는 것을 반대하지 않는다고 선언했다.

정답 및 해설

북한을 대화상대로 인정하기는 하였으나, 국가로 인정하겠다는 선언을 한 것은 아니다. 박정희는 6.23선언을 다음과 같이 맺고 있다. "나는 이상에서 밝힌 정책 중 대북한관계 사항은 통일이 성취될 때까지 과도적 기간 중의 잠정조치로서, 이는 결코 우리가 북한을 국가로 인정하는 것이 아님을 분명히 하여 둡니다."

답 ②

017 □□□

6 · 23선언(1973)에 대한 설명으로 옳지 않은 것은?

① 6 · 23선언은 박정희 대통령이 선언한 것으로서 대북문제의 경우 통일이 성취될 때까지 과도기간 중의 잠정조치이며 북한을 국가로 인정하는 것이 아님을 명백히 하고 있다.
② 북한과 함께 유엔에 가입하는 것을 반대하지 않으나, 국제연합 가입 전에 대한민국 대표가 참석하는 국제연합 총회에서 한국문제 토의에 북한측이 같이 초청되는 것은 시기상조라고 본다.
③ 호혜평등의 원칙하에 모든 국가에게 문호를 개방할 것이며, 우리와 이념과 체제를 달리하는 국가들도 우리에게 문호를 개방할 것을 촉구한다.
④ 대한민국의 대외정책은 평화선린에 그 기본을 두고 있으며, 우방들과의 기존 유대관계는 이를 더욱 공고히 해 나갈 것임을 재천명한다.

정답 및 해설

북한대표 초청에 반대하지 않는다.

답 ②

018 □□□

6 · 23선언(1973)에 대한 설명으로 옳지 않은 것은?

① 조국의 평화적 통일은 민족의 지상과업이며 이를 성취하기 위한 모든 노력을 계속 경주한다.
② 남북한은 서로 내정에 간섭하지 않으며 침략을 하지 않아야 한다.
③ 긴장완화와 국제협조에 도움이 된다면 북한이 우리와 같이 국제기구에 참여하는 것을 반대하지 않는다.
④ 대한민국의 대외정책은 할슈타인원칙에 그 기본을 두고 있으며 우방들과의 기존 유대관계는 이를 더욱 공고히 해 나갈 것임을 재천명한다.

정답 및 해설

"...평화선린에 그 기본을 두고 있으며..."라는 내용이 포함되어 있다.

답 ④

019 7 · 4 남북공동성명(1972)에 대한 내용으로 옳지 않은 것은?

① 민족적 연계를 회복하며 서로의 이해를 증진시키고 자주적 평화통일을 촉진시키기 위하여 남북 사이에 다방면적인 제반교류를 실시한다.

② 통일을 논의하기 위해 남북한의 정당, 사회단체로 구성된 전민족대회를 소집한다.

③ 통일은 외세에 의존하지 않고 자주적으로 해결한다.

④ 통일은 평화적 방법으로 실현하며 사상, 제도, 이념의 차이를 초월하여 민족 대단결을 추구한다.

정답 및 해설

7 · 4 남북공동성명에 포함된 내용이 아니다.

7 · 4 남북공동성명 전문

최근 평양과 서울에서 남북관계를 개선하며 갈라진 조국을 통일하는 문제를 협의하기 위한 회담이 있었다. 서울의 이후락 중앙정보부장이 1972년 5월 2일부터 5월 5일까지 평양을 방문하여 평양의 김영주 조직지도부장과 회담을 진행하였으며, 김영주 부장을 대신한 박성철 제2부수상이 1972년 5월 29일부터 6월1일까지 서울을 방문하여 이후락 부장과 회담을 진행하였다. 이 회담들에서 쌍방은 조국의 평화적 통일을 하루빨리 가져와야 한다는 공통된 염원을 안고 허심탄회하게 의견을 교환하였으며 서로의 이해를 증진시키는 데서 큰 성과를 거두었다. 이 과정에서 쌍방은 오랫동안 서로 만나보지 못한 결과로 생긴 남북 사이의 오해와 불신을 풀고 긴장의 고조를 완화시키며 나아가서 조국통일을 촉진시키기 위하여 다음과 같은 문제들에 완전한 견해의 일치를 보았다.

1. 쌍방은 다음과 같은 조국통일원칙들에 합의를 보았다.
   첫째, 통일은 외세에 의존하거나 외세의 간섭을 받음이 없이 자주적으로 해결하여야 한다.
   둘째, 통일은 서로 상대방을 반대하는 무력행사에 의거하지 않고 평화적 방법으로 실현하여야 한다.
   셋째, 사상과 이념 · 제도의 차이를 초월하여 우선 하나의 민족으로서 민족적 대단결을 도모하여야 한다.
2. 쌍방은 남북 사이의 긴장상태를 완화하고 신뢰의 분위기를 조성하기 위하여 서로 상대방을 중상 비방하지 않으며 크고 작은 것을 막론하고 무장도발을 하지 않으며 불의의 군사적 충돌사건을 방지하기 위한 적극적인 조치를 취하기로 합의하였다.
3. 쌍방은 끊어졌던 민족적 연계를 회복하며 서로의 이해를 증진시키고 자주적 평화통일을 촉진시키기 위하여 남북 사이에 다방면적인 제반교류를 실시하기로 합의하였다.
4. 쌍방은 지금 온 민족의 거대한 기대 속에 진행되고 있는 남북적십자회담이 하루빨리 성사되도록 적극 협조하는 데 합의하였다.
5. 쌍방은 돌발적 군사사고를 방지하고 남북 사이에 제기되는 문제들을 직접, 신속 정확히 처리하기 위하여 서울과 평양 사이에 상설 직통전화를 놓기로 합의하였다.
6. 쌍방은 이러한 합의사항을 추진시킴과 함께 남북 사이의 제반문제를 개선 해결하며 또 합의된 조국통일원칙에 기초하여 나라의 통일문제를 해결할 목적으로 이후락 부장과 김영주 부장을 공동위원장으로 하는 남북조절위원회를 구성 · 운영하기로 합의하였다.
7. 쌍방은 이상의 합의사항이 조국통일을 일일천추로 갈망하는 온 겨레의 한결같은 염원에 부합된다고 확신하면서 이 합의사항을 성실히 이행할 것을 온 민족 앞에 엄숙히 약속한다.

서로 상부의 뜻을 받들어

이후락 김영주

1972년 7월 4일

답 ②

020 □□□

7 · 4남북공동성명(1972)에 대한 설명으로 옳지 않은 것은?

① 통일은 서로 상대방을 반대하는 무력행사에 의거하지 않고 평화적 방법으로 실현해야 한다.
② 쌍방은 무장도발을 하지 않으며 불의의 군사적 충돌사건을 방지하기 위한 적극적인 조치를 취하기로 합의하였다.
③ 쌍방은 돌발적 군사사고를 방지하고 남북 사이에 제기되는 문제들을 직접, 신속 정확히 처리하기 위하여 판문점에 연락사무소를 설치하기로 합의하였다.
④ 이후락 부장과 김영주 부장을 공동위원장으로 하는 남북조절위원회를 구성 · 운용하기로 합의하였다.

정답 및 해설

'....서울과 평양 사이에 상설 직통전화를....'이라는 내용이 포함되어 있다.

답 ③

021 □□□

우리나라 대북정책에 대한 설명으로 옳은 것은?

① 전두환 정부는 1982년 남북한이 현존하는 상이한 정치질서와 사회제도를 상호 인정하는 '평화공존'을 기반으로 '민족화합민주통일방안'을 제시했다.
② 노태우 정부는 1989년 2월 구(舊)공산권 국가와는 최초로 폴란드와 외교관계를 수립하였다.
③ 김대중 정부는 취임 초 북한이 강력히 요구해온 이인모씨의 송환을 수용함으로써 남북관계의 돌파구를 열어가고자 했다.
④ 박근혜 정부는 정경분리원칙에 기초하여 북한에 대해 화해협력정책을 추진하였다.

정답 및 해설

선지분석

② 헝가리가 공산권국가 중 최초 수교국이다.
③ 김영삼 정부시기 사건이다.
④ 김대중 정부나 노무현 정부의 정책기조이다.

답 ①

022 □□□ **노태우 대통령이 발표한 '북방정책'은 이전의 대북정책과 대외정책의 큰 변화를 이끌었다. 북방정책으로 내용으로 옳지 않은 것은?**

① 중국은 실용주의 노선을 채택하고, 소련도 고르바초프의 등장 이후 개혁개방정책을 추진하게 되면서 대외환경이 변화한 것이 배경이 되었다.
② 대북정책에 관한 내용으로는 교역 및 인도적 차원의 교류 증진을 포함하고 있다.
③ 공산주의 국가들과의 수교 추진 방침에 따라 헝가리, 폴란드와의 수교는 이루어졌으나, 당시 소련과 중국과의 수교는 이루어지지 못하였다.
④ 공산주의 국가들은 북한과의 이념차원의 결속보다 한국과의 경제적 교류라는 실리에 더 큰 관심을 기울여 관계 개선이 이루어질 수 있었다.

정답 및 해설

한국은 북방정책에 따라 노태우 대통령 재임기간 동안 소련과는 1990년 9월에, 중국과는 1992년 8월에 수교를 하게 되었다.

답 ③

023 □□□ **우리나라 북방정책에 대한 설명으로 옳지 않은 것은 모두 몇 개인가?**

ㄱ. '북방정책'이란 용어의 기원은 노태우 정부에 있지만 대(對)공산권 문호개방을 천명한 1973년 6 · 23선언 이후 시작된 대(對)사회주의권 정책이 북방외교, 대공산권정책, 북방정책 등 다양한 이름으로 불리며 논의되다가 노태우 정부에 이르러 대륙에 대한 전략적 사고 를 포괄하는 '북방정책'이라는 이름으로 집약된 것으로 볼 수 있다.
ㄴ. 노태우 정부는 1989년 2월 구(舊)공산권 국가와는 최초로 폴란드와 외교관계를 수립하였다.
ㄷ. 김영삼 정부 시기 러시아가 한반도에너지개발기구(KEDO)의 대북 경수로 사업에 참여하면서 러시아와의 관계가 급격히 개선되었다.
ㄹ. 이명박 정부는 동북아 공간에 집중했던 외교 공간을 확대하여 전 아시아를 포괄하는 외교관계 구축을 목표로 하는 '신(新)아시아 외교'로 전환하였고, 한 · 러 간 철도, 가스, 농업 등 3대 신(新)실크로드 협력과 중앙아시아 방문을 통해 자원외교를 추진하였다.
ㅁ. 2017년 9월 러시아 블라디보스토크(Vladivostok)에서 열린 2017 동방경제포럼(EEF: Eastern Economic Forum)에 참석한 문재인 대통령은 한 · 러 정상회담 및 포럼 기조연설을 통해 신북방정책 비전선언 및 한 · 러 간 9개 협력분야인 '9 – Bridge 전략' 구상을 제시하였다.

① 1개　　② 2개
③ 3개　　④ 4개

정답 및 해설

우리나라 북방정책에 대한 설명으로 옳지 않은 것은 ㄴ, ㄷ으로 2개이다.
ㄴ. 폴란드가 아니라 헝가리이다.
ㄷ. 러시아는 한반도에너지개발기구(KEDO)에 불참하였다.

답 ②

024 대한민국의 '민족공동체 통일방안'에 대한 설명으로 옳은 것은? 2023년 외무영사직

□□□

ㄱ. 통일원칙으로 자주, 평화, 민족 대단결을 제시하고 있다.
ㄴ. 통일국가 형태로 1민족, 1국가, 2체제, 2정부를 제시하고 있다.
ㄷ. 통일국가의 실현 절차로 통일헌법에 따른 민주적 선거에 의한 통일정부, 통일국회의 구성을 제시하고 있다.
ㄹ. 통일과정으로 화해·협력단계 → 남북연합단계 → 통일국가의 완성단계를 제시하고 있다.

① ㄱ, ㄴ　　② ㄱ, ㄹ
③ ㄴ, ㄷ　　④ ㄷ, ㄹ

정답 및 해설

ㄷ. 민족공동체 통일방안은 위로부터의 통일을 지향하는 방식이다.
ㄹ. 3단계 통일 방안을 천명하고 있다.

선지분석

ㄱ. 자주, 평화, 민족대단결은 1974년의 7.4남북 공동성명에 밝힌 통일 원칙이다.
ㄴ. 1민족, 1국가, 1체제, 1정부를 표방한다.

관련 이론 민족공동체통일방안

1. 배경 및 특징
1994년 8월 15일 김영삼 대통령은 광복절 경축사를 통해 새로운 통일방안으로 「한민족공동체 건설을 위한 3단계 통일방안」(약칭, 「민족공동체통일방안」)을 제시했다. 「민족공동체통일방안」은 기본적으로 1989년 9월 11일 천명된 「한민족공동체통일방안」을 계승하면서 보완·발전시킨 것으로, 세계적인 탈냉전과 남북 체제경쟁의 종결, 그리고 1992년 2월 19일 '남북기본합의서' 발효 등 여러 가지 새로운 국면 조성에 부응하여 제시되었다. 「민족공동체통일방안」은 동족상잔의 전쟁과 장기간의 분단이 지속되어온 남북관계 현실을 고려한 바탕 위에서 통일의 접근방법을 제시하고 있다. 우선 남북 간 화해협력을 통해 상호 신뢰를 쌓고 평화를 정착시킨 후 통일을 추구하는 점진적·단계적 통일방안이다. 남과 북의 이질화된 사회를 하나의 공동체로 회복·발전시켜 궁극적으로는 '1민족 1국가'의 통일국가 실현을 목표로 한다. 1989년 천명된 「한민족공동체통일방안」은 화해와 신뢰구축의 과정을 남북연합으로 나아가기 위한 자연스러운 과정으로 본 데 비해, 「민족공동체통일방안」은 이 과정을 단계화한 것이 특징이다. 「민족공동체통일방안」은 현재까지 대한민국 정부의 공식 통일방안으로 지속되고 있다.

2. 통일의 기본철학과 원칙
「민족공동체통일방안」에서는 통일의 기본철학으로서 자유민주주의를 제시하고 있다. 이는 우리가 통일로 나아가는 과정이나 절차에서뿐만 아니라 통일국가의 미래상에서도 일관되게 추구해야 할 가치는 자유와 민주가 핵심으로 되어야 한다는 것을 의미한다. 이와 함께 통일의 접근시각으로 민족공동체 건설을 제시하였다. 민족통일을 통하여 국가통일로 나가자는 뜻이다. 통일은 권력배분을 어떻게 하느냐보다는 민족이 어떻게 함께 살아가느냐에 초점이 맞추어져야 하며, 계급이나 집단중심의 이념보다는 인간중심의 자유민주주의가 바탕이 되어야 한다는 것이다. 또한 「민족공동체통일방안」은 통일을 추진함에 있어서 견지해야 할 기본 원칙으로서 자주, 평화, 민주를 제시하고 있다. '자주'의 원칙은 우리 민족 스스로의 뜻과 힘으로, 그리고 남북 당사자 간의 상호 협의를 통해 통일이 이루어져야 한다는 것을 의미한다. '평화'의 원칙은 통일이 전쟁이나 상대방에 대한 전복을 통해서 이루어질 수 없으며, 오직 평화적으로 이루어져야 한다는 점을 강조한다. '민주'의 원칙이란 통일이 민족구성원 모두의 자유와 권리를 바탕으로 이루어지는 민주적 통합의 방식으로 이루어져야 한다는 원칙이다.

3. 통일의 과정
「민족공동체통일방안」에서 통일은 하나의 민족공동체를 건설하는 방향에서 점진적 · 단계적으로 이루어 나가야 한다는 기조하에 통일의 과정을 화해 · 협력단계 → 남북연합단계 → 통일국가 완성단계의 3단계로 설정하고 있다. 1단계인 '화해 · 협력단계'는 남북이 적대와 불신 · 대립관계를 청산하고, 상호 신뢰 속에 긴장을 완화하고 화해를 정착시켜 나가면서 실질적인 교류 협력을 실시함으로써 평화공존을 추구해 나가는 단계이다. 즉, 남북이 상호 체제를 인정하고 존중하는 가운데 분단상태를 평화적으로 관리하면서 경제 · 사회 · 문화 등 각 분야의 교류협력을 통해 상호 적대감과 불신을 해소해 나가는 단계이다. 이러한 1단계 과정을 거치면서 남북은 상호신뢰를 바탕으로 민족동질성을 회복하면서 본격적으로 통일을 준비하는 방향으로 나가게 된다. 「민족공동체통일방안」은 남북 간의 공존을 제도화하는 중간과정으로서 과도적 통일체제인 '남북연합'을 2단계로 설정하였다. 이 단계에서는 남북 간의 합의에 따라 법적 · 제도적 장치가 체계화되어 남북연합 기구들이 창설 · 운영되게 된다. 남북연합에 어떤 기구를 두어 어떤 일을 할 것인가는 남북 간의 합의에 의해 구체적으로 정해질 것이지만, 기본적으로는 남북정상회의, 남북각료회의, 남북평의회 그리고 공동사무처가 운영될 것이다. 마지막 '통일국가 완성' 단계는 남북연합 단계에서 구축된 민족공동의 생활권을 바탕으로 정치공동체를 실현하여 남북 두 체제를 완전히 통합하는 것으로서 1민족 1국가의 단일국가를 완성하는 단계이다. 즉, 남북 의회 대표들이 마련한 통일헌법에 따른 민주적 선거에 의해 통일정부, 통일국회를 구성하고 두 체제의 기구와 제도를 통합함으로써 통일을 완성하는 것이다.

4. 통일의 미래상
「민족공동체통일방안」에서는 통일국가의 미래상으로 민족 구성원 모두가 주인이 되며 민족구성원 개개인의 자유와 복지와 인간존엄성이 보장되는 선진 민주국가를 제시하고 있다. 첫째, 민족공동체 건설을 위한 전제조건인 자유민주주의는 자유와 평등을 기본으로 삼권분립, 법치주의, 의회제도, 시장경제, 시민사회 등을 근간으로 이루어져 있다. 자유민주주의를 제대로 작동시키기 위해서는 이와 같이 민주적 기본원칙을 준수하는 규범적 토대가 마련되어야 한다. 둘째, 경제적으로는 시장경제를 바탕으로 모든 국민이 잘사는 국가, 소외된 계층에게는 따뜻한 사회, 국제사회의 공동번영에 기여하는 나라가 되어야 한다. 셋째, 대외적으로는 성숙한 세계국가로 나아가기 위한 국가역량을 강화해야 한다. 선진 복지경제 및 확고한 국가안보 역량과 함께 높은 문화적 국력도 갖춘 국가를 지향해야 한다.

(출처: 통일부 홈페이지 내용 정리)

답 ④

025 다음 중 남북한 UN 동시가입과 관련한 설명으로 옳지 않은 것은?

① 북한은 처음 반대했다가 남북 동시가입이 확실해지자 이를 철회하였다.
② 북한은 남북한 동시가입이 남북의 영구분단을 초래한다는 이유로 반대했다.
③ 일본은 남북한 동시 가입을 반대했다.
④ 러시아와 중국이 동시가입에 반대하지 않았다.

정답 및 해설

UN은 1991년 9월 17일 제46차 총회를 개막, 남북한의 UN가입을 승인했다. 제46차 UN총회는 당시 159개 회원국 중 미국, 영국, 프랑스, 중국, 소련 등 5개 안전보장이사회 상임이사국을 포함 일본, 인도, 캐나다, 호주, 독일 등 105개국이 공동제안한 남북한 UN가입 결의안을 만장일치로 채택했다.

답 ③

026 □□□ **남북기본합의서(1992년 2월 19일 발효)의 주요 핵심사항만을 모두 고른 것은?**

ㄱ. 남북화해: 남북은 서로 간에 간섭을 하지 아니하며 정전협정을 준수한다.
ㄴ. 비핵화: 남북은 한반도 비핵화 선언에 상호 동의한다.
ㄷ. 남북 불가침: 남북은 서로 간에 무력을 사용하지 않으며 불가침을 준수한다.
ㄹ. 타국과의 관계 설정: 남북은 각각 미국과 중국이 한반도 문제에 깊숙이 개입하지 않도록 할 것임을 상호 확인한다.

① ㄱ, ㄴ ② ㄱ, ㄷ
③ ㄴ, ㄷ ④ ㄷ, ㄹ

정답 및 해설

남북기본합의서의 주요 내용으로 옳은 것은 ㄱ, ㄷ이다.
ㄱ. 남북화해: 남북은 서로 간에 간섭을 하지 아니하며 정전협성을 준수한다(제1장).
ㄷ. 남북 불가침: 남북은 서로 간에 무력을 사용하지 않으며 불가침을 준수한다(제2장).

답 ②

027 □□□ **1991년 '남북 사이의 화해와 불가침 및 교류 · 협력에 관한 합의서(남북기본합의서)'에 대한 설명으로 옳지 않은 것만을 모두 고른 것은?**

ㄱ. 남북기본합의서는 1972년 7 · 4 공동성명에 이어 남북한 정부 당국자 사이에 공식 합의된 두 번째 문서이다.
ㄴ. 남북기본합의서에는 상대방 체제의 인정과 존중, 정전상태의 평화 상태로의 전환 등의 남북화해 조항이 들어 있다.
ㄷ. 남북기본합의서에는 분쟁의 평화적 해결, 군사당국자 사이의 직통전화 개설 등의 남북불가침 조항이 들어있다.
ㄹ. 남북기본합의서 체결 당사자인 남한의 정원식 국무총리와 북한의 연형묵 정무원 총리는 '자주 · 평화 · 민족대단결'이라는 통일의 3대원칙을 선언하였다.

① ㄱ, ㄴ ② ㄱ, ㄹ
③ ㄴ, ㄷ ④ ㄷ, ㄹ

정답 및 해설

남북 사이의 화해와 불가침 및 교류 · 협력에 관한 합의서(남북기본합의서)에 대한 설명으로 옳지 않은 것은 ㄱ, ㄹ이다.
ㄱ. 7 · 4 공동성명은 '밀사'로서 이후락 중앙정보부장과 김영주 노동당조직부장 간에 비밀리에 진행되고, 기습적으로 발표한 선언이었다. 이와 비교할 때 남북기본합의서는 모든 면에서 격식을 갖춘, 남북한 정부 당국자 간에 공식적으로 합의된 최초의 문서이다.
ㄹ. 자주 · 평화 · 민족대단결의 통일 3대 원칙은 7 · 4 공동성명의 내용으로 추상적, 선언적 의미에 그쳤다.

답 ②

028 남북기본합의서(1992)에 대한 설명으로 옳지 않은 것은?

□□□

① 7·4 남북공동성명에 천명된 조국통일 3대원칙을 재확인한다.
② 쌍방 사이의 관계가 나라와 나라 사이의 관계가 아닌 통일을 지향하는 과정에서 잠정적으로 형성되는 특수관계라는 것을 인정한다.
③ 남과 북은 현 정전상태를 남북 사이의 공고한 평화 상태로 전환시키기 위하여 공동으로 노력하며 현 군사 정전협정은 남북 사이의 입장을 반영하여 조속한 시일 내에 재조정하기로 한다.
④ 남과 북의 불가침의 경계선과 구역은 1953년 7월 27일자 군사정전에 관한 협정에 규정된 군사분계선과 지금까지 쌍방이 관할하여 온 구역으로 한다.

정답 및 해설

"…공동으로 노력하며 이러한 평화상태가 이룩될 때까지 현 군사 정전협정을 준수한다."라는 내용이 포함되어 있다.

답 ③

029 1991년 채택된 한반도비핵화 공동선언의 내용으로 옳지 않은 것은?

① 핵무기의 생산, 시험, 사용 등의 금지
② 평화적 핵에너지 이용
③ 핵재처리시설 및 우라늄 농축시설 보유 금지
④ 상대측이 선정하는 대상에 대한 의무적 사찰

정답 및 해설

남한의 정원식 국무총리와 북한의 연형묵 국무원 총리가 회담을 갖고 서명한 후 1991년 12월 31일 채택된 「한반도비핵화 공동선언」은 한반도의 비핵화를 통해 한반도에 평화를 정착시키고, 평화통일에 유리한 조건과 환경을 조성하여 세계 평화와 안전에 공헌하자는 취지로 남북한이 공동으로 채택한 선언이다.

관련 이론 한반도비핵화 공동선언의 내용

1. 남과 북은 핵무기의 시험, 제조, 생산, 접수, 보유, 저장, 배비, 사용을 하지 아니한다.
2. 남과 북은 핵에너지를 오직 평화적 목적에만 이용한다.
3. 남과 북은 핵재처리시설과 우라늄 농축시설을 보유하지 아니한다.
4. 남과 북은 한반도의 비핵화를 검증하기 위하여 상대측이 선정하고 쌍방이 합의하는 대상들에 대하여 남북핵통제공동위원회가 규정하는 절차와 방법으로 사찰을 실시한다.
5. 남과 북은 이 공동선언의 이행을 위하여 공동선언이 발효된 후 1개월 안에 남북핵통제공동위원회를 구성, 운영한다.

답 ④

030 김대중 정부의 햇볕정책에 대한 설명으로 옳지 않은 것은?

□□□

① 선협력 후안보의 원칙
② 정경분리의 원칙
③ 흡수통일 배제
④ 민간경제협력의 지원

정답 및 해설

'선평화 후통일'의 원칙에 기반하였다.

답 ①

031 2000년 6월의 '남북공동선언문'에 명시된 사항으로 옳지 않은 것은?

□□□

① 통일문제에 대한 자주적 해결 노력
② 남한의 연합제안과 북한은 낮은 단계의 연방제안 사이의 공통성 인정
③ 정전협정의 평화협정으로의 이행에 관한 대화 추진
④ 경제협력과 다각적인 분야의 협력 및 교류의 활성화

정답 및 해설

한반도 평화체제에 관한 언급은 2007년 10.4 정상선언에서 다루어졌다.

관련 이론 6.15 공동선언문

1. 통일 문제를 자주적으로 해결하고, 2. 통일을 위한 연방제안과 연합제안을 고려하고, 3. 이산가족 문제 등 인도적 문제를 해결하도록 하고, 4. 경제협력을 하기로 하며, 5. 상기 합의사항 실천을 위해 당국 사이의 대화를 하기로 하였다.

답 ③

032 □□□

2000년 김대중 전 대통령의 방북으로 이루어진 6.15 공동선언문에 포함된 내용으로 옳지 않은 것은?

① 남과 북은 통일문제를 우리 민족끼리 서로 힘을 합쳐 자주적으로 해결해 나가기로 하였다.

② 남과 북은 경제협력을 통하여 민족 경제를 균형적으로 발전시키고 사회, 문화, 체육, 보건, 환경 등 제반 분야의 협력과 교류를 활성화하기로 하였다.

③ 남과 북은 한반도 비핵화 선언을 다시 한 번 확인하고 추후 핵문제가 일어날 때에는 양측이 연락단을 교환하기로 하였다.

④ 남과 북은 남측의 연합제안과 북측의 낮은 단계의 연방제안이 서로 공통성이 있다고 인정하고 이 방향에서 통일을 지향시켜 나가기로 하였다.

정답 및 해설

6.15 공동선언문에 ③번 지문의 내용은 포함되지 않았다.

관련 이론 6.15 남북공동선언문의 내용

1. 남과 북은 나라의 통일문제를 그 주인인 우리 민족끼리 서로 힘을 합쳐 자주적으로 해결해 나가기로 하였다.
2. 남과 북은 나라의 통일을 위한 남측의 연합제안과 북측의 낮은 단계의 연방제안이 서로 공통성이 있다고 인정하고 앞으로 이 방향에서 통일을 지향시켜 나가기로 하였다.
3. 남과 북은 올해 8.15에 즈음하여 흩어진 가족, 친척 방문단을 교환하며 비전향 장기수 문제를 해결하는 등 인도적 문제를 조속히 풀어 나가기로 하였다.
4. 남과 북은 경제협력을 통하여 민족경제를 균형적으로 발전시키고 사회, 문화, 체육, 보건, 환경 등 제반 분야의 협력과 교류를 활성화하여 서로의 신뢰를 다져 나가기로 하였다.
5. 남과 북은 이상과 같은 합의사항을 조속히 실천에 옮기기 위하여 빠른 시일 안에 당국 사이의 대화를 개최하기로 하였다.

답 ③

033 

2000년에 있었던 6.15 남북공동선언의 5개조에 해당하지 않는 내용은?

① 남과 북은 나라의 통일을 위한 남측의 연합제안과 북측의 낮은 단계의 연방제안이 서로 공통성이 있다고 인정하고, 앞으로 이 방향에서 통일을 지향시켜 나가기로 했다.

② 남과 북은 나라의 통일 문제를 주변 4개국의 협력을 얻어 원만히 해결해 나가기로 했다.

③ 남과 북은 경제협력을 통하여 민족경제를 균형적으로 발전시키기로 했다.

④ 남과 북은 가족, 친척 방문단을 교환하며 비전향 장기수 문제를 해결하는 등 인도적 문제를 조속히 풀어나가기로 했다.

정답 및 해설

남과 북은 나라의 통일 문제를 그 주인인 우리 민족끼리 서로 힘을 합쳐 자주적으로 해결해 나가기로 했다. 6자회담의 형태는 2000년 당시 구체화되지 않았다.

답 ②

034 노무현 정부의 평화번영정책의 추진원칙을 설명한 것으로 옳지 않은 것은?
□□□
① 대화를 통한 문제해결을 추구한다.
② 북·미 당사자 원칙에 기초한 국제협력을 추진한다.
③ 상호신뢰 우선과 호혜주의를 전제한다.
④ 국민과 함께하는 정책을 표방한다.

정답 및 해설

북·미 당사자 원칙은 북한이 주장하는 입장이며, 평화번영정책은 남북 당사자 원칙에 입각하고 있다.

선지분석

①, ③, ④ 평화번영정책이란 대화를 통한 문제해결 원칙, 상호신뢰 우선과 호혜주의 원칙, 국민과 함께하는 정책 원칙에 입각하여 한반도에 평화를 증진시키고 남북 공동번영을 추구함으로써 평화통일의 기반을 조성하고 동북아 경제 중심국가로의 발전 토대를 마련하고자 하는 노무현 대통령의 전략적 구상이다.

답 ②

035 노무현 정부의 WMD 정책 기조와 북핵문제 해결 원칙으로 옳지 않은 것은?
□□□
① 북한이 핵과 미사일 문제를 평화적으로 해결할 경우 대규모 대북경제협력을 단행한다.
② 한반도에서 군사적 긴장을 고조시키는 일체의 행위에 반대한다.
③ 경제 문제와 무관하게 군사 문제를 중시하는 안보정책을 지향한다.
④ 북핵 불용, 대화를 통한 평화적 해결, 대한민국의 적극적 역할이라는 북핵문제 해결 원칙에 입각하고 있다.

정답 및 해설

노무현 정부는 군사뿐 아니라 경제도 고려하는 포괄안보를 지향한다.

답 ③

036 북한의 핵 보유 선언(2005)이후 남북관계의 전개 과정을 순서대로 바르게 나열한 것은?

ㄱ. 북한의 연평도에 대한 직접 포격으로 우리 해병대원과 민간인 사망
ㄴ. 북한의 제1차 핵실험 강행
ㄷ. 우리 해군 초계함이 북한의 어뢰 공격으로 침몰
ㄹ. 남북 간 대부분의 교류협력을 중단하는 5.24 조치 단행
ㅁ. 북한의 은하 3호 발사 성공 발표
ㅂ. 금강산을 관광 중이던 우리 민간인이 북한 총격으로 사망
ㅅ. 개성 관광 및 남북 간 화물열차 운행 전면 중단

① ㄱ - ㄴ - ㅁ - ㅂ - ㄷ - ㄹ - ㅅ
② ㄴ - ㄷ - ㄹ - ㅁ - ㅂ - ㅅ - ㄱ
③ ㄴ - ㄹ - ㄷ - ㄱ - ㅂ - ㅁ - ㅅ
④ ㄴ - ㅂ - ㅅ - ㄷ - ㄹ - ㄱ - ㅁ

정답 및 해설

ㄴ - ㅂ - ㅅ - ㄷ - ㄹ - ㄱ - ㅁ 순서이다.
ㄴ. 9.19공동성명(2005.9) 이후 북한은 제1차 핵실험을 강행하였다(2006.10)
ㅂ. 금강산을 관광 중이던 우리 민간인이 북한 총격으로 사망하여 금강산 관광 즉각 중단되었다(2008.7).
ㅅ. 2008년 11월을 마지막으로 개성 관광 및 남북 간 화물열차 운행이 전면 중단되었다(2008.12.1).
ㄷ. 우리 해군 초계함이 북한의 어뢰 공격으로 침몰한 것은 천안함사건이다(2010.3).
ㄹ. 천안함 직후(2010.5.24) 남북 간 대부분의 교류협력을 중단하는 5.24 조치를 단행하였다.
ㄱ. 북한의 연평도에 대한 직접 포격으로 우리 해병대원과 민간인이 사망한 것은 연평도 포격사건이다(2010.11).
ㅁ. 북한의 은하 3호 발사 성공 발표는 초보적 ICBM 능력을 획득한 것으로 평가되기도 한다.(2012.12)

답 ④

037 제2차 남북정상회담 후 2007년 10월 4일 발표된 '남북관계 발전과 평화번영을 위한 선언'의 내용이 아닌 것은?

2009년 외무영사직

① 남과 북은 군사적 적대관계를 종식시키고 한반도에서 긴장완화와 평화를 보장하기 위해 긴밀히 협력하기로 하였다.
② 남과 북은 남북교류협력사업을 군사적으로 보장하기 위한 조치들을 취하기로 하였다.
③ 남과 북은 사상과 제도의 차이를 초월하여 남북관계를 상호존중과 신뢰관계로 확고히 전환시켜 나가기로 하였다.
④ 남과 북은 인도주의 협력사업을 적극 추진해 나가기로 하였다.

정답 및 해설

군사적 보장조치에 대한 합의가 형성된 것은 아니다. 군사적 보장조치를 협의하기 위해 군사당국자 회담을 개최하기로 합의하였다.

답 ②

038 이명박 정부의 대북전략에 관한 설명으로 옳지 않은 것은?

□□□

① '비핵·개방·3000' 전략은 핵문제와 경제지원을 연계시켜 북한이 핵 포기를 하면 한국은 대규모의 경제협력을 통해 북한의 1인당 국민소득을 3,000달러로 만들어준다는 구상이다.
② 이명박 대통령은 '실용주의 및 상호주의'를 기치로 제시하였다.
③ 노무현 정부에서 취해진 '5.24조치'를 해제하여 북한과의 교류·협력을 축소하였다.
④ 대북정책 4원칙으로 북핵문제의 진전, 경제성, 재정부담 능력과 가치, 국민적 합의를 제시하였다.

정답 및 해설

5.24조치는 이명박 정부 시기인 2010년 5월 24일 단행된 북한 관련 조치를 말한다. 2010년 천안함 피격사건이 일어난 뒤 우리 정부가 북한에 책임 있는 조치를 촉구하며 내린 조치이다. 남북교역 중단과 북한에 대한 신규투자나 투자확대 금지, 대북지원사업 원칙적 보류 등을 주요 내용으로 한다. 가장 대표적인 조치는 금강산 관광 중단이다.

답 ③

039 이명박 정부의 대외정책에 대한 설명으로 옳은 것을 모두 고른 것은?

□□□

ㄱ. 비핵·개방·3000 구상을 공식 발표했는데, 북한이 핵을 포기하면 북한 내 5대 중점프로젝트와 개방을 통해 20년 후 북한 주민 1인당 국민소득 5,000달러를 달성하겠다는 내용이었다.
ㄴ. 북한은 2009.5.25. 제2차 핵실험을 했으며, 이명박 정부는 이에 항의하여 2009년 5월 확산방지구상(PSI) 전면참여를 선언했다.
ㄷ. 이명박 정부는 2009년 9월 미국을 방문하여 북핵 그랜드 바겐을 제안했다. 그랜드 바겐이란 북핵문제를 근본적으로 푸는 통합된 접근법으로, 6자회담 대신 미국과 북한의 직접 협상을 통해 북핵 프로그램 핵심부분을 폐기하면서 동시에 북한에 확실한 안전보장을 제공하고 국제지원을 본격화하는 일괄타결을 추진해야 한다는 주장이었다.
ㄹ. 이명박 대통령은 2011년 5월 9일 베를린에서 메르켈 독일 총리와 회담 후 북한이 국제사회와 비핵화에 대해 확고히 합의하면 김정일을 2012년 서울 핵안보정상회의에 초청하겠다는 베를린 제안을 했다.

① ㄱ, ㄴ　　② ㄴ, ㄷ
③ ㄴ, ㄹ　　④ ㄷ, ㄹ

정답 및 해설

이명박 정부의 대외정책에 대한 설명으로 옳은 것은 ㄴ, ㄹ이다.

선지분석

ㄱ. 10년 후 북한 주민 1인당 국민소득 3,000달러를 달성하겠다는 내용이었다.
ㄷ. 6자회담을 통해 북핵 프로그램 핵심부분을 폐기하면서 동시에 북한에 확실한 안전보장을 제공하고 국제지원을 본격화하는 일괄타결을 추진해야 한다는 주장이었다.

답 ③

040 다음 중 이명박 정부의 대북전략에 해당하지 않는 것만을 모두 고른 것은?

□□□

> ㄱ. 한미공조에 기초하여 북한 핵문제를 평화적으로 해결한다.
> ㄴ. 이념이 아닌 국익을 바탕으로 하는 실리외교를 추구한다.
> ㄷ. 북한이 핵포기 시 한국은 대규모의 경제협력을 통해 북한의 1인당 국민소득을 3,000달러로 만들어 준다는 '비핵 · 개방 · 3000' 구상을 포함한다.
> ㄹ. 정경분리원칙에 기초하여 경제관계를 강화해 나간다.
> ㅁ. 남북 공동번영을 추구하여 평화통일의 실질적 기반을 조성하고 동북아 경제중심 국가의 토대를 마련한다.
> ㅂ. 대북포용 기조는 유지하되 무조건적 지원이 아닌 북한의 변화촉진에 초점을 맞춘다.

① ㄱ, ㄷ　　② ㄴ, ㄷ
③ ㄴ, ㄹ　　④ ㄹ, ㅁ

정답 및 해설

이명박 정부의 대북전략에 해당하지 않는 것은 ㄹ, ㅁ이다. 이는 노무현 정부의 대북정책에 해당한다. 정경분리원칙은 정치 · 군사안보 문제와 경제 문제를 분리하여 상호 독자적으로 설정된 목표를 추구하는 원칙을 의미한다. 이명박 정부는 정경연계원칙에 기초하여 우선적으로 핵포기를 결단할 것을 요구하였다.

답 ④

041 대북정책에서 정치와 경제를 분리하는 정경분리원칙에 대한 설명으로 옳지 않은 것은?

① 대북 정치문제와 대북 경제문제를 각 영역에 따라 서로 다른 목적에 입각하여 추구하겠다는 원칙이다.
② 김대중 · 노무현 정부는 정경연계정책을 통해 북한의 실질적 변화를 추구하는 전략을 구사하였다.
③ 정경분리가 가능하기 위해서는 주체가 민간이어야 한다는 점에서 북한의 경우 가능성이 낮다.
④ 북한의 빈약한 시장상황과 침체된 경제상황을 고려할 때 한국 기업이 이득을 얻을 가능성은 낮다.

정답 및 해설

김대중 · 노무현 정부의 대북정책은 정경분리원칙에 기초하여 전개되었다.

선지분석

③ 한국은 민간 기업이 주체가 될 수 있으나 북한의 경우 국가의 강한 통제를 받는 기구일 것이므로 주체 면에서 정경분리는 가능하지 않다.

답 ②

042 박근혜 정부의 대북정책에 대한 설명으로 가장 옳지 않은 것은?

① 집권초기 한반도 신뢰프로세스를 제시하여 남북 간 신뢰형성을 통한 남북관계 발전과 한반도 평화 정착을 추진하고자 하였다.
② 이명박 정부에서 취해진 '5.24조치'를 해제하여 금강산관광 등 남북경협을 재개하였다.
③ 한반도 신뢰프로세스의 추진원칙으로 균형있는 접근, 진화하는 대북정책 및 국제사회와의 협력을 제시하였다.
④ 박근혜 정부는 대북 정책의 추진과제로서 신뢰형성을 통한 남북관계 정상화, 한반도의 지속가능한 평화, 통일인프라 강화, 한반도 평화통일과 동북아 평화협력의 선순환 모색을 제시하였다.

정답 및 해설

5.24조치는 북한의 천안함 격침사건 이후 개성공단과 인도적 지원 조치를 제외한 남북경협을 전면적으로 중단한 조치를 말한다. 박근혜 정부에 들어 5.24조치 해제 문제가 진지하게 논의되었으나 시기상조론에 기초하여 2014년 10월 기준 해제되지 않았다.

답 ②

043 한반도의 국제관계에 대한 설명으로 옳은 것을 모두 고르면?

□□□

ㄱ. 1998년 가을 북한은 일본 너머로 대포동 미사일을 시험발사하여 새로운 위기를 조성했고, 결국 페리 프로세스를 거쳐 남북정상회담, 조명록 차수의 방미와 올브라이트 국무장관의 평양방문으로 북·미관계는 정상화 직전까지 개선되기도 하였다.
ㄴ. 북한은 김정일 시대에 들어와 핵 보유를 헌법에 명시하고 핵-경제 병진노선을 국가전략기조로 삼아 핵 개발을 기정사실화 했다.
ㄷ. 남북 간 상대적 국력이 북한에 유리했던 1960년대까지 북한은 대남정책을 공세적으로 전개하였고 남한 역시 한·미동맹에 의지하여 북한 체제 전환을 위해 공세적으로 대응했다.
ㄹ. 남북한 국력이 균형을 이루어 남한에 유리해지는 전환점인 1970년 박정희 대통령은 남북 간 선의의 경쟁을 제안했고, 이후 남한은 북한에 대하여 공세적인 외교정책을 구사하였다.

① ㄱ, ㄴ　　② ㄱ, ㄹ
③ ㄴ, ㄷ　　④ ㄷ, ㄹ

정답 및 해설

한반도의 국제관계에 대한 설명으로 옳은 것은 ㄱ, ㄹ이다.

선지분석

ㄴ. 김정은 시기의 사례이다.
ㄷ. 남한은 한·미동맹에 의지하여 이에 수세적으로 대응했다.

답 ②

044 박근혜 정부의 한반도 신뢰프로세스에 관하여 옳은 것만을 모두 고른 것은?

□□□

ㄱ. 박근혜 정부는 전임정부들의 대북정책의 한계와 부작용을 인식하고, 다양한 정책수단의 '균형성'을 강조하였다.
ㄴ. 한반도 신뢰프로세스의 주요 목표는 한반도 문제를 남북이 주도하는 가운데 주변국들의 지지를 확보하여 한반도 평화통일과 동북아 평화협력달성이다.
ㄷ. 신뢰프로세스 추진원칙 중 하나인 진화하는 대북정책 원칙은 시민사회의 의견을 수렴하고 투명한 정보공개에 기반한 정책 추진 및 국제사회와의 긴밀한 협력을 통한 정책의 실용성 확보 원칙을 말한다.
ㄹ. 한반도 평화정착을 위해 북한의 비핵화와 남북 간 정치, 군사적 신뢰 증진을 강조하였다.

① ㄱ, ㄷ　　② ㄱ, ㄹ　　③ ㄴ, ㄷ　　④ ㄴ, ㄹ

정답 및 해설

박근혜 정부의 한반도 신뢰프로세스에 관하여 옳은 것은 ㄱ, ㄹ이다.

선지분석

ㄴ. 한반도 평화통일과 동북아 평화협력달성은 노무현 정부의 자주적, 민족적 요소를 강조한 '진보적 외교패러다임'을 기반으로 한 동북아차원의 대북정책에 대한 설명이다.
ㄷ. 신뢰프로세스의 추진기조 중 하나인 '국민적 신뢰와 국제사회의 신뢰에 기반'에 대한 설명이다.

답 ②

045 판문점선언(2018.4)에 대한 설명으로 옳은 것은 모두 몇 개인가?

ㄱ. 쌍방 당국자가 상주하는 남북공동연락사무소를 판문점에 설치한다.
ㄴ. 군사적 긴장이 해소되고 서로의 군사적 신뢰가 실질적으로 구축되는 데 따라 단계적으로 군축을 실현해 나간다.
ㄷ. 올해에 종전을 선언하고 정전협정을 평화협정으로 전환하기 위해 회담 개최를 추진한다.
ㄹ. 항구적이고 공고한 평화체제 구축을 위한 남북미 3자회담 개최를 적극 추진해 나간다.
ㅁ. 완전하고 검증가능하며 돌이킬 수 없는 비핵화(CVID)를 통해 핵 없는 한반도를 실현한다는 공동의 목표를 확인하였다.
ㅂ. 한반도 비핵화를 위한 국제사회의 지지와 협력을 위해 적극 노력한다.

① 1개　　② 2개　　③ 3개　　④ 4개

정답 및 해설

판문점선언(2018.4)에 대한 설명으로 옳은 것은 ㄴ, ㄷ, ㅂ으로 3개이다.

선지분석

ㄱ. 개성에 설치한다.
ㄹ. 남북미 3자 또는 남북미중 4자 회담 개최를 추진한다.
ㅁ. '완전한 비핵화를 통해' CVID는 명시되지 않았다.

답 ③

046 문재인 정부가 추진하고 있는 동북아 평화 협력 플랫폼정책에 대한 설명으로 옳지 않은 것은?

① 동북아 평화협력 플랫폼은 동북아의 평화와 협력을 위해 관련 이해당사자들이 자유롭게 모여 다양한 협력 의제를 논의하는 장(場)을 만들려는 문재인 정부의 구상이다.
② 동북아 평화협력 플랫폼은 문재인 정부 100대 국정과제인 '동북아플러스 책임공동체 형성'의 세부 실천과제 중 하나이다.
③ '동북아플러스 책임공동체 형성'은 동북아 다자협력 추진을 위한 「동북아 평화협력 플랫폼」, 아세안·인도와의 관계 강화를 위한 「신남방정책」, 중국과의 연계를 증진하기 위한 「신북방정책」의 3개 실천과제로 구성되어 있다.
④ 미국, 중국, 일본, 러시아, 몽골 등 동북아 지역 국가들과 협력을 심화하는 한편, 호주, 뉴질랜드, UN, EU, OSCE, ASEAN, NATO 등 동북아 평화와 협력에 관심과 의지가 있는 국가, 국제기구, 지역기구 등과도 파트너십을 확대하고자 한다.

정답 및 해설

유라시아지역과의 연계 증진을 위한 정책이 신북방정책이다.

답 ③

047 문재인 정부 대북정책의 3대 목표에 해당하지 않는 것은?

① 한국의 능동적 역할과 국제사회와의 협력, 제재와 대화의 병행 등 포괄적이고 과감한 접근을 통해 북핵문제를 해결한다.
② 기존 남북 간 합의들을 지키고, 국민적 합의를 바탕으로 기존 합의를 법제화 한다. 이를 통해 대북정책의 일관성과 지속성을 확보한다.
③ '남북기본협정'을 체결하여 정권이 변경되어도 약속이 지켜지는 남북관계를 정립한다.
④ 남북이 하나의 시장을 형성하여 새로운 경제성장 동력을 창출하고 더불어 잘사는 남북 경제공동체를 만든다.

정답 및 해설

이는 4대 전략에 해당된다.

관련 이론 **4대 전략**

1. **단계적 · 포괄적 접근**
   - 북핵문제는 제재 · 압박과 대화를 병행하고 단계적으로 해결
   - 핵동결에서 시작해서 핵폐기 추진
   - 북핵문제 해결과정에서 남북 간 정치 · 군사적 신뢰 구축, 한반도평화체제수립 등을 통해 안보 위협을 근원적으로 해소
2. **남북관계와 북핵문제 병행 진전**
   - 남북관계가 활발할 때 북핵문제 해결에 진전이 있었음
   - 남북 간 대화와 교류를 통해 신뢰관계가 구축되어야 다자대화에서도 주도권을 가질 수 있음
3. **제도화를 통한 지속가능성 확보**
   - '통일국민협약' 추진
   - '남북기본협정'을 체결하여 정권이 변경되어도 약속이 지켜지는 남북관계를 정립
   - '한반도평화협정'을 체결하여 견고한 평화구조 정착
4. **호혜적 협력을 통한 평화적 통일기반 조성**
   - 이산가족 문제의 우선적 해결
   - 북한 취약계층에 대한 인도적 지원
   - 남북이 공존공영하며 민족공동체를 회복하는 '과정으로서의 자연스러운 통일'을 추구
   - 비정치적 교류사업은 정치 · 군사적 상황과 분리해 일관성을 갖고 추진

답 ③

048 평양 공동 선언(2018.9.19)에 대한 설명으로 옳지 않은 것은?

① 「판문점선언 군사분야 이행합의서」를 평양공동선언의 부속합의서로 채택하고 이를 철저히 준수하고 성실히 이행하며, 한반도를 항구적인 평화지대로 만들기 위한 실천적 조치들을 적극 취해 나가기로 하였다.

② 북측은 미국이 6.12 북미공동성명의 정신에 따라 상응조치를 취하면 동창리 엔진시험장과 미사일 발사대의 영구적 폐기와 같은 추가적인 조치를 계속 취해나갈 용의가 있음을 표명하였다.

③ 남과 북은 전염성 질병의 유입 및 확산 방지를 위한 긴급조치를 비롯한 방역 및 보건 · 의료 분야의 협력을 강화하기로 하였다.

④ 남과 북은 서해경제공동특구 및 동해관광공동특구를 조성하는 문제를 협의해나가기로 하였다.

정답 및 해설

영변 핵시설의 영구적 폐기와 같은 추가적 조치를 취해 나갈 용의가 있음을 표명하였다.

답 ②

049 한국-미국-일본 3개국 정상회담에서 발표된 캠프데이비드정신(2023년 8월 18일)에 대한 설명으로 옳지 않은 것은?

□□□

① 한미일은 인도-태평양 국가로서 국제법, 공동의 규범, 그리고 공동의 가치에 대한 존중을 바탕으로, 자유롭고 열린 인도-태평양을 계속해서 증진해 나갈 것이다.

② 우리 3국은 핵비확산조약 당사국으로서 비확산에 대한 우리의 공약을 지킬 것을 서약한다.

③ 대만에 대한 우리의 기본입장에 변화가 없음을 인식하며, 양안 문제의 평화적 해결을 촉구한다.

④ 우리 3국은 일본의 원자력 안전 문제의 심각성을 인식하고 일본의 과학적 조치에 대해 지지를 보내며, 관련 국제기구·협의체를 통해 리더십을 발휘하고 해결책을 제시하기 위해 협력할 것이다.

정답 및 해설

우리 3국은 기후변화 대응을 위해 협력하기로 하고, 관련 국제기구·협의체를 통해 리더십을 발휘하고 해결책을 제시하기 위해 협력할 것이다.

답 ④

050 한반도 평화체제 구축에 대한 국제정치 이론과 그 주장에 대한 설명으로 옳지 않은 것은?

□□□

2015년 외무영사직

① 현실주의 이론: 한반도 평화체제 구축은 미국과 중국 등 강대국들의 힘에 의해서 구축되는 것이기 때문에, 남북한 간의 협력만으로는 평화체제를 구축하기 어렵다.

② 자유주의 이론: 한반도 평화체제 구축을 위해서는 주변 강대국 간의 힘의 균형을 활용해야 하며, 6자회담 등을 통해 협력을 달성해야만 평화체제를 구축할 수 있다.

③ 신자유주의 제도 이론: 한반도 평화체제 구축을 위해서는 남북 간 투명성을 제고하고, 불확실성과 거래비용을 절감하며 상호이익을 증진하는 기능을 수행하는 제도를 도입하는 것이 필요하다.

④ 구성주의 이론: 한반도 평화체제 구축을 위해서는 남북한의 지도자와 국민 다수의 상대에 대한 의식과 관념, 그리고 정체성의 변화가 필수 조건이다.

정답 및 해설

강대국 간 힘의 균형을 활용하는 것은 현실주의 주장에 해당한다.

선지분석

① 현실 권력관계가 투영될 것으로 보는 현실주의 견해이다.

③ 신자유제도주의에서는 한반도평화체제를 제도형성 관점에서 조망하고, 형성된 제도가 남북관계를 규제하는 데 효과적일 것으로 본다.

④ 구성주의는 평화체제를 위해서는 무엇보다 한국과 북한 상호간 적대적 정체성의 변화가 선행되어야 한다고 본다.

답 ②

051 한반도 평화체제에 대한 설명으로 옳지 않은 것은?

□□□

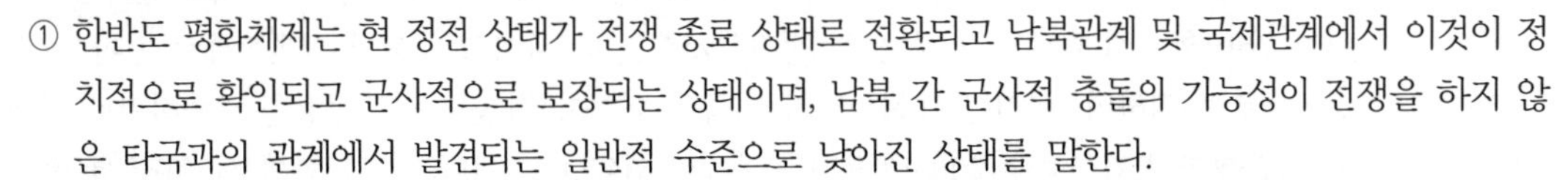
① 한반도 평화체제는 현 정전 상태가 전쟁 종료 상태로 전환되고 남북관계 및 국제관계에서 이것이 정치적으로 확인되고 군사적으로 보장되는 상태이며, 남북 간 군사적 충돌의 가능성이 전쟁을 하지 않은 타국과의 관계에서 발견되는 일반적 수준으로 낮아진 상태를 말한다.

② 북한은 1974년 이후 일관되게 다자적 입장에 근거한 평화협정 체결을 주장해왔다.

③ 대한민국은 우선적으로 평화체제 구축은 '당사자 해결원칙'에 입각해야 하며, 한반도 평화문제의 본질이 남북한 관계인 이상 당연히 남북 간의 평화협정이 체결되어야 한다는 것이다.

④ 미국은 2005년 9.19 공동선언에서 '한반도의 항구적 평화체제에 대한 협상'을 가질 것에 합의하였으며 이는 미국이 한반도 평화체제 구축 논의와 대북 평화협정 제안을 함으로써 미국의 주도적 역할과 함께 당사자 지위의 획득 및 보장자로서의 역할을 얻게 되는 것을 목표로 한다고 볼 수 있다.

정답 및 해설

북한은 일관되게 대미(對美) 평화협정 체결을 주장하여 왔으며, 2005년에도 다시 한번 대미 평화체제 수립을 주장하였다. 이는 1973년 파리평화협정을 본따 주한미군을 철수시키기 위한 것이라는 의견이 우세하다.

선지분석

③, ④ 평화체제 구축과 관련해서 어디까지 당사자로 인정되는지 하는 문제는 2+1논의, 2+2논의 등을 통해 알 수 있듯이 남북한뿐 아니라 주변 강국들의 이익까지 크게 포섭하는 중요한 포인트라고 할 수 있다. 주변 강국들은 당사자 문제가 마음대로 처리되지 않을 경우 한반도의 평화통일에 동의하지 않을 가능성이 농후하다.

답 ②

052 한반도 평화체제 구축에 대한 관련 국가들의 입장으로 옳지 않은 것은?

□□□

① 한국: 남북 당사자 해결원칙에 기초하여 중국과 미국의 개입에 대해 부정적 입장을 취하고 있다.

② 북한: 평화협정의 당사자가 미국과 북한이라고 주장하면서 한국을 부수적 행위자로 취급하는 입장을 고수하고 있었으나, 2007년 10.4 정상선언에서 한국을 당사자로 인정하는 듯한 입장을 취하기도 하였다.

③ 미국: 북한의 북·미평화협정, 북·미잠정협정 제시에 거부입장을 분명히 하는 한편 평화협정 논의 가능성은 열어두려는 입장이다.

④ 중국: 한반도 평화문제는 남북 간 직접 대화를 통해 해결하는 것이 최선이며, 미국과 중국은 남북합의에 대한 지지와 보장 역할을 하는 것이 바람직하다고 본다.

정답 및 해설

한국의 공식입장은 이른바 '2+2방식'이다. 이는 남북 당사자 간 해결을 추구하되, 한반도문제에 대한 실질적 당사자인 중국과 미국의 입장을 존중한다는 입장을 의미한다.

선지분석

② 한국이 1974년 남북상호불가침협정을 제의하자, 북한은 대미평화협정을 제의하고 집요하게 북·미평화협정 체결을 주장하고 있다.

③ 미국은 북한이 제의한 북·미 간 양자협정은 거부하면서도 2차 북핵위기 이후 '미국의 대북 적대정책 때문에 북이 핵을 개발할 수밖에 없다'는 북한의 논리가 6자회담 참가국에게 상당부분 받아들여지고 있음을 고려하여 평화협정 체결을 위한 논의 가능성을 열어두고 있다.

답 ①

053 한반도평화체제에 대한 설명으로 옳지 않은 것은?

□□□

① 1991년 제5차 남북 고위급회담에서 채택되고 1992년 발효된 남북 사이의 화해와 불가침 및 교류·협력에 관한 합의서에서 남과 북은 현 정전상태를 남북 사이의 공고한 평화상태로 전환시키기 위하여 공동으로 노력하며, 이러한 평화상태가 이룩될 때까지 현 군사정전협정을 준수하기로 합의하였다.

② 6자회담에서 참가국들은 2005년 9.19 공동성명(제4조) 및 2007년 2.13합의(제6조)에서 직접 관련 당사국들은 적절한 별도 포럼에서 한반도의 항구적 평화체제에 관한 협상을 가질 것에 합의하였다.

③ 2007년 남북정상회담에서 채택된 남북관계 발전과 평화번영을 위한 선언(10.4선언)에서 남과 북은 현 정전체제를 종식시키고 항구적인 평화체제를 구축해 나가야 한다는 데 인식을 같이하고 직접 관련된 3자 또는 4자 정상들이 한반도 지역에서 만나 종전을 선언하는 문제를 추진하기 위해 협력해 나가기로 합의하였다.

④ 2018 남북정상회담 결과 채택된 한반도의 평화와 번영, 통일을 위한 판문점선언에서 남과 북은 정전협정 체결 65년이 되는 올해에 종전을 선언하고 정전협정을 평화협정으로 전환하며 항구적이고 공고한 평화체제 구축을 위한 3자 또는 4자회담 개최를 적극 추진해 나가기로 하였다.

정답 및 해설

남·북·미 3자 또는 남·북·미·중 4자회담 개최를 적극 추진해 나가기로 하였다.

답 ④

054 한반도평화체제에 대한 설명으로 옳지 않은 것은?

□□□

① 정전협정 제60항에 따라 한반도 문제를 평화적으로 해결하기 위하여 제네바 정치회의가 1954년 4~6월간 19개국이 참여한 가운데 개최되었으며 우리나라는 변영태 외무장관을 수석대표로 하는 대표단을 파견하여 '한국 통일에 관한 14개 원칙안'을 제안하는 등의 노력을 기울였다.

② 1991년 제5차 남북 고위급회담에서 채택되고 1992년 발효된 남북 사이의 화해와 불가침 및 교류·협력에 관한 합의서에서 남과 북은 현 정전상태를 남북 사이의 공고한 평화상태로 전환시키기 위한 관련국과의 회담 개최를 위해 공동으로 노력하며, 이러한 평화상태가 이룩될 때까지 현 군사정전협정을 준수하기로 합의하였다.

③ 1996년 4월 한반도에서의 긴장을 해소하고 항구적 평화체제를 수립하기 위한 목적으로 4자회담이 개최되었으나, 평화협정 당사자, 평화체제와 동맹의 관계 등에 대한 관련국 간 입장차가 매우 커 4자회담은 별다른 성과를 거두지 못하고 종료되었다.

④ 6자회담에서 참가국들은 2005년 9.19 공동성명(제4조) 및 2007년 2.13합의(제6조)에서 직접 관련 당사국들은 적절한 별도 포럼에서 한반도의 항구적 평화체제에 관한 협상을 가질 것에 합의하였다.

정답 및 해설

남과 북은 현 정전상태를 남북 사이의 공고한 평화상태로 전환시키기 위하여 공동으로 노력하며 이러한 평화상태가 이룩될 때까지 현 군사정전협정을 준수한다(남북 사이의 화해와 불가침 및 교류·협력에 관한 합의서 제5조).

답 ②

055 남북한 간 군비통제 합의에 대한 설명으로 옳지 않은 것은? 2019년 외무영사직

□□□

① 노태우 정부의 남북 기본합의서에서는 군사적 신뢰조성과 군축의 실현 문제를 협의·추진하기로 합의하였다.

② 김영삼 정부의 한반도 비핵화 공동선언에서는 핵재처리시설과 우라늄농축시설을 보유하지 않기로 합의하였다.

③ 김대중 정부의 6·15 남북공동선언에서는 한반도 비핵화와 군축 조항을 포함하지 않았다.

④ 노무현 정부의 10·4 남북정상선언에서는 군사적 신뢰구축조치를 협의하기 위하여 국방장관 회담을 개최하기로 합의하였다.

정답 및 해설

한반도비핵화공동선언은 1991년 12월 노태우 정부에서 발표된 것이다. 내용은 맞다. 그 밖에도 상호간 합의된 절차에 따른 사찰, 남북핵통제공동위원회 창설 등도 담겨있다.

답 ②

제 8 편

외교사

제1장 유럽외교사

제1절 | 개관

001 근대 이후 유럽의 역사적 사건을 시기순으로 바르게 나열한 것은? 2020년 외무영사직

□□□

ㄱ. 뮌스터조약, 오스나브뤼크조약
ㄴ. 파리조약
ㄷ. 위트레흐트조약
ㄹ. 베르사유조약

① ㄱ → ㄴ → ㄷ → ㄹ
② ㄱ → ㄷ → ㄴ → ㄹ
③ ㄴ → ㄱ → ㄷ → ㄹ
④ ㄷ → ㄴ → ㄱ → ㄹ

정답 및 해설

ㄱ. 뮌스터조약, 오스나브뤼크조약(1648) → ㄷ. 위트레흐트조약(1713) → ㄴ. 파리조약(1856) → ㄹ. 베르사유조약(1919) 순서이다.
ㄱ. 뮌스터조약, 오스나브뤼크조약 이 두 조약을 합쳐서 베스트팔렌조약이라고도 한다.
ㄷ. 위트레흐트조약은 스페인 왕위계승전쟁의 강화조약이다.
ㄴ. 파리조약은 크림전쟁 강화조약을 의미하는 것으로 보인다.
ㄹ. 베르사유조약은 제1차 세계대전의 예비평화조약이다.

답 ②

002 세계사적 변화를 일으킨 전쟁과 그 직후 등장한 국제체제의 연결이 옳지 않은 것은? 2018년 외무영사직

□□□

① 30년전쟁 - 베스트팔렌 체제
② 나폴레옹전쟁 - 비스마르크 체제
③ 제1차 세계대전 - 베르사유 체제
④ 제2차 세계대전 - 얄타 체제

정답 및 해설

빈체제가 성립되었다. 비스마르크체제는 프로이센 - 프랑스전쟁(1870)이후 형성된 체제로서 비스마르크가 퇴임한 1890년까지 유지되었다.

답 ②

003 근대 서구 국제체제에서의 주요 구성요소가 아닌 것은? 2004년 외무영사직

□□□

① 한 국가가 다른 국가들에 대해 권력과 통제를 행사하는 패권체제
② 외교사절의 파견과 접수
③ 국경선으로 구획되는 주권 행사의 공간적 한계를 가진 정치단위
④ 독립, 불간섭, 자위권, 상호성, 전쟁법 등으로 구성된 국제법 질서

정답 및 해설

근대국제체제는 주권국가들의 병존체제를 의미하므로, 패권체제와는 거리가 멀다.

답 ①

004 □□□ **독립주권국가로서의 근대 민족국가체제들을 형성시키는 데 중요한 계기가 된 국제조약 및 회의 명칭은?**

① 1648년 웨스트팔리아(Westphalia)조약
② 1713년 유트레히트(Utrecht)조약
③ 1815년의 비엔나(Vienna)회의
④ 1919년의 베르사유(Versailles)조약

정답 및 해설

근대국제체제란 법적으로 대등하고 독립된 주권국가들로 형성되는 국제체제를 의미한다. 근대국제체제는 신교와 구교의 대립이었던 30년 전쟁 이후 체결된 웨스트팔리아(Westphalia)조약에서 내정불간섭, 종교선택의 자유 등이 보장되면서 출범하게 되었다.

답 ①

005 □□□ **다음 중 연결이 옳지 않은 것은?**

① 30년전쟁 - 웨스트팔리아조약
② 크림전쟁 - 파리조약
③ 아편전쟁 - 난징조약
④ 오스트리아 왕위계승전쟁 - 유트레히트조약

정답 및 해설

오스트리아 왕위계승전쟁은 1740~1748년 오스트리아의 여왕 마리아 테레지아의 왕위계승을 둘러싼 전쟁이다. 이 전쟁은 '아헨조약'으로 종결되었다. 한편, 유트레히트조약은 스페인 왕위계승전쟁을 종결한 조약이다.

답 ④

006 □□□ **나폴레옹전쟁 후 국제정치사의 전개과정을 체제적 입장에서 분석할 때, 국제체제가 시대순으로 바르게 나열된 것은?**

ㄱ. 비스마르크(Bismarck)체제
ㄴ. 비엔나(Vienna)체제
ㄷ. 몰타(Malta)체제
ㄹ. 얄타(Yalta)체제
ㅁ. 베르사유(Versailles)체제

① ㄴ - ㄱ - ㄷ - ㅁ - ㄹ
② ㄴ - ㄱ - ㅁ - ㄹ - ㄷ
③ ㄴ - ㅁ - ㄱ - ㄷ - ㄹ
④ ㄴ - ㅁ - ㄱ - ㄹ - ㄷ

정답 및 해설

ㄴ. 비엔나체제(1815) → ㄱ. 비스마르크체제(1871) → ㅁ. 베르사유체제(1919) → ㄹ. 얄타체제(1945) → ㄷ. 몰타체제(1989) 순서이다.

답 ②

007 □□□ **19세기 이후 근대 국제정치체제는 다양한 형태로 변화해왔다. 이러한 국제정치체제의 역사적 흐름을 순서대로 바르게 나열한 것은?**

① 유럽협조체제 - 베르사유체제 - 비스마르크체제 - 워싱턴체제 - 얄타체제 - 로카르노체제
② 유럽협조체제 - 비스마르크체제 - 베르사유체제 - 로카르노체제 - 얄타체제 - 워싱턴체제
③ 유럽협조체제 - 비스마르크체제 - 베르사유체제 - 워싱턴체제 - 로카르노체제 - 얄타체제
④ 유럽협조체제 - 베르사유체제 - 비스마르크체제 - 워싱턴체제 - 로카르노체제 - 얄타체제

정답 및 해설

유럽협조체제(1815) → 비스마르크체제(1871) → 베르사유체제(1919) → 워싱턴체제(1922) → 로카르노체제(1925) → 얄타 체제(1945) 순서이다.

답 ③

008 □□□ **근대 국제정치체제는 역사적으로 전쟁을 통해 이전의 체제가 붕괴되고, 전후 처리과정에서 새로운 체제가 성립하였다. 다음 중 전쟁과 그 후 성립된 체제의 연결이 옳지 않은 것은?**

① 나폴레옹전쟁 - 유럽협조체제
② 크림전쟁 - 비스마르크 동맹체제
③ 제1차 세계대전 - 베르사유 체제
④ 제2차 세계대전 - 얄타체제

정답 및 해설

비스마르크 동맹체제는 보오전쟁, 보·불전쟁을 거치는 독일통일전쟁 이후에 형성되었다.

답 ②

009 □□□ **웨스트팔리아(Westphalia) 체제는 근대 유럽질서에 있어 매우 중요시 여겨진다. 이에 관한 설명으로 옳은 것은?**

① 웨스트팔리아 체제가 유럽을 500년간 큰 전쟁이 없는 상태로 이끌었다.
② 주권국가들의 주권평등, 영토존중, 내정불간섭 등이 체제의 주요 원칙이다.
③ 긴 평화를 이끈 것은 개별 지도자들의 능력이 아니라 제도화된 국제기구가 있었기 때문이었다.
④ 1815년 빈회의는 BOP체제를 형성하기 위해 다수의 근대국가를 출현시키는 데 기여하였다.

정답 및 해설

웨스트팔리아 체제의 핵심원리는 세 가지이다. 첫째, 국왕은 자기 영역에서 최고권위를 가진다(주권절대의 원칙), 둘째, 국왕은 자기영역 내의 종교를 자유롭게 선택한다(내정불간섭의 원칙), 셋째, 국가들 간 평화를 유지하기 위해 상호 대등한 힘을 유지한다(세력균형의 원칙). 이러한 원리 때문에 웨스트팔리아 체제는 반동적이라는 비판도 받는다.

선지분석

③ 긴 평화는 체제와 더불어 비스마르크, 탈레이랑 등의 몇몇 걸출한 지도자들의 역량에 의지한 바가 크다. 그 당시에 제도화된 국제기구는 존재하지 않았으나 레짐(regime)은 존재했다고 할 수 있다.
④ 빈회의는 빈체제를 형성하기 위해 다수의 근대국가들을 해체 또는 분할하였다. 이에 따라 19세기 역사는 근대국가 형성을 위한 투쟁의 성격을 띠게 되었다.

답 ②

010 웨스트팔리아 체제에 대한 설명으로 옳지 않은 것은?

□□□

① 웨스트팔리아 체제란 나폴레옹전쟁을 종결시킨 웨스트팔리아조약에 기초하여 형성된 유럽국제체제를 말한다.
② 중세 봉건질서를 해체하고 국가들로 형성된 근대국제질서로 진행되어갔다.
③ 근대국제체제가 성립되었으며, 그 핵심원리는 주권절대의 원칙, 내정불간섭의 원칙, 세력균형의 원칙이다.
④ 웨스트팔리아 체제는 초기에 유럽에만 해당되다가 지속적인 팽창과정을 거쳤다.

정답 및 해설

웨스트팔리아 체제는 1648년 30년전쟁이 종결된 이후에 성립되었다. 나폴레옹전쟁은 그 이후의 사건이다.

답 ①

011 베스트팔렌조약에 대한 설명으로 옳지 않은 것은?

2014년 외무영사직

□□□

① 정치권력이 종교를 결정하고 국왕은 영토 내에서는 황제라는 원칙을 정했다.
② 30년 종교전쟁을 종결한 평화조약이며, 칼뱅파의 종교적 자유를 인정하였다.
③ 신성로마제국이 구교 세력과 맺은 피레네 조약과 신교 세력과 맺은 위트레흐트조약의 통칭이다.
④ 내정불간섭과 주권평등의 근대적인 영토주권 개념이 국제적으로 승인되었다.

정답 및 해설

피레네조약은 프랑스와 에스파냐 사이에 있던 1636년 이래의 전쟁을 종결시킨 평화조약(1659)이다. 한편, 유트레흐트조약은 1713~1715년 네덜란드 위트레흐트에서 에스파냐계승전쟁을 종결시킨 조약을 말한다.

답 ③

012 30년전쟁과 베스트팔렌조약에 대한 설명으로 옳지 않은 것은?

□□□

① 신성로마제국의 종파적 갈등은 정치권력이 종교를 결정한다는 원칙을 천명한 아우크스부르크 평화회의(Peace of Augsburg, 1555)로 일단락되었으나, 이는 구교와 개신교의 칼뱅파만을 인정하고 루터파는 인정하지 않은 불안정한 평화였다.
② 강화조약인 베스트팔렌조약은 신성로마제국이 구교 세력과 맺은 뮌스터(Münster)조약과 신교 세력과 맺은 오스나브뤼크(Osnabrück)조약의 통칭이다.
③ 1617년 가톨릭 신념이 강한 합스부르크 가문의 페르디난트가 신성로마제국의 일부인 보헤미아의 국왕으로 선출되자, 반종교개혁을 우려한 보헤미아의 칼뱅교도들이 1618년에 페르디난트의 폐위를 선언하고, 개신교 연합의 칼뱅파 선제후를 국왕으로 선출하는 반란을 일으키면서 30년전쟁이 시작되었다.
④ 30년전쟁을 계기로 종교적 이념이나 신성로마제국의 존재가 서구의 정치적 분립을 위협할 수 있는 명분과 힘을 완전히 상실하게 되었으며, 이 점에서 베스트팔렌조약은 서구의 중세와 근대를 구분하는 주요한 역사적 전환점의 하나이다.

정답 및 해설

루터파를 인정하고 칼뱅파는 부정한다.

답 ①

013 30년전쟁(1618~1648)에 대한 설명으로 옳지 않은 것은?

□□□

① 마틴루터의 종교개혁으로 촉발된 구교와 신교의 갈등과정에서 카를 5세는 보름스칙령을 통해 신교 신봉의 자유를 일시적으로 허용하였으나, 이후 신교를 이단으로 규정하고 루터를 처벌하였다.
② 보헤미아 지역 내전으로 시작되었으나 유럽 주요국들이 참전하여 확대되었다.
③ 덴마크, 스웨덴, 프랑스, 영국이 신교파를 지원하였고, 스페인이 구교파를 지원하였다.
④ 전쟁은 베스트팔렌조약으로 종결되었으며, 네덜란드, 스위스, 밀라노 등이 신성로마제국에서 독립했다.

정답 및 해설

보름스칙령은 루터를 이단이라고 규정하고 루터 사상을 신봉하지 말 것을 요구한 것이다.

답 ①

014 30년전쟁과 베스트팔렌조약에 대한 설명으로 옳은 것은?

□□□

① 30년전쟁의 발단 중 하나인 아우크스부르크 평화회의(Peace of Augsburg, 1555)는 구교와 개신교의 칼뱅파만을 인정하고 루터파는 인정하지 않은 불안정한 평화였다.
② 베스트팔렌조약에서 1555년의 아우크스부르크 평화회의의 '정치권력이 종교를 결정한다'는 원칙에 따라 현실적인 종파적 힘의 균형, 구체적으로는 루터파의 종교적 자유를 인정하였다.
③ 구교파인 프랑스는 스페인과 연합하여 독립전쟁을 치르던 네덜란드, 스웨덴을 공격했다.
④ 1617년 가톨릭 신념이 강한 합스부르크 가문의 페드디난트가 신성로마제국의 일부인 보헤미아의 국왕으로 선출된 것이 발단이 되었다.

정답 및 해설

선지분석

① 루터파만 인정한 화의였다.
② 칼뱅파의 종교적 자유를 인정하였다.
③ 프랑스는 스페인과 대항하여 싸웠다.

답 ④

015 스페인왕위계승전쟁(1701~1714)에 대한 설명으로 옳지 않은 것은?

□□□

① 스페인의 카를로스 2세가 후계자를 낳지 못할 것이 확실하게 되자 스페인 왕위 계승문제가 쟁점으로 대두되었으며 프랑스, 오스트리아, 영국, 네덜란드의 입장이 상충되었다.
② 전쟁은 영국, 오스트리아, 네덜란드, 프로이센이 한편을 형성하여 스페인 및 프랑스 연합군에 대항하는 양상으로 전개되었다.
③ 영국과 네덜란드는 스페인과 1713년 위트레히트조약을 체결하여 종전하였다.
④ 전쟁 결과 스페인 가문이 프랑스 왕위를 계승하지 못하게 되어 프랑스와 스페인의 왕위가 한 명에게 계승되는 위협은 소멸하였다.

정답 및 해설

위트레히트조약은 영국, 네덜란드가 프랑스와 체결한 조약이다.

답 ③

016 오스트리아 왕위계승전쟁(1740~1748)에 대한 설명으로 옳지 않은 것은?

① 프랑스는 프로이센을 도와 대규모 병력을 파병하였다.
② 영국은 오스트리아를 원조하기 위해 참전하여 프랑스군을 격퇴하였다.
③ 오스트리아군은 프로이센과 강화를 맺어 슐레지엔을 프로이센에게 할양해 주기로 하였다.
④ 프랑스와 영국-오스트리아 동맹군은 1748년 10월 파리조약을 체결하고 전쟁을 종결하였다.

정답 및 해설

아헨조약으로 종결하였다.

답 ④

017 7년전쟁(1756~1763)에 대한 설명으로 옳지 않은 것은?

① 7년전쟁은 오스트리아 왕위계승전쟁에서 프로이센에게 패배해 독일 동부의 비옥한 슐레지엔을 빼앗긴 오스트리아 합스부르크가가 그곳을 되찾기 위해 프로이센과 벌인 전쟁을 말한다.
② 오스트리아, 프랑스 및 러시아가 동맹을 형성하여 프로이센 및 영국 연합과 대항하였다.
③ 전쟁은 1763년 프랑스 - 스페인 - 영국 사이의 파리조약과 작센 - 오스트리아 - 프로이센 사이의 후베르투스부르크조약으로 종결되었다.
④ 유럽에서는 프랑스의 지원을 받은 오스트리아가 최종적으로 승리를 거두어 슐레지엔의 영유권을 수복하였다.

정답 및 해설

7년전쟁은 영국의 지원을 받은 프로이센이 최종적으로 승리를 거두어 슐레지엔의 영유권을 확보하였다.
유럽에서 벌어진 전쟁은 포메라니아전쟁이라고도 하며, 영국과 프랑스 간 아메리카 대륙에서 벌어진 전쟁은 프렌치 인디언전쟁이라고 한다. 영국과 프랑스 전쟁에서는 영국이 승리하여 북아메리카에서 프랑스 세력을 축출하였다. 프랑스와 스페인은 1778년 미국 독립 전쟁에 참전하여 영국에 보복하였다.

답 ④

018 7년전쟁(1756~1763)에 대한 설명으로 옳지 않은 것은?

□□□

① 오스트리아 - 프랑스 - 작센 - 스웨덴 - 러시아가 동맹을 맺어 프로이센 - 하노버 - 영국의 연합에 대응한 전쟁이다.
② 영국과 프랑스 간 아메리카 대륙에서 벌어진 전쟁은 프렌치-인디언 전쟁이라 한다.
③ 1763년 프랑스 - 스페인 - 영국 사이의 런던조약으로 종전되었다.
④ 1763년 오스트리아 - 프로이센은 후베르투스부르크조약으로 전쟁을 종결하였다.

정답 및 해설

파리조약으로 종전되었다.

답 ③

019 18세기 국제관계에 대한 설명으로 옳지 않은 것은? 2016년 외무영사직

□□□

① 영국과 프랑스는 동맹을 맺어 러시아, 오스트리아, 프로이센과 7년전쟁을 일으켰다.
② 영국과 프랑스는 프랑스 - 인디언 전쟁에서 충돌했다.
③ 영국의 미주 식민지에 대한 과도한 세금부과로 인해 미국독립운동이 촉발되었다.
④ 미국은 프랑스와의 동맹으로 영국군을 물리치고 1783년 파리조약에서 독립을 승인받았다.

정답 및 해설

7년전쟁(1756~1763)은 오스트리아 왕위계승전쟁에서 프로이센에게 패배해 독일 동부의 비옥한 슐레지엔을 빼앗긴 오스트리아가 그곳을 되찾기 위해 프로이센과 벌인 전쟁을 말한다. 이 전쟁에는 유럽의 거의 모든 열강이 참여하게 되어 유럽뿐 아니라 그들의 식민지가 있던 아메리카와 인도에까지 퍼진 세계대전으로 번진 대규모 전쟁이었다. 주로 오스트리아 - 프랑스 - 작센 - 스웨덴 - 러시아가 동맹을 맺어 프로이센 - 하노버 - 영국의 연합에 맞섰다. 유럽에서 벌어진 전쟁은 포메라니아 전쟁으로도 불리며, 영국과 프랑스는 아메리카 대륙에서 벌어진 프렌치 인디언 전쟁이라 불렸다. 유럽에서는 영국의 지원을 받은 프로이센이 최종적으로 승리를 거두어 슐레지엔의 영유권을 확보했으며, 식민지 전쟁에서는 영국이 주요 승리를 거두어 북아메리카의 뉴프랑스(현재의 퀘벡 주와 온타리오 주)를 차지하여 북아메리카에서 프랑스 세력을 몰아냈고, 인도에서도 프랑스 세력을 몰아내어 대영제국의 기초를 닦았다(위키백과 참조). 영국과 프랑스는 동맹관계가 아니라 적대적 관계였다.

답 ①

020 세계사의 주요 사건들의 순서로 옳은 것은?

□□□

ㄱ. 유럽협조체제 성립	ㄴ. 국제연합 설립
ㄷ. 프랑스혁명 시작	ㄹ. 베를린장벽 붕괴

① ㄱ - ㄷ - ㄴ - ㄹ
② ㄱ - ㄷ - ㄹ - ㄴ
③ ㄷ - ㄱ - ㄴ - ㄹ
④ ㄷ - ㄱ - ㄹ - ㄴ

정답 및 해설

ㄷ. 프랑스혁명 시작(1789) → ㄱ. 유럽협조체제 성립(1815) → ㄴ. 국제연합 설립(1945) → ㄹ. 베를린장벽 붕괴(1989) 순서이다.

답 ③

제2절 I 비엔나회의와 유럽협조체제

001 비엔나회의(Congress of Vienna)와 유럽협조체제에 대한 설명으로 옳은 것만을 모두 고른 것은?
2020년 외무영사직

□□□

ㄱ. 나폴레옹전쟁으로 인해 촉발된 약소국의 민족주의적 입장을 국경선 획정에 적극적으로 반영하였다.
ㄴ. 전후 유럽의 새로운 질서를 구축하는 과정에서 대륙의 러시아 - 프로이센과 해양의 영국이 대립하였다.
ㄷ. 비엔나회의는 나폴레옹전쟁의 전후 처리를 위해 19세기 초반에 열린 회의이다.
ㄹ. 영국은 해양패권을 위해 대륙의 세력균형이 유지되는 방향으로 협상을 진행하였다.

① ㄱ, ㄴ
② ㄱ, ㄷ
③ ㄴ, ㄹ
④ ㄷ, ㄹ

정답 및 해설

비엔나회의(Congress of Vienna)와 유럽협조체제에 대한 설명으로 옳은 것은 ㄷ, ㄹ이다.

ㄷ. 나폴레옹전쟁 전후처리를 통해 유럽협조체제를 형성하였다.

ㄹ. 영국은 대륙의 세력균형을 위해 이른바 '이중장벽정책'을 구사하였다. 즉, 중부유럽을 강화하여 프랑스와 러시아의 팽창을 동시에 막는다는 구상이었다.

선지분석

ㄱ. 유럽협조체제는 약소국의 입장은 반영되지 않고 강대국 간 세력균형에 집중한 체제이다. 이로 인해 19세기 유럽에서는 대대적인 민족주의 운동이 끊임없이 일어나게 되었다.

ㄴ. 러시아와 영국의 대립이 주축이었다. 프로이센은 상대적 약소국이었으므로 대립축을 형성하기는 어려웠다.

답 ④

002 □□□ **19세기 유럽협조체제가 위기를 맞이하는 계기가 된 사건으로 옳지 않은 것은?**

① 먼로 독트린과 남미의 독립
② 프랑스 7월혁명과 벨기에의 독립
③ 이탈리아의 민족주의운동
④ 모로코사건과 트리폴리전쟁

정답 및 해설

모로코사건과 트리폴리전쟁은 20세기 초에 발생한 사건이다. 모로코사건은 여러 차례에 걸쳐 일어났으며, 트리폴리전쟁은 제2차 모로코 사태(1911)가 진행되는 가운데 이탈리아에 의해 발발하였다.

답 ④

003  **다음 중 유럽협조체제 관련 사실로서 옳지 않은 것은?**

① 유럽협조체제란 나폴레옹전쟁의 전후처리 과정에서 형성된 유럽의 안보질서를 유지하기 위한 안보제도이다.
② 유럽협조체제는 나폴레옹전쟁 전의 유럽 상황을 복원하는 것(status quo ante bellum)을 주요한 목적으로 하였다.
③ 영국은 유럽 대륙에서 세력균형을 형성시켜, 프랑스와 러시아를 동시에 견제하고자 하였다.
④ 영국, 러시아, 오스트리아, 프랑스 간에 1815년에 체결된 4국 동맹조약에 의해 형성되었다.

정답 및 해설

4국 동맹조약은 나폴레옹에 대항하여 영국, 러시아, 오스트리아, 프러시아 간에 형성된 것이다. 프랑스는 나폴레옹 전쟁 직후에는 이 4개국의 견제를 받다가 이후 러시아를 견제하기 위한 영국의 세력균형정책에 의해 유럽의 강대국 지위를 회복함으로써 비로소 유럽협조체제에 참여하게 되었다.

답 ④

004 유럽협조체제의 형성과 붕괴에 대한 다음 설명 중 옳지 않은 것은?

□□□

① 유럽협조체제를 지배한 원리는 세력균형과 자유주의였다.
② 러시아, 오스트리아, 프러시아 3국의 신성동맹은 군주체제를 바탕으로 한 보수적 성격을 띠었다.
③ 프랑스는 엑스 라 샤펠 회의를 통해 유럽의 강대국 지위를 회복하였다.
④ 회의외교 전개과정에서 영국, 프랑스 등 자유주의 세력과 신성동맹 3국의 보수주의 세력의 갈등이 고조된 것이 유럽협조체제 붕괴의 한 원인이다.

정답 및 해설

유럽협조체제의 기본적인 지배원리는 세력균형과 전통주의로서, 그 목적은 나폴레옹전쟁 전의 영토를 복원하고 자유주의 혁명의 전파를 차단하는 데 있었다.

답 ①

005 다음은 빈회의에서의 유럽 열강들의 입장에 대한 설명이다. 국가와 입장이 바르게 짝지어진 것은?

□□□

> ㄱ. 다민족으로 구성된 자국에서 자유주의 운동이나 민족주의 운동이 발생하지 않도록 현상유지정책을 적극적으로 펼쳤다.
> ㄴ. 중부유럽과 지중해, 북태평양 연안 진출을 통해 부동항을 확보하고 경제적, 정치적 영향력을 키우고자 적극적인 팽창정책을 시도했다.
> ㄷ. 시장 확보를 위한 해양로 확보에 주력했으며, 이를 위해 유럽대륙 내부의 세력균형을 유지시키고자 이중장벽 정책을 실시하였다.
> ㄹ. 자국의 국가적 지위와 위신을 회복하고 고립을 탈피하기 위해 대항동맹을 해체시키는 데에 주력했다.

① ㄱ - 러시아
② ㄴ - 프랑스
③ ㄷ - 영국
④ ㄹ - 오스트리아

정답 및 해설

ㄷ은 영국에 대한 설명이다.

선지분석

① ㄱ은 오스트리아에 대한 설명이다.
② ㄴ은 러시아에 대한 설명이다.
④ ㄹ은 프랑스에 대한 설명이다.

답 ③

006 나폴레옹전쟁을 종결짓는 빈회의에서 유럽열강의 기본입장으로 옳지 않은 것은?

□□□

① 러시아는 나폴레옹전쟁 이후 유럽대륙의 강자로 부상하였으며 빈회의를 통해 중부유럽, 지중해, 북태평양 등 팽창에 유리한 지역을 자신의 영향력 하에 두고자 하였다.
② 영국은 중부유럽을 강화함으로써 러시아의 팽창을 저지하려 하였다.
③ 오스트리아는 다민족국가로서 자유주의운동 혹은 민족주의운동이 유럽에 확산되는 것을 방지하려 하였다.
④ 프로이센은 오스트리아를 견제함으로써 독일통일의 주도권을 쥐는 것을 최우선 목표로 하였다.

정답 및 해설

1815년 당시 프로이센은 상대적 약소국으로서 독일연방 내부에서 오스트리아의 주도권을 인정할 수밖에 없었고, 빈회의에서는 최대한의 영토보상을 획득하는 것을 목표로 하였다. 독일통일 과정에서 프로이센이 주도권을 장악하는 것은 철혈재상 비스마르크 등장 이후의 일이다.

답 ④

007 비엔나체제를 유지하기 위한 유럽협조체제의 운영방식의 특징으로 옳은 것은?

□□□

① 모든 주권국가의 평등주의
② 계몽주의
③ 강대국 중심의 엘리트주의
④ 제국주의

정답 및 해설

유럽협조체제는 유럽의 5대강국이 유럽 전체를 지배하는 체제이므로 강대국 중심의 엘리트주의라고 할 수 있다.

답 ③

008 다음 조약 중에서 프랑스 혁명재발방지, 외국군대의 철수 결정을 하게 된 조약은? 2004년 외무영사직

□□□

① 신성동맹
② 파리강화조약
③ 산스테파노조약
④ 엑스 라 샤펠조약

정답 및 해설

선지분석

① 신성동맹은 러시아, 오스트리아, 프러시아 세 나라의 군주들이 기독교의 가르침에 따라 각각의 국가를 통치하는 한편, 형제로서 상호원조할 것을 합의한 조약이다.
② 파리강화조약은 대체로 1856년 크림전쟁 이후 체결된 강화조약을 의미한다.
③ 산스테파노조약은 19세기 후반 터키와 러시아 간 전쟁에서 러시아가 승리한 이후 체결된 조약으로서, 러시아는 이른바 '대불가리아' 창설을 동 조약에 규정함으로써 영국, 오스트리아, 독일 등 발칸반도의 현상유지를 원하는 국가들의 반감을 사게 되었다.

답 ④

009 1815년 비엔나 체제에서 영국의 기본 입장이라고 볼 수 없는 것은? 2006년 외무영사직

□□□

① 영국이 패전국 프랑스를 러시아 견제를 위해 강대국 대열에 복귀시키는 정책을 취했다.
② 영국은 러시아를 견제하기 위해 오스트리아와 프러시아를 지원하였다.
③ 영국은 상품의 교역과 자원 확보를 위해 국제하천의 자유항행원칙을 고수하였다.
④ 영국은 대륙의 세력균형을 위해 고립주의 원칙을 고수하였다.

정답 및 해설

영국은 프랑스를 견제하는 4국 동맹조약을 체결하는 것을 중시하였다. 프랑스를 강대국 대열에 복귀시키는 정책은 '러시아'에 의해 주창되었으나, 영국은 반대하였다.

답 ①

010 빈회의에 대한 설명으로 옳지 않은 것은?

□□□

① 빈회의의 기본 목표는 유럽의 국제정치를 '전전의 질서(status quo ante bellum)'로 복귀시키는 한편, 프랑스의 재흥을 방지하고 유럽의 세력균형을 모색하는 것이다.
② 빈회의의 정통주의 원칙이란 프랑스 정복전쟁과정에서 점령지역에 파급된 자유주의나 민족자결주의를 인정하지 않고 나폴레옹 전쟁으로 퇴위당한 기존의 왕조들을 복귀시키는 것을 의미한다.
③ 빈회의는 원시적인 형태의 '집단안전보장체제'를 수립함으로써 유럽 국제질서를 상당 기간 동안 안정시켰다는 데 그 의의가 있다.
④ 빈회의는 약소국의 민주주의적 열망을 무시한 채 강대국 간 세력균형에만 초점을 맞춤으로써 자유주의의 열망의 강화에 따라 붕괴할 수밖에 없는 내재적 모순을 잉태했다고 할 수 있다.

정답 및 해설

빈회의는 '집단안전보장체제'의 시초가 아니라 '협조체제'의 시초라고 할 수 있다. 집단안전보장체제는 LN의 탄생으로 이뤄지게 되었다.

선지분석

① 1차적인 목표는 바로 프랑스의 재흥방지와 세력균형이다.
②, ④ 빈회의의 정통주의 원칙이 오히려 여러 국가의 민주주의적이고 반왕정적인 열망을 부추긴 측면도 있으며, 그 경직된 특성으로 인해 시대의 변화에 맞추어 오래 지속되는 데에 실패하고 말았다.

답 ③

011 빈회의(1815) 이후 영국과 러시아 관계에 대한 설명으로 옳지 않은 것은?

□□□

① 지중해 교통로에 기반한 영국의 "Free Hand 정책"은 러시아의 남하정책으로 위협을 받았다.
② 영국은 1878년 베를린회의에서 러시아의 대불가리아 건설 전략을 좌절시켰다.
③ 러시아와 영국은 1885년 거문도사건에서 대립하였다.
④ 영국과 러시아는 1907년 협상을 체결하여 페르시아의 북부는 러시아, 남부는 영국, 중부는 중립지대로 하기로 합의하였으며, 아프가니스탄에서는 러시아의 우위를, 티벳에서는 영국의 우위를 상호 승인하였다.

정답 및 해설

아프가니스탄의 경우 영국의 우위를, 티벳은 청의 종주권을 인정하기로 하였다.

답 ④

012 다음 중 빈회의의 결정 내용으로 옳은 것만을 모두 고른 것은?

□□□

ㄱ. 독일 연방 창설
ㄴ. 네덜란드 왕국 건설
ㄷ. 폴란드와 색스니 지방의 영국 병합
ㄹ. 스위스 영세 중립

① ㄱ, ㄴ, ㄷ　② ㄱ, ㄴ, ㄹ　③ ㄱ, ㄷ, ㄹ　④ ㄴ, ㄷ, ㄹ

정답 및 해설

빈회의의 결정 내용으로 옳은 것은 ㄱ, ㄴ, ㄹ이다.

선지분석

ㄷ. 폴란드는 열강의 이해관계가 첨예하게 교차하던 곳이었다. 영국은 러시아의 중부유럽 진출을 방지하기 위해서, 오스트리아는 자국과 러시아가 직접 부딪히게 될 수도 있는 상황을 두려워하여 폴란드가 러시아의 영향권 하에 들어가는 것에 반대하였다. 색스니는 1813년 칼리쉬 조약을 통해 프러시아가 병합하기로 합의되어 있었다. 이 조약에서 러시아가 폴란드를 병합하기로 되어 있었다. 최종적으로 러시아가 폴란드 대부분 지역을 획득하게 되었다.

답 ②

013

□□□

1815년 러시아 황제 알렉산더 1세가 제창한 '신성동맹(神聖同盟)'에 대한 설명으로 가장 옳은 것은?

① 30년 종교전쟁 후 종교문제를 방지하기 위하여 체결되었다.
② 기독교 이상을 국제관계의 이념적 기초로 삼고자 하였다.
③ 정치·종교적 자유의 신장을 도모코자 하였다.
④ 영국, 프러시아, 오스트리아의 적극적 지지를 받았다.

정답 및 해설

선지분석

① 신성동맹은 빈회의과정에서 체결되었다.
③ 보수주의 사상에 기초하여 자유주의를 억압하기 위한 수단으로 활용되었다.
④ 영국은 신성동맹에 가입하지 않았으며, 법적 효력이 없는 문서로 평가절하하였다.

답 ②

014

다음 중 신성동맹에 대한 설명으로 옳지 않은 것은?

① 1815년 러시아, 오스트리아, 프로이센 간에 체결되었다.
② 왕권유지와 기독교정신을 기본 바탕으로 하였다.
③ 기독교적 박애정신에 기초하여 유럽 각지에서 자유주의와 민족주의의 전파를 장려하였다.
④ 유럽협조체제를 유지시키는 이념적 토대를 제공했다는 의의를 가진다.

정답 및 해설

신성동맹은 군주국의 이데올로기를 반영하여 혁명사상 및 정치적 자유가 전파되는 것을 막고, 약소국들의 민족운동을 탄압하는 것을 목적으로 하였다.

답 ③

015 유럽협조체제의 회의외교의 사례이다. 다음 중 베로나회의에 대한 내용으로 옳은 것은?

□□□

① 프랑스 주둔 외국군 철수문제 및 유럽협조체제의 프랑스 참가문제를 논의하였다.
② 반혁명적, 반자유적인 성격을 유럽협조체제에 반영하였다.
③ 스페인 문제에 대한 영국의 불간섭주의와 러시아 간섭주의의 대립이었다.
④ 러시아, 프로이센, 오스트리아가 기독교의 교훈을 기반으로 국제관계 발전을 모색하였다.

정답 및 해설

선지분석

①, ② 엑스 라 샤펠회의에 관련된 내용이다.
④ 신성동맹에 대한 설명이다.

답 ③

016 1830년 7월 혁명과 1848년 2월 혁명 등 프랑스혁명이 당시 유럽에 미친 영향으로 옳지 않은 것은?

□□□

① 벨기에의 독립을 촉진하였다.
② 이탈리아에서의 민족주의 운동을 촉진하였다.
③ 러시아의 공산주의 운동을 촉진하였다.
④ 프러시아에서의 민족주의 운동을 촉진하였다.

정답 및 해설

러시아의 공산주의화는 제1차 세계대전 도중인 1917년이 되어서야 10월 혁명에 의해 이루어진다.

선지분석

① 벨기에는 빈회의에서 프랑스 팽창을 견제하기 위하여 네덜란드에 병합되었으나 7월 혁명의 영향으로 독립에 성공한다.
②, ④ 프랑스혁명의 여파로 이탈리아와 프러시아에서 민족주의 운동이 촉진되었다.

답 ③

017 19세기 유럽 협조체제에 대한 설명으로 옳지 않은 것은? 2019년 외무영사직

□□□

① 위트레흐트(Utrecht)조약으로 나폴레옹전쟁이 종결되었고, 빈(Vienna)회의에서 협조체제에 대한 합의가 이루어졌다.
② 전승 연합국인 영국, 러시아, 오스트리아, 프로이센의 이해관계를 반영한 국제질서이다.
③ 전승 연합국은 프랑스를 군주제로 복원시키고 강대국 대열로 합류시키는 데 동의하였다.
④ 지역 안보에 위협이 될 수 있는 패권국의 등장을 저지하기 위해 세력균형을 도모하였다.

정답 및 해설

위트레흐트조약은 스페인 왕위 계승 전쟁의 강화조약으로서 1713년 체결되었다.

선지분석

③ 정통주의 원칙이 적용되었으며, 프랑스는 1818년 엑스 라 사펠조약을 통해 강대국 지위를 회복하였다.

답 ①

001 크림전쟁에 관한 설명으로 옳지 않은 것은?

① 1854년 영국과 프랑스가 러시아에 전쟁을 선포함으로써 발발한 전쟁으로, 이는 무너져가는 오스만 터키의 분할을 둘러싼 유럽열강의 이해상충에서 비롯한 전쟁이었다.
② 크림전쟁을 마무리 짓는 파리강화회의(1856년)에서 모든 국가의 상선에 흑해가 개방되게 되었으며, 러시아는 터키 내의 그리스 정교회에 대한 보호권을 상실하였다.
③ 크림전쟁을 발발시킨 중요한 원인은 성지관할권을 둘러싼 프랑스, 러시아, 터키의 3국 간 갈등이며, 타 전쟁에 비해서 경제적 요인이 부각되지 않은 것이 특징이라고 할 수 있다.
④ 동방문제를 놓고 영국과 러시아가 직접 대립한 크림전쟁에서 러시아가 패배함으로써 러시아의 남하정책이 좌절되고 영국의 패권적 지위는 더욱 강화되었다.

정답 및 해설

러시아는 오뎃사 항구를 통하여 밀의 수출이 번창하고 있었으므로 이 지역에서 상업의 활성화를 위해 터키에 대해 적극적인 정책을 펴게 되었다. 한편 영국은 1838년 터키와의 통상조약에 의해 터키는 영국의 수출상대국이 되었으며 또한 주요 식량공급지였기 때문에 오스만 제국을 유지하는 것은 영국에게 중요한 이익이 되었다.

선지분석

④ 크림전쟁을 통해서 유럽에서의 러시아 대 영국의 구도는 영국의 패권적 지위를 공고히 하는 것으로 변경되었다.

답 ③

002 1854년 크림전쟁의 발발 원인에 대한 설명으로 가장 옳지 않은 것은?

□□□

① 현상타파를 원하는 영국과 현상유지를 원하는 러시아 간의 대립에서 전쟁이 발발하였다.
② 성지관할권 문제를 둘러싸고 프랑스, 러시아, 터키 3국 간에 갈등이 발생하였다.
③ 프랑스의 나폴레옹 3세가 국내정치적 기반을 획득할 목적으로 가톨릭 세력의 지지를 강화하고자 성지관할권 문제를 제기하였다.
④ 서유럽세력들이 가지고 있던 러시아에 대한 공포로 인한 예방전쟁이었다는 견해도 존재한다.

정답 및 해설

19세기 유럽외교사에서 일반적으로 영국은 현상유지 세력, 러시아는 현상타파 세력으로 평가된다.

답 ①

003 1854년 일어난 크림전쟁의 원인에 관한 여러 가지 논의가 존재한다. 크림전쟁의 원인으로 옳지 않은 것은?

① 19세기 이후 지속되어 온 영국과 러시아의 대립에서 전쟁의 원인을 찾을 수 있다.
② 나폴레옹 3세의 개인적 야망 역시 전쟁의 원인이라고 볼 수 있다.
③ 프랑스를 국제적으로 고립시키기 위한 전략의 일환으로 유럽 정치질서의 현상유지를 추구하기 위해 벌어진 것이다.
④ 성지관할권을 둘러싼 프랑스, 러시아, 터키 3국의 갈등이 직접적 원인이 되었다.

정답 및 해설

이는 비스마르크 동맹체제의 의의로서, 크림전쟁의 발생원인과는 무관하다.

답 ③

004 □□□ **다음은 19세기 오스만 제국에 대한 유럽 열강의 입장에 대한 설명이다. 설명과 국가를 바르게 짝지은 것은?**

ㄱ. 오스만 제국이 현상유지되는 것이 자국의 이익에 부합한다고 판단하였다. 쇠약해진 오스만 제국에서 유럽국가들이 영토를 획득하면 대륙의 세력균형이 파괴되기 때문이다.
ㄴ. 오스만 제국의 유럽 진출을 저지하였다. 발칸 민족주의에 의해 자국 영토 내에서 민족주의 운동이 일어나고 이로 인해 자국이 붕괴되는 것을 두려워하였기 때문이다.
ㄷ. 오스만 제국 영토 지역에서 자국이 경제적, 인종적, 종교적 이해관계를 갖고 있었으므로 발칸으로의 팽창을 사활적 이익이라고 인식했다. 조약을 통해 콘스탄티노플에 그리스정교 교회 설립권을 획득했다.
ㄹ. 가톨릭 보호국으로서의 관심을 가지고 있었다.

① ㄱ - 프랑스
② ㄴ - 오스트리아
③ ㄷ - 영국
④ ㄹ - 러시아

정답 및 해설

ㄴ은 오스트리아의 입장이다.

선지분석

ㄱ. 영국의 입장이다.
ㄷ. 러시아의 입장이다.
ㄹ. 프랑스의 입장이다.

답 ②

005 □□□ **다음 중 크림전쟁의 주요 결과로서 옳지 않은 것은?**

① 영국은 러시아의 팽창정책을 저지함으로써 영국의 세계적 지위에 대한 발판을 굳힐 수 있었다.
② 러시아는 일부 남진에 필요한 지역을 상실한 대신 흑해에의 독점적 진출을 보장받았다.
③ 터키는 영토보전 및 독립을 보장받았다.
④ 이탈리아와 독일이 통일할 수 있는 국제적 환경이 조성되었다.

정답 및 해설

러시아는 몰다비아, 왈라키아, 베사라비아 등 남진에 필요한 지역을 상실하였을 뿐만 아니라 흑해 중립화 결정에 의해 치안에 필요한 최소한의 함정 이외의 함대를 유지할 수 없게 되었다. 이로써 러시아는 지중해 및 발칸에의 진출을 저지당하였다.

선지분석

④ 크림전쟁을 통해 오스트리아의 상대적 세력약화로 이탈리아와 독일이 오스트리아의 영향력으로부터 벗어날 가능성이 높아졌다. 사르디니아는 참전을 통해 영·불과 우호적 관계를 조성했으며, 프러시아는 전쟁에 참전하지 않음으로써 러시아와 우호관계를 유지하여 통일전쟁 과정에서 러시아의 우호적 중립을 유도하였다.

답 ②

006 □□□ 크림전쟁의 전후처리를 위한 파리조약(1856)의 결정사항에 속하지 않는 것은?

① 흑해 중립
② 다뉴브공국들의 자치권 인정
③ 주요국의 발칸반도 공동관리
④ 올란드(Alland)의 비무장

정답 및 해설

선지분석

① 흑해 중립은 러시아가 지중해 및 발칸에 진출하는 것을 저지하기 위한 영국외교의 승리라고 볼 수 있다.
④ 올란드(Alland)의 비무장으로 인해 영국은 러시아를 효과적으로 견제할 수 있게 되었다.

답 ③

007 □□□ 크림전쟁을 종결지은 파리회의에 대한 설명으로 옳지 않은 것은? 2008년 외무영사직

① 파리강화회의에는 영국, 프랑스, 러시아, 터키, 사르디니아 등 6개국이 참가하였고, 그 후 해협문제를 토의할 때 프로이센도 참석하였다.
② 터키에 대한 러시아의 우월적 지위가 부정되었다.
③ 영국의 세계적 지위가 강화되었다.
④ 프랑스는 다뉴브 공국들을 하나의 독립국가로 만들어 배타적으로 지배하게 되었다.

정답 및 해설

다뉴브 공국 - 몰다비아, 왈라키아 등은 터키의 형식적인 지배가 유지되었으나 실질적으로는 오스트리아의 영향 하에 놓이게 되었다.

답 ④

008 □□□ 크림전쟁의 국제정치사적 의미로 옳지 않은 것은?

① 영국은 영·불 연합군의 승리로 세계적 지위에 대한 발판을 마련하게 된다.
② 러시아는 터키로부터 승리하여 지중해와 발칸에 대한 영향력을 강화하게 된다.
③ 오토만 제국은 영국의 보호 아래 자국의 영토보존과 독립을 확보하게 된다.
④ 프랑스는 외교적 주도권을 회복하고 나폴레옹 3세의 정통성이 강화된다.

정답 및 해설

러시아와 영·불 연합군의 전쟁에서 연합군이 승리하면서 러시아는 국제적 위신이 실추되고 지중해와 발칸에서의 영향력을 잃게 된다.

답 ②

001 □□□ **이탈리아 통일에 대한 설명으로 옳은 것만을 모두 고른 것은?** 2017년 외무영사직

ㄱ. 마치니는 공화국 건설을 위하여 '청년 이탈리아'를 조직했다.
ㄴ. 1859년 솔페리노에서 프랑스와 사르디니아 연합군이 오스트리아군에게 승리했다.
ㄷ. 프로이센과 오스트리아 간 전쟁 중 이탈리아가 프로이센에 가담했고, 종전 후 베네치아를 얻었다.
ㄹ. 프랑스와 프로이센 간 전쟁 중 이탈리아군이 로마로 진군했고 로마가 이탈리아에 통합되었다.

① ㄴ, ㄷ
② ㄱ, ㄴ, ㄷ
③ ㄱ, ㄷ, ㄹ
④ ㄱ, ㄴ, ㄷ, ㄹ

정답 및 해설

이탈리아 통일에 대한 설명으로 ㄱ, ㄴ, ㄷ, ㄹ 모두 옳다.
ㄱ. 마치니파는 통일운동세력 중 급진파에 속했다. 이탈리아반도에서 오스트리아 및 프랑스 등의 모든 외세를 배격하고 순수한 이탈리아 민족에 의한 국가 건설을 추진하였다.
ㄴ. 동 전투에서 승리하였으나, 이후 전투가 교착상태에 들어가면서 나폴레옹3세는 사르디니아와의 약속을 어기고 단독강화하였다.
ㄷ. 보오전쟁(1866)을 통해 베네치아를 수복하였다.
ㄹ. 보불전쟁(1870)을 통해 로마를 수복하여, 통일이 실질적으로 완성되었다.

답 ④

002 **이탈리아 통일의 전개과정에 대한 설명으로 옳지 않은 것은?**

① 프랑스혁명으로 자유주의 사상이 이탈리아에도 확산되었고, 이탈리아에서의 자유주의 운동은 통일 이탈리아를 건설하고자 하는 민족주의 운동의 성격을 띠게 되었다.
② 상대적 약소국이었던 사르디니아는 오스트리아와의 독자적인 전쟁을 통해 통일을 달성할 수는 없기 때문에 열강의 도움이 불가피하였으나, 크림전쟁 당시 참전을 망설이면서 러시아와 영국 사이에서 방황한 것이 추후 통일 과정에서 최대 난관을 도출하게 되었다.
③ 프랑스와 사르디니아는 1859년의 플롱비에르협약을 통해 사르디니아가 오스트리아에 개전할 때 프랑스는 20만의 군대를 동원하여 지원하기로 하였으며, 이는 오스트리아와의 전쟁에 큰 도움이 되었다.
④ 이탈리아 통일은 1815년 비엔나 국제정치 질서의 중대한 수정이자 오스트리아의 심각한 후퇴를 의미함으로써 결국 오스트리아에 대항한 소독일 중심의 독일 통일의 기반이 되었다.

정답 및 해설

크림전쟁에서 러시아와 영국 어느 편도 들지 않아 양쪽 모두의 미움을 샀던 것은 사르디니아가 아니라 오스트리아이다. 사르디니아는 영국 편에 적극 가담, 열강의 호의를 얻어 비교적 쉽게 통일을 이룩할 수 있었다.

선지분석

④ 1815년의 질서는 러시아가 그것을 보장한다는 전제 하에 있던 것인데, 크림전쟁으로 러시아가 유럽 질서의 변경을 목표로 삼게 되자 1815년의 질서가 더 이상 유지될 수 없었던 까닭도 있다.

답 ②

003 다음 중 이탈리아의 통일이 달성될 수 있었던 요인으로 옳지 않은 것은?

□□□

① 프랑스혁명의 영향으로 자유주의 사상이 확산되었으며 이는 통일 이탈리아를 건설하고자 하는 민족주의운동의 성격을 띠게 되었다.
② 크림전쟁 참전으로 이탈리아 통일에 우호적인 국제정세가 조성되어 있었다.
③ 카부르 재상의 강력한 리더십이 존재했다.
④ 프러시아를 견제하기 위한 오스트리아의 전폭적인 지지가 존재했다.

정답 및 해설

이탈리아의 통일은 일차적으로 오스트리아의 지배로부터 벗어나는 것이었다. 오스트리아는 이탈리아 민족주의운동에 대해 억압하는 입장을 견지해 왔다. 이탈리아의 통일은 프랑스의 무력지원으로 가능하였다.

선지분석

② 사르디니아가 프랑스와 영국을 지원하여 참전함으로써 양국가의 우호적 여론을 형성시켰다. 또한 크림전쟁에서 프랑스가 승리함으로써 장차 이탈리아 통일을 지원할 수 있는 여력을 갖게 된 것도 우호적 국제정세로 볼 수 있다.

답 ④

004 이탈리아 통일 과정에서 벌어진 사건으로 옳지 않은 것은?

□□□

① 프랑스 · 러시아 비밀 합의
② 플롱비에르협약
③ 니콜스부르크 평화예비안
④ 빌라프랑카 휴전조약

정답 및 해설

니콜스부르크 평화예비안은 독일 통일과정에서 휴전을 요구하면서 합의된 평화안이다.

답 ③

005 다음 중 이탈리아 통일과 독일 통일의 공통점으로 옳지 않은 것은?

① 전쟁을 통해 통일을 달성했다.
② 먼저 경제적 통일의 토대를 마련한 뒤 이를 바탕으로 정치적 통일을 이룩했다.
③ 양국 모두 오스트리아가 방해요소로 작용했다.
④ 지도자의 개인적 역량이 바탕이 되었다.

정답 및 해설

독일의 경우만 1834년 관세동맹으로 경제적 통일의 토대를 마련한 뒤 경제적 상호의존을 바탕으로 실질적 통일을 달성했다.

선지분석

④ 독일은 비스마르크, 이탈리아는 카부르의 역량을 바탕으로 통일을 이룩했다.

답 ②

006 다음은 이탈리아와 독일의 통일을 비교 설명한 내용이다. 이탈리아 통일에 대한 설명을 모두 고른 것은?

□□□

ㄱ. 관세동맹을 형성하여 경제적 통합을 진전시켜서 경제력이라는 물적 기반과 유대감이라는 정신적 기반을 동시에 형성해 두었다.
ㄴ. 국제정세와 관계없이 자신의 힘으로 통일을 달성할 수 있었다.
ㄷ. 크림전쟁에서 오스트리아가 국제적으로 고립되고 프랑스와 관계가 악화된 것이 통일에 유리하게 작용했다.
ㄹ. 세 가지 통일방안 중 당시 세력관계를 거스르지 않는 실용적 통일방안에 대한 지지를 유도하여 통일의 조건을 형성하였다.

① ㄱ, ㄴ
② ㄱ, ㄷ
③ ㄴ, ㄹ
④ ㄷ, ㄹ

정답 및 해설

이탈리아 통일에 대한 설명에 해당하는 것은 ㄷ, ㄹ이다.
ㄹ. 세 가지 방안이란, 첫째, 연방국가를 건설하여 로마교황이 통할하는 방안, 둘째, 기존 국가를 모두 없애고 이탈리아라는 단일국가를 건설하는 방안, 셋째, 사르디니아를 중심으로 점진적으로 통일하는 방안이었다.

선지분석

ㄱ. 독일의 통일 과정에 대한 설명이다. 독일은 오스트리아를 제외한 독일 국가들로 관세동맹(zollverein)을 형성해 통일의 기반을 다졌다.
ㄴ. 독일에 대한 설명이다. 이탈리아는 다른 강대국의 도움 없이 통합이 불가능하였으며, 따라서 크림전쟁 때 사르디니아가 출전하여 강대국들에게 이탈리아 통일을 상기시켜 주고, 오스트리아와 프랑스의 대립관계를 활용하는 등 국제정세를 자국 통일에 유리하게 조장하려는 노력을 했다.

답 ④

제5절 | 독일 통일

001 독일 통일의 과정을 순서대로 나열한 것으로 옳은 것은?

□□□

ㄱ. 프라하조약: 오스트리아와 프로이센의 강화조약
ㄴ. 프랑크푸르트 강화조약: 프랑스와 프로이센의 강화조약
ㄷ. 알벤스레벤 협정: 프로이센과 러시아 간 협정으로서 폴란드에 관한 협정이다.

① ㄱ - ㄴ - ㄷ
② ㄱ - ㄷ - ㄴ
③ ㄴ - ㄷ - ㄱ
④ ㄷ - ㄱ - ㄴ

정답 및 해설

ㄷ. 알벤스레벤 협정(1863) → ㄱ. 프라하 조약(1866) → ㄴ. 프랑크푸르트 강화조약(1871) 순서이다. 프러시아의 독일 통일은 크게 프러시아·오스트리아전쟁, 프러시아·프랑스전쟁으로 나뉜다.

답 ④

002 독일의 통일과정의 순서로 옳은 것은?

□□□

ㄱ. 오스트리아와의 전쟁에서 승리: 북부 독일 연방 창설 ㄴ. 프랑스와의 전쟁에서 승리: 남부 독일 병합 ㄷ. 관세동맹 체결: 경제적 통일 달성, 정치적 통일의 기반 마련 ㄹ. 비스마르크의 철혈정책: 군비 확장을 통한 무력 통일 추진

① ㄱ - ㄷ - ㄹ - ㄴ
② ㄷ - ㄴ - ㄱ - ㄹ
③ ㄷ - ㄹ - ㄱ - ㄴ
④ ㄹ - ㄷ - ㄴ - ㄱ

정답 및 해설

ㄷ. 관세동맹이 체결된 이후 취임한 ㄹ. 비스마르크는 철혈정책을 기반으로 ㄱ. 오스트리아와의 전쟁에서 승리한 후, ㄴ. 프랑스와의 전쟁에서도 승리하여 통일을 이루었다.

답 ③

003 독일 통일과정에 대한 다음 설명 중 옳지 않은 것은?

□□□

① 비스마르크 재상은 독일 통일이 군사력에 의해서만 가능하다고 판단하고 철혈정책이라는 강력한 군비증강정책을 추진하였다.
② 프러시아는 자국주도로 관세동맹을 형성하여 정치적 통일의 경제적 기반을 마련하고 있었다.
③ 보·불전쟁의 강화조약이 베르사유 궁전에서 체결되었으며 이 조약에 의해 프랑스의 알사스-로렌이 독일에 할양되었다. 이는 프랑스 국민의 정서를 자극하여 이후 제2차 세계대전의 원인이 된다.
④ 통일 과정에서 프로이센은 오스트리아, 프랑스와의 전쟁을 수행하여 승리하였다.

정답 및 해설

알사스-로렌의 독일 할양은 프랑스 국민의 정서를 자극하여 향후 프랑스가 독일과 대치되는 삼국협상을 형성하는 데 기인한다. 이는 제1차 세계대전으로 이어진다.

답 ③

004 이탈리아 통일 이후 자유주의 혁명의 영향으로 프로이센 국민들은 독일 통일이라는 과업을 수행해냈다. 이러한 독일 통일이 가능했던 요인으로 옳지 않은 것은?

□□□

① 영국과 러시아의 독일통일에 대한 비우호적인 태도에도 불구하고, 이탈리아의 통일 과정에서 약화된 오스트리아의 국력은 프로이센의 통일전쟁에 유리하게 작용하였다.
② 자국이 주도하고 있던 관세동맹은 이미 정치적 통일의 경제적 기반을 마련하고 있었다.
③ 독일통일은 개인의 역량도 무시할 수 없는데, 비스마르크의 '철혈정책'이라는 강력한 군비증강정책 역시 독일통일의 한 요인이다.
④ 프랑스혁명과 2월 혁명은 독일민족주의에도 영향을 주어 통일에 대한 열망을 형성시켰다.

정답 및 해설

영국은 중부유럽 강화를 위해, 러시아는 오스트리아에 대한 반감으로 독일 통일에 우호적이었다.

답 ①

005 다음 중 독일 통일전쟁의 결과로 옳지 않은 것은?

□□□

① 흑해 중립화 ② 알사스-로렌 지역 할양
③ 로마는 이탈리아로 할양 ④ 프랑스 공화정 수립

정답 및 해설

보·불전쟁(1870) 후 러시아는 크림전쟁 당시의 흑해중립조항을 철폐했다.

답 ①

006 다음 중 독일 통일의 결과로서 옳지 않은 것은?

□□□

① 독일 통일로 유럽대륙 내부의 패권이 프랑스에서 독일로 교체되게 되었다.
② 빈 체제의 근본적인 수정이 이루어지고 유럽은 비스마르크 동맹체제로 전환되었다.
③ 독일, 이탈리아의 통일 이후에도 강대국 간에 완충지역이 다수 존재하였기 때문에 열강의 발칸반도에 대한 관심이 미미하였다.
④ 독일 통일 과정에서 이탈리아의 로마수복, 러시아의 흑해중립조항 폐기가 이루어졌다.

정답 및 해설

양국 통일 이후 유럽대륙 내 강대국 간에 완충지역이 사라지고 열강이 서로 국경을 맞대고 대치하게 되었다. 열강이 국경을 맞대고 있지 않은 지역은 발칸반도 지역이었으며 따라서 이 지역에 대한 열강들의 관심이 증가하였다. 이러한 배경 하에서 사라예보사건(발칸반도에서의 오스트리아 황태자 저격사건)이 제1차 세계대전으로 이어지게 된다.

답 ③

제6절 | 비스마르크 동맹체제

001 비스마르크의 대외정책과 그 배경에 대한 설명으로서 옳지 않은 것은?

□□□

① 독일통일 달성과정에서 프랑스의 적개심이 증가하고 유럽 대륙 내 힘의 변화가 생겼다.
② 강대국들의 간섭이나 독일에 대한 비우호적 동맹망의 형성을 예방하기 위해 보장정책을 통해 현상유지를 꾀하였다.
③ 독일통일 과정에서 철혈정책을 추진했던 비스마르크는 통일 이후에 독일중심의 유럽질서 형성을 위해 영국과 경쟁관계를 추진하였다.
④ 비스마르크의 통일기 외교는 독일 통일을 위한 전쟁의 빌미를 만들고, 한편으로 이웃 국가의 개입을 억제하였다.

정답 및 해설

비스마르크는 영국과 우호적 관계 유지를 위해 유럽질서의 현상유지를 추진하였다.

답 ③

002 비스마르크 체제에 대한 설명 중 옳지 않은 것은? 2009년 외무영사직

① 유럽열강들의 식민지 쟁탈을 약화시켜 독일의 안전을 유지하기 위한 것이다.
② 프랑스의 고립과 러시아의 중립을 목표로 하였다.
③ 비스마르크 체제는 집단안전보장적 성격을 가지고 있다.
④ 비스마르크 체제는 유럽을 삼국협상과 삼국동맹을 형성시키는 데 기여했다.

정답 및 해설

독일통일(1870) 후 열강으로부터 독일의 안전을 보장하기 위해 거미줄 같은 비밀동맹을 형성한 것으로, 식민지 쟁탈 약화와는 무관하다.

답 ①

003 비스마르크 외교정책의 특성에 대한 설명으로 옳지 않은 것은?

① 독일 통일을 달성하기 위해 기존질서에 도전하는 현상타파와 철혈정책을 기본으로 했다.
② 기본노선은 프랑스의 고립화와 독일을 포위할 국가군의 결성방지였다.
③ 국제관계를 비밀외교에 의한 협상과 동맹을 통해 다루면서 패권을 유지하고자 했다.
④ 해외 식민지를 확보하기 위하여 제국주의 정책을 적극 추진했다.

정답 및 해설

비스마르크는 독일 스스로 제국주의정책을 추진하기보다는 다른 국가들의 관심을 유럽 밖으로 돌리기 위해 타국의 제국주의정책을 지지하는 전략을 구사하였다.

선지분석

① 비스마르크의 대외전략은 '통일 전'에는 '현상변경'기조를 통해 '소독일중심 통일'을 이루는 것이었다. 그러나, 1871년 독일통일 이후에는 유럽의 '현상유지'에 기반한 대외전략을 전개하였다.

답 ④

004 다음 중 삼제협상에 대한 설명으로 옳지 않은 것은?

① 독일은 삼제협상을 통해 러시아와 오스트리아가 프랑스와의 동맹관계에 들어가는 것을 막으려 하였다.
② 1875년 예방전쟁 사건과 베를린회의에서 노정된 한계에 의해 제1차 삼제협상이 위기를 맞게 되었다.
③ 베를린회의에서 비스마르크는 정직한 중개자(honest broker)를 자처함으로써 러시아의 불만을 사게 되었다.
④ 제2차 삼제협상은 확고한 동맹조약으로서 발칸에서의 러시아와 오스트리아 간의 대립에 근본적인 화해를 가져왔다.

정답 및 해설

제2차 삼제협상의 주요 내용은 체약국 중 일국이 제4국과 전쟁을 하는 경우 다른 체약국들은 우호적인 중립을 지킨다는 것이다. 삼제협상은 발칸 문제에 대해 상충하는 이익을 가진 오스트리아와 러시아를 비스마르크가 하나의 조약체제 내에 수용한 것으로서 근본적 한계를 가졌다.

답 ④

005 독일의 통일(1871)부터 비스마르크의 사임(1890) 사이에 이루어진 외교적 결과로 옳지 않은 것은?

□□□

① 독일 · 러시아 재보장 조약
② 영국 · 프랑스 · 러시아 삼국협상
③ 러시아 · 터키 전쟁
④ 영국 · 이탈리아 · 오스트리아 등의 지중해 협정

정답 및 해설

삼국협상은 비스마르크 퇴임 이후 형성되었다. 삼국협상은 러 · 불협상(1892), 영 · 불협상(1904), 영 · 러협상(1907) 순으로 진행되었다.

답 ②

006 비스마르크 동맹체제에 대한 설명으로 옳지 않은 것만을 모두 고른 것은?

□□□

ㄱ. 삼제협상: 독일 · 오스트리아 · 이탈리아가 함께 협상한 협상체제로서, 결국 독 · 오 재보장조약의 폐기로 삼제협상이 종료되었다.
ㄴ. 독오동맹: 비스마르크는 오스트리아가 러시아의 공격을 받는 경우 원조한다는 조건으로 프랑스가 독일을 공격하는 경우 우호적 중립약속을 받아내었다. 제1차 세계대전 이전까지 유지되었다.
ㄷ. 삼국동맹: 독일 · 오스트리아 · 러시아 3국 간에 형성된 동맹체제로, 독일은 러시아를 동맹체제에 끌어들여 프랑스와의 전쟁에서 유리한 입지를 형성하고자 하였으며 프랑스를 겨냥한 것이었다.
ㄹ. 지중해협정: 영국, 이탈리아, 오 · 헝 간에 상호 이해관계를 조정한 협정들을 의미한다. 지중해협정에 독일이 가입하지는 않았으나 영국과 독일이 우호적인 관계를 유지하게 하는 기제로 작동되었다.

① ㄱ, ㄴ
② ㄱ, ㄷ
③ ㄴ, ㄷ
④ ㄴ, ㄹ

정답 및 해설

비스마르크 동맹체제에 대한 설명으로 옳지 않은 것은 ㄱ, ㄷ이다.
삼제협상은 독일 · 오스트리아 · 러시아, 삼국동맹은 독일 · 오스트리아 · 이탈리아이다.

ㄱ. 삼제협상: 독일 · 오스트리아 · 러시아가 함께 협상한 협상체제로서, 독일은 러시아나 오스트리아가 프랑스와 동맹을 형성하는 것을 저지하고자 하였으며 러시아나 오스트리아는 발칸에서 비스마르크의 지원을 기대하였다. 결국 독 · 러 재보장조약의 폐기로 삼제협상이 종료되었다.
ㄷ. 삼국동맹: 독일 · 오스트리아 · 이탈리아 3국 간에 형성된 동맹체제로, 독일은 이탈리아를 동맹체제에 끌어들여 프랑스와의 전쟁에서 유리한 입지를 형성하고자 하였으며 프랑스를 겨냥한 것이었다. 이탈리아는 국제적 고립에서 탈피하고, 지중해에서 프랑스와 대결 시 독일의 지원을 기대하였다.

답 ②

007 비스마르크 동맹체제는 서로 다른 이해관계를 가지는 열강들을 독일 중심으로 편입시켜 프랑스를 고립시키는 것을 목적으로 하였다. 비스마르크 동맹체제에 대한 다음 설명 중 옳지 않은 것은?

① 지중해 협정은 지중해에서의 이해관계당사자인 영국, 이탈리아, 오스트리아 간의 협상체제로서 영국을 비스마르크 체제에 간접적으로 편입시켰다.
② 불가리아 사태와 블랑제 사건으로 삼제협상이 사실상 와해되자 비스마르크는 독·러 재보장조약의 체결을 통해 러시아를 동맹체제 내에 묶어두려 하였다.
③ 독·러 재보장조약은 독일이 러시아의 발칸에서의 우위를 인정하는 것으로서 독·오 동맹과 모순되는 것이었다.
④ 독·러 재보장조약과 독·오 동맹의 모순이 심화되자 비스마르크는 결국 독·러 재보장조약을 폐기하였다.

정답 및 해설

비스마르크는 독·러 재보장조약과 독·오 동맹의 모순을 인식하면서도 양 동맹을 모두 유지함으로써 프랑스 고립을 도모했다. 이러한 점이 비스마르크가 외교사에서 칭송받는 이유인 동시에 비판받는 이유이기도 하다. 비스마르크 퇴임 후 빌헬름 2세는 독·러 재보장조약을 폐기함으로써 러시아가 프랑스, 영국에 접근하는 계기를 만든다.

답 ④

008 다음 중 비스마르크 보장정책의 내용으로 옳지 않은 것은?

① 프랑스를 국제적으로 고립화하는 것이 목표였다.
② 통일독일의 현상유지정책을 추구했다.
③ 잠재적 침략세력도 동맹에 참여하는 집단안보적 성격을 지니고 있었다.
④ 독일 내부의 급속한 산업화로 인해 해외식민지 건설에 주력을 다했다.

정답 및 해설

유럽 내부의 안보달성에 주력하기 위해 타국들의 해외식민지 개설을 지원했다. 프랑스와 튀니지 간의 바르도조약이 그 예이다.

답 ④

009 비스마르크 체제의 특징으로 옳지 않은 것은?

① 프랑스를 제외한 러시아, 오스트리아, 독일, 영국, 이탈리아 간의 동맹외교체제
② 비스마르크는 보수적인 유럽 정치질서의 옹호자로 민족주의 운동과 정반대 성격
③ 독일이 강국으로서 세계제국을 표방하던 시기
④ 독일의 절대적 우위 세력에 의해서 비교적 안정과 평화를 성취한 시기

정답 및 해설

빌헬름 2세 시기를 설명한 내용이다.

답 ③

010 비스마르크 동맹체제에 대한 비판점이다. 다음 중 옳지 않은 것은?

□□□

① 동맹체제 안의 동맹국 간의 이해관계가 모순되는 문제가 있었다.
② 비스마르크는 보수적인 유럽 정치질서의 옹호자로 19세기 후반 신성동맹 구축을 희망하여 새로운 시대의 변화를 따라가지 못하였다.
③ 프로이센의 통일 이후 현상타파적 의도를 보여 주변국들의 의혹을 샀다.
④ 동맹체제는 유럽 중심적이며 비유럽 지역에 대해서는 철저히 경시했다.

정답 및 해설

비스마르크는 통일을 완수한 이후에는 현상유지적 목표를 추구하였다. 현상타파적 전략을 추진한 것은 비스마르크 실각 이후의 일이다.

답 ③

011 베를린회의(1878)에 대한 설명으로 옳지 않은 것은?

□□□

① 산스테파노조약을 통해 대 불가리아가 건설되고 이를 러시아가 임시 지배하게 되자 열강들이 발칸에서의 이권 조정을 위해 개최한 회의이다.
② 이 회의에서 영국의 발칸에 대한 기본목표는 오토만 제국의 현상유지 및 러시아의 남하저지였다.
③ 비스마르크는 러시아와 오스트리아의 대립으로 삼제 협상이 붕괴되는 것을 우려하여 동방문제에 개입하였으나, 베를린회의의 결과 결국 러시아와의 친선관계가 균열되었다.
④ 러시아는 베를린회의에서 비스마르크 태도에 실망하여 삼제협상을 종료시키고 즉시 프랑스와 동맹을 맺었다.

정답 및 해설

러시아는 베를린회의에서 비스마르크가 정직한 중개자(honest broker)를 자처한 것에 실망하여 제1차 삼제협상을 종료시켰으나, 국제적으로 고립된 상태에서 다시금 비스마르크의 동맹망에 들어갈 수밖에 없었다. 즉 제2차 삼제협상이 성립되었다.

답 ④

012 러시아와 터키 간의 전쟁 전후 처리를 위한 베를린회의(1878)의 내용(결과)으로 옳지 않는 것은?

□□□

① 대불가리아 창설을 규정하였다.
② 향후 프랑스의 튀니지 점령을 묵인하였다.
③ 영국은 사이프러스의 점령을 인정받게 되었다.
④ 보스니아 - 헤르체고비나는 오스트리아가 점령, 행정을 담당하게 되었다.

정답 및 해설

대불가리아 창설은 1878년의 산 스테파노조약에 규정된 내용으로, 발칸 전역에 대한 러시아의 야심을 보여주는 것이다. 베를린회의에서 국가들은 이를 인정하지 않고 불가리아를 삼등분하기로 결정했다.

선지분석

③ 사이프러스의 점령을 통해 영국은 동지중해 상에서 확고한 지위를 획득하였다.
④ 이에 더해 오스트리아는 노비바자르에 군대를 주둔시켜 세르비아 - 몬테네그로의 통합을 저지시키고 에게해 진출로를 확보했다.

답 ①

013 독일 · 오스트리아 · 이탈리아의 삼국동맹에 대한 설명으로 옳지 않은 것은?

① 이탈리아는 베를린회의 이후의 국제적 고립을 탈피하고 로마 문제로 프랑스와 갈등을 겪고 있어 지원국이 필요하던 차에 독일의 지원을 얻고자 하였으며, 오스트리아는 실지 회복문제에 있어서 갈등을 관리하고자 하였다.

② 오스트리아는 경제적인 측면에서 흑해에서의 중립화를 탈피하고 제해권을 다시 가져오기 위해서 독일과 이탈리아의 지원이 절실했다.

③ 독일은 프랑스에 대항하는 하나의 동맹으로서 가치를 두었다. 프랑스와의 전쟁에서 러시아와 오스트리아의 지원을 획득하고 있었으나, 여기에 이탈리아까지 참전시킨다면 알프스에서의 프랑스의 군사력을 약화시킬 수 있을 것으로 기대하였다.

④ 제2차 삼국동맹으로의 갱신은 블랑제사건으로 독 · 불 관계가 악화된 것이 큰 원인이 되었다.

정답 및 해설

흑해는 원래 러시아의 제해권 하에 있다가 크림전쟁으로 중립화 되어 독점권을 잃게 된 것으로 오스트리아와는 관계가 적다. 오스트리아는 삼국동맹에서 이탈리아의 실지회복주의를 가라앉혀 이탈리아와의 관계악화나 전쟁을 방지하고자 하였다.

선지분석

④ 독일은 삼국동맹에 기본적으로 프랑스 견제 역할을 기대하였기 때문에 블랑제 사건으로 독 · 불 관계가 악화되고 추가적으로 불가리아 사건으로 독 · 러 관계까지 악화되자 삼국동맹의 갱신이 절실하였다.

답 ②

014 다음 중 삼국동맹에 대한 설명으로 옳지 않은 것은?

① 1882년 독일, 러시아, 이탈리아 간에 체결되어 형식적으로 제1차 세계대전 때까지 존재하였다.

② 삼제협상과 함께 비스마르크 동맹체제의 한 축으로서 프랑스 고립에 중요한 역할을 하였다.

③ 이탈리아는 보 · 불전쟁 시 로마를 수복한 것으로 인해 프랑스와 관계가 악화되자 지원국을 필요로 하게 되었기 때문에 삼국동맹에 참여하였다.

④ 독일은 블랑제사건 이후 비스마르크 동맹체제의 취약성을 인식하고 삼국동맹의 갱신을 통해 이탈리아를 동맹체제에 묶어두고자 하였다.

정답 및 해설

삼국동맹은 독일, 오스트리아, 이탈리아 간에 체결된 동맹이다. 러시아는 삼제협상을 통해 비스마르크 동맹체제에 편입되어 있었으나 비스마르크 퇴임 이후 빌헬름 2세가 독 · 러 재보장조약을 갱신하지 않자 프랑스, 영국과 삼국협상을 형성하였다.

답 ①

015 독일-러시아 재보장조약(1887)에 대한 설명으로 옳지 않은 것은?

① 제2차 삼제협상(1881)이 종료된 이후 불가리아사태와 블랑제 사건으로 독일과 러시아 관계가 악화되자 이를 타개하기 위해 오스트리아를 배제하고 독일과 러시아가 양자조약을 체결한 것이다.
② 독일의 의도는 러시아가 프랑스와 동맹을 체결하는 것을 방지하는 것이었다.
③ 블랑제 사건으로 발칸반도에서 영향력이 약화 되자 러시아는 독일의 원조로 발칸반도에서 영향력을 회복하고자 하였다.
④ 독일이 프랑스의 공격을 받는 경우 러시아는 중립의무를 부담하나, 독일이 프랑스를 공격하는 경우에는 중립의무가 없다.

정답 및 해설

블랑제 사건이 아닌 불가리아 사태로 발칸반도에서 러시아의 영향력이 약화되었다.

답 ③

016 다음은 비스마르크 체제 붕괴 이후의 유럽 상황에 대한 설명이다. 옳지 않은 것은?

① 영국 - 프랑스, 러시아와 협상하며 패권적 지위를 유지하고, 해외 식민지 경략에 주력하였다.
② 러시아 - 동북아에서는 일본과 경쟁하며, 유럽에서는 발칸에서의 영향력 확대를 지속적으로 추구하였다.
③ 프랑스 - 델카세 체제로 돌입하며 영국 러시아와 동맹하고 독일을 고립화 하고자 하였다.
④ 독일 - 영국과의 동맹을 추구하며 해군 군축안을 제안함으로써 영국의 해양패권 약화를 통해 자국의 국력 강화를 유도하였다.

정답 및 해설

비스마르크가 현상 유지에 기초한 복잡한 동맹체제를 구상함으로써 일시적인 안정을 유지하던 유럽은 비스마르크의 퇴임으로 혼란에 빠지게 된다. 프랑스는 독일의 고립을 위한 노력에 박차를 가했으며, 러시아는 발칸에서의 영향력 확대를 위하여 유럽 열강과의 동맹을 시도하는데 독일이 러시아와의 동맹을 중단한다. 이로 인해 러시아는 프랑스와 접근하고 독일의 고립이 시작된다.
한편, 비스마르크 퇴임 이후의 독일은 세계정책(Welt politik)을 추구하였다. 영국을 적으로 가정하고 해양 패권 다툼을 위하여 해군력 강화에 주력하였다. 영국이 독일의 해군력 확장을 저지하기 위하여 해군 교섭을 제의하고 해군 군축안을 제의하였으나 독일이 이를 거부하고 계속 해군력 확장에 박차를 가하게 된다. 따라서 영국의 여론은 독일에 강경하게 전환되었고, 결국 이것이 영, 불, 러의 해군 협력을 야기함으로써 독일은 고립을 자처하게 된다.

답 ④

001 □□□ **다음은 비스마르크의 퇴임을 전후한 독일의 외교전략 변화 양상을 비교한 것이다. 옳지 않은 것은?**

구분	비스마르크 시기	빌헬름 2세 시기
① 기조	현상 유지(보장정책, 평화정책)	현상 타파(영국 패권에 도전)
② 동맹	러시아와 프랑스 결탁 방지	독·러재보장 조약 파기
③ 대외	제국주의 지원 세력으로 존재	제국주의 세력화
④ 패권국	영국과 직접 동맹 다수 체결	영국과 대립관계

정답 및 해설

빌헬름 2세는 영국을 능가하는 초강대국으로 부상하다는 목표를 수립하고 영국 패권에 도전함으로써 영국과 대립관계를 형성했다. 반면 비스마르크는 영국과 우호적인 관계를 유지하였다. 비스마르크의 유럽대륙 현상유지 전략은 영국의 대륙정책과도 일치했기 때문이다. 따라서 영·이 간 지중해협정을 통해 독일(삼국동맹)과 영국은 간접적으로 연계되어 있었다. 그러나 패권국으로서 유럽대륙 국가들과 직접 동맹을 맺지 않고 중재하고자 했던 영국의 특성상, 독일과 직접 동맹을 다수 맺는 상황은 발생하지 않았다.

답 ④

002 □□□ **독일 빌헬름 2세의 세계정책에 대한 설명으로 옳지 않은 것은?**

① 비스마르크의 동맹구축 정책이 현상유지 정책이었다면 빌헬름 2세의 세계정책은 현상타파 정책이었다.
② 빌헬름 2세는 독일의 영광을 고양시킨다는 기치 하에 보장정책을 폐기하고 유럽 외부에 식민지를 건설하였다.
③ 빌헬름 2세는 비스마르크의 반대에도 불구하고, 러시아가 프랑스, 영국과 동맹을 맺을 것을 우려하여 독·러 재보장조약을 유지하였다.
④ 빌헬름 2세는 티르피츠 해군상의 조언에 따라 해군력을 증강함으로써 영국의 “two-power standard 정책”에 도전하였다.

정답 및 해설

빌헬름 2세는 비스마르크의 반대에도 불구하고 독·러 재보장조약을 폐기하였다. 이는 동 조약이 독·오동맹과 배치된다는 판단과 함께, 독·러재보장조약을 폐기하더라도 러시아가 프랑스나 영국과 동맹을 맺기 어려울 것이라는 판단이 있었기 때문이다.

답 ③

003 빌헬름 2세가 독·러 재보장조약을 폐기한 배경 및 결과에 대한 다음 설명 중 옳지 않은 것은?

□□□

① 빌헬름 2세는 러시아가 영국, 프랑스로부터 계속해서 고립될 것이라고 판단했다.
② 독·러 재보장조약이 폐기되자 러·불 협상이 성립됨으로써 독일은 양면전의 위험을 안게 되었다.
③ 러시아의 알렉산더 3세는 프랑스의 자유주의를 혐오하였으나, 경제적 지원을 필요로 하게 됨에 따라 프랑스와 동맹을 체결하였다.
④ 프랑스는 러시아의 차르 체제에 대한 혐오로 러·불 동맹 제의를 거절해 오다가 영국의 압력으로 수락하였다.

정답 및 해설

프랑스는 비스마르크 동맹체제로 인해 겪게 된 국제적 고립을 탈피하는 것이 가장 주요한 외교적 과제 중 하나였기 때문에 정치이념에 관계없이 러·불 동맹을 적극 추진하였다.

답 ④

004 다음은 비스마르크 체제 이후 독일과 오스트리아가 유럽에서 고립되어 가는 과정에 대한 설명이다. 시간 순으로 바르게 나열한 것은?

□□□

ㄱ. 러·불협상의 성립	ㄴ. 독·러재보장조약 폐기
ㄷ. 러·일전쟁 발발	ㄹ. 영·러협상 성립
ㅁ. 영·불협상 성립	ㅂ. 제2차 모로코사태

① ㄱ - ㄷ - ㅁ - ㄹ - ㅂ - ㄴ
② ㄱ - ㄹ - ㅁ - ㄴ - ㄷ - ㅂ
③ ㄴ - ㄱ - ㄷ - ㅁ - ㄹ - ㅂ
④ ㄴ - ㄱ - ㄹ - ㄷ - ㅁ - ㅂ

정답 및 해설

ㄴ. 독러재보장조약 폐기(1890) - ㄱ. 러불협상(1893) - ㄷ. 러일전쟁발발(1904.2) - ㅁ. 영불협상 성립(1904.4) - ㄹ. 영러협상 성립(1907) - ㅂ. 제2차 모로코사태(1911) 순서이다.

답 ③

005 삼국협상에 관한 설명으로 옳지 않은 것은?

① 영·불협상은 영·불 세력권 합의와 서로에 관한 외교적 지원 약속으로서, 프랑스는 영국의 이집트에 대한 정책에 간섭하지 않기로 하였으며 영국은 모로코에서 프랑스의 권익을 승인하도록 하였다. 또한 프랑스가 독일로부터 공격을 받을 때 영국이 외교적 지원을 하기로 하였다.
② 러·불 협상의 체결로 유럽은 삼국동맹, 러·불 동맹, 영국의 3대 세력권으로 분할되게 되었으며, 프랑스는 비스마르크에 의해 조직된 국제적 고립으로부터 벗어나게 되었다. 독일은 결국 국경에서 200만의 병력과 대치하는 사태에 직면하였다.
③ 영국의 3C정책과 독일의 3B정책이 서로 갈등을 빚고 있던 것이 영·러 협상의 배경이 되었는데 3C란 Cape - Cartago - Calcutta이며, 3B란 Berlin - Byzantine - Baghdad이다.
④ 영·러 협상을 통해 러시아는 극동 및 중동에서의 식민 제국주의를 추구할 수 있는 기초를 형성하였으며 영·러 협상으로 삼국협상체제가 완성되었는데, 이는 세계적인 규모의 대독포위망을 구성하는 것이었다.

정답 및 해설

3B에 대한 설명은 맞으나 3C는 Cape-Cairo-Calcutta이다. 3B와 3C문제는 뒤늦게 식민지 경쟁에 참가한 독일이 1905년 제1차 모로코사건을 통해 영국과 일촉즉발의 위기를 조성하게 된 것에서 알 수 있다.

선지분석

④ 또한 영국은 독일의 계속적인 해군확장에 대해 협상체제를 구축함으로써 독일의 위협에 대응하는 수단을 마련했다. 이를 통해 영국도 극동과 유럽에서 안정을 유지하고 식민지 경략에 집중할 수 있었다.

답 ③

006 영·불협상이 체결된 배경 및 그 내용에 대한 설명 중 옳지 않은 것은?

① 영국은 영광의 고립정책을 전통적으로 고수하였으나 1899년 보어전쟁으로 인해 영국군의 한계와 국제적 고립을 통감하자 동맹정책으로 전환하게 되었다.
② 영국은 초기에는 독일과 협력할 의도를 가지고 영·독 해군교섭을 추진하였으나 독일의 소극적 태도로 결렬, 프랑스와의 협력에 눈을 돌리게 되었다.
③ 러시아와 일본의 갈등이 심화됨에 따라 프랑스와 영국은 각각 동맹국으로서 전쟁에 개입될 우려가 증가하였다.
④ 영·불 협상을 통해 아프리카에서 영국은 프랑스의 이집트에 대한 정책에 간섭하지 않기로 하였으며, 프랑스는 모로코에서 영국의 권익을 승인하였다.

정답 및 해설

영·불 협상은 근본적으로 식민지 문제에 있어서 양국 간의 이해를 조정한 것이다. 구체적으로 영국은 프랑스의 모로코에서의 이익을 승인하였고, 프랑스는 영국의 이집트에서의 이익을 승인하였다.

답 ④

007 영·러협상에 대한 다음 설명 중 옳지 않은 것은?

① 영국은 인도방어의 부담 증가 및 일본의 팽창을 저지할 필요에 의하여 러시아와의 협력을 추진하였다.
② 러시아는 프랑스의 바그다드 철도부설계획에 의해 중동에서의 기득권에 불안을 느끼자 영국과의 협력을 추진하였다.
③ 영·러협상으로 삼국협상체제가 완성되었으며, 이로 인해 대독포위망이 완성되었다.
④ 영·러협상을 통해 양국은 페르시아, 아프가니스탄, 티벳에서의 이익을 상호 승인하였다.

정답 및 해설

러시아는 독일의 바그다드 철도부설계획에 의해 중동에서의 기득권에 불안을 느끼자 영국과의 협력을 추진하였다. 러·불 협상, 영·러 협상은 모두 독일을 봉쇄할 목적으로 형성되었음을 기억해야 한다.

답 ②

001 □□□ **다음은 제1차 세계대전 직전의 주요 사건들을 나열한 것이다. 시간 순으로 바르게 나열한 것은?**

ㄱ. 발칸전쟁	ㄴ. 알헤시라스협정
ㄷ. 보스니아-헤르체고비나 병합	ㄹ. 모로코협정
ㅁ. 사라예보사건	

① ㄱ-ㄷ-ㄴ-ㄹ-ㅁ
② ㄱ-ㄷ-ㄴ-ㅁ-ㄹ
③ ㄴ-ㄷ-ㄹ-ㄱ-ㅁ
④ ㄴ-ㄹ-ㄷ-ㄱ-ㅁ

정답 및 해설

ㄴ. 알헤시라스협정(1906)-ㄷ. 보스니아-헤르체고비나 병합(1908)-ㄹ. 모로코협정(1911)-ㄱ. 발칸전쟁(1912)-ㅁ. 사라예보사건(1914) 순서이다.

ㄴ. 알헤시라스협정(1906)은 1차 모로코 위기의 결과 체결된 협정이다.

ㄷ. 보스니아-헤르체고비나 병합(1908)은 오헝이 베를린회의의 합의 사항을 어기고 이 지역을 병합하여 발칸의 현상을 변경시켰다. 이로 인해 삼국 동맹과 삼국 협상 간 대립과 긴장이 고조되어 제1차 세계대전을 촉진하는 계기가 되었다.

ㄹ. 모로코협정(1911)은 2차 모로코 위기의 결과 체결된 협정으로, 독일이 자국에 대한 포위망을 약화시키기 위해 유발하였으나, 결과적으로 독일의 고립을 강화시키게 되었다.

ㄱ. 발칸전쟁(1912)은 터키와 이탈리아가 전쟁을 하는 동안 쇠락해가는 오스만 터키의 영토를 차지하기 위해 발칸의 독립국들이 터키 및 상호 간에 벌인 두 번의 전쟁을 의미한다.

ㅁ. 사라예보사건(1914)은 오스트리아 황태자가 사라예보에서 세르비아 청년에게 암살된 사건이다. 이를 세르비아 정부가 연관되었다고 판단한 오스트리아는 세르비아에 최후 통첩을 보냈고, 이로 인해 제1차 세계대전이 촉발되게 되었다.

답 ③

002 □□□ **오스트리아에 의한 보스니아-헤르체고비나의 병합과 관련하여 19세기 말에서 20세기 초에 걸친 상황 설명 중 옳지 않은 것은?**

① 병합은 1878년 베를린회의와 1881년 3제협상을 통해 결정 · 승인되었다.
② 세르비아는 당시 반(反)오스트리아 운동과 함께 친(親)러시아 성향을 가졌다.
③ 오스트리아는 범슬라브 민족주의를 우려하여 병합결정을 하였다.
④ 독일은 오스트리아에 의한 병합추진에 적극 반대하였다.

정답 및 해설

독일은 오스트리아의 병합에 대해 반대하지 않았다. 병합이 발칸의 상황을 변경시키는 것이므로 우려하기도 하였으나, 이 당시 독일은 국제적으로 고립되어 있어 유일한 동맹국인 오스트리아와의 관계를 유지하는 것이 매우 중요하였다.

답 ④

003 제1차 세계대전을 전후한 열강들의 외교정책에 관한 설명 중 옳지 않은 것은?

□□□

① 영국의 3C정책과 독일의 3B정책을 축으로 하여 제국주의 식민경쟁이 고조되었다.
② 프랑스는 국제적 고립으로부터 벗어나기 위해 대독일 포위망을 결성하고자 하였다.
③ 독일은 영국이 중립을 지킬 것으로 예상하면서 오스트리아를 지원했다.
④ 이탈리아는 개전 직전 연합국측에 가담하여 식민지 보상을 약속받았다.

정답 및 해설

이탈리아는 개전 초 중립을 지키다 전쟁 발발 이후 연합국 측에 가담하였다.

답 ④

004 제1차 모로코사건(1905~1906)에 대한 설명 중 옳지 않은 것은?

① 영국, 독일, 프랑스는 모로코의 철도, 항만 등 상업적인 요인에 관심이 컸다.
② 영국은 전략적으로 중요한 위치에 있는 모로코에 큰 관심을 보였다.
③ 러시아의 주도하에 영국, 독일, 프랑스 등 8개국은 알헤시라스(Algeciras)협정을 타결했다.
④ 프랑스는 모로코 경찰에 대한 지배권을 보장받음으로써 실질적으로 모로코를 장악했다.

정답 및 해설

알헤시라스협정은 미국의 주도로 체결되었다.

답 ③

005 다음은 20세기 초 유럽 열강 간에 발생한 모로코 위기에 대한 설명이다. 옳지 않은 것은?

① 모로코에서 영국, 독일, 프랑스의 대립으로 발생한 유럽국 간 위기이다.
② 독일이 프랑스의 모로코 점령에 대한 보상을 주장하면서 야기되었다.
③ 독·불 간의 감정 대립이 격화되고 독일의 식민지 정책이 더욱 적극화되었다.
④ 두 차례의 모로코 위기로 모로코에 대한 프랑스의 영향력이 감소되었으며 영·불 간의 관계도 악화되었다.

정답 및 해설

독일이 모로코 위기를 유발한 데에는 영·불 관계를 이간하기 위한 목적이었으나, 오히려 동 사건 이후로 영·불 간의 관계는 오히려 강화되었으며 독일의 해군력 확장에 대응하여 영·불 간에 해군협력도 강화되었다. 모로코 위기는 결과적으로 영국, 프랑스, 러시아에게 독일의 호전성을 각인시켜 독일에 대한 포위와 고립을 강화하게 하였다. 고립을 확인한 독일은 영국에 대항하기 위해 해군력 강화에 박차를 가했으며, 이로써 독일과 삼국 협상국들 간의 안보딜레마가 악화되기 시작했다.

답 ④

006 다음은 제1차 세계대전 이전 강대국들의 전략에 대한 설명이다. 국가와 전략의 연결이 옳은 것은?

□□□

ㄱ. 패권자의 입장에서 유럽 대륙의 세력 균형을 유지하고자 하는 한편, 식민지 경영을 위한 교통로 유지에 주력했다.
ㄴ. 부동항 획득을 목적으로 적극적으로 팽창주의정책을 지속하였으며, 지정학적 이점을 활용하여 유럽, 중동, 극동 경략을 번갈아가며 했다.
ㄷ. 대독복수전의 열망을 가지고 있었으며, 식민지 재분할이 끝날 무렵 현상유지정책에 집착하여 영국에 추종하였다.
ㄹ. 영토적 통합을 이룩하였으나 국민적 대통합은 실현하지 못했으며, 군사력의 열세로 제국주의 정책에서도 실패를 거듭하였고 오스트리아와 갈등관계에 있었다.
ㅁ. 문호개방과 기회균등선언을 계기로 아시아 경략을 시작하였으며, 삼국동맹과 삼국협상 세력 간의 균형자적 입장에서 유럽대륙의 세력균형 및 동서양 대륙의 세력균형유지를 추구하였다.

① ㄱ - 미국, ㄷ - 이탈리아
② ㄱ - 영국, ㄹ - 독일
③ ㄴ - 러시아, ㄷ - 프랑스
④ ㄹ - 이탈리아, ㅁ - 영국

정답 및 해설

ㄱ. 영국, ㄴ. 러시아, ㄷ. 프랑스, ㄹ. 이탈리아, ㅁ. 미국의 전략이다.

답 ③

007 제1차 세계대전 이전 강대국들의 대외전략에 대한 설명으로 가장 옳지 않은 것은?

□□□

① 영국은 전통적인 영광된 고립정책 하에 유럽대륙의 세력균형을 도모하였다.
② 프랑스는 보·불전쟁 이후 비스마르크가 구축해 놓은 대불 포위망을 벗어나고 알사스-로렌을 회복하는 것이 주된 외교적 목표였다.
③ 독일은 세계정책을 통해 제국주의적 팽창정책을 시행하였다.
④ 미국은 1823년의 먼로 독트린에서 선언한 고립주의정책을 근간으로 미주대륙 이외의 지역에 대해서는 일절 개입하지 않았다.

정답 및 해설

미국은 1899년과 1900년 문호개방과 기회균등선언을 계기로 차츰 대아시아 정책을 적극화하기 시작했다.

답 ④

008 비스마르크 퇴임 이후 제1차 세계대전 이전까지 독일의 제국주의에 대한 설명으로 옳지 않은 것은?

□□□

① 해군상 티르피츠는 함대정책을 추진하여 영국의 two-power standard에 도전하였다.
② 독일은 바그다드 철도부설권을 획득함으로써 러시아의 남진정책과 충돌하였다.
③ 보스니아-헤르체코비나를 합병하였다.
④ 모로코 위기 등 모험주의적 성향을 보여 주변국들이 독일을 위협적으로 느끼도록 하였다.

정답 및 해설

보스니아-헤르체코비나는 제1차 세계대전으로 치닫는 과정 중에 일어난 사건이기는 하지만 독일이 아닌 오스트리아에 의해 이루어졌다.

답 ③

009 제1차 세계대전 이전 오스트리아의 보스니아-헤르체고비나 병합과 관련된 사실로 옳지 않은 것은?

□□□

① 1878년 베를린회의에서는 오스트리아에게 이 지역의 시정권만 부여된 상태에서 이 지역을 병합한 것은 발칸의 현상을 변경시킨 것이다.
② 세르비아의 반(反)오스트리아 정책에 대하여 오스트리아가 관세인상조치 등을 취함에 따라 오스트리아와 세르비아의 관계가 악화되었다.
③ 보스니아-헤르체고비나 병합으로 발칸에서의 범슬라브 민족주의가 고조되었다.
④ 독일은 이 문제에 있어서 러시아를 지지함으로써 오스트리아와의 관계가 악화되었다.

정답 및 해설

독일은 이 문제에 있어 오스트리아를 지지함으로써 러시아와의 관계가 악화되었으며 독·오동맹은 견고화되었다. 이는 독일의 고립을 심화시켜 독일이 오스트리아의 모험주의 노선에 끌려다니게 되는 결과를 가져왔다.

답 ④

제9절 | 제1차 세계대전

001 제1차 세계대전에 대한 설명으로 옳지 않은 것은? 2021년 외무영사직

□□□

① 19세기 후반 이래 유럽동맹체제의 경직화가 주요한 개전 요인의 하나였다.
② 오스트리아-헝가리 제국의 민족문제가 주요한 개전 요인의 하나였다.
③ 제1차 세계대전 종전 후 윌슨의 이상주의에 의해 국제연맹이 수립되었다.
④ 베르사유조약에 의해서 오스만제국이 해체되었다.

정답 및 해설

베르사유조약은 삼국협상측이 독일과 체결한 강화조약이다. 독일의 영토축소 및 군비제한 등을 규정하였다. 오스만제국 해체는 삼국협상 측이 오스만제국과 체결한 '쉘부르조약'에 기초하였다.

선지분석

① 제1차 세계대전 직전 유럽은 삼국동맹(독일, 오스트리아, 이탈리아)과 삼국협상(영국, 프랑스, 러시아)으로 양분되어 경직되었다.
② 1908년 오스트리아는 당시 세르비아가 러시아의 지원하에 주도하던 범슬라브민족주의 운동에 반하는 보스니아·헤르체고비나를 병합함으로써 1914년 6월 사라예보 사건이 발발하게 되었다.
③ 윌슨은 제1차 세계대전이 세력균형을 위한 경쟁과 비밀외교 등에 있다고 진단하고 세력균형을 대체하기 위해 국제연맹과 집단안전보장제도를 창안하였다.

답 ④

002 제1차 세계대전에 대한 설명으로 옳지 않은 것은? 2016년 외무영사직

□□□

① 1914년 사라예보사건으로 촉발되었다.
② 러시아, 영국, 프랑스는 세르비아 편에, 독일은 오스트리아-헝가리 편에 가담했다.
③ 이탈리아는 전쟁 초기에 독일, 오스트리아-헝가리 편에 가담했다가 전쟁 후기에 중립을 선언했다.
④ 전쟁은 베르사유조약으로 종결되었다.

정답 및 해설

이탈리아는 전쟁 발발 직후 '중립'을 선언하였으나, 1915년 영국, 프랑스와 동맹을 맺고 협상측으로 참전하였다.

답 ③

003 □□□ **다음 중 각 시기별 발생한 사건과 그에 대한 설명이 옳지 않은 것은?** 2005년 외무영사직

① 1917년 레닌(Lenin) 주도로 러시아에서 사회주의 국가가 역사상 최초로 출현하였다.
② 1907년 헤이그 만국평화회의에서 분쟁의 평화적 해결협약이 채택되었다.
③ 1917년 윌슨은 민족자결원칙이 전후 국제질서의 근간이 되어야 함을 주장하였다.
④ 1925년 파리강화회의에서 독일은 프랑스, 벨기에, 폴란드, 체코슬로바키아와의 분쟁을 평화적으로 해결하기 위한 협약을 채택하였다.

정답 및 해설

1925년 로카르노조약에 관한 내용이다. 파리강화회의는 1919년에 개최되었다.

답 ④

004 □□□ **제1차 세계대전 이후의 세계정세에 대한 설명으로 옳지 않은 것은?**

① 각종 군축회의가 열리고 부전조약이 성립하는 등 평화분위기가 풍미하였다.
② 로카르노(Locarno)조약은 독일의 서부국경뿐만 아니라 동부국경도 보장하였다.
③ 프랑스는 독일의 경제상태가 회복될 기미를 보이자 독일의 부흥과 재기를 우려하였다.
④ 독일은 1926년 국제연맹에 가입하고 즉시 상임이사국이 되었다.

정답 및 해설

로카르노조약은 독일의 서부국경의 보장을 합의한 것이다. 동부국경 보장은 합의되지 않았다.

답 ②

005 □□□ **제1차 세계대전 발발의 배경(원인)을 설명한 것으로 가장 옳지 않은 것은?**

① 경직적인 동맹망에 의한 열강들의 분쟁 연루
② 오스트리아의 억압적인 발칸정책과 이에 반발한 범슬라브 민족주의의 고취
③ 양면전에 대비하기 위한 독일의 슐리펜 계획
④ 공산주의화된 러시아에 대한 열강들의 봉쇄정책

정답 및 해설

러시아가 공산화된 것은 제1차 세계대전 발생 이후의 일이다.

선지분석

① 독일은 오스트리아의 모험주의적인 정책에 백지수표를 써주었는데 이는 영국, 러시아, 프랑스 등 열강들로부터 고립되어 오스트리아에 의존할 수밖에 없었기 때문이다.
② 범슬라브 민족주의가 고취되어 세르비아에서 오스트리아 황태자가 저격당함으로써 제1차 세계대전이 촉발되었다.
③ 오스트리아와 세르비아를 지원하는 러시아의 국지적 분쟁에 그칠 수 있었지만, 독일이 오스트리아를 지원하면서 양면전의 위험을 막기 위해 러시아 공격 이전에 프랑스를 먼저 공격함으로써 분쟁이 세계대전화 되었다.

답 ④

006 제1차 세계대전에 대한 설명으로 옳은 것은?

□□□

① 독일 빌헬름2세 및 군부 강경파는 슐리펜플랜을 고려하여 1914년 8월 1일 러시아에 선전포고하였다.
② 제1차 세계대전에서 루마니아, 세르비아, 불가리아, 일본, 그리스 등이 연합국에 합류하였으며, 오스만제국은 동맹측에 합류하였다.
③ 연합국과 오스만제국은 1920년 8월 10일 뉴이조약을 체결하여 다르다넬스 · 보스포러스 양 해협, 마르마라해(海)를 국제적으로 개방하기로 하였다.
④ 연합국과 오스트리아는 1919년 9월 10일 강화조약인 생제르맹조약을 체결하고, 체코슬로바키아, 폴란드, 헝가리, 유고슬라비아 등을 독립시키기로 합의하였다.

정답 및 해설

선지분석

① 빌헬름2세는 전쟁에 반대한 온건파로 분류된다.
② 불가리아는 동맹측으로 참전하였다.
③ 세브르조약을 체결하였다.

답 ④

007 제1차 세계대전의 배경에 관한 설명으로 옳지 않은 것은?

□□□

① 삼국동맹의 독일, 오스트리아, 이탈리아와 삼국협상의 러시아, 영국, 프랑스 간의 전쟁이었다.
② 일본은 중국에서 절대적인 우월권을 확보할 목적으로 참전하였다.
③ 발칸 국가들은 자신의 이해관계에 따라 서로 다른 진영을 지지하였다.
④ 미국은 짐머만 전보사건 및 무제한 잠수함 작전 이후 연합국 진영으로 참전하였다.

정답 및 해설

이탈리아는 삼국동맹의 존재에도 불구하고 보다 유리한 전후 영토보상을 제공하는 연합국 쪽으로 참전하였다.

선지분석

③ 세르비아와 그리스는 연합국 진영으로, 불가리아와 루마니아는 독일 진영으로 참전하는 등 발칸 국가들은 자국의 이해관계에 따라 서로 다른 진영으로 참전하였다.

답 ①

008 제1차 세계대전 발발의 배경(원인)을 설명한 것으로 가장 옳지 않은 것은?

□□□

① 사라예보사건
② 짐머만 전보사건
③ 삼국동맹과 삼국협상의 경직화
④ 슐리펜 계획

정답 및 해설

짐머만 전보사건이란 독일이 멕시코에게 미국을 공격할 것을 요청하는 전보가 미국에 알려진 사건으로, 미국이 제1차 세계대전에 참전하는 계기가 된 사건이다.

선지분석

① 1914년 6월 28일 세르비아에서 오스트리아 황태자가 저격당함으로써 제1차 세계대전의 직접적인 촉발원인이 되었다.
③ 비스마르크 동맹체제의 유연함을 잃고 양 동맹이 경직화됨으로써 오스트리아와 러시아의 국지전에 그칠 수 있었던 전쟁이 세계대전으로 확대되었다.
④ 오스트리아와 세르비아를 지원하는 러시아의 국지적 분쟁에 그칠 수 있었지만, 독일이 오스트리아를 지원하면서 양면전의 위험을 막기 위해 러시아 공격 이전에 프랑스를 먼저 공격함으로써 분쟁이 세계대전화 되었다.

답 ②

009 ☐☐☐ **제1차 세계대전의 원인에 대한 설명으로 옳지 않은 것은?**

① 영국과 독일의 세계 패권 쟁탈전: 뒤늦게 식민지 경쟁에 뛰어든 독일은 기존 세력인 영국에 도전하였고 경제전, 식민지 쟁탈전에서 이러한 도전이 뚜렷하게 나타났으며, 3B와 3C문제가 발발, 영국은 기존의 고립정책을 폐기하고 동맹정책으로 전환하게 되었다.

② 발칸에서 러시아와 영국의 대립: 크림전쟁의 연장선상에서 여전히 발칸에서 러시아와 영국이 날카롭게 대치하고 있었던 것은 러시아가 흑해의 중립을 어떻게 해서든 해소하려고 하였기 때문이다.

③ 독일과 프랑스의 역사적 대립관계: 보·불전쟁(1870) 이후 독일은 알사스-로렌을 할양받았고 유럽대륙 밖에서 양국은 모로코에서 두 차례 걸쳐 대립함으로써 양국 감정을 극도로 악화되었다.

④ 오스트리아와 세르비아의 적대감정: 1908년 오스트리아가 보스니아와 헤르체고비나를 병합한 이후 세르비아와 오스트리아 간 민족적 감정이 극도로 악화되어 있었고, 결국 1914년의 사라예보사건이 직접적인 제1차 세계대전의 도화선으로 작용되었다.

정답 및 해설

제1차 세계대전에서 영국과 러시아는 서로 우방의 관계였다. 오히려 발칸에서 대치했던 것은 독·오와 러시아였으며, 독·오가 팽창주의적 정책을 펴자 이것이 러시아의 남하정책과 대립하게 되었던 것이다.

답 ②

010 ☐☐☐ **제1차 세계대전의 참전국들의 입장에 대한 설명으로 옳지 않은 것은?**

① 독일은 양면전의 위협에 노출되지 않기 위해 슐리펜 계획에 따라 프랑스를 먼저 공격하였다.

② 오스트리아는 독일로부터 백지수표를 위임받고 세르비아에게 최후통첩을 하였다.

③ 영국의 표면적인 참전 이유는 벨기에의 중립보장을 위한 것이었으나, 이면에는 유럽의 세력균형 유지라는 목적이 존재하였다.

④ 프랑스는 독일이 마지노선을 넘어 공격하자 참전하게 되었다.

정답 및 해설

마지노선은 제1차 세계대전 종전 이후 독일의 재침략을 막기 위해 프랑스가 독일과의 국경에 구축한 방어선이다.

답 ④

011 ☐☐☐ **다음 중 제1차 세계대전의 전개과정에 대한 설명으로 옳지 않은 것은?**

① 독일은 슐리펜 계획을 통해 단기전을 구상하였으나, 제1차 세계대전은 1914년부터 1919년까지 4년 반 동안 장기화 되었다.

② 독일은 처음 3년간 동부전선과 서부전선에서 양면전을 벌이다가 서부전선이 먼저 종료되어 동부전선에 집중할 수 있었다.

③ 국지전으로 마무리되리라는 당시 예상과 달리 삼국협상, 삼국동맹 국가들뿐만 아니라 벨기에, 발칸 국가들, 일본, 중국, 미국 등이 참전하는 세계전쟁으로 확대되었다.

④ 1917년 10월 혁명으로 러시아가 소비에트화되어 전쟁수행 능력이 약화됨에 따라 독·러 휴전이 이루어졌다.

정답 및 해설

독·러 휴전으로 인해 동부전선이 먼저 종료되고 전쟁은 서부전선에 집중되게 되었다. 당초 독일은 양면전의 부담을 줄일 목적으로 러시아의 강화를 수락하였으나, 오히려 서부전선에 연합군의 공격이 집중되어 패전하였다.

답 ②

012 ☐☐☐ **제1차 세계대전을 종결짓기 위한 파리강화 회의의 주요 결정 사항으로 옳지 않은 것은?**

① 독일이 알사스 - 로렌을 프랑스에 반환
② 베르사유 조약 제231조에 의한 독일의 전쟁책임 인정 및 배상금 지불 결정
③ 전승국들에 의한 베를린 분할점령
④ 주변국(벨기에, 덴마크, 폴란드) 강화를 통한 독일 봉쇄

정답 및 해설

베를린 분할점령은 제2차 세계대전 이후의 전후 처리 과정에서 이루어졌다.

답 ③

013 ☐☐☐ **다음 중 제1차 세계대전에 연합국으로 참전한 국가가 아닌 것은?**

① 미국
② 이탈리아
③ 중국
④ 불가리아

정답 및 해설

불가리아는 독일, 오스트리아와 동맹을 체결하고 세르비아에 선전포고하였다.

선지분석

② 이탈리아는 독일, 오스트리아와 삼국동맹을 형성하고 있었으나 전쟁이 발생하자 보다 유리한 조건을 제시하는 연합국 쪽으로 참전하였다.
③ 당시 연합국은 중국의 참전을 중국 정부가 아닌 일본 정부에 요청하였을 정도로 중국의 국제정치적 위상은 약했다. 그러나 결과적으로 중국은 제1차, 제2차 세계대전 모두 연합국 자격으로 참전하여 전후처리 과정에서 승전국의 지위에 있었다.

답 ④

014 ☐☐☐ **다음 중 제1차 세계대전에 미국이 참전한 배경으로 가장 옳지 않은 것은?**

① U - Boat 사건
② 무제한 잠수함 작전
③ 짐머만 전보사건
④ 무역위축에 따른 경제적 피해

정답 및 해설

U - Boat 사건은 제2차 세계대전에 미국이 참전하는 배경이 된다.

선지분석

② 무제한 잠수함 작전으로 미국 상선들이 피해를 입자 참전 필요성을 인식하게 된다.
③ 짐머만 전보사건이란 독일이 멕시코에게 미국을 공격할 것을 요청하는 전보가 미국에 알려진 사건으로 미국이 제1차 세계대전에 참전을 결정하는 결정적 계기가 되었다.
④ 제1차 세계대전으로 무역이 위축됨으로써 미국 경제가 큰 타격을 입게 되자 참전의 필요성을 인식하게 된다.

답 ①

015 ☐☐☐ **제1차 세계대전 중의 전시외교에 관한 설명 중 옳지 않은 것은?**

① 터키는 독일측에 가담해 참전하였다.
② 터키가 동맹국에 가담하자 영국은 오토만 내의 아랍인들을 지원해 터키에 저항하도록 하였다.
③ 영국은 처칠 수상의 철의 장막 연설을 통해 팔레스타인에 유태인들의 조국을 건설할 것을 약속하였다.
④ 오토만 제국의 분할에 관한 연합국들의 합의와 아랍인, 유태인과의 약속은 많은 경우 서로 상충했다.

정답 및 해설

밸푸어(Balfour)선언에 관한 이야기이다. 처칠 수상의 철의 장막 연설은 제2차 세계대전 때의 일이다.

선지분석

④ 오토만 제국의 분할에 관한 연합국들의 합의들은 그들이 아랍인, 유태인에게 약속한 내용과 많은 경우 양립되지 않고 서로 상충되어 있었다. 이 문제가 훗날 중근동 정치에 큰 쟁점으로 남게 되었다.

답 ③

016 ☐☐☐ **다음 중 제1차 세계대전 과정 중에 발생한 사건이 아닌 것은?**

① 10월혁명
② 이탈리아의 로마 수복
③ 밸푸어선언
④ 윌슨의 14개 조항 선언

정답 및 해설

이탈리아의 로마 수복은 보 · 불전쟁 때의 일이다.

선지분석

① 1917년 10월혁명으로 러시아가 소비에트화 되었다.
③ 밸푸어선언은 1917년 11월 영국 외상 밸푸어가 팔레스타인에 유태인들의 조국을 건설하겠다고 선언한 것이다.
④ 윌슨의 14개 조항 선언은 1918년 1월에 있었다.

답 ②

제10절 | 베르사유체제

001 ☐☐☐ **제1차 세계대전 전후 국제정세에 대한 설명으로 옳은 것은?** 2023년 외무영사직

① 베르사유 조약을 통해 프랑스는 알자스-로렌, 자르, 란다우를 회복하였다.
② 국제연맹의 지도하에 산둥반도와 독일령 남양제도에 대한 일본의 위임통치가 결정되었다.
③ 영국과 프랑스는 '사이크스-피코 협정'을 통해 전쟁 후 팔레스타인 지역에 유대 국가를 창설하기로 합의하였다.
④ 로잔 조약을 통해 튀르키예는 동부 트레이스를, 그리스는 임브로스와 테네도스를 제외한 에게 제도(Aegean Islands)를 보유하기로 하였다.

정답 및 해설

로잔 조약 (Treaty of Lausanne)은 1923년 7월 24일에 터키 공화국이 수립된 후에 스위스 로잔에서 터키와 연합국이 기존 강화조약인 세브르 조약을 대체하여 체결한 조약이다. 그리스와 튀르키예의 전쟁 이후 체결한 강화조약이기도 하다. 로잔 조약을 통해 그리스와 터키의 국경선이 획정되었다. 튀르키예는 동부 트레이스를, 그리스는 임브로스와 테네도스를 제외한 에게 제도(Aegean Islands)를 보유하기로 하였다.

선지분석

① 자르지역은 국제연맹의 위임통치지역으로 규정하였다. 이후 투표를 통해 그 귀속을 결정하기로 하였다.
② 산둥반도는 1922년 워싱턴조약을 통해 중국에 반환되었다. 남양군도는 일본이 1919년부터 1945년까지 위임통치하였다.
③ 사이크스-피코 협정은 레반트와 아라비아반도 일부 지역을 영국과 프랑스가 분할하여 통치하자는 협정으로 1916년 5월16일 양국은 정식으로 협정에 서명했다. 전쟁 후 팔레스타인 지역에 유대 국가를 창설하겠다는 선언은 1917년 영국이 행한 '밸푸어 선언'이다.

답 ④

002  **제1차 세계대전의 정치적·경제적 영향으로 가장 옳지 않은 것은?**

① 독일, 오스트리아가 공화정을 채택하였고 유럽의 모든 지역에서 보통선거가 실시되었다.
② 의회민주주의의 비효율성, 전후 패전국의 불만, 공산주의 혁명 예방 등의 이유로 일부 국가에서 전체주의 정권이 지지받게 되었다.
③ 1914년 유럽은 경제적 측면에서 완전히 세계를 지배하고 있었으나 전후 미국의 경제가 획기적으로 성장하게 되었다.
④ 전후 복구사업이 추진됨에 따라 유럽 화폐의 가치가 크게 상승하였다.

정답 및 해설

영국, 프랑스, 이탈리아는 전쟁 중에 특히 미국 정부나 미국 은행에 부채를 지게 되었다. 이들 국가들은 전후 공공부채의 상환을 위해 화폐발행을 증가시켰고 이것이 인플레이션을 초래하여 유럽 화폐의 평가절하를 가져왔다. 독일의 경우 막대한 전쟁배상금 지불을 위해 화폐발행을 남용하여 하이퍼 인플레이션(hyper inflation)을 초래하였다.

답 ④

003 □□□ **베르사유체제가 붕괴되는 상황과 관련되면서, 동시에 제2차 세계대전으로 이어지는 1930년대의 격동기에 발생한 사건이 아닌 것은?**

2007년 외무영사직

① 로카르노조약의 체결
② 이탈리아의 에티오피아 원정
③ 스페인에서의 내란
④ 뮌헨협정과 체코 문제

정답 및 해설

로카르노조약은 1925년 체결되었다.

답 ①

004 베르사유체제와 윌슨의 14개 조항에 대한 설명으로 옳지 않은 것은?

□□□

① 베르사유체제란 제1차 세계대전 이후 전후처리를 위한 파리평화회의에 기초한 것으로, 동 체제에서는 패전국인 독일의 영토를 축소시키고 군비를 제한함으로써 독일의 재흥을 방지하고자 하였으며 국제연맹에 의한 집단안보제도를 도입하여 평화를 유지하고자 하였다.

② 전후 미국의 윌슨은 새로운 국제질서 형성의 이상을 담은 14개 조항을 제시하고 이에 기초하여 베르사유 체제의 형성을 주도해 나가려는 시도를 하였으며, 14개 조항의 주요 내용은 민족자결주의, 비밀외교 폐지, 동맹안보체제 형성이다.

③ 프랑스와 영국의 반대 속에 윌슨의 주도로 국제연맹이 창설되었으나 공화당은 민주당의 국제주의 노선을 지지하지 않았고 이에 따라 정작 미국은 국제연맹에 가입하지 못하였다.

④ 프랑스의 개전사유였던 알사스-로렌은 프랑스에 반환되었으며, 단치히를 자유시로 하여 폴란드의 관리 하에 두는 등 독일의 전후 경계 재획정에 의해 독일은 영토의 1/7, 인구의 1/10을 상실하게 되었다.

정답 및 해설

윌슨의 14개 조항은 동맹안보체제가 아니라 집단안전보장체제를 주창하고 있다.

선지분석

③ 집단안전보장체제가 가지는 제도적 결함뿐 아니라 미국 주도의 창설기관에서 미국이 빠졌다는 문제로 인해 리더십 부재가 큰 문제가 되었다.

④ 결국 독일을 너무나 무력화 시키려고 했던 것이 독일 국민의 큰 반감을 사게 되어 제2차 세계대전의 불씨가 되었다.

답 ②

005 1918년 윌슨의 국제평화를 위한 '14개 조항'에 해당하지 않는 것은?

2008년 외무영사직

□□□

① 군비축소와 방위목적 이외의 무력사용 금지

② 해양 항행의 자유와 가능한 한 모든 경제적 무역장벽 철폐

③ 비밀외교 철폐와 공개외교 수립

④ 정치독립과 영토보전을 상호 보장하기 위한 국가들의 연합체 구성

정답 및 해설

군축조항은 있으나, 무력사용금지에 관한 규정은 존재하지 않는다. 무력사용금지는 UN헌장에서 최초로 규정되었다.

답 ①

006 다음 중 윌슨의 14개 조항(Fourteen Points)으로 옳지 않은 것은?

① 앞으로 사적인 국제양해는 폐지하며 외교는 언제나 솔직하고 공개적으로 이루어져야 한다.
② 연합국을 포함한 모든 식민지 하의 민족은 자치적인 발전을 하도록 자유스런 기회가 주어져야 한다.
③ 평화를 애호하는 모든 국가들에 가능한 한 모든 경제장벽을 철폐하고 평등한 무역조건을 확립한다.
④ 모든 국가들의 정치독립과 영토보전을 상호 보장키 위해 특별한 협약으로 국가들의 일반적인 연합을 구성한다.

정답 및 해설

윌슨의 14개 조항에서 제창된 민족자결원칙은 패전국의 식민지에만 적용될 것을 의도하고 있다는 데 한계가 있었다.

답 ②

007 베르사유체제에 대한 설명으로 옳지 않은 것은?

① 윌슨의 14개 조항에 기초하여 형성되었다.
② 패전국 처리에 있어서 독일의 영토 축소 및 군비 제한을 조치하였다.
③ 국제연맹에 의한 집단안보제도를 도입하여 평화를 유지코자 하였다.
④ 영국은 패전국 처리과정에서 프랑스의 입장과 달리 독일의 철저한 약화를 희망하였다.

정답 및 해설

영국은 독일이 지나치게 약화되는 경우 프랑스가 대륙의 패권을 잡게 될 것을 우려하였으며, 독일이 경제적으로 적절히 부흥하여 대륙에서 영국의 시장 역할을 해주기를 원하였다.

답 ④

008 베르사유체제에서 패전국 처리문제에 관한 다음 설명 중 옳지 않은 것은?

① 보·불전쟁 강화조건으로 독일에 편입되었던 루르, 자르 지방이 프랑스에 반환되었다.
② 독일은 전쟁 발발 전과 비교하여 영토의 1/7, 인구의 1/10을 잃었다.
③ 독일의 군비는 제한되었고 라인란트 지역은 비무장화하도록 하였다.
④ 전쟁배상금의 규모에 대해서는 영국과 프랑스 간 의견이 일치되지 않았다.

정답 및 해설

루르, 자르 지방이 아닌 알사스-로렌에 관한 이야기이다. 보·불전쟁에서 독일이 승리하면서 베르사유 궁전 거울의 방에서 강화조약을 맺은 사실과 더불어 알사스-로렌을 병합한 것은 프랑스인의 국민정서를 자극하여 제1차 세계대전의 개전사유가 되었다.

선지분석

④ 영국은 유럽의 세력균형을 위해 독일의 지나친 약화는 바람직하지 않다고 보고 적정한 규모의 배상금을 부과하고자 하였으나, 접경국인 프랑스는 독일을 재기불능상태로 만들어야 한다고 보고 배상금 규모를 가능한 한 크게 부과하고자 하였다.

답 ①

009 국제연맹에 대한 설명으로 옳지 않은 것은?

□□□

① 국제연맹은 1930년대에 들어와 이탈리아, 독일, 일본 등의 침략행위를 결국 저지할 수 없었다.
② 국제분쟁의 평화적 해결 및 회원국의 집단안전보장의 개념을 최초로 시도하였다.
③ 베르사유 강화조약의 일부로서 채택되었다.
④ 미국과 소련에 의한 간접적인 지원은 국제연맹의 국제평화유지기능에 크게 기여하였다.

정답 및 해설

미국과 소련은 당초 국제연맹에 가입하지 않았으므로(소련은 1930년대에 가입) 국제평화유지에 기여했다고 볼 수 없다.

답 ④

010 국제연맹(League of Nations)의 실패원인으로 옳지 않은 것은?

□□□

① 만장일치제 도입으로 운영이 효율적이지 못했다.
② 규약 위반국에 대한 제재조치가 미흡했다.
③ 창설 초기부터 제2차 세계대전 전까지 미국의 독주가 계속되었다.
④ 1930년대 전체주의 세력이 등장하여 평화를 위협하였다.

정답 및 해설

미국은 국제연맹에 가입하지 않았다.

답 ③

011 베르사유체제의 붕괴이유가 아닌 것은? 2004년 외무영사직

□□□

① 비효율적인 표결방식
② 강대국 미국, 소련, 독일의 불참
③ 1930년대 세계 대공황
④ 집단안전보장 제도의 미비

정답 및 해설

미국은 불참하였으나, 소련(1934)과 독일(1926)은 뒤늦게나마 가입하였다.

답 ②

012 다음 중 제1차 세계대전을 종결시키기 위한 파리강화회의의 주요 결정 내용에 해당하지 않는 것은?

□□□

① 독일의 징집제를 폐지하고 탱크와 잠수함의 보유를 금지하며 공군, 해군을 허용하지 않는다.
② 독일 동부에 신생 폴란드를 건설하며 폴란드가 해양에 닿도록 단치히 회랑을 형성한다.
③ 오토만 제국과 독일의 구 식민지를 국제연맹의 위임통치에 맡긴다.
④ 프랑스 안보를 위하여 알사스 - 로렌을 비무장지대화하고 15년간 연합국이 점령한다.

정답 및 해설

독일이 보·불전쟁 강화조건으로 병합한 알사스 - 로렌을 프랑스에 되돌려 주고 라인 유역을 비무장화한다. 라인 좌안을 15년간 연합국이 점령하고 5년마다 단계적으로 철수한다.

답 ④

013 제1차 세계대전 이후 창설된 국제연맹에 대한 설명으로 옳지 않은 것은?

□□□

① 전쟁 방지와 국제분쟁의 평화적 해결을 법적인 접근방법으로 수행하였다.
② 윌슨의 이상주의에 의해 탄생했으나 철저한 국가주권존중에 입각하였다.
③ 연맹의 모든 결론은 권고에 불과하였고 모든 회원국이 거부권을 보유하고 있는 형태의 조직이었다.
④ 연맹 회원국의 탈퇴는 명시적으로 금지되었다.

정답 및 해설

회원국은 희망하는 경우 언제라도 아무런 조건 없이 연맹을 탈퇴할 수 있었다. 이는 1930년대에 주축국인 이탈리아, 일본, 독일이 연쇄적으로 연맹을 탈퇴하여 베르사유 체제가 쉽게 붕괴된 하나의 원인을 제공했다. 이를 교훈으로 UN헌장은 명시적인 탈퇴 규정을 두고 있지 않다.

답 ④

014 제1차 세계대전을 전후로 발생한 사건으로 옳지 않은 것은?

□□□

① 러시아의 소비에트화
② 오토만 제국의 몰락
③ 먼로선언
④ 밸푸어선언

정답 및 해설

먼로선언의 주된 내용은 유럽이 미국을 비롯한 아메리카 대륙에 간섭하지 말 것을 천명하는 것이다. 1823년 제임스 먼로(James Monroe) 미 대통령이 의회 연두교서를 통해 천명하였다.

답 ③

015 제1차 세계대전 이후 프랑스의 안보강화 노력에 대한 사실로 옳지 않은 것은?

□□□

① 프랑스는 영국과 미국의 안보공약을 신뢰하지 못하고 약소국들과 동맹을 맺었다.
② 서유럽에서는 1920년 벨기에와 방어 동맹을 체결하였다.
③ 동유럽에서는 발칸 반도의 소협상 국가들 및 발트해 국가들과 동맹을 맺었다.
④ 마지노선 구축으로 폴란드 · 프랑스 간 동맹안보딜레마 문제가 발생하였다.

정답 및 해설

마지노선은 프랑스 · 독일 국경 간 방어선이다. 이를 통해 프랑스의 국경이 강화되었으나 벨기에는 독일이 서부유럽 공격 시 우선적인 공격을 받을 위험이 증가하는 상황이 발생하였다. 이와 같이 동맹국들 가운데 한 국가의 수비적 군사력 증가 시 타동맹국의 안보 위협이 증가하는 상황을 '동맹안보딜레마'라고 한다. 제1차 세계대전 이후 프랑스의 마지노 선 구축으로 벨기에의 안보 위협이 증가한 것은 동맹안보딜레마의 대표적 사례로 꼽힌다.

선지분석

③ 발칸반도의 소협상 국가들은 체코슬로바키아, 루마니아, 유고슬라비아를 말한다. 이 국가들은 오스트리아로부터 독립하였기 때문에 오스트리아 부흥 저지 및 현상유지에 목적을 두고 소협상을 체결하였으며 이에 프랑스가 가담하였다. 또한 발트해 국가들 중 라트비아, 에스토니아, 핀란드, 폴란드 4국이 프랑스와 동맹을 맺었다.

답 ④

016 제1차 세계대전 이후 유럽의 집단안전보장체제에 관한 설명 중 옳지 않은 것은?

□□□

① 1925년 로카르노조약을 통해 독일과 프랑스 간의 국경문제를 타강대국들이 보장하였다.
② 로카르노조약에서 독일의 서부국경 및 동부국경에 대하여 타국들의 보장책임이 부여되었다.
③ 1928년 켈로그 - 브리앙조약을 통해 열강들은 국가정책 수단으로서의 전쟁을 포기할 것을 선언하였다.
④ 윌슨이 14개 조항을 통해 제안한 국제연맹이 창설되어 집단안보체제를 제도화하였다.

정답 및 해설

로카르노조약은 프랑스와의 서부국경만을 보장했을 뿐 동부국경에 대해서는 중재조약을 체결하는 데 그쳤다. 이는 이후 히틀러가 체코와 폴란드를 병합하는 데 있어 별다른 장애를 겪지 않는 배경이 된다.

답 ②

017 베르사유체제가 붕괴되는 상황과 관련되면서, 동시에 제2차 세계대전으로 이어지는 1930년대의 격동기에 발생한 사건으로 옳지 않은 것은?

□□□

① 일본의 만주침략
② 이탈리아의 에티오피아 침공
③ 독일의 오스트리아 병합
④ 켈로그 - 브리앙 조약의 체결

정답 및 해설

④ 켈로그 - 브리앙조약은 프랑스 브리앙 외상과 미국의 켈로그 국무장관 간에 1928년 맺어진 부전조약이다. 이 조약은 국제정치역사 상 전쟁을 완전히 불법화했다는 점에서 전간기 국제평화의 절정을 구가하는 시기의 상징이라 할 수 있다.

답 ④

018 제1차 세계대전 이후 창설된 국제연맹의 내재적 한계에 대한 지적으로 가장 옳지 않은 것은?

□□□

① 전쟁금지조항의 부재
② 만장일치제도
③ 미국의 불참
④ 군사적, 경제적 제재수단의 부재

정답 및 해설

국제연맹에는 UN헌장 제7장에 대응하는 군사적 제재조치 수단이 부재하였다. 한편 경제적 제재수단이 존재하기는 하였으나 경제대공황의 여파로 참가국들의 참여가 소극적이었다는 한계를 가졌다.

답 ④

019 베르사유체제는 전쟁재발방지를 위한 구상을 담고 있었으나 결국 제2차 세계대전의 발발을 막지 못했다. 베르사유체제의 한계에 대한 지적으로 가장 옳지 않은 것은?

□□□

① 국제연맹이 전쟁금지조항의 부재, 만장일치제도, 미국의 불참 등으로 인해 실효적 집단안보제도로 기능하지 못하였다.
② 발칸에서의 오스트리아와 러시아의 근본적인 이해관계의 충돌을 조정하지 못했다.
③ 경제공황으로 인해 독일, 이탈리아, 일본에서 군국주의 강경파가 집권할 수 있는 국내정치적 환경이 조성되었다.
④ 경제공황으로 인해 체제 위반국에 대해 실효적인 제재를 가하지 않음으로써 히틀러에게 체제붕괴의 자신감을 심어주었다.

정답 및 해설

빈체제 및 비스마르크 동맹체제의 한계에 해당한다.

답 ②

020 독일의 히틀러가 베르사유체제를 붕괴시키며 제2차 세계대전을 발발시키는 과정에서 있었던 사건으로 옳지 않은 것은?

□□□

① 로카르노조약의 폐기
② 독일의 오스트리아 병합
③ 독일의 체코 병합
④ 독일의 에티오피아 침공

정답 및 해설

에티오피아 침공은 이탈리아의 무솔리니에 의해 이루어졌다. 이는 국제연맹의 집단안보체제의 무력성을 노정하여 히틀러의 베르사유체제 타파에 대한 자신감을 불어넣어 주었다.

답 ④

021 □□□ **베르사유체제가 붕괴되는 과정에서 독일이 재군비하는 상황과 관련된 사건으로 옳지 않은 것은?**

① 1935년 프랑스 · 소련조약
② 독일의 라인란트 진주
③ 영국 · 독일 해군합의
④ 로카르노조약의 체결

정답 및 해설

로카르노조약은 베르사유조약에 규정된 대로 독일의 군비를 제한할 것을 확인하는 조약이다. 라인란트의 비무장화 및 연합군 점령 등의 내용이 규정되었다. 그런데 영국이 독일의 재군비 가능성을 명분으로 군비 증강을 발표하였고 이에 분노한 히틀러가 군비 증강을 선언하자 이에 불안을 느낀 프랑스는 소련과 동맹을 체결하였고 히틀러는 이를 명분으로 로카르노조약을 위배하여 군대를 라인란트에 진주시켰다. 한편 영 · 독 해군합의란 영국, 독일의 잠수함 비율을 100 : 35로 규정하는 것으로 베르사유 조약에 따라 독일의 해군력 보유가 금지된 상태에서 이를 수정한 것이다.

답 ④

022 □□□ **1935년 이탈리아의 에티오피아 원정과 관련된 사실로 옳지 않은 것은?**

① 영국과 프랑스는 이탈리아의 행동을 묵과함으로써 이탈리아를 반독일 전선에 머물도록 하느냐 아니면 국제연맹의 평화적 기능을 살리느냐 하는 기로에 서게 되었다.
② 무솔리니는 에티오피아를 병합하면서 로마합의, 스트레자합의를 폐기하여 히틀러가 반사이익을 얻게 되었다.
③ 국제연맹은 이탈리아의 모험적 행동에 대하여 군사적 제재가 실패하자 경제적 제재로 대처하였다.
④ 이탈리아의 에티오피아 진출로 인해 독일의 오스트리아 진출이 용이해졌다.

정답 및 해설

국제연맹은 군사적 제재 수단을 갖추고 있지 못하였다. 또한 경제적 제재 역시 이탈리아에 대한 석유 수출은 계속 허용하였으며 영국은 처음부터 이탈리아군의 수에즈 운하 통과를 묵인하였다.

선지분석

② '로마합의'란 프랑스가 일부 식민지를 이탈리아에 할양하고 오스트리아 독립이 위태롭게 되는 경우 양국이 서로 협력한다는 것이다. '스트레자합의'란 독일의 군비 선언에 대해 영국, 프랑스, 이탈리아가 독일을 비난하고 로카르노조약의 성실한 준수를 선언한 것이다.

답 ③

제11절 | 로카르노 체제

001 다음은 설명으로 옳은 것은?

□□□

> 1923년 전쟁 책임에 대한 독일의 배상금 지급에 불만을 품은 프랑스가 루르 지방을 강제점령하자 이를 해결하기 위해 입안되었다. 이를 제안한 미국의 배상 전문가 위원장 이름을 따서 이와 같이 불렸다. 이로 인해 독일의 배상 지불이 원활하게 진행되어 독일과 프랑스 간의 대립이 사라졌으며 1925년의 로카르노 조약의 성립도 가능하게 되었다.

① 켈로그 - 브리앙조약
② 도오즈안
③ 스트레제만의 이행정책
④ 슐리펜 계획

정답 및 해설

베르사유조약에서 결정된 배상금 지불에 대하여 독일이 경제위기로 인해 배상금 지불 연기를 요청하였는데, 프랑스와 벨기에가 이에 대하여 배상 거부로 받아들이고 독일의 루르 지방을 점령하였다. 이에 대해 미국의 C.G.도오스는 배상의 총액과 지불 기간은 언급하지 않고 향후 5개년 간의 지불액을 정함으로써, 독일의 경제 회복 정도에 따라 유연하게 배상금 증액을 유도하고자 하였다. 이후 배상금 지불은 원활하게 되었다.

선지분석

① 켈로그-브리앙조약은 제1차 세계대전 이후의 부전조약을 의미한다.
③ 스트레제만의 이행정책은 독일이 제1차 세계대전 배상금 거부 정책을 버리고 이행정책을 실시함으로써 주변 국가와의 관계를 호전시킨 독일의 정책이다.
④ 슐리펜 계획은 제1차 세계대전 당시 독일이 세운 작전계획으로, 러시아 및 프랑스와의 양면 전쟁에서 독일이 승리하기 위한 방법을 제시한 것이다.

답 ②

002 1925년 로카르노조약의 체결 배경으로 옳지 않은 것은?

① 슈트레제만은 성장을 위한 안정적인 질서를 창출하기 위해 로카르노조약을 제안하였다.
② 연합국이 독일이 베르사유조약을 성실히 이행하지 않는다는 이유로 라인란트에서 철병한 것이 슈트레제만의 이행정책의 한 배경이 되었다.
③ 영국은 독일이 소련과 연합하는 것을 막기 위해 슈트레제만의 제안을 받아들였다.
④ 프랑스는 라인란트의 비무장 규정의 위반이 있을 경우 영국의 즉각적인 지원 공약을 획득하는 데 주력하였다.

정답 및 해설

지문과는 반대로 연합국이 독일이 베르사유조약을 성실히 이행하지 않는다는 이유로 라인란트에서 1차 철병을 거부한 것이 슈트레제만의 이행정책의 한 배경이 되었다. 독일의 입장에서는 자국 영토 내에 진군해 있는 연합국 군대가 하루속히 철병하는 것이 국익에 부합한다.

답 ②

003 1925년 로카르노조약의 체결배경 및 의의에 대한 설명으로 옳지 않은 것은?

□□□

① 1923년 프랑스가 독일의 전쟁배상금 미지불을 이유로 루르지역을 점령한 것을 계기로 체결되었다.
② 독일의 슈트레제만 외상은 연합국의 호의를 획득하고 라인란트 철병을 지속시키기 위해 베르사유조약의 성실한 이행을 정책으로 채택하였다.
③ 로카르노조약의 체결을 통해 베르사유 조약의 성실한 이행의지를 보임으로써 독일은 국제연맹에 가입, 국제사회에 정식으로 복귀하였다.
④ 영국은 로카르노조약을 통해 프랑스와 독일의 관계가 가까워질 것을 우려하여 반대하였다.

정답 및 해설

로카르노조약은 영국의 전통적 정책과 일치하는 것이었다. 즉 영국의 동맹 공약 없이도 대륙의 세력균형을 유지할 수 있게 되기 때문이었다. 또한 영국은 프랑스와 러시아의 견제를 위하여 독일의 강화가 필요하다는 입장이었으므로 독일이 로카르노조약을 통하여 패전국 지위를 벗어나고 국제적 위상을 되찾는 데 찬성하고 로카르노 체제의 보장국이 되었다.

답 ④

004 다음 중 로카르노 체제에 대한 설명으로 옳지 않은 것은?

□□□

① 영국, 독일, 프랑스, 이탈리아, 벨기에 간의 라인란트조약, 그리고 독일과 4국(프랑스, 벨기에, 폴란드, 체코슬로바키아)와의 개별적 중재협정으로 구성되었다.
② 1923년 슈트레제만은 저항정책을 중지하고 이행정책으로 전환하여 연합국의 호의를 얻고자 하였다.
③ 프랑스에서 친독내각이 등장하여 미국의 도오즈안을 받아들임으로써 독일 배상금 문제가 일단락되었다.
④ 일시적으로 유럽의 평화에 기여했지만, 대륙 세력 균형을 추구해왔던 영국의 전통적 정책과 불일치하는 체제였다.

정답 및 해설

로카르노 체제는 베르사유 체제에 대한 프랑스와 동유럽국가들의 안보위협을 제거하여 유럽질서를 안정화시키는 역할을 했다. 이 체제는 적대관계에 있는 2국 간의 불가침 협정 체제를 주변의 관계국들이 공동으로 보장하는 형식을 띠었다. 이는 영국의 전통적 정책과 일치하는 것이었는데, 대륙세력과 동맹은 맺지 않고 대륙의 세력균형과 안정을 유지할 수 있게 되었기 때문이다. 독일을 소외시키지 않고 프랑스의 안보를 보장해 줌으로써 양 세력 간 우호관계를 유지하면서 양국 간 조정자 역할을 할 수 있었다.

답 ④

005 로카르노 체제에 대한 설명으로 옳지 않은 것은?

□□□

① 로카르노 체제는 베르사유 체제에 대한 프랑스와 동유럽국가의 안보위협을 제거하여 유럽질서를 안정화시켰다. 결국 이는 1935년 독일의 재무장 움직임에 대해 안보위험을 느낀 프랑스가 베르사유조약의 비무장규정을 폐기함으로써 붕괴되었다.

② 프랑스는 로카르노 체제를 통해 독일을 집단안전보장체제 속에 편입시킴으로써 직접적인 침략의 위협을 감소시켰으며, 루르 점령 이후의 국제적 고립을 탈피하고 독일의 소련에의 접근을 방지할 수 있었다.

③ 로카르노 체제는 상호보장조약, 중재조약, 상호원조조약 등으로 구성되어 있다.

④ 독일은 라인란트규약을 통해 서부국경의 현상유지를 보장함으로써 연합군의 조기철수를 위한 명분을 확보하였으며, 독일이 우려한 영국과 프랑스의 동맹형성을 방지하게 되었다.

정답 및 해설

로카르노 체제의 붕괴는 1935년 독일의 재무장에 의한 것이다.

선지분석

④ 독일은 영국과 프랑스에게 라인 지방에 이해관계를 갖고 있는 열강 간에 불가침, 중재, 군사협정 등을 체결하여 서유럽에 관한 베르사유조약의 규정을 독일이 수락하고 동유럽에 관한 문제는 중재재판에 회부하여 해결하자고 제안하였으며 이것이 받아들여지면서 독일은 패전국의 지위에서 정상국가의 지위를 획득하였고, 이를 통해 제2차 세계대전의 준비를 할 수 있게 되었던 것이다.

답 ①

006 1925년 로카르노조약의 주요 내용으로 옳지 않은 것은?

□□□

① 영국, 프랑스, 독일, 벨기에, 이탈리아는 서부 유럽 국경의 현상유지 및 라인란트 비무장을 보장한다.

② 프랑스, 벨기에, 독일은 자위의 경우를 제외하고는 서로 전쟁을 하지 않는다.

③ 프랑스와 독일, 벨기에와 독일은 모든 분쟁을 평화적으로 해결할 것을 약속한다.

④ 폴란드와 독일, 체코슬로바키아와 독일 간의 국경을 영국과 프랑스가 보장한다.

정답 및 해설

베르사유조약과 마찬가지로 로카르노조약 역시 독일의 동부 국경문제에 대해서는 중재에 부칠 것만을 규정하고 있다. 이는 후에 히틀러가 오스트리아, 체코, 폴란드 방면 국경을 타파하려 시도할 수 있는 여지를 남겼다.

답 ④

007 1925년 로카르노조약의 체결에 대한 각국의 입장으로 옳지 않은 것은?

□□□

① 영국은 독일을 소외시키지 않으면서 프랑스의 안보를 보장함과 더불어 영국이 전통적으로 추구해온 행동자유를 보장한다고 보았다.
② 독일은 이 조약의 성립으로 연합군의 라인란트 철수를 기대하였으며 영국, 프랑스 간 동맹 결성도 예방할 수 있었다고 판단하였다.
③ 프랑스는 독일의 침략 포기와 영국의 군사원조를 얻을 수 있다고 판단하였다.
④ 소련은 로카르노조약이 유럽의 평화를 가져올 수 있을 것이라 기대하고 이를 지지하였다.

정답 및 해설

소련은 로카르노조약을 영국이 주도한 반(反)소동맹이라고 비난하였다. 소련의 년 외무인민위원 치체린은 로카르노조약 체결일에 기자회견에서 독일과 소련을 이간시키려는 영국의 계획은 독일 정부의 희망과는 정반대라면서 반소정책을 비난하였다.

답 ④

008 1925년 체결된 로카르노조약과 관계없는 내용은? 2014년 외무영사직

□□□

① 프랑스 - 독일 간, 벨기에 - 독일 간 국경의 현상 유지를 보장한다는 내용을 담고 있다.
② 로카르노조약의 체결은 영국의 제안으로 시작되었다.
③ 제1차 세계대전은 로카르노조약으로 완전히 종식되었다.
④ 이 조약을 통해 독일은 국제연맹의 상임이사국이 되는 기반을 마련하였다.

정답 및 해설

로카르노조약은 이행정책을 추진하였던 '독일'의 스트레제만에 의해 제안되었고, 유럽의 세력균형을 추구하던 영국이 수락하면서 성사되었다.

선지분석

③ 로카르노조약이 제1차 세계대전의 강화조약은 아니나, 로카르노조약을 통해 독일이 패전국 지위에서 벗어나고 연맹이사국 지위를 취득하게 된 점을 고려하면 정치적 차원에서 제1차 세계대전을 완전히 종식시킨 것으로 평가될 수 있다.

답 ②

제12절 | 부전조약

001 1928년 부전조약에 관련된 내용으로 옳지 않은 것은?

□□□

① 프랑스와 미국의 주도로 성립하였다.
② 국가정책의 수단으로서 전쟁을 포기한다는 내용이다.
③ 위반시 제재가 가능하였다.
④ 프랑스가 미국을 유럽에 관여시키기 위함이었다.

정답 및 해설

조약이행을 강제하는 조치는 규정되지 않아 한계가 있었다.

답 ③

002 1928년 체결된 부전조약의 내용으로 옳지 않은 것은?

□□□

① 국제분쟁의 해결을 위해 전쟁에 호소하는 것을 비난하며 상호관계에 있어서 국가정책의 도구로서 전쟁에 호소하는 것을 금지한다.
② 체약국은 그들 사이에 야기될 모든 분쟁이나 충돌을 그 성격이나 원인이 어떠하든지 언제나 오로지 평화적인 수단으로써 해결할 것을 인정한다.
③ 이 조약은 오로지 국제연맹 회원국들에게만 개방된다.
④ 국가의 정당방위의 권리는 유보한다.

정답 및 해설

부전조약은 모든 국가에게 개방되었으며 미국, 소련, 멕시코, 터키 등 국제연맹에 가입하지 않은 9개국을 포함한 57개국이 서명하였다. 특히 베르사유 체제 밖에 위치했던 미국과 소련 양 강대국을 포섭했다는 데 의의가 있다.

답 ③

003 다음 중 1928년 체결된 부전조약에 대한 설명으로 옳지 않은 것은?

□□□

① 전쟁을 불법화시킨 최초의 조약이라는 데 의의가 있다.
② 베르사유 체제 밖에 존재하는 미국과 소련이 부전조약을 통해 안전보장체제에 참여하게 되었다.
③ 위반국에 대한 제재규정이 없어 실효성이 적은 선언적인 성격의 조약이었다.
④ 프랑스 외상 브리앙과 독일 외상 켈로그가 기초한 조약이다.

정답 및 해설

부전조약의 체결주체는 프랑스(브리앙)와 미국(켈로그)이다. 프랑스와 독일 간에는 이미 1925년 로카르노조약이 체결되어 상호 전쟁을 하지 않기로 되어 있었기 때문에 굳이 다시 부전조약을 체결할 필요가 없었다. 부전조약이 프랑스가 베르사유 체제 및 로카르노 체제 밖에 존재하는 미국과 소련을 안전보장체제에 끌어들이고자 노력한 외교적 산물임을 감안할 때 쉽게 기억할 수 있다.

답 ④

제13절 | 히틀러와 독일의 대외정책

001 다음은 독일에 대한 열강의 유화정책에 관련된 설명이다. 옳지 않은 것은?

□□□

① 영국은 독일의 산업 성장으로 영국의 수출 신장을 꾀하였다.
② 영국은 독일의 약화를 통해 대륙의 세력 균형을 유지하고자 하였으나 국내 경제위기로 정책을 실현할 수 없었다.
③ 프랑스는 국내 경제위기로 인해 독일에 강경대응 할 수 없었다.
④ 이탈리아는 독일의 확장정책을 용인하고 자국의 식민지 정책을 지지받고자 하였다.

정답 및 해설

영국은 독일이 지나치게 약화되는 것을 원하지 않았다. 독일이 약화되어 대륙 패권이 등장할 경우 영국의 생존이 위협되기 때문이다. 오히려 독일이 강화되어 소련의 볼세비즘이 서유럽으로 파급되는 것을 막아주는 방파제 역할을 하리라 기대했다. 따라서 영국은 독일에 대하여 지속적으로 유화정책을 전개했다.

답 ②

002 1930년대 독일의 외교정책을 시기 순으로 바르게 나열한 것은? 2018년 외무영사직

□□□

> ㄱ. 자르(Saar) 지역의 독일 귀속 결정 국민투표
> ㄴ. 독일 - 오스트리아의 관세동맹 조약
> ㄷ. 영국, 프랑스, 이탈리아와 뮌헨협정
> ㄹ. 독일의 국제연맹 탈퇴

① ㄱ → ㄴ → ㄹ → ㄷ
② ㄴ → ㄷ → ㄹ → ㄱ
③ ㄴ → ㄹ → ㄱ → ㄷ
④ ㄷ → ㄴ → ㄹ → ㄱ

정답 및 해설

ㄴ. 독일 - 오스트리아 관세동맹(1931.3.14.): 양국은 관세 행정을 각각 독자적으로 운영하되 관세율과 관세 관계 법령들을 통일하고 모든 관세 장벽을 철폐하기로 하였다.
ㄹ. 독일의 국제연맹 탈퇴(1933.10): 히틀러는 독일을 군사강국으로 재건하기 위해 국제연맹을 탈퇴하였다. 탈퇴 선언 이후 국민투표를 통해 95%의 지지를 확보하였다.
ㄱ. 자르지역의 독일 귀속 결정 국민투표(1935.1.13.): 베르사유회의에서 자르 지방은 15년 동안 국제연맹 이사회가 관할하고 이후 국민투표에 부쳐 그 귀속을 결정하도록 하였다. 1935년 1월 13일 국민투표가 실시되어 90%의 주민이 독일로의 귀속을 희망하였다. 국제연맹이사회는 3월 1일 자르의 독일 귀속을 결정하였다.
ㄷ. 뮌헨협정(1938.9.29.): 체임벌린(영), 달리디에(프랑스), 히틀러(독일), 무솔리니(이탈리아)가 체결하였다. 수데텐을 독일에 할양하는 것을 골자로 한다.

답 ③

003 다음 독일의 대외 정책 중 독일 통일 과정에서의 비스마르크와 독일 세력 확장 시의 히틀러가 공통적으로 행한 정책만을 모두 고른 것은?

□□□

> ㄱ. 군비증강정책
> ㄴ. 주변 국가와의 전쟁 및 조약 체결
> ㄷ. 오스트리아 및 이탈리아와 우호적 관계 유지
> ㄹ. 열강의 유화정책을 활용한 기만정책

① ㄱ, ㄴ
② ㄱ, ㄷ
③ ㄴ, ㄷ
④ ㄴ, ㄹ

정답 및 해설

독일 통일 과정에서의 비스마르크와 독일 세력 확장 시의 히틀러가 공통적으로 행한 정책은 ㄱ, ㄴ이다.
ㄱ. 비스마르크는 철혈정책을 표명하며 군비증강정책을 통해 통일을 추구했으며, 히틀러는 독일을 강국으로 재건하기 위해 베르사유 조약의 군비조항을 철폐하고 재군비 결성을 하였다.
ㄴ. 비스마르크는 보오전쟁, 보불전쟁 등 주변 강대국들과 전쟁을 하고 프라하조약, 프랑크푸르트조약 등의 조약을 맺으며 통일을 달성하였으며, 히틀러도 영국, 소련, 프랑스 등과 조약을 맺고 오스트리아, 체코, 폴란드 등을 침공하면서 세력 확장을 시도하였다.

선지분석

ㄷ. 비스마르크가 삼국동맹을 통해 오스트리아 및 이탈리아와 우호적 관계를 유지하고자 했던 반면에, 히틀러는 오스트리아를 민족 통일을 위해 병합해야 할 지역으로 인식하였으며 이탈리아와는 세력확장을 위하여 대립하였다.
ㄹ. 유화정책은 히틀러에 대한 열강의 입장을 의미하는 단어이다. 열강은 히틀러의 세력확장 야욕에 대한 판단 착오 및 국내 사정으로 재차 유화정책을 취하였으며, 이를 이용하여 히틀러는 불가침에 관한 약속들을 기만하고 침략을 통한 영토 확장을 꾀할 수 있었다.

답 ①

004 다음은 베르사유체제의 붕괴 과정이다. 시간 순으로 바르게 나열한 것은?

□□□

> ㄱ. 독일의 오스트리아 및 체코 병합
> ㄴ. 스페인 내란으로 독일과 이탈리아 관계 개선
> ㄷ. 이탈리아의 에디오피아 침공
> ㄹ. 일본의 만주 침략
> ㅁ. 독일의 폴란드 침공

① ㄷ - ㄱ - ㅁ - ㄴ - ㄹ
② ㄷ - ㄹ - ㄱ - ㅁ - ㄴ
③ ㄹ - ㄴ - ㄱ - ㄷ - ㅁ
④ ㄹ - ㄷ - ㄴ - ㄱ - ㅁ

정답 및 해설

베르사유체제의 붕괴 과정은 ㄹ - ㄷ - ㄴ - ㄱ - ㅁ 순으로 진행되었다.

ㄹ. 일본의 만주침략(1931): 국제 연맹이 개입하자 일본은 국제 연맹을 탈퇴하였다.

ㄷ. 이탈리아의 에디오피아 침공(1935): 무솔리니의 식민정책의 일환. 국제 연맹이 제재조치를 취했으나 열강의 방관으로 조치는 실효성이 없었다.

ㄴ. 스페인 내란(1936): 전략적 요충지인 스페인에서 내란이 발생하자 독일과 이탈리아는 반란세력인 프랑코를 적극적으로 지원하였다. 독일과 이탈리아는 오스트리아문제를 놓고 대립하고 있었으나, 스페인 내란을 계기로 관계를 개선하게 되었다.

ㄱ. 독일의 오스트리아 병합(1938) 및 체코 병합(1939년)

ㅁ. 독일의 폴란드 침공(1939): 독일의 체코 병합 이후 유화 정책을 폐기한 영국이 폴란드에 대한 보장을 선언하였음에도, 히틀러가 폴란드 병합을 시도함으로써 제2차 세계대전이 발발하게 되었다.

답 ④

005 1936년 독일의 라인란트 진주에 대한 설명으로 옳지 않은 것은?

① 독일의 라인란트 진주는 베르사유 체제의 붕괴를 의미하는 것이었다.
② 독일이 군대를 라인란트로 진주시킨 명분은 프랑스와 소련이 독일을 가상의 적으로 동맹을 결성함으로써 로카르노조약을 위배했다는 데 있었다.
③ 라인란트 진주와 더불어 독일은 국경지대 비무장 지대 설정 및 25년 간의 불가침 조약 체결을 평화 제의안으로 내놓았다.
④ 독일의 라인란트 진주에 따라 프랑스는 강력한 공격 전략으로 전환하게 되었다.

정답 및 해설

프랑스는 철저한 방어 전략으로 전환해 강력한 방어선(마지노선) 구축에 전념하게 되었다. 이에 따라 벨기에 및 동유럽의 프랑스 동맹국들은 유사시 프랑스의 군사지원을 현실적으로 기대할 수 없게 되었다.

답 ④

006 □□□ **1936~1939년 사이에 있었던 스페인 내란에 대한 설명으로 옳지 않은 것은?**

① 인민전선 정부의 사회개혁 정책에 반발하여 스페인의 전통적 세력, 즉 지주계층 및 군부 세력들이 내란을 일으킨 것이다.
② 내란은 프랑코(F. Franco) 장군에 의해 주도되었다.
③ 독일과 이탈리아는 프랑코 군부를 지원하면서 이 내란을 계기로 밀접한 관련을 가지게 되었다.
④ 소련, 영국, 프랑스 역시 이 전쟁에서 프랑코 군부를 지원하였다.

정답 및 해설

소련은 이념상 인민전선 정부를 지원하였다. 기타 영국과 프랑스 등은 중립을 선언하고 불간섭 국제위원회를 설치하였다.

답 ④

007 □□□ **1936년 로마-베를린 추축(Axis) 결성 시 합의된 사항으로 옳지 않은 것은?**

① 공산주의 선전에 대한 반대
② 프랑코 정권의 승인
③ 독일의 지중해 문제 불간섭
④ 이탈리아, 독일의 국제연맹 탈퇴

정답 및 해설

베르사유 체제의 붕괴 과정에서 이탈리아, 독일이 국제연맹을 탈퇴한 것은 사실이다. 그러나 이것은 1936년 로마-베를린 추축 결성과는 별개로 각기 이루어졌다.

답 ④

008 □□□ **1936년 독일 외교의 성과로서 로마-베를린 추축(Axis)의 결성 및 독일-일본 간 반코민테른협정 체결을 들 수 있다. 이와 관련된 사실로 옳지 않은 것은?**

① 로마-베를린 추축 구성에 대한 10월의 의정서들에서 양국은 공산주의 반대, 프랑코 정권의 승인 등을 합의하였다.
② 독일, 일본은 향후 5년간 코민테른의 파괴활동에 공동 대처할 것을 합의하였다.
③ 이탈리아, 독일, 일본 세 국가는 기득권의 현상 유지라는 공동 이해관계를 가지고 있었다.
④ 히틀러는 일본과의 접근을 영국을 위협하는 수단으로 사용하였으며 실제로 이는 영국이 독일에 대해 유화정책을 펴는 한 요인이 되었다.

정답 및 해설

무솔리니, 히틀러, 일본 군부는 일반적으로 베르사유 체제 혹은 워싱턴 체제에 만족하지 못하고 팽창정책을 실시한 현상타파세력으로 분류된다.

답 ③

009 독일의 오스트리아 병합(1938)과 관련된 사실로 옳지 않은 것은?

① 베르사유 체제에서 오스트리아는 국제연맹 이사회의 동의 없이는 그 독립을 타국에 양도하는 조약을 체결할 수 없었다.
② 영국의 체임벌린 내각은 오스트리아, 체코, 단치히의 현행 지위들이 지속되어야 한다고 천명하였다.
③ 오스트리아 병합은 독일을 약화시킬 의도로 형성된 베르사유 체제에 대한 전면적인 수정을 의미했다.
④ 독일, 오스트리아 지역의 국민투표에서는 97%가 합병을 찬성하였다.

정답 및 해설

체임벌린 내각은 유화정책(Appeasement Policy)으로 잘 알려져 있다. 오스트리아 합병에 대한 영국 정부의 입장은 오스트리아, 체코, 단치히 등의 현행 지위들이 오랫동안 그대로 지속될 수는 없으며 영국은 이런 현상 변경이 단지 평화적인 수단에 의해 이루어지길 바랄 뿐이라는 것이었다. 영국 정부는 빈 주재 대사에게 오스트리아가 독일에 저항하지 말도록 설득하라고 훈령하였다.

답 ②

010 독일의 체코슬로바키아 병합에 대한 설명으로 옳지 않은 것은?

① 로카르노조약은 독일의 동부 국경에 대해서는 아무런 보장도 규정하고 있지 않았다.
② 영국과 프랑스는 동부, 중부 유럽 문제에 관해서 적극적 군사개입을 공약으로 내세우고 있었다.
③ 독일인이 거주하고 있는 주데텐 지역의 할양은 열강들에게 명분 있는 것으로 받아들여졌다.
④ 뮌헨회담에서는 체코에 대한 히틀러의 거의 모든 요구가 받아들여졌다.

정답 및 해설

영국과 프랑스는 동부 유럽에 관하여 소극적인 입장을 취하고 있었다. 프랑스 · 체코조약에 의하면 도발하지 않았는데도 독일이 체코를 침공하는 경우에 프랑스는 자동적으로 체코를 지원하게 되어 있었다. 그러나 프랑스는 영국의 지원 없이는 중유럽 문제에 개입하지도, 할 수도 없다는 입장을 취하고 있었고 영국은 프랑스가 도발하지 않는 침공을 받는 경우에만 지원한다는 입장이었다. 이와 같은 소극적 태도의 결과가 뮌헨회담의 유화적 조치이다.

답 ②

011 히틀러가 1933년 수상이 되기까지 독일의 국내 정치에 대한 설명으로 옳지 않은 것은?

□□□

① 1929년 대공황으로 인해 실업자가 급증하자 이들은 그러한 곤란의 원인이 베르사유 체제에 있다고 보고 나치당을 지지하였다.
② 독일 중산층들은 1920년대 초 인플레와 대공황기의 저물가 정책으로 급격히 도산하는 상황에서 나치당을 지지하였다.
③ 독일 자본가들은 히틀러를 사회주의자로 보고 반대하였으나 다수의 중산층이 히틀러를 지지하였기 때문에 나치당의 집권을 막지 못했다.
④ 나치당은 범게르만주의, 자유주의와 의회주의에 대한 반대, 마르크스주의의 섬멸, 그리고 유태인 추방을 목표로 삼았다.

정답 및 해설

히틀러는 슐라이허의 반자본적인 군사독재에 불안해하는 자본가들과 결탁하여 당선되었다. 제2차 세계대전 이전 독소 불가침 협정이 당시 '있을 수 없는 일'로 여겨졌을 정도로 히틀러는 반공산주의적 성향이었다.

답 ③

012 1939년 히틀러에 의한 체코 붕괴 이후 제2차 세계대전 발발까지의 기간 동안 있었던 사건이 아닌 것은?

□□□

① 이탈리아의 알바니아 공습
② 독·소 불가침 조약의 체결
③ 독일의 폴란드 침공
④ 만주사변

정답 및 해설

만주사변은 1931년 경제대공황으로 유럽 열강들이 국내문제의 해결에 골몰해 있는 시기를 틈타 자행되었다. 이로 인해 국제연맹에서 비난받자 일본은 연맹을 탈퇴하였고 일본, 독일 간에는 반코민테른협정이 체결되었다. 로마-베를린 추축 형성과 더불어 이러한 일본과의 연대가 히틀러가 체코 침공 등 동유럽에서 적극적인 팽창정책을 시행할 수 있는 배경이 되었다.

답 ④

013 1939년 체결된 독·소 불가침 조약의 내용으로 옳지 않은 것은?

□□□

① 두 나라는 서로 적대적인 행위를 하지 않으며 모든 분쟁을 평화적으로 해결한다.
② 두 나라 중 한 나라가 제3국과 전쟁하는 경우 다른 나라는 그 제3국을 어떠한 형태로도 지원하지 않는다.
③ 두 나라는 두 나라 중 한 나라에 대항하는 어떠한 세력 형성에도 참여하지 않는다.
④ 체약국 정부나 그들 신민이나 그 사이에 유일하게 효력을 갖는 원칙은 같은 기독교 국민의 구성원이라고 서로 간주하는 원칙이다.

정답 및 해설

1815년 신성동맹의 내용이다. 신성동맹은 나폴레옹전쟁 이후에 유럽에 전파되어 있었던 자유주의 사상을 탄압하여 군주제를 보호하고 기독교 원리에 입각하여 상호 신뢰로써 대할 것을 내용으로 한다.

답 ④

014

1939년 체결된 독·소 불가침 조약의 의의로서 가장 옳지 않은 것은?

① 독·소 불가침조약의 체결로 히틀러는 마음 놓고 폴란드를 공격할 수 있게 되었다.
② 소련은 이 조약을 통해 중앙 유럽으로 진출하게 될 발판을 마련하였다.
③ 국제정치사 상 최초로 전쟁을 불법화하였다.
④ 영국은 반공주의를 내세운 히틀러가 소련과 협력할 일은 절대로 없다고 간주하고 있었다.

정답 및 해설

1928년 켈로그-브리앙조약(부전조약 혹은 파리조약)에 관한 설명이다.

답 ③

015
□□□

히틀러의 대외전략과 이에 대한 유화정책은 제2차 세계대전의 원인이 되었다고 알려져 있다. 그렇다면 이러한 히틀러의 현상타파적 대외전략에 기반한 사건이라고 보기 어려운 것은?

① 오스트리아 병합
② 뮌헨협정
③ 폴란드 침공
④ 베를린 봉쇄

정답 및 해설

베를린 봉쇄는 냉전체제의 형성과정에서 나타난 사건으로, 동·서 블럭 형성에 기여한 사건이다.

답 ④

016

제2차 세계대전과 관련된 사건을 시기 순으로 바르게 나열한 것은? 2019년 외무영사직

ㄱ. 라인란트 재무장	ㄴ. 일본-소련 중립조약 체결
ㄷ. 뮌헨협정 체결	ㄹ. 독일-소련 불가침조약 체결

① ㄱ → ㄷ → ㄹ → ㄴ
② ㄱ → ㄹ → ㄷ → ㄴ
③ ㄴ → ㄹ → ㄱ → ㄷ
④ ㄹ → ㄱ → ㄷ → ㄴ

정답 및 해설

ㄱ → ㄷ → ㄹ → ㄴ 순서이다.
ㄱ. 라인란트재무장(1936.3)은 히틀러가 로카르노 체제(1925)를 위반한 것이다. 이에 대해 로카르노 체제에 의하면 영국과 이탈리아가 개입해야 하나, 양국은 히틀러를 제지하기 위한 조치를 취하지 않았다.
ㄷ. 뮌헨협정(1938.9)은 독일에게 체코 내 쥬데텐지역을 할양해 주기로 한 합의이다. 유화정책으로 평가된다.
ㄹ. 독일-소련 불가침조약(1939.8)은 양국의 상호 불가침과 중립을 약속한 조약으로서 히틀러의 폴란드 침략의 사전포석이었다. 히틀러는 이 조약으로 영국의 개입을 저지했다고 판단하고 폴란드를 침략하여 제2차 세계대전이 발발하였다.
ㄴ. 일본-소련 중립조약(1941.4)은 일본의 남방정책이 본격적으로 시작되는 계기가 되었다.

답 ①

제14절 | 뮌헨협정

001 1938년 뮌헨협정의 체결 배경으로 옳지 않은 것은?

□□□

① 베르사유조약에 대한 도덕적인 비판
② 볼셰비즘의 서유럽 파급을 저지하려는 서유럽의 의도
③ 유럽 대륙에 대한 지원 약속을 최대화하려는 영국의 정책
④ 군사 충돌을 회피하려는 영국, 프랑스의 희망

정답 및 해설

당시 영국은 20년대 말의 경제대공황의 여파에서 벗어나지 못한 상태였다. 따라서 국내적으로 경제적 안정이 절실한 상황이었기 때문에 유럽 대륙에 대한 지원 약속을 최소화하려 하였다.

답 ③

002 1938년 뮌헨회담으로 대표되는 히틀러에 대한 열강들의 유화정책의 배경으로 가장 옳지 않은 것은?

□□□

① 베르사유조약이 가혹하다는 도덕적인 비판의식이 유럽인들 사이에 존재했기 때문
② 볼셰비즘의 전파 차단을 위하여 강한 독일의 존재가 필요했기 때문
③ 대공황으로 인해 연맹 차원의 국제적 제재에 동참하기 어려웠기 때문
④ 일본의 중국 대륙 진출 저지만 해도 힘에 부치는 상황이었기 때문

정답 및 해설

히틀러의 등장으로 오히려 일본이 이득을 보았다. 대공황과 히틀러의 팽창정책으로 유럽 문제가 초미의 현안이 되었기 때문에 열강들이 일본의 만주 침략에 적절히 대응하지 못한 것이다.

답 ④

003 뮌헨협정에 대한 설명으로 옳지 않은 것은?

① 주데텐란트를 무혈로 독일에게, 기타의 소수민족 지방을 폴란드·헝가리에게 할양하는 뮌헨협정(München Agreement)이 체결되어 독일은 전략상 유리한 발판을 얻었다.
② 프랑스·소련·체코슬로바키아 3국의 상호원조조약체제는 붕괴하여 소련은 국제적으로 고립되었고, 소련의 영국에 대한 불신은 증대되었다.
③ 뮌헨회담의 약속에 따라 독일은 체코 전체를 병합하지 않았으며 이로써 유럽 열강의 대독 유화정책은 한동안 지속될 수 있었다. 뮌헨회담은 제2차 세계대전 전에 있었던 대(對)독일유화정책의 정점으로 유명하다.
④ 영국은 베르사유 체제 형성 이후 특히 체임벌린 내각 이후에는 더욱 대독 유화정책을 전개하여 왔다. 그것은 독일이 약화되는 경우 대륙의 세력균형이 파괴되어 대륙에서 패권국이 등장하는 경우 영국의 생존이 위협된다고 판단하였기 때문이다.

정답 및 해설

독일은 뮌헨회담에서 체코의 주데텐 지역의 할양을 요구하였으며 이는 받아들여졌으나, 독일은 약속과는 달리 체코 전체를 점령해버렸으며 이를 통해 뮌헨회담은 최후의 유화정책이 되었다.

선지분석

④ 영국은 또한 독일이 성장해 소비력을 키우면 영국의 수출 신장에도 도움이 되리라 판단하였으며, 더불어 1929년 이후의 경제공황 속에서 국내 경기 회복을 위해 독일에 강경대응하지 않았던 것이 결국 큰 화를 키우게 되었다.

답 ③

004 1938년 뮌헨 협정의 주요 내용으로 옳지 않은 것은?

□□□

① 주데텐란트의 할양을 10월 1일~10일 중 실시한다.

② 할양의 조건은 국제위원회가 정한다. 이 국제위원회는 영국, 프랑스, 독일, 이탈리아, 체코 대표들로 구성한다.

③ 영국과 프랑스는 체코가 도발하지 않는 공격을 받는 경우 위의 새로운 국경을 보장한다.

④ 독일은 체코에 거주하고 있는 폴란드인, 헝가리인의 할양 요구에 대해 지원하지 않는다.

정답 및 해설

뮌헨 협정에서는 독일이 체코 내의 폴란드, 헝가리 소수민족 문제가 해결된 이후 체코의 새로운 국경을 보장할 것을 합의하였다. 히틀러는 자신이 '대륙 내 프랑스의 항공모험'으로 간주한 체코를 병합하기 위해 ㉠ 독일인 거주지역인 주데텐 지역의 할양을 요구한 후 → ㉡ 그와 비슷한 요구를 하도록 폴란드와 헝가리를 압박함으로써 체코를 잘게 분할시켰고 → ㉢ 최후에는 마지막 남은 체코의 정치단위를 강제병합하였다. 뮌헨 회담에서는 두 번째 단계까지의 히틀러의 요구가 모두 수용되었다.

답 ④

005 전간기(1919~1939) 국제정치사에 대한 설명으로 옳지 않은 것은?

□□□

① 독일 - 소련 불가침조약(1939.8)에 의하면 양국 중 1국이 제3국과 전쟁을 하는 경우 타국은 그 제3국을 어떠한 형태로든 지원할 수 없다.

② 뮌헨회담의 약속과 달리 독일은 뮌헨회담 이후 체코 전체를 병합하게 되었고 이로써 영국의 대독일 유화정책은 종결되었다.

③ 독일이 1938년 3월 오스트리아를 병합하자, 영국, 프랑스, 이탈리아는 스트레자합의를 결성하여 이에 항의하는 한편, 독일에 대해 공조체제를 유지하기로 하였다.

④ 영국은 독일과 합의(1935. 6. 18.)를 통해 양국 간 잠수함의 비율을 100 : 35로 규정하였으나, 이는 독일의 잠수함 보유를 금지한 베르사유조약 위반이었다.

정답 및 해설

영국, 프랑스, 이탈리아는 모두 독일의 정책에 반대하지 않았다.

답 ③

006 1930년대 유럽의 국제정치사에 대해 빠른 순서대로 바르게 나열한 것은?

□□□

ㄱ. 독일은 국제연맹 탈퇴를 선언하였다.
ㄴ. 영국과 독일은 해군합의를 통해 영국과 독일의 잠수함 보유 비율을 100 : 35로 규정하여 독일의 잠수함 보유가 인정되었다.
ㄷ. 독일군이 라인란트에 진주함으로써 베르사유조약 및 로카르노합의를 위반하였으나 영국은 이를 용인하였다.
ㄹ. 독일 - 폴란드 불가침조약이 체결되었다.
ㅁ. 독일-오스트리아 합의를 통해 독일은 오스트리아의 완전한 주권을 인정하고 양국은 상호 내정에 불간섭하기로 하였다.

① ㄱ - ㄷ - ㄹ - ㅁ - ㄴ
② ㄱ - ㄹ - ㄴ - ㄷ - ㅁ
③ ㄹ - ㄱ - ㄷ - ㄴ - ㅁ
④ ㄹ - ㄷ - ㄱ - ㄴ - ㅁ

정답 및 해설

1930년대 유럽의 국제정치사는 ㄱ - ㄹ - ㄴ - ㄷ - ㅁ 순으로 발생하였다.
ㄱ. 1933년
ㄹ. 1934년 1월
ㄴ. 1935년 6월
ㄷ. 1936년 3월
ㅁ. 1936년 7월

답 ②

제2장 냉전기 국제정치사

제1절 | 제2차 세계대전과 전후 국제체제 형성

001 제2차 세계대전 이후 냉전적 국제질서의 형성 과정을 시기순으로 바르게 나열한 것은? 2020년 외무영사직

□□□

ㄱ. 트루먼 독트린 발표
ㄴ. 코민포름(Kominform) 창설
ㄷ. 바르샤바조약기구(WTO) 결성
ㄹ. 북대서양조약기구(NATO) 결성
ㅁ. 마샬플랜(The Marshall Plan) 발표

① ㄱ → ㄴ → ㅁ → ㄹ → ㄷ
② ㄱ → ㅁ → ㄴ → ㄹ → ㄷ
③ ㄴ → ㄱ → ㄹ → ㅁ → ㄷ
④ ㄴ → ㄱ → ㅁ → ㄹ → ㄷ

정답 및 해설

제2차 세계대전 이후 냉전적 국제질서는 ㄱ → ㅁ → ㄴ → ㄹ → ㄷ 순서로 형성되었다.
ㄱ. 트루먼 독트린 발표(1947.3.): 대소련 봉쇄정책 선언
ㅁ. 마샬플랜(The Marshall Plan) 발표(1947.6.): 유럽부흥계획
ㄴ. 코민포름(Kominform) 창설(1947.10.): 공산당 상호간 경협 제도
ㄹ. 북대서양조약기구(NATO) 결성(1949.4.): 서방진영의 동맹
ㄷ. 바르샤바조약기구(WTO) 결성(1955.5.14.): 공산권 국가 간 동맹

답 ②

002 제2차 세계대전의 전개과정을 앞선 순서대로 바르게 나열한 것은?

□□□

ㄱ. 미국과 영국 정상의 '대서양헌장' 발표
ㄴ. 역사상 최대 상륙작전인 노르망디 상륙작전 돌입
ㄷ. 소련이 독일 패망 이후 2~3개월 이내에 대일전 참전하기로 합의
ㄹ. 일본이 미드웨이 해전에서 참패
ㅁ. 미국, 영국, 중국 정상이 카이로에서 만나 한국 독립 결의

① ㄱ - ㄴ - ㄷ - ㄹ - ㅁ
② ㄱ - ㄷ - ㄹ - ㅁ - ㄴ
③ ㄱ - ㄹ - ㅁ - ㄴ - ㄷ
④ ㄱ - ㅁ - ㄹ - ㄷ - ㄴ

정답 및 해설

제2차 세계대전은 ㄱ - ㄹ - ㅁ - ㄴ - ㄷ 순으로 전개되었다.
ㄱ. 대서양헌장(1941.8.12)
ㄹ. 미드웨이 해전(1942.6.5)
ㅁ. 카이로회담(1943.11)
ㄴ. 노르망디상륙작전(1944.6)
ㄷ. 얄타회담(1945.2)

답 ③

003 1945년 포츠담선언의 내용으로 옳지 않은 것은? 2018년 외무영사직

□□□

① 카이로선언의 이행을 촉구하였고 2차대전 후 일본의 영토 범위를 명시하였다.
② 한국의 독립 문제가 최초로 거론되었다.
③ 일본의 무조건적인 항복을 요구하였다.
④ 미국, 영국, 중국 3국에 의해 발표되었다.

정답 및 해설

카이로선언(1943)의 내용이다.

답 ②

004 1940년대 외교적 사건을 시기순으로 바르게 나열한 것은? 2017년 외무영사직

□□□

ㄱ. 포츠담회담	ㄴ. 얄타회담
ㄷ. 카이로회담	ㄹ. 트루먼독트린

① ㄷ → ㄴ → ㄱ → ㄹ
② ㄷ → ㄴ → ㄹ → ㄱ
③ ㄷ → ㄹ → ㄴ → ㄱ
④ ㄹ → ㄷ → ㄴ → ㄱ

정답 및 해설

ㄷ. 카이로회담(1943.11) → ㄴ. 얄타회담(1945.2) → ㄱ. 포츠담회담(1945.7) → ㄹ. 트루먼독트린(1947.3) 순서이다.

답 ①

005 냉전 형성기에 미국이 주도한 외교정책만을 모두 고른 것은? 2016년 외무영사직

□□□

ㄱ. 마샬 계획	ㄴ. 봉쇄 정책
ㄷ. 베를린 봉쇄	ㄹ. 애치슨 선언

① ㄱ, ㄴ
② ㄱ, ㄴ, ㄹ
③ ㄱ, ㄷ, ㄹ
④ ㄴ, ㄷ, ㄹ

정답 및 해설

미국이 주도한 외교정책은 ㄱ, ㄴ, ㄹ이다.
ㄱ. 마샬플랜은 유럽부흥을 위한 미국의 대규모 원조계획을 말한다.
ㄴ. 봉쇄정책은 트루먼 독트린(1947.3)으로 상징되는 정책으로서 소련의 팽창을 저지하는 정책이다.
ㄹ. 애치슨 선언은 미국의 극동방위선을 선언한 것으로서 한국은 극동방위선에서 제외되었다. 일부 수정주의자들에 의해 한국전쟁을 미국이 유도하였다는 근거로 사용되기도 한다.

선지분석

ㄷ. 소련이 주도한 외교정책이다. 베를린 봉쇄는 미국, 영국, 프랑스가 자국이 통치하는 독일지역을 하나의 경제권으로 통합하자 소련이 이에 항의하여 동베를린과 서베를린 사이의 통과를 방해한 사건이다. 미국과 소련 간 합의로 약 1년 후 봉쇄는 해제되었다.

답 ②

006 1944년 미국이 제2차 퀘벡 회담에 제출한 안으로서 2차 세계대전 이후 독일의 모든 공업시설을 해체하여 독일을 농업국가로 만든다는 내용을 담고 있는 것은? 2013년 외무영사직

□□□

① 맨해튼 프로젝트(Manhattan Project) ② 피트먼 결의안(Pittman Resolution)
③ 모겐소 계획(Morgenthau Plan) ④ 랜킨 계획(Rankin Plan)

정답 및 해설

모겐소 플랜은 미국의 전후 독일에 대한 구상을 말한다. 당시 재무장관 헨리 모겐소가 작성한 것이다. 1945년 최종 채택된 모겐소 플랜은 독일 내 나치세력 제거, 비무장화, 철강공업과 화학공업의 해체, 통제경제, 제한된 경제 부흥 등의 내용을 담고 있다.

선지분석

① 맨해튼 프로젝트(Manhattan Project)는 제2차 세계대전 중에 미국이 주도하고 영국과 캐나다가 공동으로 참여했던 핵폭탄개발 프로그램이다. 맨해튼 계획은 레슬리 그로브스 소장이 지휘하는 미국 육군 공병대의 관할로 1942년부터 1946년까지 진행되었다. 1945년 7월 16일 사상 최초의 핵폭발 실험인 트리니티 실험이 진행되었다. 실험 이후 두 종류의 핵폭탄이 만들어졌다. 포신형 핵폭탄에는 리틀 보이라는 이름이 붙었으며, 내폭형 핵폭탄은 팻 맨이라 불렀다. 미 국방부는 히로시마와 나가사키에 핵폭탄 투하를 결정하였다. 1945년 8월 6일 리틀 보이가 히로시마에 투하되었고, 8월 9일에는 팻 맨이 투하되었다.

② 피트먼 결의안(Pittman Resolution)은 1940년 6월 16일 연방의회에서 통과된 결의안이다. 이 결의안은 아메리카 대륙의 모든 나라에 대해 미국의 무기와 탄약 판매를 허용함으로써 라틴아메리카의 방위력을 강화한다는 내용이다. 이 결의안에서 연방의회는 미주 대륙의 영토나 재산이 비미주 국가들 간에 거래되는 것을 승인하지 않겠다고 독일과 이탈리아에 밝혔다. 이 선언은 미주 대륙에 대한 독일의 야심을 저지하는 한편, 라틴아메리카에 대한 미국의 개입 가능성을 열어둔 것이다.

④ 랜킨 계획(Rankin Plan)은 1943년 8월 23일 미국과 영국이 합의한 계획이다. 제2차 세계대전에서 미국은 한편으로는 소련을 지원하면서도 다른 한편으로는 소련을 견제하였다. 랜킨 계획은 소련 견제에 대한 전략이다. 당시 독일은 스탈린그라드 공세 중이었으며 미국과 영국은 소련을 지원하였다. 다만, 한편으로 소련을 견제하기 위해 미국과 영국은 랜킨 플랜을 통해 독일이 소련군에 의해 함락될 기미가 보이면 즉시 양국 군대를 독일에 투입하기로 하였다.

답 ③

007 포츠담(Potsdam)회의에 대한 설명으로 옳은 것은? 2012년 외무영사직

① 독일에 조속히 중앙정부를 설치해 연합국과 함께 군비해제와 비무장화 등을 추진할 것을 합의하였다.
② 5개국 외상으로 구성되는 이사회를 설치해 독일의 동맹국들이었던 핀란드, 루마니아, 이탈리아, 불가리아, 헝가리와의 평화조약 체결문제를 담당하도록 하였다.
③ 독일을 미·영·소·불 4개국이 점령한다는 원칙에 최초로 합의하였다.
④ 유럽 자문이사회의 설립, 국제기구의 창설, 오스트리아 독립 등 주요한 사항에 합의하였다.

정답 및 해설

선지분석

① 당분간 독일에는 중앙정부를 두지 않고 독일을 단일 단위로서 다루며, 분할을 궁극의 방침으로 하지 않는다고 하였다.

③ 독일의 분할점령은 얄타회담에서 최초로 합의되었다.

④ 모스크바회담(1943.10)의 합의사항들이다. 동 회담 이후 발표된 모스크바선언은 일반적 안전보장에 관한 선언, 이탈리아에 관한 선언, 오스트리아에 관한 선언, 독일에 관한 선언 등이 포함되어 있다. 오스트리아에 관한 선언에서 독일의 오스트리아 강제병합은 무효임이 선언되었다.

답 ②

008 다음 중 포츠담회담(1945.7)의 결정사항에 해당되는 것은 모두 몇 개인가?

□□□

ㄱ. 천황제 유지
ㄴ. 평화로운 무역국가로서의 생존 허용
ㄷ. 3국(미 · 영 · 소) 외무장관 회담 등을 통한 대화 지속
ㄹ. 국내외 민주주의적 폴란드 지도자들을 포함하여 정부를 재구성하고, 비밀투표에 의한 보통선거를 실시하여 민의를 물음
ㅁ. 일본 민주주의의 확립
ㅂ. 소련은 사할린 남부를 반환받고 쿠릴열도를 인수

① 1개 ② 2개 ③ 3개 ④ 4개

정답 및 해설

포츠담회담(1945.7)의 결정사항은 ㄱ, ㄴ, ㄷ, ㅁ으로 모두 4개이다.

선지분석

ㄹ, ㅂ 얄타회담 합의 사항이다.

답 ④

009 제2차 세계대전 발발의 배경(원인)을 설명한 것으로 가장 옳지 않은 것은? 2007년 외무영사직

□□□

① 베르사유에서 이루어진 영토처리에 따라 패전국에게 가해진 가혹한 배상문제와 이에 대한 불만
② 세계정치의 본질적 변화를 이끈 유럽지역의 반식민주의와 이로 인한 전세계적 제국주의의 붕괴
③ 당시의 불안한 유럽 정치 · 경제 상황과 맞물려 급속하게 전개된 극우 이념과 극단적인 민족주의 운동
④ 많은 국제적 위기에 직면하여 근본적인 대책 강구보다는 패전국을 무마하려던 전승국들의 지나친 유화정책

정답 및 해설

제2차 세계대전의 결과이다.

답 ②

010 제2차 세계대전 중 일어난 다음 사건들을 발생한 순서대로 나열한 것은? 2008년 외무영사직

□□□

> ㄱ. 얄타회담
> ㄴ. 노르망디 상륙작전
> ㄷ. 포츠담회담
> ㄹ. 소련군의 대일본전 참전

① ㄱ - ㄴ - ㄷ - ㄹ
② ㄱ - ㄴ - ㄹ - ㄷ
③ ㄴ - ㄱ - ㄷ - ㄹ
④ ㄴ - ㄱ - ㄹ - ㄷ

정답 및 해설

ㄴ. 노르망디 상륙작전(1944.6) → ㄱ. 얄타회담(1945.2) → ㄷ. 포츠담회담(1945.7) → ㄹ. 소련군의 대일본전 참전(1945.8) 순서이다.
카이로 - 얄타 - 포츠담의 순서와 내용은 알고 있어야 하며 노르망디 작전으로 인해 연합국이 승기를 잡았다는 것, 이탈리아의 항복 후 카이로 회담이 열린 것을 알고 있으면 기본적인 순서는 잡을 수 있다. 또한 소련은 전쟁 막바지까지 참전을 꺼리고 있었으며 미국이 조선에서 일본군의 무장해제를 위해 소련의 협력을 필요로 했다는 것을 주지하고 있다면 소련의 참전이 마지막임을 알 수 있다. 소련은 미국이 히로시마에 핵폭탄을 투하한 이틀 후(1945.8.8) 대일선전포고를 하게 된다.

답 ③

011 제2차 세계대전시 유럽에서의 전시 상황에 대한 설명으로 옳지 않은 것은?

① 히틀러는 '슐리펜 작전'을 통해 단기간에 파리를 함락시켰다.
② 이탈리아는 한동안 전세를 관망하다 독일의 승리가 유력시되자 1940년 3월 독일 편으로 참전하였다.
③ 프랑스 정부는 주화파인 비시 정부와 주전파인 드골 정부로 나뉘게 되었다.
④ 1940년 독일, 이탈리아, 일본은 3국 동맹을 체결하였다.

정답 및 해설

히틀러가 파리를 함락시킨 작전은 소위 '낫베기 작전'으로, 지형이 좋지 않아 연합군의 방어가 허술한 곳을 정면돌파하는 작전이었다. 이 작전은 제2차 세계대전 중 독일 군부의 가장 훌륭한 전술로 평가된다. 한편 슐리펜 계획이란 제1차 세계대전 당시 양면전의 위험을 피하기 위해 러시아를 공격하기 전에 프랑스를 먼저 격퇴한다는 계획이다.

답 ①

012 □□□

제2차 세계대전 중 이루어진 얄타회담에 관한 설명으로 옳지 않은 것은? 2010년 외무영사직

① 1945년 2월 소련의 얄타에서 미·영·소 3국 수뇌가 가진 회담이다.
② 소련이 대일본전에 참여하면 일본이 점령했던 사할린 남부와 쿠릴열도를 소련이 차지하기로 했다.
③ 독일을 미·영·소 3개국이 점령한다는 원칙에 합의하였다.
④ 한반도는 미·영·소·중 4국이 신탁통치를 하기로 논의했다.

정답 및 해설

독일을 미·영·소·프 4개국이 분할 점령하기로 결정하였다.

답 ③

013 □□□

1940년대에 있었던 주요한 회담의 내용이다. 각 회담의 내용을 옳게 연결한 것은?

(가) 카이로 회담
(나) 얄타회담
(다) 포츠담회담

ㄱ. 일본에 대한 응징과 전후 일본에 대한 처리문제를 다루었다.
ㄴ. 한국의 독립이 확정되었다.
ㄷ. 독일에 대한 전후처리를 다루고, 소련이 전쟁에 참전하게 되었다.

	(가)	(나)	(다)
①	ㄱ	ㄴ	ㄷ
②	ㄱ	ㄷ	ㄴ
③	ㄴ	ㄷ	ㄱ
④	ㄷ	ㄴ	ㄱ

정답 및 해설

(가) - ㄱ. 카이로회담에서 한국의 독립이 언급되었으나 확정되지는 않았다.
(나) - ㄷ. 얄타회담에서 소련이 일본에 선전포고하였다.
(다) - ㄴ. 포츠담회담에서 일본의 최후항복이 요구되었고, 한국의 독립이 결정되었다.

답 ②

014 □□□ **제2차 세계대전 전후 체제를 구상하는 전시회의 중 가장 주요한 모임의 하나였던 얄타회담의 결정 사항으로 옳지 않은 것은?**

① 독일을 미국, 영국, 소련, 프랑스 4개국이 분할 점령한다.
② 샌프란시스코에서 국제연합 헌장을 채택하기 위한 회의를 개최한다.
③ 소련은 독일 패망 후 2~3개월 안에 대일전에 참전한다.
④ 태평양전쟁의 종결을 위해 히로시마에 원폭을 투하한다.

정답 및 해설

원폭 투하는 미국의 독단적 결정에 의해 이루어졌다. 또한 미국은 후에 포츠담회담에서야 소련에게 원자폭탄의 존재를 털어놓기 때문에 얄타회담에서는 원폭 투하를 논의할 일 자체가 없었다.

답 ④

015 □□□ **동아시아 국제관계에 대한 설명으로 옳지 않은 것은?** 2022년 외무영사직

① 일본은 한국전쟁 기간 샌프란시스코 평화조약을 통하여 주권을 회복하였고, 미국과 안보조약을 체결하였다.
② 1945년 미국의 원폭투하 이후, 스탈린은 포츠담회담을 근거로 일본에 대해 선전포고를 하였다.
③ 미국은 가쓰라-태프트 비밀각서를 통하여 조선에 대한 일본의 권한을 인정하였다.
④ 일본은 제1차 세계대전의 전승국으로 베르사유조약에 참여하여 산둥 반도와 남양 군도(미크로네시아)에 대한 독일의 이권을 양도받았다.

정답 및 해설

스탈린의 대일전 참전은 1945년 2월 얄타회담에서 최종 결정되었다.

선지분석

① 샌프란시스코평화조약은 1951년 9월 8일 체결되었다.
③ 1905년 7월 체결된 조약으로서 일본은 미국의 필리핀 지배를, 미국은 일본의 조선 지배를 상호 승인하였다.
④ 일본은 독일이 패전하는 경우 독일이 지닌 이권을 양도받을 목적으로 제1차 세계대전에 참전하였다.

관련 이론 남양 군도(미크로네시아)

남양 군도는 제1차 세계대전 이후 국제연맹이 일본 제국에 부여한 국제연맹 위임통치령이다. 위임통치령은 북태평양에 있는 섬들로 구성되었는데, 독일 식민제국 내에서 독일령 뉴기니의 일부였던 섬들이 제1차 세계대전 동안 일본에 의해 점령되어 국제연맹에 의해 일본의 위임통치가 인정되었다. 일본은 미국이 섬을 점령한 제2차 세계대전까지 일본 식민제국의 일부로써 이 섬들을 통치했다. 이후 유엔의 신탁통치령이 되었다가 독립했다. 현재는 팔라우, 북마리아나 제도, 미크로네시아 연방, 마셜 제도의 일부이다.

답 ②

016 제2차 세계대전 전시회담인 카이로회담과 얄타회담에 대한 설명으로 옳지 않은 것은?

□□□

① 제2차 세계대전이 추축국 측에 불리하게 진행되면서 연합군이 이탈리아에 상륙하여 드디어 1943년 9월 이탈리아가 항복하였다. 그리하여 세계 지도자들은 세계대전의 수행과 전후 처리 문제를 사전 협의하기 위해 카이로회담과 얄타회담을 열게 되었다.

② 카이로회담에서는 당시 가장 중요한 핵심 사안으로는 대일전(對日戰)에 서로 협력할 것을 협의하였고, 일본이 패전했을 경우를 가정하고 일본의 영토 처리에 대하여 연합국의 기본방침을 결정하였다. 이러한 방침은 카이로선언으로서 발표되었다.

③ 카이로회담에서는 주로 독일의 분할 문제를 다루었고 그 이외의 패전국이나 광복이 필요한 국가에 대해서는 해당지역의 모든 민주 세력을 폭넓게 대표하는 인사들에 의해 임시정부를 구성한 후 가능한 한 빠른 시일 내에 자유선거를 통해 정부를 수립한다는 원칙을 내세웠다.

④ 얄타회담에서는 독일의 군수산업을 폐쇄 또는 몰수한다고 선언했으며 주요 전범들은 뉘른베르크에서 열릴 국제재판에 회부하기로 합의했다. 배상금 문제는 위원회를 구성하여 그에 위임하기로 하였다.

정답 및 해설

독일의 분할을 논의하는 것은 독일의 패망이 가까워졌다고 판단된 1945년의 얄타회담이었다.

선지분석

① 카이로회담은 이탈리아 항복 이후, 얄타회담은 독일 및 일본의 항복 이전에 이뤄졌다.
② 카이로선언은 연합국이 제2차 세계대전 후 일본의 영토 기본방침을 처음으로 공식천명한 것이다.

관련 이론 카이로선언의 주요내용

1. 3국은 일본에 대한 장래의 군사행동을 협정하였다.
2. 3국은 야만적인 적국에는 가차 없는 압력을 가할 결의를 표명하였다.
3. 일본의 침략을 저지, 응징하나 3국 모두 영토확장의 의도는 없다.
4. 제1차 세계대전 후 일본이 탈취한 태평양 제도(諸島)를 박탈하고, 또한 만주 · 타이완 臺灣 · 펑후제도 澎湖諸島 등을 중국에 반환하고 일본이 약취한 모든 지역에서 일본세력을 구축(驅逐)한다.

이 밖에 특히 한국에 대해서는 특별조항을 넣어 "현재 한국민이 노예상태 아래 놓여 있음을 유의하여 앞으로 한국을 자유독립국가로 할 결의를 가진다."라고 명시하여 처음으로 한국의 독립이 국제적으로 보장받았다. 선언은 이상의 목적으로 3국은 일본의 무조건 항복을 촉진하기 위해 계속 싸울 것을 천명하였으며 1945년 포츠담선언에서 재확인되었다.

답 ③

017 제2차 세계대전 중 이루어진 얄타회담에 관한 설명으로 옳지 않은 것은 모두 몇 개인가?

□□□

ㄱ. 미국의 루스벨트 대통령, 영국의 처칠 수상, 소련의 스탈린 원수가 얄타에 모여서 개최되었다.
ㄴ. 루스벨트가 대소 협조정책을 취하여 전후의 협조가 가능할 것이라는 낙관론 속에 개최되었다.
ㄷ. 소련은 사할린 남부 반환, 쿠릴열도의 인수 등을 조건으로 대일전쟁에 참가하기로 하였다.
ㄹ. UN 총회에서의 소련의 복수투표권 문제는 소련에게 16표를 주는 것으로 합의되었다.

① 없음 ② 1개 ③ 2개 ④ 3개

정답 및 해설

얄타회담에 관한 설명으로 옳지 않은 것은 ㄹ으로 1개이다.
ㄹ. 당초 소련은 16표를 요구했지만 3표로 타협되었다. 또한 거부권의 도입도 결정되었다.

선지분석

ㄷ. 이 외에도 외몽고의 현상유지, 다롄항의 국제화, 뤼순의 조차, 동청철도 · 남만주철도 권익의 중 · 소 공동운영 등의 조건으로 대독전쟁 종료 후 2, 3개월 이내에 대일전쟁에 참가할 것을 승낙했다.

답 ②

018 1940년 독일, 이탈리아, 일본 간에 체결된 3국동맹의 내용에 대한 설명으로 옳지 않은 것은?
□□□

① 일본은 독일과 이탈리아가 유럽에서 새로운 정치질서를 창설하는 것을 인정하였다.
② 독일과 이탈리아는 아시아에서 일본이 새로운 정치질서를 창설하는 것을 인정하였다.
③ 행동에 제약이 되는 국제연맹을 탈퇴할 것에 합의하였다.
④ 미국 혹은 소련으로부터 한 나라가 공격당할 경우 다른 두 나라에게 상호 원조의 의무가 발생했다.

정답 및 해설

일본은 만주사변 이후 리튼보고서에 분개하여, 이탈리아는 에티오피아 침략 이후 국제연맹의 비난을 받음으로써 이미 국제연맹을 탈퇴한 상황이었다.

답 ③

019 1939년 독 · 소 불가침 조약의 체결에도 불구하고 히틀러가 1941년 6월 소련을 침공한 배경으로 옳지 않은 것은?
□□□

① 독일은 본래 3국 동맹에 소련을 포섭하여 세계를 4개의 영향권으로 나누려는 구상을 가지고 있었다.
② 소련은 히틀러의 4국 동맹 제안에 대해 만족스러운 회답을 하지 않았다.
③ 프랑스가 침공된 상황에서 영국이 평화교섭을 거부하는 이유가 장차 소련이 독일에 대한 전쟁에 동참하리라고 예상하기 때문이라고 생각했다.
④ 영국과 소련 간에 군사교섭이 이루어졌기 때문에 양면전의 위험을 감수하고 소련을 침공하였다.

정답 및 해설

소련은 서부 유럽을 공산주의에 반대하는 적으로 간주하였기 때문에 독일과 불가침조약을 맺고 전쟁에 중립을 지킴으로써 독일의 서부 유럽 공습을 지원하는 입장이었다. 따라서 영국과 소련 간에 합의된 군사교섭은 존재하지 않았다. 그러나 히틀러는 ③과 같이 여기고 소련을 침공하였다.

답 ④

020 독일의 유럽 신질서, 일본의 대동아공영권의 건설에 대항해 영국과 미국 주도로 1941년 선언된 대서양헌장(Atlantic Charter)의 내용으로 옳지 않은 것은?
□□□

① 영토 확장을 포함한 모든 형태의 확장은 추구하지 않는다.
② 주민의 의사에 반대되는 영토변경을 추구하지 않는다.
③ 나치가 멸망된 이후 평화로운 세계를 건설한다.
④ 해양의 사용에 있어 연안국의 권리를 강화한다.

정답 및 해설

영국과 미국은 해양세력으로서 일관되게 공해 자유 원칙을 주장해왔다.

답 ④

021 제1차 세계대전과 제2차 세계대전을 비교한 것으로 가장 옳지 않은 것은?

□□□

① 두 차례의 전쟁 이후 미국이 세계 최강대국으로 부상하였다.
② 제1차 세계대전 이후에는 국제연맹이, 제2차 세계대전 이후에는 국제연합이 창설되었다.
③ 두 전쟁 모두 발생 원인으로 강대국의 지나친 유화정책이 지적된다.
④ 국제연합은 국제연맹의 집단안보체제를 계승하되 상임이사국에게만 거부권을 인정하는 제도를 도입함으로써 현실주의적 관점을 반영하였다.

정답 및 해설

유화정책은 제2차 세계대전의 원인이다. 제1차 세계대전 전에는 유럽이 삼국동맹(독일, 오스트리아, 이탈리아)과 삼국협상(영국, 프랑스, 러시아)로 분열되어 상호 대립하고 있었다.

답 ③

022 제2차 세계대전에 대한 평가로 옳지 않은 것은?

① 유럽 열강들이 동부전선 지원에 미온적이어서 소련은 가장 큰 참화를 입었다.
② 유럽전쟁이 중심무대였기에 일본이 쉽게 동남아 지역으로 진출할 수 있었다.
③ 영국이 패권으로 확고히 자리잡게 되었다.
④ 소련이 세계국가 대열에 편입되어 소련 봉쇄 일환으로 냉전이 나타나게 되었다.

정답 및 해설

제2차 세계대전 결과 영국이 아닌 미국이 부상하게 되었다. 미국의 국제정치적 입지는 냉전 종식과 더불어 더욱 신장된다.

답 ③

023 제2차 세계대전 중 연합국의 승전과정 및 정치적 갈등에 대해 옳지 않은 것은?

① 노르망디 상륙작전을 통해 프랑스, 벨기에가 독일로부터 해방되었다.
② 유럽 열강들은 서부전선에서 승리의 기미가 보이자 동부전선을 적극 지원하였다.
③ 영국과 미국은 처음에 드골의 프랑스 임시정부를 승인하지 않으려 하였다.
④ 벨기에, 이탈리아와 같이 신정권이 수립될 국가의 정부형태와 관련해 열강의 대립이 나타났다.

정답 및 해설

유럽 열강들은 소련의 이념에 경계심을 가지고 동부전선 지원에 소극적으로 임함으로써 소련이 연합국 중 제2차 세계대전으로 인해 가장 큰 피해를 받게 되었다. 이는 냉전의 형성으로 이어진다.

답 ②

024 제2차 세계대전 이후 전후 안보질서 구축의 방안으로 제시된 국제연합에 대한 설명으로 옳지 않은 것은?

① 1945년 샌프란시스코회의에서 국제연합 헌장이 채택되었다.
② 국제연합은 국제평화와 안전의 유지를 제1의 목표로 하였다.
③ 미, 영, 소, 중, 불 5개국의 상임이사국에 거부권을 부여하였다.
④ 경제제재수단을 갖추었으나 군사적 제재수단은 갖추지 못하였다.

정답 및 해설

국제연맹에 대한 설명이다. 국제연합은 형식상 헌장 제7장에 따른 경제적, 군사적 제재수단을 갖추었다.

답 ④

025 제2차 세계대전 중 이루어진 포츠담회담에 관한 설명으로 옳지 않은 것은 몇 개인가?

□□□

ㄱ. 미국의 트루먼 대통령, 영국의 처칠 수상(도중에 애틀리 수상으로 바뀜), 소련의 스탈린 원수가 참여하였다.
ㄴ. 전후의 협조가 가능할 것이라는 낙관론이 여전히 지배하고 있었다.
ㄷ. 독일의 공동관리, 비군사화 및 배상액이 구체적으로 결정되었다.
ㄹ. 미영소 3국은 일본에 대해 항복을 권고하는 포츠담 공동선언을 발표했다.
ㅁ. 미영소 3국은 외상회담 등을 통해 대화를 계속할 것을 확인했다.

① 없음　　② 1개　　③ 2개　　④ 3개

정답 및 해설

포츠담회담에 관한 설명으로 옳지 않은 것은 ㄴ, ㄷ, ㄹ로 3개이다.
ㄴ. 미영과 소련 사이에는 유럽의 전후처리를 둘러싸고 여전히 의견대립이 계속되었고, 폴란드, 그리스 문제 등을 놓고 서로를 비판하였다. 미국은 이 회담이 개최되기 전날 원자폭탄의 실험에 성공했고, 대일전에 대한 소련의 참전을 예전같이 중시하지는 않았다.
ㄷ. 독일의 배상금 문제에서는 논란 끝에 배상금의 징수 방식에서만은 합의가 되었지만, 배상액은 결정되지 않았다. 독일 - 폴란드 국경의 이동, 독일의 공동관리, 비군사화, 비나치화 등은 원칙적으로 합의가 되었다.
ㄹ. 미 · 영 양국이 중국과 함께 발표했다. 항복조건으로 일본군의 전면항복, 무장해제, 연합국에 의한 점령, 비군사화, 민주주의 확립, 전범의 처벌, 카이로 선언에 따른 영토의 축소 등을 요구하는 엄격한 것이었다.

답 ④

026 포츠담 선언(1945년 7월)에 대한 설명으로 옳지 않은 것은?

□□□

① 카이로 선언의 조항은 이행될 것이며 또 일본의 주권은 혼슈, 홋카이도, 규슈, 시코쿠 우리가 결정하는 제(諸)도서에 국한될 것이다.
② 일본국 군대는 완전히 무장이 해체된 뒤 각각 가정으로 돌아가 평화적이고도 생산적인 생활을 영위할 기회를 얻게 할 것이다.
③ 일본이 그 경제를 지탱하고 공정한 실물 배상을 할 수 있도록 하는 산업은 이를 유지하도록 용허될 것이나, 일본이 전쟁을 위한 재군비를 할 수 있도록 하는 산업은 1년의 유예기간을 두고 폐지한다.
④ 우리는 일본 정부가 곧 일본 군대의 무조건 항복을 선언하고 또 그 행동에 대한 일본 정부의 성의에 적당하고도 충분한 보장이 있을 것을 일본 정부에 요구한다.

정답 및 해설

일본이 전쟁을 위한 재군비를 할 수 있도록 하는 산업은 이에 포함되지 않는다.

답 ③

027 1945년 열린 모스크바 3상회의에 관한 내용으로 옳지 않은 것은?

□□□

① 한국에 미·소공동위원회를 설치하고 일정기간의 신탁통치에 관하여 협의하기로 하였다.
② 원자력의 국제관리를 위한 국제원자력기구(IAEA)를 국제연합 안에 설치하기로 하였다.
③ 중국의 내정에 간섭하지 아니하고 통일을 촉진하기로 하였다.
④ 전후 평화조약 협상국의 선정과 평화조약 체결절차를 결정하였다.

정답 및 해설

원자력의 국제관리를 위한 원자력관리위원회를 국제연합(UN) 안에 설치하기로 하였다. IAEA는 1957년에 국제연합 총회 아래 설치된 준독립기구로서 출범하였다.

답 ②

028 제2차 세계대전 전후처리와 관련된 다음 사건들을 발생한 순서대로 바르게 나열한 것은?

□□□

ㄱ. 모스크바 3상회의	ㄴ. 얄타회담
ㄷ. 카이로회담	ㄹ. 포츠담회담

① ㄱ - ㄴ - ㄷ - ㄹ
② ㄴ - ㄷ - ㄱ - ㄹ
③ ㄷ - ㄴ - ㄹ - ㄱ
④ ㄹ - ㄷ - ㄴ - ㄱ

정답 및 해설

ㄷ. 카이로회담(1차: 1943.11.22~26, 2차: 1943.12.4~6) → ㄴ. 얄타회담(1945.2.3~12) → ㄹ. 포츠담회담(1945.7.15~8.2) → ㄱ. 모스크바 3상회의(1945.12.16.~25) 순서이다.

답 ③

029 제2차 세계대전을 전후한 미국의 대외정책에 대한 설명으로 옳은 것은?

① 1941년 12월 일본의 진주만 공습이 있을 때까지 제2차 대전에 대한 미국의 공식적인 입장은 연합국을 지지하는 것이었으며, 루즈벨트는 다양한 경로를 통해 연합국을 지원하였다.
② 미국은 연합국들에게 가능한 많은 원조를 제공하기 위해 1939년 9월 21일 중립법을 철회하였다.
③ 1940년 6월 프랑스가 함락되자, 루즈벨트는 징병 및 훈련법(Selective Training and Service Act)을 제정하여 미국 역사상 첫 번째 평시 징병제도를 도입하였다.
④ 미국은 1941년 3월 11일 미국방위추진법(Act to Promote the Defense of the United States)(무기대여법)을 제정하여 의회는 어떤 나라의 방위가 미국의 방위에 긴요하다고 판단되는 경우 그 나라에 군수품을 무상으로 지원할 수 있는 권한을 대통령에 부여하였다.

정답 및 해설

선지분석
① 미국의 공식 입장은 중립이었다.
② 중립법을 철회한 것이 아니라, 중립법의 내용 중 '무기금수조항'을 철회하였다.
④ 무상지원이 아니라 판매하도록 하였다.

답 ③

제2절 | 냉전체제의 형성과 전개

001 냉전의 기원과 관련된 기술 중 옳지 않은 것은?

① 전통주의적 시각에 의하면 소련의 팽창주의적 외교정책이 냉전의 주요 원인이 되었다.
② 미국의 대일 원자탄 투하는 소련에 대한 미국의 군사적 우위를 과시하려는 의도에서 결정되었고, 이는 미·소 간 불신의 원인이 되었다고 보는 견해도 있다.
③ 일부 수정주의자들에 의하면 냉전의 근본원인은 미국의 팽창주의 외교정책에 기인하였다.
④ 미국의 외교관으로서 봉쇄정책을 주장하면서 「Foreign Affairs」지에 'X'라는 익명으로 기고했던 사람은 조지 마셜(George Marshall)이었고, 이에 따라 유럽에서의 미국의 대소 봉쇄정책을 마셜 플랜(Marshall Plan)으로 명명하였다.

정답 및 해설

조지 캐넌(George Kennan)이다. 마셜 플랜(Marshall Plan)은 유럽재건을 위한 미국의 원조계획을 의미한다.

답 ④

002 다음 중 서로 관련이 없는 것은?

□□□

① Wedemeyer Misson - 전후 유럽의 부흥

② NSC 68 - 냉전

③ Stimson Doctrine - 문호개방정책에 위배되는 사례에 대한 불승인

④ Dodge Plan - 제2차 세계대전 이후 일본의 경제 재건 정책

정답 및 해설

Wedemeyer Mission은 트루먼 대통령이 장개석의 대 모택동 투쟁을 지원하기 위해 장개석에게 파견한 군사고문단을 의미한다.

선지분석

② 트루먼 대통령이 수소폭탄 개발을 승인한 문서를 말한다. 냉전을 전제로 한 대 소 군사전략으로 평가된다.

④ 전후 미국의 일본 경제 재건 정책을 말한다. (참고: Perhaps Dodge's most significant and note worthy accomplishment was that of his work with the economic revitalization of Japan. He first arrived in Japan February 1949, leading a U.S. mission to rehabilitate the Japanese economy, as the financial adviser to the Supreme Commander for the Allied Powers. The U.S. mission was oriented away from liberal "oppression", through "recognition of the equality of women, new laws supporting labor unions and the right to strike, and educational reforms, among other challenges". Japanese foreign exchange earnings were drastically limited by high priced exports, making them uncompetitive in world marketing. The Zaibatsu were able to pay off company debts and more easily acquire smaller competing companies, due to the devaluing of the yen through runaway inflation. This also, consequently, priced them out of exportation marketing. From September 1945 to August 1948 prices rose by 700% primarily due to, as Dodge suspected, deliberate policies of postwar Japanese governments. The Dodge mission, as a product of American ambitions in Japan, was to alleviate Japan from their rapid inflation rates by imposing a regime of fiscal austerity to balance the Japanese budget, establish a single exchange rate for the yen, and abolish the black market. A month after his arrival in Tokyo, Dodge submitted his revised proposal for economic stabilization. "The Dodge Line was cast; it centered on the following four objectives: 1.balancing the consolidated national budget; 2.establishing the U.S. Aid Counterpart Fund in place of the lending operations of the RFB disambiguation needed ; 3.establishing a single foreign exchange rate; and 4.decreasing government intervention into the economy, especially through subsidies and price controls.")

답 ①

003 다음에 해당하는 인물로 옳은 것은?

□□□

> 1947년 「Foreign Affairs」지에 X라는 필명으로 '소련행동의 원천 (The Sources of Soviet Conduct)'이라는 제목의 논문을 실어 소련외교의 구조와 성격을 자세히 분석 · 발표하였다. 여기서 그는 소련은 팽창의 욕구와 대외적인 적개심을 가졌기 때문에 미국은 그것을 봉쇄하고 그 내부변화를 기다려야 한다고 주장하면서, 그러기 위해서는 미국의 장기적이며 인내성 있는, 그러나 확고하고 조심스러운 봉쇄(containment)정책이 필요하다고 하였다.

① 해리 트루먼(Harry Shippe Truman)

② 조지 케넌(George Frost Kennan)

③ 딘 애치슨(Dean Gooderham Acheson)

④ 조지 마셜(George Catlett Marshall)

정답 및 해설

선지분석

① 1947년 '트루먼 독트린'을 발표한 미국의 대통령이다.
③ 한국과 대만을 제외한 미국의 방위선인 '애치슨라인'으로 비판받은 미국 국무장관이다.
④ 전후 유럽부흥계획인 '마셜플랜'의 주창자이다.

답 ②

004 □□□ **다음 중 1945년 2월 미·소 간의 얄타(Yalta)회의 이후 미·소 관계에 관한 설명으로 옳지 않은 것은?**

2005년 외무영사직

① 소련은 터키와 그리스 공산 게릴라를 지원하자 미국은 이에 대한 대응을 천명하였다.
② 미국은 중국의 국민당 정부를 적극 지원하였으나, 1949년 중국에서는 소련의 지원을 받은 공산당이 정권을 잡는다.
③ 동구권 수립에 소련이 개입하자 미국은 아시아와 아프리카의 신생독립국 건설지원으로 맞선다.
④ 소련이 베를린을 봉쇄하자 미국은 강력한 공세정책으로 대응한다.

정답 및 해설

소련의 개입에 대해 미국 역시 동유럽에 개입하여 친미정권을 수립하고자 하였다.

답 ③

005 □□□ **냉전이 시작된 배경에 대한 설명으로 옳지 않은 것은?**

① 1945년 런던회담에서 소련이 연합국이 수용하기 어려운 요구들을 제기하며 미·소 분쟁이 시작되었다.
② 전통적인 대소련 봉쇄의 일환으로도 해석된다.
③ 미국이 소련의 원자폭탄에 대한 정보공유 요구를 거부함으로써 양자 관계가 악화되었다.
④ 미국은 먼로 독트린을 통해 대소 봉쇄전략을 선언하였다.

정답 및 해설

먼로 독트린이 아닌 트루먼 독트린에 대한 설명이다. 먼로 독트린이란 유럽 열강의 미주 대륙에의 간섭을 거부한다는 내용으로, 미주에서 미국의 패권적 입지와 전세계적 차원에서 미국의 고립주의를 천명한 것이다.

답 ④

006 트루먼 독트린에 대한 설명으로 옳지 않은 것은?

2023년 외무영사직

□□□

① 영국과 프랑스에서 발생한 공산 게릴라와의 내전이 계기가 되었다.
② 소련 공산주의 팽창을 저지하기 위한 봉쇄정책을 기조로 하고 있었다.
③ 미국이 동맹국에 대해 경제적, 군사적 지원을 하는 계기가 되었다.
④ 공산주의자의 지원을 받는 반군 세력에 맞서는 자유 진영 국가에 대한 지원을 목표로 하였다.

정답 및 해설

그리스와 터키의 공산 게릴라 활동으로부터 민주주의를 수호하기 위한 개입을 천명한 것이다.

선지분석

② 봉쇄정책 선언으로 해석되기도 한다.
③ 1949년 NATO 창설 이후 소련에 대항하여 동맹을 지원하는 정책을 의미하기도 하였다.
④ 자유민주주의 진영 수호를 선언한 것이다.

답 ①

007 트루먼 독트린에 대한 설명으로 옳지 않은 것은?

□□□

① 1947년 트루먼 대통령이 의회연설에서 선언한 대소봉쇄전략이다.
② 공산게릴라 위협 하에 놓인 그리스와 터키를 위해 군사적 지원을 한다는 내용이다.
③ 소련은 팽창지향적 성향을 지녔으므로 자유세계를 수호하기 위해서는 소련을 봉쇄해야 한다고 주장하였다.
④ 트루먼 독트린에 의해 전후 유럽 재건을 위해 경제지원하는 뉴딜정책이 시행되었다.

정답 및 해설

전후 유럽의 재건을 위한 미국의 대규모 경제원조 계획을 마샬플랜이라 한다. 뉴딜정책은 루즈벨트 대통령이 경제대공황을 극복하기 위해 국내적으로 시행한 경제정책으로서 대규모 공공사업 발주 등을 통한 수요 창출을 중시하였다.

답 ④

008 1940년대 외교적 사건을 순서대로 바르게 나열한 것은? 2022년 외무영사직

□□□

(가) 소련의 베를린 봉쇄
(나) 윈스턴 처칠의 '철의 장막' 연설
(다) 마샬플랜 발표
(라) 트루먼 독트린 발표

① (가) → (다) → (라) → (나)
② (나) → (다) → (라) → (가)
③ (나) → (라) → (다) → (가)
④ (라) → (가) → (다) → (나)

정답 및 해설

(나) → (라) → (다) → (가) 순서로 사건이 진행되었다.

(가) 소련의 베를린 봉쇄(1948.6.24.): 베를린 봉쇄(Berlin Blockade)는 1948년 6월 24일부터 1949년 5월 12일 사이에 소련이 미국, 영국, 프랑스가 제2차 세계대전 이후에 장악했던 서베를린의 관할권을 포기하도록 하기 위해 취한 봉쇄를 말한다. 1948년 3월 서유럽의 강국들은 독일 내의 자신들 관할구역을 통합해 단일한 경제단위를 만들기로 하자, 소련 대표는 이에 항의하여 연합국공동관리위원회에서 탈퇴했다. 또한, 서독 전역에서와 마찬가지로 서베를린에도 새로운 독일 마르크 화(貨)가 도입되었는데 이 조치가 동독의 통화를 위협한다고 본 소련 점령군은 베를린과 서독을 잇는 모든 철도 · 도로 · 수로를 차단한 것이다. 봉쇄는 1949년 5월 해제되었다.

(나) 처칠의 철의 장막(Iron Curtain) 연설(1946.3.5.): 철의 장막(Iron Curtain)은 1945년의 제2차 세계대전 이후 1991년에 냉전이 종식될 때까지 유럽을 상징적 · 사상적 · 물리적으로 나누던 경계를 부르던 서방 세계의 용어이다. 해당 부분은 다음과 같다. "From Stettin in the Baltic to Trieste in the Adriatic an "iron curtain" has descended across the Continent. Behind that line lie all the capitals of the ancient states of Central and Eastern Europe. Warsaw, Berlin, Prague, Vienna, Budapest, Belgrade, Bucharest and Sofia; all these famous cities and the populations around them lie in what I must call the Soviet sphere, and all are subject, in one form or another, not only to Soviet influence but to a very high and in some cases increasing measure of control from Moscow."

(다) 마샬플랜(1947.6.): 마샬플랜(Marshall Plan)[공식명칭은 유럽 부흥 계획(European Recovery Program, ERP]은 제2차 세계대전 이후 유럽의 황폐화된 동맹국을 위해 미국이 계획한 재건 계획이으로 미국의 국무장관 조지 마셜이 제안했다. 황폐해진 유럽을 재건축하고 미국 경제를 복구시키며 공산주의의 확산을 막는 것이 목적이었다.

(라) 트루먼 독트린(1947.3.): 트루먼 독트린(Truman Doctrine)은 1947년 3월 미국 대통령 해리 S. 트루먼이 의회에서 선언한 미국 외교정책에 관한 원칙으로서 공산주의 확대를 저지하기 위하여 자유와 독립의 유지에 노력하며, 소수의 지배를 거부하는 의사를 가진 세계 여러 나라에 대하여 원조를 제공한다는 것이었다.

답 ③

009 ☐☐☐ 냉전 초기 미국의 봉쇄정책에 관한 내용으로 옳지 않은 것은?

① 조지 케넌은 강력한 군사력을 통해 소련의 팽창을 저지해야 한다고 주장했다.
② 마셜플랜(유럽부흥계획)을 통해 서유럽 16개국에 경제원조를 실시하였다.
③ 역코스(reverse course) 정책을 통해 일본에 대한 점령정책을 전환하였다.
④ 북대서양조약기구(NATO)의 형성을 추진하였다.

정답 및 해설

조지 케넌이 「Foreign Affairs」 기고문에서 주장했던 소련의 팽창방지정책이란, 군사력을 통해서가 아니고, 그 주위에 있는 서방세력의 경제발전을 도모함으로써 소련의 세력확장을 방지하자는 것이었다. 이러한 케넌의 주장은 트루먼 독트린, 마셜플랜 등의 근간이 되었다.

답 ①

010 ☐☐☐ 냉전시대사에 대한 설명으로 옳지 않은 것은?

① 제2차 세계대전 이후 체코슬로바키아는 마셜플랜 참여를 강력히 희망했으나 1948년 2월 공산주의 쿠데타가 발생하여 친소 정권이 수립되었고, 이 과정에서 친서방적 지도자들의 희생되면서 참여가 무산되었다.
② 1950년 4월 미국의 국가안전보장회의가 NSC-68이라는 정책문서를 작성했다
③ 1951년 9월 샌프란시스코 강화회의에 한국은 태평양전쟁 당시 전쟁 당사국이 아니었으나 이미 국가를 수립했음을 고려하여 서명국, 즉 공식 참가자로서의 지위를 인정받았다.
④ 미국 국무장관 딘 애치슨은 1950년 1월 12일 연설에서 알류산열도 - 일본 - 오키나와 - 필리핀을 잇는 미국의 극동방위선을 제시하면서, 한국과 대만은 이 방어선에서 제외하였다.

정답 및 해설

한국은 태평양전쟁 당시 전쟁 당사국이 아니었다는 이유로 서명국, 즉 공식 참가자로서의 지위를 인정받지 못하고 옵저버 자격으로 참가했다.

답 ③

011 ☐☐☐ 제2차 세계대전 이후 아시아에서 냉전체제가 형성된 과정에 대한 설명으로 옳지 않은 것은?

① 중국 대륙을 모택동이 지휘하는 공산당이 점령함으로써 냉전체제가 형성되었다.
② 미국은 극동에서의 전체주의 위협에 대처하기 위해 일본을 지원하였다.
③ 미 · 일에 대응하여 중국과 소련 간에 동맹이 체결되었다.
④ 한국전쟁은 냉전이 완화되는 데 기여하였다.

정답 및 해설

한국전쟁에서 미국이 연합국으로 참전하고 중국이 북한을 지원하면서 아시아 냉전체제가 더욱 공고화되었다.

답 ④

012 □□□

제2차 세계대전 종전 이후 미국의 대일본 점령정책에 대한 평가로 옳지 않은 것은?

① 일본의 무조건 항복 이후 일본은 미국의 군사통치하에 놓이게 되었다.
② 본래 미국의 대일본 점령정책 기조는 민주화 및 비군사화였다.
③ 미국은 전체주의의 위협에 대항하기 위해 일본을 지원하는 정책으로 전환하였다.
④ 가쓰라-태프트 밀약에 의해 일본의 주권이 회복되고 독립이 승인되었다.

정답 및 해설

가쓰라-태프트 밀약이란 러·일전쟁 이후 열강의 이권분할시 일본이 미국의 필리핀 지배를, 미국이 일본의 조선에서의 우위를 인정한다는 합의이다. 제2차 세계대전 때는 샌프란시스코 강화조약에 의해 일본 주권 회복이 이루어졌다.

답 ④

013 

제2차 세계대전 이후 한반도의 분단이 고착화되기까지의 과정에 대한 설명으로 옳지 않은 것은?

① 일본의 무장해제를 위해 38도선을 기준으로 미국과 소련이 공동점령하였다.
② 모스크바3상회의에서 신탁통치가 결정되자 국내 좌·우익 간에 이념대립이 격화되었다.
③ 소련과 북한이 입국을 거절하여 남한에서만 정부수립을 위한 단독선거가 이루어졌다.
④ 1950년 한국전쟁 시 통일을 눈앞에 둔 상황에서 소련군의 개입으로 남쪽으로 후퇴하였다.

정답 및 해설

한반도 전 지역 수복을 눈앞에 둔 상황에서 중공군의 개입으로 인해 남쪽으로 후퇴, 38선이 휴전선으로 고착화되었다.

답 ④

014 

냉전기 동서블럭의 형성 과정에 대해 옳지 않은 것은?

① 전후 처리과정에서 윌슨이 제시한 이상주의만을 반영한 결과이다.
② 소련과 타연합국 간 대립으로 베를린 봉쇄 및 이후 동서독일로의 분단사태가 발생하였다.
③ 미국, 프랑스, 영국 등간에 북대서양조약기구(NATO)가 형성되었다.
④ 소련은 NATO에 대항하여 동유럽 국가들과 함께 바르샤바조약기구(WTO)를 결성하였다.

정답 및 해설

윌슨이 제시한 이상주의만을 반영하여 실패했다고 평가받는 것은 제1차 세계대전 전후체제인 베르사유 체제, 특히 국제연맹이다. 이와 비교해 국제연합은 국력을 반영한 상임이사회 제도를 통해 현실주의와의 절충을 모색하고 있는 것으로 평가받는다.

답 ①

015 □□□ **다음 중 동서냉전 상황 속에서 미국이 직간접적으로 참전한 전쟁이 아닌 것은?**

① 베트남전쟁
② 한국전쟁
③ 아프가니스탄 내전
④ 코소보 공습

정답 및 해설

1999년 코소보 공습은 NATO가 세르비아인들의 인종차별적 제노사이드 행위를 자행하는 것을 막기 위해 미국 주도로 이루어졌다. 그러나 소련 붕괴 이후의 일로써 냉전과 관계없다.

답 ④

016 □□□ **다음 중 동서냉전 가운데 발생한 사건으로 옳지 않은 것은?**

① 한국전쟁
② 만주사변
③ 베트남전쟁
④ 아프가니스탄 내전

정답 및 해설

만주사변은 일본이 대륙으로 진출하기 위해 양차 대전의 전간기에 벌인 사건이다. 냉전이 제2차 세계대전 종전 후에 조성되었다고 볼 때 시기적으로 한참 앞선다.

답 ②

017 □□□ **다음 중 동서냉전의 상황 속에서 있었던 사건으로 옳지 않은 것은?**

① 베를린 봉쇄
② 쿠바 미사일 위기
③ 트루먼 독트린
④ 뮌헨 회담

정답 및 해설

1938년 뮌헨 회담은 히틀러가 체코 병합을 시도하자 영국 수상 체임벌린이 이를 평화적으로 중재하기 위해 시도한 회담으로 유화정책의 대표적 사례로 꼽힌다.

답 ④

018 □□□ **다음 중 냉전의 결과물로서 냉전을 더욱 심화시킨 사건으로 옳지 않은 것은?**

① 베를린 장벽의 붕괴
② 한국전쟁
③ 쿠바 미사일 위기
④ 아프가니스탄 내전

정답 및 해설

베를린 장벽의 붕괴는 1989년 동서독일의 통일을 의미하며 2년 후 소비에트연방의 붕괴와 더불어 냉전의 종식을 가져온 사건이다.

답 ①

019 제2차 세계대전 이후 마샬플랜이 추진된 시대적 상황에 대한 설명으로 옳은 것만을 모두 고른 것은?

□□□

ㄱ. 냉전의 시작과 더불어 케네디 정권이 실시한 봉쇄정책의 일환이었다.
ㄴ. 미국은 연합국에 대한 채무 상환을 주장하면서, 민간 자본을 투입하여 이 지역의 경제 부흥을 추진하였다.
ㄷ. 국무부의 캐넌은 소련을 포함한 유럽국가들에게 원조를 신청하도록 제안하였으며, 소련이 이를 거부할 경우 유럽 분할의 책임은 소련에게 떠넘길 수 있다고 주장했다.
ㄹ. 1947년 7월 파리에서 16개국의 대표가 모여 미국과의 협의를 거쳐 계획안을 만들고 수용기관인 유럽경제협력기구(OEEC)를 설치했다.

① ㄱ, ㄴ ② ㄱ, ㄹ
③ ㄴ, ㄷ ④ ㄷ, ㄹ

정답 및 해설

마샬플랜이 추진된 시대적 상황에 대한 설명으로 옳은 것은 ㄷ, ㄹ이다.

선지분석

ㄱ. 마샬플랜은 제2차 세계대전 후 미국이 서유럽에 대해 제공했던 대규모 경제원조를 지칭한다. 냉전의 시작과 더불어 트루먼 정권이 시사한 봉쇄정책의 일환이었다.
ㄴ. 제1차 세계대전 당시의 미국의 유럽경제 재건 방법이었다. 제2차 세계대전 이후에는 미국은 무기대여법에 따른 원조 상환에 유연한 태도를 취했을 뿐 아니라 마샬플랜을 통해 공적 자금(세금)을 사용하였으며, 대부분이 변제할 필요가 없는 무상 원조를 제공하여 유럽 경제의 재건을 도모했다.

답 ④

020 1947년 발표된 마셜플랜의 내용으로 옳지 않은 것은?

① 마셜플랜은 유럽에 한정된 것이었지만, 미국의 정책변화는 일본에도 적용되었다.
② 유럽부흥계획을 수립하는 문제는 자유민주주의 수호를 위해 미국인에게 주어진 일이다.
③ 원조의 목적은 유럽 국가들이 재정적인 자립적 기반 위에서 원만한 생활수준을 유지할 수 있는 정도까지의 경제회복이었다.
④ 계획에 참가할 수 있는 대상은 기본적으로 유럽 전체였으나, 특정한 조건으로 인해 소련과 동유럽 국가들은 실질적으로 배제되었다.

정답 및 해설

마셜은 연설에서 경제적 자립을 목적으로 하는 유럽부흥계획을 미국 정부가 일방적으로 수립하려고 시도하는 것은 적절하지 않고, 이 계획은 공동의 계획안으로 되어야 하며, 유럽 국가의 전부는 아닐지라도 많은 국가에 의해 동의되어야 한다고 강조하며, 유럽부흥계획을 수립하는 문제가 유럽인의 일이어야 한다는 점을 주장했다.
마셜플랜은 1948년 '경제협력법'이 미국 의회에서 통과하면서 법적 효력을 얻었고, 미국 정부는 이를 근거로 1948년부터 1951년까지 서유럽 16개국에 120억 달러에 이르는 경제 원조를 하였다.

답 ②

021 ☐☐☐ **제2차 세계대전 이후 창설된 NATO와 WTO(바르샤바조약기구)에 대해 옳지 않은 것은?**

① NATO는 미국과 서유럽 국가들 간의 동맹체이다.
② WTO는 소련과 동유럽 국가들 간의 동맹체이다.
③ 양 기구의 대립은 냉전기 국제정치질서를 반영한다.
④ 코소보 공습은 양 기구 간 가장 극심했던 갈등을 반영한다.

정답 및 해설

코소보 공습은 1999년 NATO가 세르비아인들의 인종차별적 제노사이드 행위를 자행하는 것을 막기 위해 인도적 간섭을 수행한 것이다. WTO는 1991년 소련 해체 이후 붕괴되었기 때문에 옳지 않다.

답 ④

022 ☐☐☐ **제2차 세계대전 이후 창설된 NATO와 WTO(바르샤바조약기구)에 대해 옳지 않은 것은?**

① 1991년 소련붕괴 이래로 WTO는 이미 해체된 상태이다.
② 가상의 적인 소련붕괴 이후 NATO 역시 해체되었다.
③ 구 WTO 국가들이 NATO로 편입되어 가고 있는 상태이다.
④ 냉전은 종식되었지만 NATO의 동진 및 MD 문제로 미국·러시아 간 갈등은 계속되고 있다.

정답 및 해설

비록 가상의 적인 소련이 붕괴되기는 하였지만 NATO는 여전히 존속하고 있으며 러시아는 NATO의 동진을 위협으로 인식하고 지속적으로 미국을 견제하고 있다.

답 ②

023 ☐☐☐ **냉전기 동맹의 특성에 관한 설명으로 옳지 않은 것은?**

① 제2차 세계대전 후 1955년 오스트리아는 영세중립을 선언했다.
② 핵보유국에 의한 위협에 노출된 핵 비보유국은 핵대국에 의한 군사적 비호, 소위 핵우산을 추구하는 경우가 늘어났다.
③ 상대 진영에 대항하는 대국 간 전략적, 대칭적 동맹의 형태를 띠고 있었다.
④ 양자 간 동맹이 아닌 다자간 고도로 조직화된 동맹이 출현하였다.

정답 및 해설

냉전기의 동맹은 고전 외교 하에서 나타난 바와 같이 대국 간의 전략적 동맹과는 질적으로 다른, 압도적인 전력을 가진 대국에 대한 비대칭적인 의존관계로서 대국에 대한 종속성도 내포하고 있었다.

선지분석

④ 북대서양조약기구(NATO)가 그 예가 될 수 있다.

답 ③

024 1955년 창설된 바르샤바조약기구(WTO)에 관한 설명으로 옳지 않은 것은?

① NATO에 대항하기 위해 소련과 동구권 7개국이 체결한 군사동맹조약기구이다.
② 조약은 통합사령부 설치와 소련군의 회원국 영토 주둔권을 규정하고 있다.
③ 1985년 소련과 7개 조약국들은 바르샤바조약의 유효기간을 20년 더 연장하였다.
④ 1990년 독일이 통일하면서 동독이 탈퇴하였고, 1991년 해체되었다.

정답 및 해설

조약체결국은 소련, 폴란드, 동독, 헝가리, 루마니아, 불가리아, 알바니아, 체코슬로바키아의 8개국이었으나, 알바니아는 소련과 의견을 달리하여 1968년 탈퇴하였다.

답 ③

025 냉전기 소련권의 형성에 관한 내용으로 옳지 않은 것은 모두 몇 개인가?

□□□

ㄱ. 1948년까지 동유럽 각국에서는 직·간접적인 소련의 지원을 받아서 실질적인 일당 독재의 사회주의 정권이 수립되었다.
ㄴ. 1949년에 독일 분단이 확정되면서 소련 점령 지역이었던 동독이 사회주의 정권이 되었다.
ㄷ. 1955년 상호경제원조회의(COMECON)이 결성되어 경제적 결합이 제도화되었다.
ㄹ. 1949년 서독의 재군비와 NATO가입에 대항하는 형태로 바르샤바조약기구가 결성되어, 군사적 제도화도 이루어졌다.
ㅁ. 1947년 국제 공산주의 운동의 맥락에서 각국 공산당 사이의 관계로서 코민포름이 결성되어 냉전이 종식될 때까지 소련권의 결속을 공고히 하는데 기여했다.

① 없음　② 1개
③ 2개　④ 3개

정답 및 해설

옳지 않은 것은 ㄷ, ㄹ, ㅁ으로 3개이다.
ㄷ. 상호경제원조회의(COMECON)은 1949년에 결성되었다.
ㄹ. 바르샤바조약기구는 1955년에 결성되었다.
ㅁ. 코민포름은 스탈린 사후의 비(非)스탈린화 정책 및 서방과의 '평화공존' 노선 속에서 '사회주의로의 다양한 길'을 승인하는 새로운 정책의 일환으로 스탈린 비판 직후인 1956년 해체되었다. 냉전 종식 후 1991년에는 상호경제원조회의(COMECON)과 바르샤바조약기구가 해체되었다.

답 ④

026 괄호 안에 들어갈 말로 옳은 것은?

□□□

> 수평적인 국가 간 관계를 지향하던 구유고는 1948년 코민포름에서 추방되었다. 이에 따라 스탈린형 사회주의를 대체하는 새로운 국가통합 이데올로기의 형성이 필요하게 되었는데, 철저한 분권화에 의한 독자적인 사회주의를 지향한 (   )가 구축되었다.
> (   )의 핵심인 자주관리는 노동자평의회에 의해 경영 권한이 장악되는 기업의 자주성 확대 그리고 기초 자치체에 대한 대폭적인 권한 위임이었다.

① 페레스트로이카
② 글라스노스트
③ 티토주의
④ 비동맹 중립주의

정답 및 해설

티토시대의 구유고는 냉전 하의 동서대립 속에서 서방측 국가들과의 관계 유지에 힘쓰는 한편, 스탈린 사망 후인 1955년에는 소련과의 국교를 회복하고 동서 양 진영으로부터 경제 원조를 받음으로써 경제적 곤란을 극복해 갔다. 즉, 소련의 수직적인 구상에 대항하여 티토 지도 하의 구유고는 수평적인 국가 간 관계를 지향하고, 근린제국과 적극적인 외교활동을 전개하였다. 하지만 티토 개인의 카리스마에 상당히 의존하고 있던 티토주의는 티토의 사망 후 무너지면서 구유고의 해체 과정이 시작되었다.

답 ③

027 다음은 냉전에 대한 어느 이론의 견해이다. 해당하는 이론으로 옳은 것은?

□□□

> 이들은 냉전의 일차적 책임이 미국에게 있다고 본다. 미국이 국내 정치경제적 요인과 대외전략적 이념의 영향으로 지속적으로 팽창주의 전략과 세계패권구축을 위한 전략을 구사해왔다고 주장한다. 한편 이들은 냉전의 초래가 불가피했다고 보지 않는다. 왜냐하면 경제력과 군사력의 측면에서 소련보다 월등히 우월한 입장에 있었던 미국이 여러 중요한 문제에 대하여 소련에게 보다 유화적이고 타협적인 태도를 취했더라면 전후 세계의 모습은 매우 달라졌을 것이라고 보기 때문이다.

① 전통주의
② 현실주의
③ 수정주의
④ 후기수정주의

정답 및 해설

선지분석

①, ② 전통주의와 현실주의는 냉전의 책임을 소련에게 돌린다.

④ 후기수정주의의 경우는 미국, 소련의 공동책임을 강조하며 미국 자본주의체제의 속성이 아닌 '외부로부터의 초청'에 의해 미국 제국이 건설되었음을 주장한다.

답 ③

028 냉전의 원인으로 옳지 않은 것은 모두 몇 개인가?

□□□

ㄱ. 미국과 소련 어느 일방의 확장주의와 이에 대한 대항
ㄴ. 두 차례 세계대전으로 인한 식민지 종주국의 약화가 촉진한 제3세계 식민지 확보 경쟁
ㄷ. 자유민주주의와 자본주의를 신봉하는 서방측과 공산주의를 신봉하는 공산측 사이의 기본적인 세계관의 차이
ㄹ. 두 차례 세계대전으로 인한 유럽의 황폐화로 야기된 힘의 공백을 둘러싼 세력 다툼
ㅁ. 두 차례 세계대전 후 미·소만이 초강대국이 되면서 발생한 불가피한 상호 의심과 경쟁

① 없음
② 1개
③ 2개
④ 3개

정답 및 해설

냉전의 원인으로 적절하지 않은 것은 ㄴ으로 1개이다.
ㄴ. 두 차례 세계대전으로 인해 영국, 프랑스 등 유럽의 식민지 종주국이 약화되면서 이들의 제3세계 식민지에 대한 탈식민지화를 둘러싸고 자신의 진영으로 끌어들이기 위한 세력 다툼이 전개되었는데, 이것이 냉전의 하나의 원인이 되었다.
이와 같이 냉전의 원인에 대해서는 다양한 견해들이 있는데, 이러한 요인들이 복합적으로 작용하여 냉전이 시작되었다고 볼 수 있다.

답 ②

029 냉전체제에 대한 설명으로 옳지 않은 것은?

① 냉전을 이념적 차원에서 보면 공산주의 이념과 자본주의 이념을 중심으로 전세계의 모든 국가들이 균열구조를 형성한 것이다.
② 냉전체제를 극성의 관점에서 정의하면 양극체제로 정의된다.
③ 미국과 소련을 중심으로 정치·경제·이념적 블록이 형성되어 있었고, 베트남전쟁 역시 그 발발배경에 냉전의 대결상황이 있었다.
④ 냉전의 원인에 대해서 수정주의 학파들은 냉전의 1차적 책임이 소련에 있으며 소련의 팽창주의적 속성이 냉전을 고착화시켰다고 주장한다.

정답 및 해설

냉전의 원인에 대해서 전통주의 학파가 소련에 1차적 책임을 돌리며, 수정주의 학파는 미국에 1차적 책임이 있다고 분석한다.

답 ④

030 트루먼 독트린에 대한 설명으로 옳지 않은 것은?

□□□

① 1947년 3월 미국 트루먼 대통령이 의회에서 선언한 미국 외교정책에 관한 원칙이었다.
② 소련의 세력 팽창을 견제한 봉쇄정책(containment policy)의 일환으로 제시되었다.
③ 냉전의 시초를 이루었다.
④ 다른 말로 하면 유럽경제부흥계획(ERP)이다. 경제적 파국에 직면한 유럽 여러 나라를 구제한다는 명목 아래 제창된 것이었다.

정답 및 해설

트루먼 독트린 이후 제창된 마샬플랜에 대한 설명이다.

답 ④

031 미국 트루먼 행정부의 대외정책에 대한 설명으로 옳지 않은 것은?

□□□

① 1947년 3월 트루먼 대통령은 미 의회에 그리스와 터키에 대한 경제 군사지원을 요청했다. '트루먼 독트린(Truman Doctrine)'으로 명명된 이 정책은 국내적으로 공산주의 반란에 처한 그리스를 지원하고, 소련의 압박에 놓인 터키를 돕기 위한 것이었다.
② 트루먼 대통령은 '마셜플랜(Marshall Plan)'으로 명명한 유럽지원계획을 추진하면서, 유엔 등 국제기구가 아닌 미국이 직접 지원한다는 원칙을 표방하였다.
③ 트루먼 대통령은 NSC-68 보고서에 따라 국방 예산의 즉각적인 증액을 지시하였다.
④ 애치슨 국무장관은 1950년 1월 12일 내셔널 프레스 클럽(National Press Club)연설에서 미국의 방어라인(security perimeter)에서 한국이 제외되어 있다는 발표를 했다.

정답 및 해설

NSC-68 보고서는 미국이 위기에 처했음을 강조하고, 국방예산 증액의 필요성을 건의하였다. 소련의 침략에 대비한 확실한 방어를 위해서는 추가 사단이 필요하며, 서독을 무장시켜 NATO에 가입시켜야 하고, 무장한 독일에 대한 유럽의 두려움을 완화시키기 위해서는 유럽에 미군의 항구적 주둔이 불가피하다는 내용들이 포함되어 있었다. 트루먼 대통령은 NSC-68에 반대하였다.

선지분석

④ 애치슨 선언의 논리는 간단했는데, 트루먼 행정부는 북한의 침략을 예상치 못했던 것이다. 오히려 워싱턴 정책결정라인에서는 한국 정부의 경제정책과 권위주의적 정치를 걱정했다.

답 ③

032 냉전의 형성요인으로 다음과 같은 주장을 한 학파로 옳은 것은?

□□□

> 냉전의 일차적 책임은 미국에게 있다. 미국은 지속적으로 팽창주의적인 전략과 세계패권 구축 전략을 사용하였으며 이것이 냉전을 불러일으키게 된 것이다. 냉전은 불가피한 것이 아니었으며 피할 수 있는 것이었다.

① 마르크시즘(K. Marx 등)
② 현실주의(H. J. Morgenthau 등)
③ 수정주의(G. Kolko 등)
④ 후기수정주의(J. Gaddis 등)

정답 및 해설

수정주의 입장은 1960년대에 미국 역사학계에 '신좌파(New Left)' 사가들이 등장하면서 새롭게 제기된 입장이며 냉전의 일차적 책임을 미국에게 돌린다.

선지분석

① 막스(K. Marx, 1818~1883)는 냉전의 형성요인을 분석할 기회가 없었을 것이다.
② 현실주의 학파는 소련의 팽창야욕을 지적한다.
④ 후기수정주의학파는 경제적 요인과 국내적 요인을 꼽는다.

답 ③

033 냉전의 기원과 관련된 사건 및 용어에 관한 설명으로 옳지 않은 것은?

① 트루먼 독트린: 1947년 트루먼 대통령의 의회연설에서 선언된 대소봉쇄전략을 의미한다. 공산게릴라의 위협 하에 놓인 그리스와 터키를 위해 군사적인 지원을 한다는 내용이었다.
② 마샬플랜: 전후 유럽의 재건을 위한 미국의 대규모 경제원조계획을 의미한다. 이는 처음부터 소련의 고립화를 위해 만들어졌기 때문에 마샬플랜으로 유럽은 양 진영으로 더욱 명확하게 분리될 수 있었다.
③ 코민포름: 마샬플랜에 대항하여 소련이 1947년 만든 기구로, 유럽 차원에서 공산국가 사이에 상호원조기구로서 조직되었으며 유럽의 동서분열을 확고히 재확인시켜 주었다.
④ 한국전쟁: 1950년 북의 남침으로 개시된 한국전쟁은 미국, 소련, 중국 등 주변 강대국들이 모두 참여해 대리전 양상을 띠었으며 추후 냉전 구도를 잘 보여줄 수 있는 사건이었다.

정답 및 해설

미국은 초기에는 소련도 마샬플랜에 참가시키려고 하였으나 소련이 거절함으로써 유럽은 양 진영으로 명확하게 분리되었다.

답 ②

034 냉전의 기원에 대한 기술 중 옳지 않은 것은?

① 냉전의 기원에는 크게 전통주의 시각과 수정주의 시각이 있다.
② 전통주의는 소련의 공격주의적이고 팽창주의적인 대외정책을 강조한다.
③ 수정주의는 1차적 책임이 미국의 제국주의적인 대외정책에 있다고 본다.
④ 조지 마샬은 공산권의 확대를 저지하기 위해 봉쇄정책을 주장하였다.

정답 및 해설

공산권의 확대 저지를 위해 봉쇄정책(containment policy)을 주장한 사람은 조지 케넌(George F. Kennan)이다. 그는 모스크바 주재 외교관 시절 본국에 보낸 '긴 전문(The Long Telegram)'을 통해 소련이 역사적으로 가지고 있는 팽창주의적 성향을 경고하고 미국이 소련의 팽창에 대비해야 한다는 의견을 제시하였다. 이 전문은 1947년 7월 'X'라는 가명으로 「Foreign Affairs」지(誌)에 '소련 행동의 기원(The Origin of Soviet Conduct)'이라는 제목으로 발표되어 미국의 냉전기 외교정책의 이론적 기반이 되었다. 케난은 소련 공산주의의 위협과 그 팽창에 대항하기 위해서는 소련의 주변을 군사 기지망으로 포위, 봉쇄해야 한다고 주장하였다. 이러한 주장은 트루먼 대통령에 의해 봉쇄정책으로 구체화되며, 냉전기 미국 외교정책의 기조가 된다.

답 ④

035 다음 내용에 해당하는 것으로 옳은 것은?

□□□

> 1950년 1월 '아시아에서의 위기'라는 연설에서 처음 언급되었다. 스탈린과 마오쩌둥의 영토적 야심을 저지하기 위하여 태평양에서의 미국의 방위선을 알류샨열도 - 일본 - 오키나와 - 필리핀을 연결하는 선으로 정한다고 발언하였다.

① 애치슨 선언
② 트루먼 독트린
③ 닉슨 독트린
④ 애치슨 결의

정답 및 해설

애치슨 선언은 미국 방위선(애치슨 라인) 밖의 한국과 대만 등의 안보는 국제연합의 책임 하에 둘 뿐 미국이 직접적으로 개입하지 않겠다는 내용으로 한국전쟁의 발발을 묵인하는 결과를 가져왔다는 비판을 받았다. 이 연설 직후에 이승만 정부는 미국에 그 선언의 취소를 요구했지만 받아들여지지 않았다.

선지분석

④ 평화를 위한 통합(단결) 결의(Uniting for Peace resolution)는 1950년 11월 3일 국제 연합 총회에서 가결한 결의안으로서, UN 안전보장이사회가 상임이사국의 만장일치를 얻지 못하여 '국제의 평화와 안전의 유지에 관한 주요책임'(UN헌장 24조)을 수행할 수 없는 경우 그것을 대신하여 총회가 일정의 집단적 조치(동 1조 1항)를 취할 수 있다는 것을 정한 것이다. 미국이 추진한 결의이기 때문에 당시의 동국 국무장관의 이름을 따서 '애치슨 결의'라고도 한다. 이 평화를 위한 통합결의는 미국이 소련의 거부권을 봉쇄하기 위하여 UN의 중심을 안전보장이사회에서 총회로 옮기려는 시도였다.

답 ①

036 1950년 6월 25일 발발한 한국전쟁에 관한 설명으로 옳지 않은 것은?

□□□

① 전후 한반도에 탄생한 두 개의 분단국가가 서로 정통성을 다툰 내전으로 시작되었지만, 미국과 중국의 참전으로 냉전이 세계적으로 확산되는 계기가 되었다.
② UN 안전보장이사회의 권고에 따라 미국, 영국, 캐나다 등 16개국에 의해 UN군이 조직되었는데 한국군은 UN군과는 독립적으로 편제되어 합동작전을 수행했다.
③ 1954년 7월 제네바에서 열린 정치회담은 결렬되어 평화협정은 실현되지 못했고, 형식상 한반도는 아직 전쟁상태에 있다.
④ 한국전쟁을 계기로 국지적 분쟁이 세계대전으로 확대되는 것에 대한 우려가 퍼져, 유럽을 중심으로 평화공존을 모색하는 움직임이 생겨났다.

정답 및 해설

한국군도 UN군에 통합되었다. 주의할 것은 한국전쟁에서의 UN군은 UN헌장 상의 군대가 아니고 사실상 한미 합동군이었다. 하지만 통상 UN군으로 불리며, 이는 UN에 의한 최초의 군사행동으로서의 의미를 지닌다.

답 ②

037 미국 아이젠하워 행정부의 대외정책에 대한 설명으로 옳지 않은 것은?

① 아이젠하워 행정부는 한국 전쟁에서 휴전을 이끌어냈다.

② 아이젠하워 행정부는 1953년 2월 한국전쟁 중 정전협상을 진행할 것을 결정하였고, 이에 대해 이승만 대통령은 미군이 한국 통일을 위해 싸우지 않을 경우 즉시 철수할 것을 요구하면서 중국을 자극하기 위해 포로 수천 명을 미국과의 사전 협의 없이 석방했다.

③ 1954년 9월 마오쩌둥의 대만 2개 섬에 대한 공격이 시작되자 아이젠하워 대통령은 전술핵무기 사용을 위협했고, 1955년 4월 중공군은 대만 2개 섬에 대한 포격을 중지했다.

④ 1956년에 발생한 수에즈 위기 사태로 미국과 영국, 프랑스 간 대소련 봉쇄정책 공조체제가 강화되었다.

정답 및 해설

미국과 유럽 우방국 간 이견을 노출시킨 핵심 사안이었다. 미국은 영국과 프랑스의 패배를 전략적으로 의도했고 이를 위해 노력했다.

답 ④

038 1948년 시작된 제1차 베를린 위기의 전개과정을 순서대로 옳게 나열한 것은?

□□□

ㄱ. 서방측이 독일 점령지역에서의 통화개혁을 발표하고 실시하였다.
ㄴ. 소련이 점령지역과 베를린 전체에 공산측 통화를 도입하는 내용을 발표하였다.
ㄷ. 미국, 영국, 프랑스 등 서방측 3개국은 새로운 독일 마르크화를 서방측 3개국 점령지역에도 도입하기로 결정했다.
ㄹ. 소련이 서방측 점령지역으로부터 서베를린으로 통하는 육로를 전면 차단하고, 서베를린으로의 전력 공급 역시 끊었다.
ㅁ. 서방측은 서독에서 서베를린으로 식료품 및 기타 필요 물자를 연합군의 공수를 통해 조달하였다.

① ㄱ - ㄴ - ㄷ - ㄹ - ㅁ
② ㄴ - ㄱ - ㄹ - ㄷ - ㅁ
③ ㄷ - ㄴ - ㄱ - ㄹ - ㅁ
④ ㄹ - ㅁ - ㄴ - ㄱ - ㄷ

정답 및 해설

제1차 베를린위기는 ㄱ - ㄴ - ㄷ - ㄹ - ㅁ 순으로 전개되었다.
제1차 베를린위기는 1948년 6월부터 1949년 5월까지 계속된 서베를린을 둘러싼 동서대립이다. 제2차 세계대전 후 독일은 미·영·불·소 4개국에 의해 분할 점령되어, 연합국 관리이사회에 의해 공동관리가 행해졌다. 베를린만은 소련 점령지역에 속해 있었지만 4개국의 군대에 의해 공동 점령되어 점령지역이 분할되어 있었다. 그러나 독일의 4개국 관리는 제대로 기능하지 못했고, 서방측 국가들은 1948년 전반에 자신들의 점령지역에만 독일의 국가 건설을 위한 움직임을 시작했다. 이에 소련은 (ㄹ.)과 같은 베를린 봉쇄를 1949년 5월까지 지속하였다. 외교협상을 통해 결국 봉쇄는 해제되었지만, 이 위기를 통해서 서베를린은 자유세계의 상징이 되었으며, 소련측의 강경한 조치에 단결력을 강화시킨 서방측과 서부의 독일인들은 서독 건국의 준비를 착실히 진행시켜 1949년 서독의 헌법에 해당하는 본(Bonn) 기본법을 공포하고 독일 연방공화국을 발족시켰다.

답 ①

039 다음 내용과 관련되는 미국의 국방전략으로 옳은 것은?

□□□

> 아이젠하워 대통령에 의해 채택된 미국의 적극적 대소련 정책을 가리킨다. 1952년 미국 대선 과정에서 덜레스는 민주당 정부의 봉쇄정책은 수동적이며 소극적인 정책으로 오히려 미국에 손실을 입힐 뿐이라고 비판했다. 덜레스는 그 대안으로서 냉전의 주도권을 소련으로부터 가져오는 한편, 소련 진영의 약점을 찾아내어 적극적으로 심리전 등을 동원하여 무력을 제외한 모든 수단의 반격을 가할 것을 주장했다.

① 윈윈전략 ② 윈홀드윈전략 ③ 스윙전략 ④ 롤백정책

정답 및 해설

선거에서 승리한 아이젠하워 대통령과 국무장관으로 취임한 덜레스는 롤백정책(roll-back policy)과 같은 공세적인 대소련 정책을 구체화하여 뉴룩(New Look) 정책을 천명하였다. 당시 미국은 동남아 조약기구(SEATO) 등을 결성하는 한편, 서독의 NATO 참가 등 적극적인 대공산권 전략을 폈다.

선지분석

① 윈윈(win-win)전략은 아시아와 중동 2지역에서 동시에 전쟁이 일어날 경우 이를 동시에 제압할 수 있는 규모의 전력을 항구적으로 유지한다는 것이다.

② 윈홀드윈(win-hold-win) 전략은 아시아와 중동 2지역에서 동시에 도발이 일어날 경우 한 곳의 전장에서 승리하는 동안, 나머지 한 곳에서는 보다 적은 병력을 파견해 적의 발을 묶은 뒤 나중에 이를 물리친다는 것. 클린턴 정부에서 검토되었지만 기각되었다.

③ 스윙전략(swing strategy)은 유럽이 소련에 의해 공격을 받을 경우 아시아에서 활동하고 있는 항공모함, 해병대, 폭격기 등을 유럽으로 돌린다는 미국 카터 행정부의 기본적 군사방침이다.

답 ④

040 미국의 핵독점기(1945~1949)에 관한 설명으로 옳지 않은 것은?

① 강압(compellence)의 관념이 국제정치에 도입되어 유력한 전략개념으로 대두하였다.

② 미국은 소련이 머지않아 핵을 개발할 것임을 인식하고 있었다.

③ 1946년 트루먼 대통령은 미국의 핵계획을 UN원자력에너지위원회에 제시토록 하였다.

④ 소련은 핵무기를 허용하는 대신 핵사찰 조항을 담고 있는 그로미코 계획으로 대응하였다.

정답 및 해설

소련은 핵무기의 생산, 배치를 금지하고, 모든 핵무기를 협정 3개월 내에 폐기하자면서도, 사찰조항을 결한 그로미코(Andreiv Gromyko)계획으로 대응하였다.

선지분석

②, ③ 미국은 소련이 머지않아 핵을 개발할 것임을 인식하고 자신의 핵무기를 국제적 관리하에 둠으로써 소련의 핵보유와 미소 핵경쟁을 막고자 했다. 이를 위해 트루먼 대통령은 1946년 바루크(B. Baruch)로 하여금 미국의 계획을 UN원자력에너지위원회에 제시토록 하였다. 이 계획에서 미국은 자신의 핵무기를 국제기구의 관리하에 두는 대신, 소련 및 다른 핵잠재력을 갖고 있는 국가들이 사찰받아야 한다고 주장했다. 하지만 미국 의회는 바루크 계획이 UN에서 진지하게 검토되기 어렵다는 판단 하에, 1946년 원자력에너지법을 제정하여 미국 핵기술이 비밀리에 타국에 이전되는 것을 방지하게 했다.

답 ④

041 □□□ **미국의 대량보복전략에 관한 설명으로 옳지 않은 것은 몇 개인가?**

> ㄱ. 미 국무장관 덜레스(J. Dulles)가 1954년 1월 뉴욕의 외교협회에서의 연설을 통해 제시했다.
> ㄴ. 아이젠하워 정부는 재래식 무력이 아닌 핵무기의 억지력에 의존하는 새로운 전략을 채택하는 것이 합리적이라고 판단하게 되었다.
> ㄷ. 대량보복전략이란 소련이 선제공격하는 경우 소련 지도부가 가장 큰 가치를 부여하는 대상에 대해 핵공격을 실시한다는 군사전략이다.
> ㄹ. 핵무기 사용을 최초 수단(first resort)으로 여긴 트루먼 정부와는 다르게 핵무기를 '최종수단(last resort)'으로 간주하였다.
> ㅁ. 소련의 지역화된 공격에 미국이 바로 핵무기로 대응한다는 것은 변화된 핵 현실을 볼 때 신빙성이 부족하다는 비판을 받았다.

① 없음 ② 1개 ③ 2개 ④ 3개

정답 및 해설

미국의 대량보복전략에 관한 설명으로 옳지 않은 것은 ㄹ로 1개이다.
ㄹ. 핵무기 사용을 최종수단(last resort)으로 여긴 트루먼 정부의 핵전략과의 차별화를 위해 '신사고(The New Look)'라는 명칭을 부여받은 이 전략은 핵무기를 '최초 수단(first resort)'으로 간주하였다.

선지분석

ㄴ. 트루먼 정부의 봉쇄전략은 재래식 무력에 거의 전적으로 의존하였기 때문에 고도의 군사비 수준을 지속적으로 요구하였다. 아이젠하워 정부는 핵무기가 적은 비용으로 큰 효과를 가져올 것으로 본 것이다.
ㄷ. 미국은 지역화된 공산국의 공세에 대응적으로 보복하기보다는 소련의 핵심부(도시 등 인구밀집지역)를 직접 공격할 수 있음을 소련에 전하고자 했다.
ㅁ. 이 전략은 핵독점기에나 가능했던 것이다. 소련의 핵증강 특히 대륙간탄도미사일(ICBM) 개발로 양국의 취약성이 증가했다는 점을 감안할 때, 미국이 대소 핵공격 이후 온전히 자신을 유지한다는 것은 불가능하였다.

답 ②

042  **미국 아이젠하워 행정부의 대외정책에 대한 설명으로 옳지 않은 것은?**

① 아이젠하워 대통령은 한국 전쟁에서 휴전을 이끌어냈다.
② 아이젠하워 행정부는 1953년 2월 한국전쟁 중 정전협상을 진행할 것을 결정하였고, 이에 대해 이승만 대통령은 미군이 한국 통일을 위해 싸우지 않을 경우 즉시 철수할 것을 요구하면서 중국을 자극하기 위해 포로 수천 명을 미국과의 사전 협의 없이 석방했다.
③ 1954년 9월 마오쩌둥의 대만 2개 섬에 대한 공격이 시작되자 아이젠하워 대통령은 영국 및 프랑스 등 유럽 우방국들의 요청에 따라 전술핵무기 사용을 위협했고, 1955년 4월 중공군은 대만 2개 섬에 대한 포격을 중지했다.
④ 1956년에 발생한 수에즈 위기 사태는 미국과 유럽 우방국 간 이견을 노출시킨 핵심 사안이었다. 미국은 영국과 프랑스의 패배를 전략적으로 의도했고 이를 위해 노력했다.

정답 및 해설

영국과 프랑스는 미국의 전술핵무기 사용을 반대하였다.

답 ③

043 미국 아이젠하워 행정부 대외정책에 대한 설명으로 옳은 것은?

① 1954년 아이젠하워 행정부는 영국, 프랑스, 태국, 필리핀, 오스트레일리아 그리고 뉴질랜드와 더불어 동남아시아조약기구(SEATO)를 창설하였으며, 1991년 12월 해체되었다.

② 1954년 12월 미국은 연안도서들을 방위하겠다는 명백한 합의 없이 대만과 인근 페스카도레스섬의 방위를 책임지는 쌍무적 방위조약을 체결하였다.

③ 미국은 대만과 방위조약을 체결하면서 본토에 대한 공세를 취하는 데 있어 미국의 동의 없이 연안도서들을 이용할 수 없다는 점을 리덩후이에게 확실히 하고자 하였다.

④ 아이젠하워 행정부의 국가안보정책으로서 "새로운 전망(New Look)"은 1950년대 미국이 누렸던 절대적 핵우위의 표현으로서 아이젠하워 행정부는 "대량적인 원자적 · 열핵 보복"을 위한 수단을 유지할 것이라는 점을 소련과 중국에 통지하였다.

정답 및 해설

선지분석

① 1977년 6월 30일 해산되었다.
③ 장개석 총통 시기의 사례이다.
④ 1950년대는 상대적 핵우위 시기이다.

답 ②

044 1960년대 미국의 대외정책에 대한 설명으로 옳지 않은 것은?

① 1964년 8월 초 두 어뢰선이 통킹만에서 미 해군 선박을 공격하자 존슨 대통령은 북부 베트남에 대한 보복 폭격을 명령하였고, 동남아시아에서 공산주의 세력의 공격을 저지하기 위한 미 의회 결의안을 확보했지만, 통킹만 사건에도 불구하고 존슨 대통령의 베트남전 본격 개입은 주저하였다.

② 1965년 7월 북베트남군의 대규모 남베트남 공격 이후 존슨 대통령이 베트남전 정책 재검토 회의를 개최한 후 정책의 대전환(the Americanization of the war)을 천명하며 베트남전에 적극적으로 개입했다.

③ 존슨 대통령은 '위대한 사회(The Great Society)'를 주장하고, 외교 정책에서 자제, 화해, 그리고 긴축 정책을 주장했으며, 세계에서 미국의 역할을 제한해야 한다고 주장하였다.

④ 케네디 행정부는 유럽 동맹국들의 행동에 엄격한 제약을 가했는데, 영국에는 유럽공동체에 참여하지 않도록 했으며, 서독에는 통일을 시도하지 말 것을 요구했고, 프랑스에는 핵실험금지협약에 동참하도록 했다.

정답 및 해설

미국은 영국이 유럽연합에 참여하도록 요구했다.

답 ④

045 미국의 유연반응전략에 관한 설명으로 옳지 않은 것은?

① 이 전략은 대통령이 핵무기를 사용해야 하는 '임계점'을 낮추는 효과를 갖는 것이었다.
② 핵무기를 사용해야만 하는 단계 이전에 다양한 전략적 옵션을 갖게 되었다.
③ 케네디 정부는 유럽에서의 재래식 무력을 급격히 증강하였고, NATO의 핵무기 사용 가능성을 재확인하였다.
④ 1962년 미 국방장관 맥나마라(R. McNamara)는 "핵전쟁 초기 미국은 대량보복 전략의 대상 도시에 대한 핵공격을 자제할 것"이라고 선언하였다.

정답 및 해설

다양한 전략적 옵션을 가능케 하면서 대통령이 핵무기를 사용해야 하는 '임계점(threshold)'을 높이는 효과를 갖는 것이었다.

선지분석

③ 1961년 베를린 위기에 대한 케네디 정부의 대응이었다. 케네디 대통령은 베를린 위기를 유연반응전략의 시범 케이스로 삼고자 했다.

관련 이론 **유연반응전략**

케네디 대통령은 재래식 무기 등 핵무기 외에도 여러 가지 옵션을 보유하는 것이 확전의 위험이나 대안 부재의 상황에 몰리는 일 없이 적당한 양의 무력을 적당한 장소에서 사용할 수 있게 해 줄 것이기 때문에 미국이 저강도 옵션을 보유할 수 있도록 해주고, 따라서 핵무기 사용의 가능성을 실제로 높임으로써 대량보복전략의 '전부 아니면 전무(all or nothing)'라는 옵션과는 대조적으로 억지의 신빙성을 더하게 될 것이라 주장하였다. 이러한 케네디 정부의 핵무기 전략이 바로 '유연반응전략(flexible response strategy)'이다.

답 ①

046 쿠바 미사일 위기에 대한 설명으로 옳지 않은 것은?

① 당시 미국의 지도자는 케네디 대통령, 소련의 지도자는 흐루시초프 서기장이었다.
② 1959년 수립된 쿠바의 혁명정부에 대하여 미국은 1961년 4월 중앙정보국(CIA)의 공작에 의한 쿠바 반(反)혁명군의 침공작전을 시작하고, 미주기구(OAS)로부터의 쿠바 축출, 미국 해·공군의 영해·영공 침범 등 군사·외교 압력을 가하였다.
③ 쿠바 미사일 위기 이후에 일어난 피그즈만 사건도 쿠바 미사일 위기의 해결과 유사한 방식으로 해결되어 미·소 간 데탕트의 좋은 예가 되었다.
④ 동 사건을 계기로 1963년 미·소 간 핫라인(hot line)이 개설되었고, 핵전쟁 회피라는 공통의 과제 하에서 '부분적 핵실험금지조약(PTBT)'이 체결되었다.

정답 및 해설

피그즈만 사건은 쿠바 미사일 위기의 원인이 된 사건이며, 쿠바 미사일 위기의 여파로 피그즈만 침공에서 붙잡힌 쿠바 출신 망명자들은 미국이 몸값을 지불하고 풀려났다.

관련 이론 **쿠바 미사일 위기**

1962년 10월 14일, 미국 측의 첩보기인 U-2기에 의해 쿠바에 건설 중인 소련 미사일 기지의 사진이 촬영되었다. 이를 최종적으로 확인한 케네디 행정부는 소비에트 연방 측에 미사일 기지의 철수를 요구하고, 이를 묵살한다면 세계 3차 대전도 불사할 것이라는 공식성명을 발표함으로써 전세계는 전면 핵전쟁의 위기상태로 접어들게 된다. 하지만 양측 수뇌부의 필사적인 협상으로 간신히 무마되고 세계는 전쟁의 위협에서 벗어날 수 있었다. 이와 같이 쿠바 사태란 소비에트 연방이 쿠바에 미사일을 배치하려는 데 대한 미국과의 군사적 대립으로 인한 위기이다. 러시아 측에서는 카리브 해 위기, 쿠바 측에서는 10월 위기라고 부른다.

답 ③

047

□□□

1962년 있었던 쿠바 미사일 위기와 관련된 사실로 옳지 않은 것은?

① 동서냉전 중 핵전쟁으로 비화될 수 있었던 사건이었다.
② 트루먼 대통령은 연설을 통해 자유세계가 소련을 봉쇄해야 함을 피력하였다.
③ 흐루시초프가 미사일 철거를 명령함으로써 일단락되었다.
④ 이 사건을 계기로 미·소 간 핫라인(hot line)이 개설되었다.

정답 및 해설

당시 미국 대통령은 케네디(J. F. Kennedy)였다. 트루먼 대통령은 제2차 세계대전 직후 의회연설에서 자유세계가 그리스 등을 지원함으로써 소련을 봉쇄해야 함을 피력했는데 이를 트루먼 독트린이라 한다.

답 ②

048

□□□

1962년 10월 발생한 쿠바 위기에 관한 내용으로 옳지 않은 것은 모두 몇 개인가?

ㄱ. 소련이 쿠바에 중거리 핵미사일을 반입한 것이 직접적인 원인이었다.
ㄴ. 미국은 1961년 미국 특수부대에 의한 쿠바 침공에 실패하자 카스트로 정권의 전복활동과 카스트로 암살공작에 나섰다.
ㄷ. 흐루시초프는 쿠바의 방위를 위해서 중거리 핵미사일을 반입한다는 결단을 내리고 카스트로의 동의를 얻었다.
ㄹ. 케네디는 소련에 미사일 철거를 요구하고, 쿠바에 대한 해상봉쇄 및 쿠바로부터의 미사일 공격에 대한 대소 핵보복을 천명했다.
ㅁ. 케네디는 강경한 무관용 원칙하에 소련에 일방적인 양보를 요구하였다.
ㅂ. 소련은 협상 끝에 쿠바의 반대에도 불구하고 미사일 기지의 해체와 미사일 철거를 표명했다.

① 없음　　② 1개　　③ 2개　　④ 3개

정답 및 해설

쿠바 위기에 관한 내용으로 옳지 않은 것은 ㄴ, ㅁ으로 2개이다.
1959년 쿠바에 탄생한 카스트로 사회주의 정권은 미국의 전통적인 세력 범위였던 서반구에 소련이 획득한 귀중한 교두보였다. 하지만 ㄴ과 같은 사건이 벌어지자 소련은 쿠바에 핵무기를 설치함으로써 쿠바의 안전을 확보하려 시도했고 이것이 쿠바 위기로 이어졌다.
ㄴ. 미국은 1961년 4월 중앙정보국(CIA)에 의해 망명 쿠바인 부대의 쿠바 침공에 실패하자 카스트로 정권의 전복활동과 카스트로 암살공작에 나섰다.
ㅁ. 케네디가 일방적인 양보를 요구하고 있었던 것은 아니었다. 그는 터키의 미국 중거리 미사일의 철거, 흐루시초프가 요구한 쿠바 불가침 선언에 동의했다.

답 ③

049 냉전 시기 주요 사건을 순서대로 바르게 나열한 것은? 2022년 외무영사직

□□□

(가) 쿠바 미사일 위기	(나) 소련의 아프가니스탄 침공
(다) 중국과 소련의 우수리강 분쟁	(라) 미중 간의 상하이공동성명

① (가) → (다) → (라) → (나)
② (나) → (다) → (라) → (가)
③ (다) → (라) → (가) → (나)
④ (라) → (나) → (가) → (다)

정답 및 해설

(가) → (다) → (라) → (나) 순서로 사건이 진행되었다.

(가) 쿠바 미사일 위기(1962.10.14.): 쿠바 미사일 위기는 1962년 10월 14일, 미국 측의 첩보기에 의해 쿠바에서 건설 중이던 소련의 SS-4 준중거리 탄도 미사일 기지와 건설현장으로 부품을 운반하던 선박의 사진이 촬영되면서 시작된 미국과 소련과의 대립을 뜻한다. 미국 정부는 소비에트 연방의 쿠바에서의 미사일 기지 건설을 무력시위라고 주장하여, 미사일 기지의 완공을 강행한다면 이를 선전포고로 받아들일 것이며, 제3차 세계대전도 불사하겠다는 공식성명을 발표했다. 미국과 소련의 필사적인 외교에 의하여 소련측의 미사일 기지 건설이 중지되고, 그에 대한 대가로 터키에 있던 미국의 주피터 기지를 철수시킨다는 조건하에 사태가 종결되었다.

(나) 소련의 아프가니스탄 침공(1979.12.24.): 1979년 12월부터 1989년 2월까지 9년 이상 지속된 전쟁이다. 반군세력이 기독교 및 이슬람 국가들의 지원을 받으며 소련의 괴뢰정권인 아프가니스탄 민주공화국과 소련군의 연합군에 맞서 싸웠다. 미국 주도로 서방 세계의 대소 곡물 수출 금지 및 고도 기술 수출 정지, 인접국 파키스탄에 대한 군사·경제 원조 재개, 모스크바 하계 올림픽 보이콧, 미·소 전략무기 제한협정(SALT Ⅱ)의 미국 의회 비준 연기 등 대소 보복 조치가 취해졌다.

(다) 중국과 소련의 우수리강 분쟁(1969.3.2.): 중화인민공화국과 소련의 국경인 아무르강과 지류인 우수리강 유역의 영유권을 놓고 1969년에 벌인 국경 전쟁을 말한다. 1969년 3월 2일 우수리강의 전바오섬에서 중국과 소련 사이에 군사 충돌이 발생했다. 군사 충돌은 9월 11일까지 계속됐다. 미국이 소련을 압박하자 1969년 9월 소련의 알렉세이 코시긴은 중국을 방문해 중국의 저우언라이 총리와 회담을 가졌다. 중소 국경 분쟁의 여파로 중국은 미국과의 국교 회복에 나서 1972년 2월 닉슨 대통령이 중국을 방문했고, 1979년 1월 1일에 미국과 수교했다. 양국은 1987년 2월부터 국경 협상을 시작하여 4년여의 협상 끝에 1991년 5월 16일에 동부국경협정을, 1994년에는 서부국경협정을 체결되었다.

(라) 미중 간의 상하이공동성명(1972.2.28.): 상하이 공동성명(Shanghai Communiqué)은 1972년 2월 28일 미국과 중화인민공화국이 공동 발표한 외교 성명이다. 1972년 2월 21일부터 2월 28일까지 있었던 리처드 닉슨 미국 대통령의 공식적인 중화인민공화국 방문 중에 채택되었으며 외교 관계의 수립과 아시아·태평양 지역의 평화, 타이완 문제 등에 대한 내용을 담고 있다. 성명에서 미국은 중국이 하나이며 대만은 중국의 일개 성(省)이라는 중국의 주장을 수용했다. 또한 성명에서 미국은 타이완에 주둔하고 있는 미군의 단계적인 철수를 약속했다.

답 ①

050 쿠바 미사일 위기(1962)와 가장 관련이 적은 것은?

□□□

① 피그스(pigs)만 사건
② 격리(Quarantine)
③ 수에즈(Suez)운하의 국유화 선언
④ 터키의 미사일 기지

정답 및 해설

수에즈운하의 국유화는 1956년 7월 26일에 단행되었다.

답 ③

051 수에즈 위기에 대한 설명으로 옳지 않은 것은?

□□□

① 1956년 7월 이집트의 낫세르 대통령이 해상교통의 요충지인 수에즈운하의 국유화를 발표하자 이에 항의하여 영국과 프랑스가 군사개입함으로써 수에즈 위기가 발발하였다.
② 이집트는 미국과 영국의 지원하에 아스완 하이 댐을 건설하고 있었으나, 이스라엘과의 관계 악화로 이집트가 소련에 접근하자 미국과 영국은 댐건설에 대한 재정지원을 중단하였고, 이것이 낫세르 대통령이 수에즈 운하 국유화를 선언하게 된 배경이었다.
③ 미국의 아이젠하워 정권은 동맹국으로서 영국과 프랑스의 군사행동에 대해 적극적인 지지를 표명하였다.
④ 소련은 아랍 국가들을 공산 진영으로 끌어들이기 위해 영국과 프랑스의 철수를 요구하였다.

정답 및 해설

미국은 아랍국가들이 공산주의 진영에 접근할 것을 우려하여 영국과 프랑스의 철군을 요구하였다. 미국과 소련의 철군 압력으로 결국 영국과 프랑스는 철수하였다.

답 ③

052 제시문이 설명하는 것으로 옳은 것은?

□□□

- 미국은 앞으로 베트남전쟁과 같은 군사적 개입을 피한다.
- 미국은 아시아 각국과의 조약상 약속을 지키지만, 강대국의 핵에 의한 위협의 경우를 제외하고는 내란이나 침략에 대하여 아시아 각국이 스스로 협력하여 그에 대처하여야 할 것이다.
- 미국은 태평양 국가로서 그 지역에서 중요한 역할을 계속하지만 직접적·군사적인 또는 정치적인 과잉개입은 하지 않으며 자조(自助)의 의사를 가진 아시아 각국의 자주적 행동을 측면 지원한다.
- 아시아 각국에 대한 원조는 경제중심으로 바꾸며 다수국 간 방식을 강화하여 미국의 과중한 부담을 피한다.
- 아시아 여러 나라가 5~10년의 장래에는 상호안전보장을 위한 군사기구를 만들기를 기대한다.

① 트루먼 독트린(1947)
② 아이젠하워 독트린(1957)
③ 브레즈네프 독트린(1968)
④ 닉슨 독트린(1969)

정답 및 해설

선지분석

① 트루먼 독트린: 1947년 3월 미국 대통령 트루먼이 의회에서 선언한 미국 외교정책에 관한 원칙으로서 그 내용은 공산주의 확대를 저지하기 위하여 자유와 독립의 유지에 노력하며, 소수의 정부지배를 거부하는 의사를 가진 세계 여러 나라에 대하여 군사적·경제적 원조를 제공한다는 것이었다. 따라서 당시 이 원칙에 따라 그리스와 터키의 반공 정부에 미국이 군사적·경제적으로 원조를 했다.
② 아이젠하워 독트린: 1957년 1월에 미국 아이젠하워 대통령의 중동특별교서이다. 1956년의 수에즈전쟁에서 영국과 프랑스가 물러난 다음, 공산주의 침략에 대비하기 위해 중동지역에 미군 주둔 권한을 대통령에게 줄 것, 중동지역에 대한 경제원조로서 이후 2년 사이에 4억 달러를 지출할 것 등이 포함되어 있다. 미국의 중동지역 중시 정책이다.
③ 브레즈네프 독트린: 1968년 9월, 체코슬로바키아 침공 한 달 뒤에 열린 폴란드 통일 노동자당의 제5차 회의 중 연설에서 브레즈네프는 브레즈네프 독트린의 윤곽을 제시하였다. 여기서 그는 자본주의로 마르크스-레닌주의를 대체하려는 나라에 대해서는 주권을 침해할 수 있다고 주장하였다. 연설 중 브레즈네프는 다음과 같이 말하였다. "사회주의에 적대적인 세력이 일부 사회주의 국가를 자본주의로 이끌어 들인다면, 이는 해당국의 문제뿐만이 아닌, 전체 사회주의 국가들의 문제가 된다." 서독을 비롯한 서유럽의 경제적 번영과 대비되며 생활 수준이 떨어지고 있던 동독, 헝가리, 폴란드와 같은 나라에서 마르크스-레닌주의가 실패한 것에서 브레즈네프 독트린의 기원을 찾을 수 있다.

답 ④

053 1969년 7월 25일 닉슨 대통령이 괌에서 기자회견 중 밝힌 정책구상에 대한 설명으로 옳지 않은 것은?

□□□

2017년 외무영사직

① 미국이 베트남전쟁에서의 철수 여부를 검토하고 있음을 밝혔다.
② 미국이 소련과의 정상회담을 조속히 추진하겠다고 밝혔다.
③ 핵보유국으로부터 안보 위협을 당하는 경우를 제외하면, 아시아 국가들이 안보 문제를 스스로 해결하길 기대한다고 밝혔다.
④ 미국은 베트남전쟁과 같은 전쟁을 피하는 것이 목적이라고 밝혔다.

정답 및 해설

닉슨 독트린은 미국이 베트남전에서 퇴각하기로 결정하면서 제시한 것이다. 소련과의 정상회담 관련 내용은 없다. 닉슨 독트린에는 그 밖에도 경제원조 중심 지원, 상호원조 기구 형성 기대 등이 담겨 있다.

답 ②

054 냉전체제의 전개과정에 대한 설명으로 옳지 않은 것은?

□□□

① 1950년대 미국은 유럽에서의 소련에 대한 재래식 열세를 극복하기 위해 핵무기를 지속적으로 증강하였다.
② 1970년대 미국과 소련은 SALT와 ABM조약을 체결하여 공포의 균형(balance of terror)을 유지하고자 하였다.
③ 1980년대 레이건 대통령은 소련의 엘살바도르 침략 이후 닉슨 행정부와 카터 행정부의 정책을 비판하고, 대소련 봉쇄전략을 적극적으로 구사하기 시작하였다.
④ 1960년대 미국과 영국, 중국과 소련의 관계가 악화되면서 양극체제는 이완되었고 1970년대 동서 데탕트의 계기가 되었다.

정답 및 해설

미국과 프랑스의 관계 악화로 양극체제가 이완되었다.

답 ④

055 냉전의 전개과정을 순서대로 나열한 것은?

□□□

ㄱ. 중·소 분쟁과 미·프랑스 분쟁
ㄴ. 레이건과 신냉전
ㄷ. 동서 데탕트와 닉슨 독트린
ㄹ. 독일의 통일과 냉전의 붕괴

① ㄱ - ㄴ - ㄷ - ㄹ
② ㄱ - ㄷ - ㄴ - ㄹ
③ ㄷ - ㄱ - ㄴ - ㄹ
④ ㄷ - ㄴ - ㄱ - ㄹ

정답 및 해설

ㄱ. 중·소 분쟁과 미·프랑스 분쟁(1960년대) → ㄷ. 동서 데탕트(1970년대) → ㄴ. 레이건과 신냉전(1980년대) → ㄹ. 독일 통일과 냉전 붕괴(1989년 이후) 순서이다.

답 ②

056 베트남전쟁에 관한 설명으로 옳지 않은 것은?

□□□

① 1954년 이후 남베트남 민족해방전선이 남베트남의 대부분을 점령하게 됨에 따라 남베트남의 미군 주둔 병력도 계속 증가되었다. 호찌민을 지지하는 남베트남 민족해방전선이 베트남 전역을 사회주의 국가로 만들 것을 염려한 미국은 미군 주둔 병력을 증가시키면서 동시에 비밀 군사작전을 통해 북베트남 지역을 공격하기 시작했다.

② 1964년 8월 4일 '통킹만 사건'이 발생하였다. 통킹만 사건은 북베트남 밖 공해를 순찰하던 미국의 구축함이 북베트남 어뢰정의 공격을 받았던 사건을 말하며, 케네디 행정부는 이 사건을 계기로 베트남전에 본격적으로 개입하였다.

③ 워터게이트 사건으로 미국의 정계가 소용돌이쳐서, 다시 베트남에 개입하지 못할 것을 확신한 북베트남은 무력통일을 결심하고 남베트남 공화국을 침공하게 된다.

④ 대한민국군의 참전은 조약상의 의무에서가 아니라 미국 측이 파병의 대가로 한국군의 전력증강과 경제발전에 소요되는 차관공여를 약속함으로써 이루어졌다.

정답 및 해설

통킹만 사건은 존슨 행정부에서 발생한 사건이다. 이후 의회에서 통킹만 결의가 성립하였고, 존슨 행정부는 베트남전에 대한 본격 개입을 결정한다.

선지분석

③ 워터게이트 사건: 1972년부터 1975년 사이에 일어난 일련의 사건들을 지칭하는 말로서, 미국의 닉슨 행정부가 베트남전에 대한 반대 의사를 표명했던 민주당을 저지하려는 과정에서 일어난 권력 남용에서 시작된 정치스캔들이었다. 그 이름은 당시 민주당 선거운동 지휘 본부(Democratic National Committee Headquaters)가 있었던 워싱턴 D. C.의 워터게이트 호텔에서 유래한다. 처음 닉슨과 백악관 측은 '침입사건과 정권과는 관계가 없다'는 입장을 고수했으나 1974년 8월 "스모킹 건"(smoking gun; '확증'을 의미함)이라 불리는 테이프가 공개됨에 따라 그의 마지막 측근들도 그를 떠나게 되었다. 그는 미 하원 사법위원회에서 탄핵안이 가결된 지 4일 뒤인 1974년 8월 9일, 대통령직을 사퇴하였다. 이로서 그는 미 역사상 최초이자 유일한, 임기 중 사퇴한 대통령이 되었다.

답 ②

057 냉전기 중국-베트남 관계에 관한 설명으로 옳지 않은 것은?

□□□

① 베트남전쟁 과정에서 중국은 베트남을 지원하여 중국-베트남은 우호적 관계를 유지하였다.

② 미중화해 이후 중국은 베트남에 대한 관여를 축소하는 한편 베트남에 대한 무상원조를 중단함으로써 양국 관계는 악화되기 시작하였다.

③ 1978년 베트남은 캄보디아를 공격하여 친중국 성향의 정부를 전복함으로써 중국은 베트남에 대한 징벌적 공격을 개시하였다.

④ 중국-베트남 전쟁은 소련과 미국이 중재를 제안하고 양국이 이에 응함으로써 종전되었다.

정답 및 해설

중국은 베트남에 대한 징벌 차원에서 공격하여 전쟁이 시작되었으나, 1979년 3월 5일 징벌적 목적이 달성되었다고 판단하고 인민해방군은 철수를 선언하고, 3월 16일까지 철수를 완료하였다. 즉, 소련과 미국이 개입하여 전쟁이 종전 된 것은 아니다.

답 ④

058 1964년 발생한 '통킹만 사건'에 관한 설명으로 옳지 않은 것은?

① 북베트남 어뢰정이 통킹만에서 작전을 수행하고 있던 미구축함을 향해 어뢰와 기관총으로 선제공격을 가하였다.
② 미국은 이 해상전투를 빌미로 하여 처음으로 베트남 전쟁에 개입하였다.
③ 미국 하원은 만장일치로 '통킹만 결의안'을 채택하여 베트남전 개입을 승인하였다.
④ 1971년 미국 언론은 미국방부 기밀문서(Pentagon Papers)를 인용하여 이 전투가 미국의 베트남전 개입을 위해 조작되었을 가능성을 제기하였다.

정답 및 해설

미국은 이 해상전투를 빌미로 베트남전쟁에 본격적으로 개입하였는데, 당시 미국은 통킹만 전투 이전에도 베트남전에 개입하고 있었다.

선지분석

③ 결의안은 대통령에게 무력행사를 자유롭게 실행할 모든 권한을 부여하였다.
④ 뉴욕타임즈와 워싱턴포스트를 통해 알려졌고, 닉슨 정부는 이 두 신문사를 국가기밀 누설혐의로 제소하였으나, 연방대법원에서는 신문사의 언론자유를 옹호하는 판결을 내렸다. 이는 반전운동을 크게 확산시키는 계기가 되었다.

답 ②

059 베트남전쟁의 발생 배경으로 옳지 않은 것은?

① 소련과 중국의 압력을 받은 북베트남 정권이 제네바 협정에서 합의된 남·북 베트남 총선 실시 조항을 거부하였다.
② 남베트남은 미국의 후원을 받아 남베트남 내 공산당 운동원과 그 지부에 대해 군사적 공세를 시작하였다.
③ 남베트남 정권에 대항하기 위해 1960년 남베트남민족자유전선(NLF)이 설립되었고 무장 게릴라 활동을 시작하였다.
④ 미국은 1961년 케네디 대통령의 결정으로 1963년 말까지 남베트남에 1만 6천명의 군대를 최초로 파견하였다.

정답 및 해설

남베트남에서는 미국의 후원을 받아 응오 딘 지엠(Ngo Dinh Diem)을 대통령으로 하는 베트남공화국이 1955년 건국되었다. 지엠 정권은 제네바 협정에서 합의된 베트남 남과 북의 총선 실시 조항을 거부하고 미국의 후원을 받아 남베트남 내 공산당 운동원과 그 지부에 대한 군사적 공세를 시작했다. 1958년 12월 1일 대학살이 자행되었고 반공법이 시행되었다.

답 ①

060 □□□ 다음 중 베트남전쟁과 관련된 주요 사건이 시대 순으로 바르게 연결된 것은? 2006년 외무영사직

> ㄱ. 호치민이 베트남 민주 공화국을 수립하였다.
> ㄴ. 미국은 통킹만 사건을 일으키면서 북폭을 개시하였다.
> ㄷ. 고딘디엠이 미국의 지원을 받아 베트남 공화국을 수립하였다.
> ㄹ. 디엔비엔푸 전투 이후 프랑스는 제네바 휴전협정을 체결하였다.

① ㄱ - ㄷ - ㄴ - ㄹ
② ㄱ - ㄹ - ㄷ - ㄴ
③ ㄴ - ㄱ - ㄹ - ㄷ
④ ㄹ - ㄴ - ㄷ - ㄱ

정답 및 해설

ㄱ - ㄹ - ㄷ - ㄴ 순서이다.

관련 이론 **베트남전쟁의 경과**

1945년 8월 일본이 패망하자 베트민(Viet Minh)이라고 알려진 공산주의자들은 8월 혁명을 통해 하노이를 장악하고, 9월 2일 호치민(Ho Chi Minh)이 베트남 민주 공화국(Democratic Republic of Vietnam)을 선포한다. → 1946년 말 하이퐁 항구에서 베트민과 프랑스와의 직접적 무력충돌이 일어났다. 이 무력 충돌을 제1차 베트남전쟁(또는 제1차 인도차이나전쟁)이라고 부르는데, 전쟁은 1954년 프랑스가 디엔비엔푸(Dien Bien Phu) 전투에서 패배할 때까지 9년 간 지속됐다. 결국 1954년 5월 7일 베트민의 승리로 전쟁은 끝나게 된다. → 한편 남베트남에서는 미국의 후원을 받아 고딘디엠(Ngo Dinh Diem)을 대통령으로 하는 베트남공화국(Republic of Vietnam)이 1955년 건국되었다. 디엠 정권은 제네바 협정에서 합의된 베트남 남과 북의 총선 실시 조항을 거부하고 미국의 후원을 받아 남베트남 내 공산당 운동원과 그 지부에 대한 군사적 공세를 시작했다. 1958년 12월 1일 대학살이 자행되었고 반공법이 시행되었다. 베트남전쟁의 제2막은 고딘디엠 정권에 대항하고, 남베트남 내의 세력 구축을 위해 1960년 12월 남베트남민족자유전선(National Liberation Front of South Vietnam: NLF)이 설립되면서부터 시작된다. → 미국은 1961년 케네디(John F. Kennedy) 대통령의 결정으로 1963년 말까지 남베트남에 1만6천 명의 병력을 최초로 파견하게 된다. 미국은 베트남전을 공산주의를 바탕으로 한 민족해방주의자들이 일으킨 전쟁이자 인도차이나 반도에서 공산주의 확대를 저지하기 위한 전쟁이라고 간주했다. 1963년 사이공에서는 불교도들의 시위와 분신자살이 발생했고, 미국도 디엠 정권에 대한 지지를 철회할 것인가를 고려하기 시작했다. 11월 디엠 대통령의 암살로 인해 남베트남 정국은 더욱 혼란스러운 국면으로 치닫게 되었다. 1964년 8월 통킹만 사건으로 미국이 베트남전쟁에 참전하게 되었다.

답 ②

061 □□□ 베트남전쟁에 대한 미국 정권의 대응 양상이 옳지 않은 것은?

① 아이젠하워 대통령: '도미노이론'에 근거하여 1956년 실시된 베트남 총선거에서 승리한 호치민 정권을 견제하기 위해 군사적 간섭을 강화하였다.
② 케네디 정권: 미군 군사 고문을 대폭 증파하였으나, 당시 남베트남 정권은 군사쿠데타로 무너졌다.
③ 존슨 정권: 통킹만에서 미 구축함이 북베트남 해군의 공격을 받았던 것을 이유로 의회로부터 통킹만 결의를 얻어냈다.
④ 닉슨 정권: 미군의 철수를 시작하고, 전쟁을 남베트남군이 책임지게 하는 '베트남화'를 추진하였으나, 오히려 라오스와 캄보디아로 전역(戰域)을 확대하였다.

정답 및 해설

프랑스군의 철수를 정식으로 규정했던 제네바협정은 베트남 국토의 잠정적인 남북분단을 규정하였고, 그 결과 북위 17도선을 사이에 두고 북에는 호치민 정권, 남에는 미국이 옹립한 고딘디엠 정권이 대치하게 된다. 그렇지만 미국은 이 협정에 조인하지 않았고, 협정에서 합의한 1956년 총선거도 실시되지 않았다. 실시될 경우, 호치민 정권의 탄생이 확실시 되었기 때문이다. 아이젠하워 대통령은 '도미노 이론'을 근거로 이 지역의 전략적 중요성을 강조하였고, 남쪽의 베트남 공화국에 대한 간섭을 강화하였다.

선지분석

④ 닉슨 정권이 라오스와 캄보디아로 전역을 확대한 것은 북베트남의 군사적 침투를 막기 위함이었다.

답 ①

062 **각 중동전쟁과 내용의 연결이 옳지 않은 것은?**

① 제1차 중동전쟁: 팔레스타인전쟁이라고 일컬어지는 이 전쟁에서 이스라엘이 차지한 영토는 현재 국제적으로 이스라엘 고유 영토로 인정되며, 가자지구 및 예루살렘이 포함되어 있다.

② 제2차 중동전쟁: 수에즈위기로 시작된 전쟁으로 이 전쟁을 계기로 중동에서의 영국과 프랑스의 영향력은 크게 후퇴하였다.

③ 제3차 중동전쟁: 6일 전쟁으로 명명되는 이 전쟁은 이스라엘의 압도적인 승리로 막을 내렸으며, 이스라엘은 요르단강 서안, 골란고원, 시나이반도 전역 등을 점령하였다.

④ 제4차 중동전쟁: 이 전쟁에서 아랍을 지지하지 않는 국가들에게는 석유를 수출하지 않는다는 '아랍의 석유전략'이 발동되어 제1차 석유위기가 발생하였다.

정답 및 해설

제1차 중동전쟁은 유대인측의 일방적인 독립선언에 대해 주변 아랍국가들의 군사적 개입으로 시작되었다. 1949년 7월 휴전협정이 성립해 종전하였다. 이스라엘은 유엔-팔레스타인 분할 결의에 포함된 유대인 국가의 영토보다 넓은 지역을 지배하게 되었고, 현재는 국제적으로 이스라엘 고유의 영토로 인정되고 있다. 요르단강 서안은 요르단이 점령해 1950년에 합병하였고, 가자지구는 이집트의 군사점령하에 놓여졌다. 예루살렘은 분단되어 동측은 요르단이 서측은 이스라엘이 점령하였다.

선지분석

② 제2차 중동전쟁은 수에즈 운하를 둘러싼 문제가 발단이 되었다. 이집트 나세르 대통령의 수에즈운하의 국유화를 선언한 것에 반발하여 영국과 프랑스는 군사적 개입을 통해 해결하려 하였지만, 미국 아이젠하워 대통령의 강력한 개입으로 영국, 프랑스, 이스라엘 3개국 군대는 이집트에서 철수하였다. 이로 인해 영국과 프랑스의 영향력은 크게 후퇴하였다.

③ 제3차 중동전쟁은 이스라엘의 선제공격으로 시작되었다. 이 전쟁에서 이스라엘은 동예루살렘을 포함한 요르단강 서안, 가자지구, 골란고원, 시나이 반도 전역을 점령하게 되었다.

답 ①

063 냉전기에 발생한 4차례의 중동전쟁에 대한 설명으로 옳은 것은?

□□□

> '시나이전쟁'이라고도 한다. 1952년 이집트의 나세르가 쿠데타를 일으켜 대통령이 되었는데, 나세르가 소련과 친선관계를 유지하자 미국과 영국은 아스완 댐 건설 지원 요청을 거절하였다. 이에 나세르는 수에즈 운하의 국유화를 선언하며 수에즈 운하를 점령해 전쟁이 일어났다. 영국과 프랑스가 공군을 동원해 수에즈를 폭격했고, 이스라엘도 동맹을 맺고 이집트 시나이 반도를 침공했다. 이에 아랍권에서는 '삼국침략'이라고도 부른다.

① 제1차 중동전쟁　　② 제2차 중동전쟁
③ 제3차 중동전쟁　　④ 제4차 중동전쟁

정답 및 해설

1956년에 발생한 제2차 중동전쟁의 내용이다. 세계대전으로 확대될 것을 우려한 미국과 소련의 압력으로 UN총회 결의를 통해 3국 군대가 철수하면서 끝이 났다.

선지분석

① 1948년, 이스라엘 건국과 이로 인한 팔레스타인 문제로 아랍 연합군과 이스라엘 간에 발생하였으며 '이스라엘 독립전쟁'이라고 불린다.
③ 1967년, 아랍 게릴라를 진압하기 위해 이스라엘이 게릴라의 기지가 된 시리아에 대해 대규모 공격을 감행하였으며, 이집트 대통령 나세르는 대군을 시나이 반도에 투입하였다. UN안전보장이사회가 즉시 정전을 결의하였고, 이스라엘과 이집트 쌍방의 수락에 의해 정전이 실현되었다.
④ 1973년, 이스라엘의 종교적 축제일인 욤키푸르(사죄의 날)에 이집트의 기습선제공격으로 시작되었다. 소련은 아랍국을 지원하고, 미국은 이스라엘을 지원하였으며. 욤키푸르 전쟁이라고도 불린다.

답 ②

064 중동지역 분쟁과 관련된 사건을 시기순으로 바르게 나열한 것은?

2019년 외무영사직

□□□

> ㄱ. 이란 - 이라크전쟁　　ㄴ. 벨푸어선언
> ㄷ. 욤키푸르전쟁　　ㄹ. 캠프데이비드협정 체결

① ㄴ → ㄷ → ㄱ → ㄹ　　② ㄴ → ㄷ → ㄹ → ㄱ
③ ㄷ → ㄴ → ㄱ → ㄹ　　④ ㄷ → ㄴ → ㄹ → ㄱ

정답 및 해설

ㄴ. 벨푸어선언(1917) → ㄷ. 욤키푸르전쟁(1973) → ㄹ. 캠프데이비드협정(1978.9.17.) → ㄱ. 이란 - 이라크전쟁(1980.9) 순서이다.

ㄴ. 벨푸어선언(1917)은 영국정부가 팔레스타인 내에 하나의 유대인 향토를 세우는 것에 대해 호의를 보이고 있다고 선언한 것이다.
ㄷ. 욤키푸르전쟁(1973)은 4차 중동전쟁을 말한다. 1973년 이집트의 선제공격으로 전쟁이 시작되었으나 미국의 지원을 얻은 이스라엘이 승리하였다.
ㄹ. 캠프데이비드협정(1978.9.17)은 카터 대통령의 중재로 이집트와 이스라엘 간 체결된 협정이다. 4차례에 걸친 중동전쟁을 종식한 역사적 협정이었다. 카터 대통령은 '이스라엘이 시나이반도를 돌려주는 대신 미국은 이스라엘에 최첨단 조기경보시스템 제공'이라는 중재안을 제시하여 협상 타결을 중재하였다. 1978년 9월 17일 역사적인 캠프데이비드협정이 체결되고 이듬해 3월 이집트 - 이스라엘 평화협정이 정식 발효됐다.
ㄱ. 이란 - 이라크전쟁은 1980년 9월에 발발하였다. 직접적인 원인은 국경협정을 이란이 파기한 것이었으나, 종교적 갈등, 소수민족 문제 등이 원인이 되었다. 1988년 정전협정을 체결하였다.

답 ②

065 1969년 발표된 닉슨 독트린의 내용으로 옳지 않은 것은 모두 몇 개인가?

□□□

ㄱ. 미국은 앞으로 베트남전쟁과 같은 군사적 개입을 피한다.
ㄴ. 강대국의 핵에 의한 위협, 내란이나 침략의 경우에 아시아 각국은 미국과 협력하여 그에 대처하여만 한다.
ㄷ. 미국은 '태평양 국가'로서 그 지역에서 중요한 역할을 계속하지만 직접적·군사적인 또는 정치적인 과잉개입은 하지 않으며 아시아 국가의 자주적 행동을 측면 지원한다.
ㄹ. 아시아 국가에 대한 원조는 군사중심으로 바꾸며, 양자간 방식을 강화하여 미국의 과중한 부담을 피한다.
ㅁ. 아시아 국가들이 5~10년 후에는 상호안전보장을 위한 군사기구를 만들기를 기대한다.

① 없음 ② 1개 ③ 2개 ④ 3개

정답 및 해설

닉슨 독트린의 내용으로 옳지 않은 것은 ㄴ, ㄹ로 2개이다.
ㄴ. 미국은 아시아 국가들과의 조약상 약속을 지키지만, 강대국의 핵에 의한 위협의 경우를 제외하고는 내란이나 침략에 대하여 아시아 각국이 스스로 협력하여 그에 대처하여야 할 것이다.
ㄹ. 아시아 국가에 대한 원조는 경제중심으로 바꾸며, 다수국간 방식을 강화하여 미국의 과중한 부담을 피한다.

관련 이론 닉슨 독트린

닉슨 독트린은 1969년 7월 25일 괌에서 미국의 닉슨 대통령이 발표한 대외 안전보장책의 하나로 '아시아의 방위는 아시아인의 힘으로 한다'가 핵심내용이다. 미국은 월남전의 개입 실패와 국제적 데탕트 무드에 따라 가능한 국제적 분쟁에 개입을 하지 않고, 이미 약화된 미국의 군사적 부담을 경감하고자 하였다. 닉슨 독트린은 아시아 방위책임을 일차적으로 아시아국가들 자체가 지게 하고, 미국은 핵우산을 제공함으로써 대소봉쇄전략을 추구한다는 것이다. 이에 따라 한국에서도 1971년 6월까지 약 2만 명의 주한미군이 철수했다.

답 ③

066 1970년대 동서데탕트 시기 국제관계에 대한 설명으로 옳은 것은?

□□□

① 1969년 서독에서 집권한 헬무트 콜의 사회민주당 정권은 제2차 세계대전 후 동독 및 소련권을 인정하지 않았던 '할슈타인원칙'을 폐기하고 동독을 승인하는 한편, 소련권 국가와의 관계개선을 지향하는 동방정책을 전개하였다.
② 1973년 소련 흐루쇼프가 미국을 방문하여 핵전쟁 방지협정을 체결하였다.
③ 미국 카터 정권하에서 SALT Ⅱ 이전단계인 블라디보스톡 합의가 성립되었으나, 미국 내 강력한 저항으로 협상에 어려움을 겪었다.
④ 1973년 1월에 미국과 베트남 간 파리평화협정이 성립되었다.

정답 및 해설

선지분석
① 동방정책은 빌리 브란트 총리 때 시작되었다.
② 흐루쇼프가 아니라 브레즈네프이다.
③ 카터 정권이 아닌 포드 정권이다.

답 ④

067 1950년대 말부터 60년대 초까지 동서블럭이 약화된 과정으로 옳지 않은 것은?

① 드골 대통령은 유럽에서 미국을 배제하고 프랑스가 지도력을 행사하고자 하였다.
② 미국은 마샬플랜을 통해 전후 유럽의 강화를 모색하였다.
③ 미국은 프랑스의 요구를 거절하고 핵기술을 영국과만 공유하였다.
④ 프랑스는 공석의 위기, 나토 탈퇴 등을 야기하였다.

정답 및 해설

마샬플랜은 제2차 세계대전 이후 황폐화된 유럽을 위해 미국이 대규모 차관을 원조·지원한다는 계획이다. 이는 러시아 사회주의의 전파를 막을 것을 목적으로 한 조치였으며 결과적으로 동서블럭의 대립축을 세우는 데 일조하였다.

답 ②

068 1970년대 동서진영 간 긴장완화(데탕트)와 관련하여 옳지 않은 것은?

① 브레즈네프는 상호병력 삭감 및 CSCE 구성을 제의하였다.
② 중·소 분쟁으로 공산권 내부적으로 갈등이 있는 상황이었다.
③ 소련은 전략무기 및 군사비 부담으로 국내 경제적 압박이 심각한 상황이었다.
④ 데탕트로 인해 쿠바 미사일 사태가 야기되었다.

정답 및 해설

1962년 쿠바 미사일 사태 이후 핵전쟁의 위험에 대해 미·소 양진영이 인식을 같이 하게 되었고 이것이 데탕트에 기여했다.

답 ④

069 냉전기 데탕트에 대한 설명으로 옳은 것은?

① 1972년 2월 카터가 중국을 방문하면서 미중관계는 전환점을 맞이했다.
② 닉슨행정부의 대중 및 대소 데탕트 정책은 정권의 최대 과제였던 베트남 평화협상을 촉진하여 1973년 1월 파리 평화협정이 성립되었다.
③ 서독에서 지도자가 호네커로 바뀜에 따라 1971년 미·영·불·소 4개국 간에 베를린에 관한 협정이 합의되고, 1972년 12월에는 동·서독간 기본관계 조약이 체결되었다.
④ 1972년 7월 정권을 잡은 일본 사토 수상은 9월에 중국을 방문하고, 중화민국과의 국교 단절과 일중 국교 정상화에 합의했다.

정답 및 해설

선지분석
① 1972년 2월 닉슨이 중국을 방문했다.
③ 동독의 지도자가 호네커로 바뀌면서 양독 관계가 개선되었다.
④ 일중 국교 정상화 주역은 다나카 가쿠에이 수상이다.

답 ②

070 1970년대 데탕트에 대한 설명으로 옳지 않은 것은? 2017년 외무영사직

□□□

① 미국과 소련은 중거리핵무기(INF)조약을 체결했다.
② 미국과 소련은 전략무기제한조약(SALT) I 을 체결했다.
③ 미국과 소련은 핵전쟁방지합의(Agreement on the Prevention of Nuclear War)를 체결했다.
④ 소련은 헬싱키최종의정서(Helsinki Final Act)에 합의했다.

정답 및 해설

INF협정은 1987년 체결되었다.

선지분석

③ 핵전쟁 방지에 관한 협정(Agreement on the Prevention of Nuclear War)은 소련과 미국간에 1973년 6월 22일 서명되고 발효한 협정이다. 동 협정은 양 당사국이 관계악화를 방지하고 군사적 대결을 피하며 양국 간 또는 일국과 기타 다른 국가 간 핵전쟁의 발발을 배제시키는 방향으로 행동하도록 하고 있다. 각 당사국은 타방에 대해, 타방의 동맹국에 대해, 또는 국제평화 및 안전을 위태롭게 할 수도 있는 상황에서 다른 국가들에 대해 무력의 위협 또는 사용을 하지 않을 것을 서약한다. 핵전쟁 위험이 있는 상황이 발생할 경우 양 당사국은 즉각 상호 협의하고 동 위험을 제거하기 위해 모든 노력을 다하도록 되어 있다.
④ 유럽안보협력회의(CSCE)를 창설한 문서이다.

답 ①

071 1970년대 진행된 데탕트에 관한 설명으로 옳지 않은 것은 모두 몇 개인가?

□□□

ㄱ. 1971년 미 국무장관 키신저가 비밀리에 베이징을 방문하고, 다음 해에 있을 닉슨 대통령의 방중 계획을 공표하였다.
ㄴ. 미국과 중국의 접근이 소련의 초조함을 불렀고, 또한 닉슨 정권이 경제적 협정과 정치적 합의를 분리시켜 다루는 '분리전술'을 취하면서 미·소 간 1972년 SALT I 등 여러 합의가 서명되었다.
ㄷ. 서독의 브란트 정권은 동독 및 소련권 제국과의 관계 개선을 지향하는 '동방정책'에 나섰다.
ㄹ. 유럽에서는 1975년 35개국에 의한 헬싱키 합의가 성립되어 중부유럽 상호균형병력감축(MBFR) 협상이 시작되었다.
ㅁ. 소련의 지속적인 군비증강이 데탕트에 의구심을 품게 하였고, 1979년 소련의 아프가니스탄 군사 개입에 의해 데탕트는 종결되었다.

① 없음 ② 1개 ③ 2개 ④ 3개

정답 및 해설

옳지 않은 것은 ㄴ으로 1개이다.
ㄴ. 미국과 중국의 접근은 소련을 초조하게 만들었는데, 닉슨 정권이 경제적 협정과 정치적 합의를 연결시켜 다루는 '연계(linkage)'전술을 취하면서 미·소 간 1972년 SALT I 과 미·소 간의 평화공존에 관한 '기본원칙' 선언 등 10개의 합의가 서명되었다.

선지분석

ㄹ. 유럽에서는 1970년 8월 서독-소련의 불가침협정, 1972년 동·서독 기본조약, 1973년 동·서독 국제연합 동시가입 등으로 화해와 긴장완화의 분위기가 조성되었다. 마침내 1975년 7월 헬싱키에서 '유럽안보협력회의(CSCE) 35개국 정상회담'이 개최됨으로써 동서 간의 데탕트는 최고조에 이르렀다.

답 ②

072 냉전시대사에 대한 설명으로 옳은 것은?

□□□

① 1989년 12월 미국 부시 대통령과 소련 옐친 대통령은 몰타회담을 개최하고 2차대전 이후 냉전체제를 종식하고 평화를 지향하는 신세계질서를 수립한다는 역사적 선언을 하였다.

② 미국과 소련은 1973년 6월 핵전쟁 방지에 관한 협정을 체결하여 양국 간 또는 일국과 타국 간 핵전쟁이 일어나는 것을 배제시키는 방향으로 행동하기로 하였다.

③ 1987년 12월 미국 부시(G. H. Bush) 대통령과 소련 고르바초프 대통령 간 정상회담에서 양국이 보유 중인 핵탄두장착용 중거리 및 단거리 지상 발사 미사일을 폐기하기로 한 핵무기 감축협정(INF협정)을 체결하였다.

④ NATO에 대항하는 바르샤바조약기구(WTO)가 1955년 창설되자, 서독은 이에 대항하기 위해 1955년에 NATO가입하였다.

정답 및 해설

선지분석

① 부시 대통령과 고르바초프 대통령이 선언하였다.

③ 미국은 레이건 행정부 시기의 역사이다.

④ 서독의 NATO 가입이 선행사건이다. 서독과 NATO의 위협에 대응하여 WTO가 창설되었다.

답 ②

073 미·소 간 핵균형기(1970, 1980년대)에 관한 설명으로 옳지 않은 것은?

□□□

① 핵무기의 위험성에 대한 인식이 확산되면서 핵무기 관리, 제한, 감축 노력이 이루어졌다.

② 닉슨 대통령은 핵우위가 아니라 충분성이 미국 정부의 전략목표라고 발표하였다.

③ 미국의 핵전략은 상호적 억지에서 일방적 억지로 전환하였다.

④ '제한적 핵옵션 정책'이 공식화되었다.

정답 및 해설

확증적 파괴는 증강된 소련의 핵능력을 고려할 때 상호적일 수밖에 없었다. 미국의 핵전략이 일방적 억지에서 상호적 억지로 전환하는 순간이었다. 이러한 군사적 대치상태는 '공포의 균형'으로 그리고 이의 군사적 결과는 '상호확증파괴(MAD: Mutual Assured Destruction)'로 개념화되었다. MAD는 현재도 미국과 러시아의 핵무기 전략에 기초가 되는 주요한 개념으로 남아 있다.

선지분석

④ 미·소 간 핵균형으로 인해 공멸의 위험에 대한 인식이 확산되면서, 미국이 대량보복전략을 포기하면 소련도 따라할 것으로 예상하고 이를 공식화하였다.

답 ③

미·소 간 진행된 '전략무기제한협정'(SALT)에 관한 설명으로 옳지 않은 것은?

□□□

① SALT - I에서는 탄도요격미사일(ABM) 규제에 관한 협정과 공격용 전략무기 제한에 관한 잠정협정이 체결되었다.
② SALT - I에서는 미·소 간 보유할 수 있는 대륙간탄도미사일(ICBM)과 잠수함발사탄도미사일(SLBM)의 수량을 제한하였다.
③ SALT - II는 1979년 정식발효되어 동서 진영간 데탕트 무드를 크게 고조시켰다.
④ 1982년 레이건 대통령은 소련과 SALT를 재개하면서 회담명칭을 START로 변경하여 미사일과 핵탄두 두 무기를 '제한'하는 데 그칠 것이 아니라 '감축'할 것을 제안하였다.

정답 및 해설

SALT - II는 유효기간을 1985년 12월 31일로 정했으나 SALT II의 비준을 앞둔 1979년 말 소련이 아프가니스탄을 침공하자 당시 미국의 카터 대통령은 상원에서의 비준심의를 유보시켜, 당초 유효기간을 1985년 12월 31일로 했던 이 조약은 현재까지도 정식발효되지 않고 있다.

답 ③

다음 내용의 '협정'으로 옳은 것은?

□□□

> 1991년 7월 런던에서 미소 정상 간에 조인된 '협정'은 인류를 핵전쟁의 위협과 공포로부터 해방시킨 획기적인 사건으로 평가받고 있다. 이 조약의 체결로 미소는 대륙간탄도미사일(ICBM), 잠수함발사탄도미사일(SLBM), 전략폭격기 등의 운반수단을 1,600기로 감축하고, 핵탄두의 총수는 6,000기로 제한해 이를 넘어서는 부문은 폐기하기로 하였다.

① SALT - I ② SALT - II ③ START ④ INF

정답 및 해설

START - I(전략무기감축) 협정은 1994년에 발효되었다. 1993년에는 START - II가 서명되었는데, 배치탄두의 총수를 3,000~3,500기로 감축하고, 중(重)ICBM, 기타 다탄두 ICBM을 완전폐기한다는 내용을 담았다. 하지만 발효에까지 이르지는 못했다.

답 ③

1960년대 말 중·소분쟁에 대한 설명으로 옳지 않은 것은?

□□□

① 고르바초프의 제한주권론으로 인해 양국관계가 극도로 악화되었다.
② 양국은 국경 및 핵문제 관련하여 분쟁을 겪었다.
③ 소련이 CSCE를 제안하는 배경이 되었다.
④ 중국이 미국과의 관계정상화를 추진하는 배경이 되었다.

정답 및 해설

제한주권론은 브레즈네프 독트린에 관한 것이다. 이 독트린은 사회진영 전체의 발전을 위해서 한 사회주의 국가가 타 사회주의 국가에 개입할 수 있다는 것이다. 고르바초프는 80년대 이후 개혁개방 정책을 추진한 러시아의 지도자로서 시대적으로 맞지 않음을 알 수 있다.

답 ①

077 소련의 대외정책에 대한 설명으로 옳지 않은 것은?

□□□

① 전통적으로 소련은 레닌의 제국주의론에 기초하여 자본주의 국가는 결국 제국주의로 발전하며 그 결과 사회주의국가인 소련은 제국주의 자본주의 국가와 충돌하게 된다고 보았다.

② 후르시초프는 미국으로 대표되는 자본주의와 소련이 이끄는 사회주의 사이의 전쟁이 불가피하며 평화공존은 불가능하다고 주장하였다.

③ 1968년 8월 소련을 중심으로 하는 바르샤뱌조약기구는 체코슬로바키아를 침공하여 프라하의 봄이라고 불리는 체코슬로바키아의 자유주의 정치 개혁을 강제로 중단시켰다.

④ 소련은 이른바 '브레즈네프 독트린(주권제한론)'을 제시하여 사회주의국가가 사회주의 공동체에서 이탈하려고 하는 경우에 다른 사회주의국가들은 군사적인 수단을 포함하여 모든 원조를 제공하여 이탈을 방지할 의무와 권리가 있다고 주장했다.

정답 및 해설

후르시초프가 아니라 스탈린의 입장이다.

답 ②

078 중국 공산당이 다음과 같이 비판했던 주장으로 옳은 것은?

□□□

> 소련의 현대 수정주의 집단은 제한주권론에 대해서 가일층 강도적인 해석을 하고 있는 데, 이는 남의 주권은 유한한 것이고 소련 수정주의 집단의 사회주의적 제국주의의 주권은 무한하다고 얘기하는 것과 다름없는, 침략주의적 확장정책의 소산일 뿐이다.

① 닉슨 독트린

② 몰로토프 연설

③ 페레스트로이카

④ 브레즈네프 독트린

정답 및 해설

1968년 소련의 체코에 대한 군사개입을 정당화하기 위하여 소련 공산당서기장 브레즈네프가 내놓은 주장으로, 소련을 중심으로 동유럽 사회주의권의 안전보장을 수호하기 위해서는 사회주의 구성국 전체의 이익을 위하여 한 국가의 이익은 종속되며 또한 주권은 사회주의권 전체의 이익을 위하여 제한되어야 한다는 '제한주권론'을 그 근거로 한다. 이 주장은 동유럽권뿐만 아니라 자본주의권 공산당의 심한 반발을 초래하였으며, 1989년 바르샤바조약기구 외무장관 회의에서 폐기되었다.

답 ④

079 □□□ 프리드리히(C. Friedrich)와 브레진스키(Z. Brezenski)가 1964년 제시한 '전체주의적 독재'의 요소로 옳지 않은 것은?

ㄱ. 폭력적 경찰통제	ㄴ. 매스미디어의 독점
ㄷ. 집단지도방식	ㄹ. 중앙집권적 통제경제
ㅁ. 소수 엘리트의 독점	

① ㄱ, ㄴ ② ㄴ, ㄹ ③ ㄷ, ㅁ ④ ㄹ, ㅁ

정답 및 해설

프리드리히(C. Friedrich)와 브레진스키(Z. Brezenski)가 1964년 제시한 '전체주의적 독재'의 요소로 옳지 않은 것은 ㄷ, ㅁ이다.

프리드리히와 브레진스키는 『Totalitarian Dictatorship and Autocracy(1964)』에서 ⓐ 공식적인 이데올로기, ⓑ 독재자 일인이 영도하는 단일 대중정당, ⓒ 폭력적 경찰통제제도(ㄱ), ⓓ 매스미디어의 독점(ㄴ), ⓔ 군부세력의 독점, ⓕ 경제전반에 대한 중앙집권적 통제(ㄹ) 등을 전체주의의 특징으로 들었다.

답 ③

080 □□□ 다음 내용 중의 연설을 발표한 인물로 옳은 것은?

> 1956년 2월 개최된 제20회 소련 공산당 대회의 비공개 연설 중에서 그는 스탈린에 대한 개인숭배를 비판하면서, 테러·숙청으로부터 전쟁 지도에 이르기까지 스탈린의 독재정치를 도마 위에 올려놓고 탄핵하여 신격화 되어 있던 스탈린 우상을 무너뜨렸다. 스탈린 비판으로 알려진 이 연설을 계기로 소련에서는 탈(脫)스탈린화의 움직임이 표면화 되었다.

① 흐루시초프 ② 브레즈네프 ③ 몰로토프 ④ 고르바쵸프

정답 및 해설

소련의 탈스탈린화 움직임은 1953년 스탈린 죽음 직후부터 시작되었다. 국내적으로는 수용소의 정치범 석방, 대외적으로는 한국전쟁 휴전(1953), 유고슬라비아의 티토와의 화해(1955), 미·영·불과의 제네바 정상회담(1955) 등이 실현되었다. 즉, 스탈린 비판 연설은 이미 시작된 탈스탈린화의 움직임을 공식적으로 추인한 것이라 할 수 있다. 흐루시초프는 사회주의 건설로부터 스탈린주의의 병폐를 제거함으로써 미국을 추월하는 소련 사회를 실현하고자 하였다.

선지분석

② 사회주의 정치체제가 위태로운 상황에 처한 타국에의 무력개입 정당성을 주장한 브레즈네프 독트린으로 알려졌다.
③ 몰로토프는 1945년 9월 라디오 연설을 통해 원자탄의 비밀을 공유할 것을 미국에 요구했다.

답 ①

081 냉전기 중소대립의 전개양상에 관한 설명으로 옳지 않은 것은 모두 몇 개인가?

□□□

ㄱ. 1956년 흐루시초프의 스탈린 비판이 하나의 계기가 되었다.
ㄴ. 1960년 중국 공산당은 "제국주의의 핵 위협에 굴복해서는 안 된다."라고 주장하며 소련의 평화공존 노선을 정면으로 비판하였다.
ㄷ. 1963년부터 다음해까지 중국은 '구평(九評)'이라는 9편에 이르는 대소 비판 논문을 차례로 발표했다.
ㄹ. 1965년 모스크바에서 열린 사회주의 국가회의에서는 소련의 자본주의로부터 사회주의로의 평화적 이행 주장과 중국의 폭력혁명론이 대립하여 모스크바 선언에서 양론을 병기하기에 이르렀다.
ㅁ. 1969년 우수리강의 다만스키섬에서 중소 양국 국경 경비부대의 무력분쟁이 발생하였다.

① 없음　② 1개　③ 2개　④ 3개

정답 및 해설

냉전기 중소대립의 전개양상에 관한 설명으로 옳지 않은 것은 ㄹ로 1개이다.

ㄹ. 지문 내용은 1957년의 사실이다. 1957년 사회주의 국가회의에서는 국제 공산주의 운동의 사상적 혼란의 해소와 단결 강화가 시도되었으나 소련과 중국의 의견불일치로 양론을 병기하는 수준에서 마무리되었다. 1965년에 열린 세계 공산당 협의회가 중국 공산당 대표가 결석한 채 소련에 의해 강행되자 중소대립은 결정적인 것이 되었다. 중국은 이 회의를 '국제 공산주의 운동의 공공연한 분열의 시작'이라고 격렬히 비난하였다. 이로 인해 양국 관계는 단절되었고, 바로 이 시기에 중국에서 전개된 문화대혁명은 중·소의 상호 비난을 더욱 심화시켰다.

선지분석

ㅁ. 국경문제 역시 중소 간 갈등의 한 원인이었다. 1989년 고르바초프 서기장이 중국을 방문해 덩샤오핑과 역사적인 중소화해를 달성하였고, 1997년에 일부 도서의 귀속문제를 제외하고 사실상 국경확정 작업의 종료가 선언되었다.

답 ②

082 비동맹 중립주의의 형성에 관한 설명으로 옳지 않은 것은 모두 몇 개인가?

□□□

ㄱ. 중립주의란 전시에는 교전세력의 어느 편에도 가담하지 않고, 평시에는 여러 나라들 간에 맺어진 동맹에 가담하지 않으면서 중립의 입장을 표명하는 정책을 의미한다.
ㄴ. 미·소와 직접 동맹관계를 맺지 않는 국가들이 중심이 되어 냉전기의 동맹을 대체하는 국제협력을 지향했던 정치운동이다.
ㄷ. 1961년 유고의 티토, 인도의 네루, 이집트의 낫세르 등의 호소에 의해 제1회 회의가 개최되었고, 그 후 원칙적으로 매년 정상회담이 개최되었다.
ㄹ. 회의의 목적은 미국과 소련의 위협에 대항하기 위한 군사적 협력의 구축에 있었다.
ㅁ. 세계무대에서 신흥독립국이 안고 있는 공통의 과제에 관해 신흥국의 입장과 이익을 주장하는 장(場)으로서의 역할이 중시되었다.

① 없음　② 1개
③ 2개　④ 3개

정답 및 해설

비동맹 중립주의의 형성에 관한 설명으로 옳지 않은 것은 ㄷ, ㄹ로 2개이다.
제2차 세계대전 후에 새롭게 독립한 아시아 · 아프리카 지역 국가들로서는 미국에 대한 군사적 의존이 계속된다면 독립의 가치가 낮아지고, 그렇다고 소련에 의존하여 동유럽지역과 같이 소련의 위성국이 되는 것도 받아들이기 어려웠다. 이러한 신흥독립국들이 비동맹 중립운동의 주축이 되었다.
ㄷ. 원칙적으로 3년에 한 번씩 정상회담이 개최되었다.
ㄹ. 회의의 목적은 군사적인 것보다는 국제적 긴장완화, 민족해방투쟁의 진전, 식민지주의의 타파 등에 있었다.

답 ③

083 비동맹운동의 전개에 관한 설명으로 옳지 않은 것은?

□□□

① 1970년대에 접어들면서 비동맹운동의 과제는 경제개발을 위한 국제협력에 초점을 맞추기 시작했다.
② 77개국 그룹(G77)은 신국제경제질서(NIEO)의 수립을 요구해 나갔다.
③ 1980년대에 접어들면서 신국제경제질서 수립의 비현실성이 명백해져 비동맹운동의 활력도 떨어지기 시작했다.
④ UN 안전보장이사회가 비동맹국가들이 적극적인 요구를 표명하는 무대로 활용되었다.

정답 및 해설

비동맹제국이 가진 유일한 힘은 국가의 숫자였고, 1국 1표를 원칙으로 하기 때문에 그 힘을 살릴 수 있는 UN 총회가 비동맹국가들의 요구를 표명하는 무대가 되었다. 강대국 중심으로 이루어진 UN 안전보장이사회는 이들의 요구를 관철시키기에는 한계가 있었다.

선지분석

③ 개발도상국 중에서 경제성장이 성공한 나라는 '제3세계'로서 단결을 요구한 비동맹제국과 G77이 아니고 오히려 선진국을 향해 국내 시장을 개방하고 외자 유치에 노력해 온 한국, 타이완, 태국, 말레이시아 같은 국가들이었다. 이러한 현실을 맞이하여 비동맹운동에 대한 기대는 크게 저하되었고, 냉전이 종결되자 비동맹제국회의의 영향력 역시 크게 약화되면서 그 역사적 역할도 끝나게 되었다.

답 ④

084 다음의 내용과 관련 있는 사람이 추진한 혁명은 무엇인가?

□□□

> 그 자신 스스로 이슬람에 대한 경건한 자세를 견지하면서 '이슬람 사회주의'를 제창하게 된다. 그는 이슬람주의적인 방침을 다양하게 채택하였다. 유럽의 식민주의가 남기고 간 크리스트교의 교회나 성당은 폐쇄되었으며, 도박, 나이트클럽, 나아가 음주도 금지가 되었다. 구빈세가 도입되고, 이자를 취하는 은행업무를 금지하였다. 또한, 녹서(Green Book)을 저술하여 그의 정치적 방침을 천명하였다.

① 이란혁명 ② 리비아혁명
③ 백색혁명 ④ 이집트혁명

정답 및 해설

지문과 관련있는 사람은 무아마르 카다피이다. 리비아 혁명은 1969년 카다피 등이 중심이 되어 이드리스 왕조를 타도한 혁명이다. 그는 보기와 같은 행적을 보였으며, 특히 녹서를 저술하여 자신의 정치적 방향을 설정하였다.

선지분석

① 이란혁명은 팔레비 왕정을 타도한 혁명으로 성직자인 호메이니가 정신적으로 혁명운동을 주도함으로써, 이슬람의 종교적 성격을 강하게 가지고 있으며, 혁명 성공 이후 이란이슬람공화국이라는 종교체제가 성립하였다.
③ 백색혁명은 이란의 국왕 팔레비가 추진한 근대화로 미국의 케네디 정권의 압력에 의해 단행되었다. 케네디 정권이 국왕에게 압력을 가했던 것은 이란의 사회적 정체가 정치적 동요를 초래하고, 소련의 공산주의 영향이 이란 나아가 페르시아 만 지역까지 미치는 것을 우려했기 때문이다. 백색혁명에 의해서 부인들에게 참정권이 부여되고, 이슬람 종교기금인 아우카프의 관리가 종교계에서 정부의 손으로 넘어가면서, 성직자들의 강한 반발을 불러 일으켰다.
④ 이집트혁명은 1952년 무하마드 나기브, 가말 압델 나세르가 이끄는 자유장교단이 일으킨 혁명이다. 이외에 2011년 튀니지의 재스민혁명에 영향을 받아 무라바크 대통령 퇴임을 요구하며 일어난 민주혁명도 있다.

답 ②

085 이란혁명에 대한 설명으로 옳지 않은 것은?

□□□

① 성직자인 호메이니가 주도하여 팔레비 왕정을 타도한 것을 이란혁명이라고 한다.
② 팔레비 국왕은 미국의 케네디 정권의 압력 하에 '백색혁명'이라는 근대화를 단행하여 이란의 정치적·사회적 서구화를 도모하였다.
③ 1973년 제4차 중동전쟁 이후 발생한 석유위기에 의해 원유가격이 급등하면서 국민들의 계층분화가 심화된 것이 이란혁명의 경제적 배경이 되었다.
④ 호메이니는 대규모의 왕정타도운동을 주도하여 1979년 2월 11일 이란혁명을 완수하고 정교분리 원칙에 입각한 정치체제를 구축하였다.

정답 및 해설

이슬람 성직자인 호메이니가 추구한 것은 이슬람 교리에 철저한 신정체제를 구축하는 것이었고, 이란 혁명 성공 이후 정교일치원칙에 입각한 국가체제를 건설하였다.

답 ④

086 □□□

1979년 이란혁명과 그 영향에 대한 설명으로 옳은 것은? 2020년 외무영사직

① 호메이니가 프랑스에서 망명 생활을 마치고 귀국한 후, 팔레비 왕조를 축출하면서 시작되었다.
② 독재 왕정 붕괴 후 국민투표로 선출된 권력이 등장하여 여성의 권익이 향상되었다.
③ 호메이니의 사망 이후 라프산자니가 이슬람 최고 지도자로 등극하였다.
④ 이란은 시아파(Shi'a) 중심의 이슬람 원리주의에 입각하여 서방과 대립하였다.

정답 및 해설

선지분석

① 1979년 1월 16일 국왕(샤)이 혁명으로 퇴위하자, 2주 후인 1979년 2월 1일 15년의 망명 생활을 청산하고 이란으로 돌아왔다. 이란혁명의 시작이 호메이니의 귀국보다 앞선다.
② 혁명 이후 이란은 정교일치체제를 구축했다. 즉, 이슬람의 예언자 무함마드의 후계자인 이맘을 대신하여 현세의 성직자가 통치하는 것이다.
③ 1989년 호메이니가 사망한 이후 아야톨라 알리 하메네이가 최고지도자로 등극하였다.

답 ④

087 □□□

다음은 중동에서 발생하였던 석유위기에 대한 설명으로 옳은 것만을 모두 고른 것은?

ㄱ. 제1차 석유위기는 이란의 이슬람 혁명과 이듬해 시작된 이란·이라크 전쟁이 겹치면서 석유공급이 큰 폭으로 감소된 것이 원인이 되어 발생하였다.
ㄴ. 1960년대 미국 및 영국계 메이저 석유회사들의 자원통제권에 반발하여 이란, 이라크, 쿠웨이트, 사우디아라비아, 베네수엘라 5개국은 1960년 석유수출국기구(OPEC)를 설립했다.
ㄷ. 이란의 팔레비 정권의 퇴진 이후 등장한 호메이니는 주변 국가와의 공조를 긴밀히 유지하여 중동지역의 산유국의 이익을 극대화시키기 위해 노력하였다.
ㄹ. OPEC 산유국은 현재에도 고가의 원유가격을 유지하기 위해 빈번한 감산정책을 지속적으로 펼쳐오고 있다.

① ㄴ
② ㄱ, ㄴ
③ ㄱ, ㄹ
④ ㄷ, ㄹ

정답 및 해설

중동에서 발생하였던 석유위기에 대한 설명으로 옳은 것은 ㄴ이다.

선지분석

ㄱ. 보기의 설명은 제2차 석유위기 당시의 설명이다. 이란의 이슬람혁명은 1979년에 발생하였다.
ㄷ. 호메이니 정권 탄생으로 유전지역에서의 파업도 중단되고 석유생산도 서서히 회복되기 시작하였다. 하지만, 이란이 '이슬람 혁명의 수출'을 선언했기 때문에 사우디아라비아와 쿠웨이트 왕정이 큰 위협을 받게 된 가운데 걸프지역에서 패권을 노리는 이라크의 사담 후세인 정권은 1980년 9월 혁명 직후 혼란에 빠진 이란에 공습을 가하였고, 이후 8년 간 전쟁을 치렀다. 양국은 상대국의 석유 출하 기지에 대한 공격을 반복했기에 석유 수출이 대폭 감소하여 원유가격의 상승이 계속되었다.
ㄹ. OPEC 산유국도 경제 합리성을 무시한 지나치게 비싼 원유가격이 장기적으로는 석유 수요 이탈을 초래해 자국에게도 바람직하지 않다는 교훈을 배움으로써 최근에는 석유시장의 안정화를 중시하게 되었다. 2003년 3월의 이라크전쟁 때 사우디아라비아가 대폭적인 증산을 결정함으로써 원유가격의 급등을 억제하는 데 중요한 역할을 하였다.

답 ①

088 1970년대 미·중 관계 개선과 관련된 사실로 옳지 않은 것은?

□□□

① 미국은 중국에 대하여 문호개방정책을 추진하였다.
② 중국은 미국의 탁구팀을 초청하는 핑퐁외교를 추진하였다.
③ 미국 협조 속에 중공은 대만 대신 안전보장이사회 상임이사국이 되었다.
④ 1972년 모택동과 닉슨의 회담이 극적으로 성사되었다.

정답 및 해설

문호개방정책(Open Door Policy)은 19세기 말부터 양차 대전기까지 미국이 중국에 대해 시행한 정책이었다. 영토 야욕이 없었을 뿐 중국에서의 이권 침탈을 목표로 함에 있어서는 타 제국주의 세력과 동일하였다.

답 ①

089 1975년 유럽안보협력회의(CSCE)에서 채택된 헬싱키 의정서에 관한 설명으로 옳지 않은 것은?

□□□

① 현 국경선의 존중 및 국가 간에 규정한 기본관계를 10개 원칙으로 한 유럽의 안전보장
② 경제·과학·기술·환경 분야의 협력
③ 인도 및 그 밖의 분야의 협력
④ 지속적인 군축협상을 위한 별도의 포럼 창설

정답 및 해설

헬싱키 의정서는 1975년 7월 30일부터 3일간 핀란드 헬싱키에서 열린 안보협력회의에서 합의된 최종 문서로, 미국과 동서 유럽국가 등 35개국들이 주권존중·전쟁방지·인권보호를 핵심으로 체결한 협약이다. 1975년 8월 1일 참가국들은 첫째, 현 국경선의 존중 및 국가간에 규정한 기본관계를 10개 원칙으로 한 유럽의 안전보장, 둘째, 경제·과학·기술·환경 분야의 협력, 셋째, 인도 및 그 밖의 분야의 협력, 넷째, 회의결과의 검토 조처 등 4개의 의제로 구성되어 있는 「유럽안보의 기초와 국가 간 관계 원칙에 관한 일반선언」으로 명명된 최종문서에 조인하였다. 이에 따라 제2차 세계대전 후 30년의 유럽 냉전은 끝났으며, 동·서유럽국경은 안정되고 긴장완화와 동서화해가 이루어지기 시작했다. 그러나 군축문제와 개발도상국의 발전을 위한 해결책은 찾지 못하였다. 또한 헬싱키 접근법은 미국과 유럽이 구소련에 대해 안보 분야를 비롯한 경제, 인권분야에서 변화를 이끌어내기 위해 가한 다자적 압박과정을 뜻한다.

답 ④

090 1979년 시작된 아프가니스탄전쟁에 관한 설명으로 옳지 않은 것은?

① 소련은 걸프만의 에너지 자원 확보를 위해 1979년 아프가니스탄을 무력 침공하였다.
② 미국은 소련의 무력침공을 '팽창주의'로 간주하였고, 이에 따라 데탕트 분위기가 일순간에 사라지는 계기가 되었다.
③ 1986년 미국이 게릴라측에 휴대용 스팅거 미사일을 제공함으로써 소련은 열세에 처하게 되었다.
④ 9년 가까이 계속된 전쟁은 소련에게 커다란 부담을 주어 소련의 붕괴를 가속화하는데 일조했다.

정답 및 해설

1979년 2월 인접국 이란에서 이슬람혁명이 발생하자 소련은 급진적인 이슬람 운동이 자국 남부의 이슬람 지역으로 퍼져 오는 것을 두려워하여 아프가니스탄-소련 우호협력조약에 따라 '아프가니스탄 정부의 요청이 있었다'는 명목으로 1979년 12월 무력 침공하여 아프가니스탄전쟁이 시작되었다. 당시 미국 내에서는 소련이 걸프만의 에너지 자원을 노리고 있다는 견해가 제기되기도 하였다.

답 ①

091 1980년대 미국과 소련의 전쟁 위기를 상징하는 '유능한 궁수 83(Able Archer 83)'에 대한 설명으로 옳지 않은 것은?

□□□

① 1970년 후반 데탕트가 끝나고 미국과 소련의 대립이 격화되는 과정에서 소련은 자신의 힘이 미국에 비해 압도적 우위에 있다고 오판(誤判)하고 있었다.

② 1983년 11월 2일 NATO는 '유능한 궁수'라는 매우 정교한 기동훈련을 개시했다.

③ 열흘 동안 계속된 훈련은 매우 현실적인 상황을 상정하고 있었고 따라서 미국을 비롯한 NATO 국가 주요 지도자들의 전시 대피까지 포함되어 있었기 때문에, 소련은 '유능한 궁수' 기동훈련을 미국의 소련에 대한 핵공격 준비 조치로 파악했고 전략 로켓군을 포함한 전체 소련군에 비상경계령을 하달했다.

④ 소련 폭격기는 엔진에 시동을 걸고 핵폭탄을 탑재한 상황에서 활주로에서 72시간을 대기했으며, 동독과 폴란드 주둔 소련군은 전투에 대비한 상태를 기동훈련 기간 동안 유지했다.

정답 및 해설

자신의 힘에 대해서 매우 비관적인 전망을 하게 되었고 특히 미국이 선제 핵공격을 하는 경우에는 전쟁에서 완전히 패할 것이라고 믿게 되었다.

답 ①

092 미국 레이건 정부의 '전략방위계획'(SDI)에 관한 설명으로 옳지 않은 것은?

① 핵무기를 무력화하고 쓸모없게 만들기 위한 근본적인 방책으로 '스타워즈(Star Wars)'라고도 불렸다.

② 전략방위계획(SDI)구축으로 미국은 핵공격에 취약하지 않음을 보임으로써 핵전쟁의 위험을 감소시킬 수 있다는 생각에 기반하였다.

③ 핵군비경쟁으로 이어져 미국의 안보가 오히려 감소할 것이라는 비판도 있었다.

④ 1986년 고르바초프와의 회담에서 레이건은 전략방위계획(SDI)가 실험실에만 머무를 것임을 약속하였다.

정답 및 해설

고르바초프는 전략방위계획(SDI)를 인정하되 실험실에 머무르기를 요구했지만, 협상의 우위를 점했던 레이건 대통령은 이를 거절하였다.

선지분석

① 레이건 대통령은 사상 최대의 군비 증강을 도모하면서 이를 정당화하는 요인으로 첫째, 소련의 기술이 발전함에 따라 미국의 전략무기 중 지상발사 ICBM이 취약해졌고, 소련의 선제공격시 미국 전략무기의 생존율을 높여 보복 가능성을 확고히 해야 하고, 특히 3차 공격을 위협함으로써 2차 공격을 억지할 수 있다는 논리를 제시했다.

②, ③ 레이건 대통령에 따르면 MAD는 도덕적으로 수용 불가능한 옵션이고, SDI 구축은 미국이 핵공격에 취약하지 않음을 보임으로써 핵전쟁의 위험을 감소시킬 수 있는 것이었다. 이에 대해 비판가들은 미국의 당시 기술수준이 SDI의 성공을 담보할 수 없고, 소련이 핵탄두 수를 증대시킬 것이며, 소련 역시 MD를 구축할 가능성이 높고, 이는 결국 핵군비경쟁으로 이어져 미국의 안보가 오히려 감소할 것이라 주장하였다.

답 ④

093 미 · 소 간 진행된 '중거리핵전력(INF)' 협정에 관한 설명으로 옳지 않은 것은?

□□□

① 1987년 고르바초프와 레이건 간의 정상회담에서 합의되었다.
② 단거리핵전력을 제외한 사정거리 1,000~5,500km의 중거리핵전력(INF)을 소련 · 아시아 지역을 포함하여 세계적으로 전폐한 군축조약이다.
③ 중단거리 미사일을 3년에 걸쳐 단계적으로 모두 폐기하기로 하였다.
④ 규정에 따라 발효부터 3년 후인 1991년에 폐기가 종료되었다.

정답 및 해설

사정거리 500~1,000km의 단거리 미사일도 포함되었다. 이 협정은 무기체계들 가운데 한 범주 전체를 폐기하기로 한 최초의 무기통제조약이었다는 데 그 의의가 있으며, 소련이 최초로 현지사찰을 받아들여 상세한 검증 규정이 마련된 점에서도 '냉전종결의 시작'을 상징하는 조약이었다.

답 ②

094 1980년대 국제정치사를 빠른 순서대로 바르게 나열한 것은?

□□□

ㄱ. 미국 대통령 조지 부시와 러시아 대통령 보리스 옐친이 2단계 전략무기 감축협상(START Ⅱ)에 서명하였으나 발효되지 않았다.
ㄴ. 레이건 대통령은 전략방어구상(SDI) 추진을 선언하였다.
ㄷ. 미국 레이건 대통령과 소련 공산당 서기장 고르바초프는 양국이 보유하고 있는 핵탄두 장착용의 중거리와 단거리 지상발사 미사일을 폐기하는 조약에 서명하였다.
ㄹ. 미국 부시 대통령과 소련 공산당 서기장 고르바초프는 몰타회담을 개최하여 제2차 세계대전 이후의 냉전체제를 종식하고 평화를 지향하는 새로운 세계질서를 수립하기로 합의하였다.

① ㄱ - ㄴ - ㄷ - ㄹ
② ㄱ - ㄹ - ㄴ - ㄷ
③ ㄴ - ㄱ - ㄹ - ㄷ
④ ㄴ - ㄷ - ㄹ - ㄱ

정답 및 해설

1980년대 국제정치사는 ㄴ - ㄷ - ㄹ - ㄱ 순으로 발생하였다.
ㄴ. 1983년 3월
ㄷ. 1987년 12월 8일
ㄹ. 1989년 12월 3일
ㄱ. 1993년 1월

답 ④

095 고르바초프의 개혁개방 정책의 주요 개념에 대한 설명이 바르게 짝지어진 것은?

□□□

(가) 페레스트로이카	(나) 글라스노스트	(다) 신사고

ㄱ. 자본주의와 사회주의의 양극적 투쟁과정으로 인식하던 세계관을 버리고 다극적, 상호의존적 세계관을 채택하였다.
ㄴ. 정치개혁과 시장경제의 도입을 핵심 골자로 하며, 1990년 개헌을 통해 일당독재 조항을 삭제하였다.
ㄷ. 이는 '공표, 공개'라는 의미로서, 검열의 폐지나 언론의 자유를 의미한다. 이를 통해 대내적으로 국민과의 신뢰관계가 회복되었고, 국제정치에 있어서도 다른 나라와 상호신뢰를 갖게 하는 출발점이 되었다.

① (가) - ㄱ
② (가) - ㄴ
③ (나) - ㄴ
④ (다) - ㄷ

정답 및 해설

(가) 페레스트로이카. 정치개혁과 시장경제의 도입을 핵심 골자로 하며 1990년 개헌을 통해 일당독재 조항을 삭제하였다(ㄴ).
(나) 글라스노스트. 이는 '공표, 공개'라는 의미로서 검열의 폐지나 언론의 자유를 의미한다. 이를 통해 대내적으로 국민과의 신뢰관계가 회복되었고, 국제정치에 있어서도 다른 나라와 상호신뢰를 갖게 하는 출발점이 되었다(ㄷ).
(다) 신사고. 자본주의와 사회주의의 양극적 투쟁과정으로 인식하던 세계관을 버리고 다극적, 상호의존적 세계관을 채택하였다(ㄱ).

답 ②

096 제2차 세계대전 이후 성립된 냉전체제의 붕괴와 관련하여 옳지 않은 것은?

□□□

① 흐루시초프는 글라스노스트, 페레스트로이카를 추진하였다.
② 소련은 레이건의 우주방위계획으로 군비경쟁을 계속할 재정적 여유가 없었다.
③ 고르바초프는 다극적 · 상호의존적 세계관을 채택하고 공동안보 개념을 도입하였다.
④ 닉슨 대통령은 중국을 방문하여 관계정상화를 이루었다.

정답 및 해설

글라스노스트, 페레스트로이카는 고르바초프에 의해 추진되었다.

답 ①

097 고르바초프가 1980~1990년대에 추진한 소련의 내부개혁에 관한 내용으로 옳지 않은 것은?

□□□

① 일당독재조항을 삭제하고 사실상 소련공산당을 해체하였다.
② 발틱 3개국의 독립을 승인하였다.
③ 사유재산제도를 도입하였다.
④ 언론에 대한 검열을 강화하였다.

정답 및 해설

글라스노스트는 '공표, 공개'라는 의미로서, 검열 폐지 및 언론의 자유를 의미한다. 대내적으로 국민과의 신뢰 회복 및 대외적으로 타국과의 상호신뢰 강화를 위한 조치였다.

답 ④

098 냉전 종식 과정에서 미·소 관계의 전환을 이루어낸 사건으로 옳지 않은 것은?

□□□

① 전략무기감축협상(START)
② 부시의 핵감축선언
③ 몰타정상회담
④ 아프간 내전

정답 및 해설

1978년 이래 계속되고 있는 아프간 내전은 실제 배후에서 미국과 소련이 지원하고 있는 일종의 대리전(proxy war)의 성격을 띠었으며 냉전 분위기를 강화시켰다.

답 ④

099 고르바초프의 대내외정책에 대한 설명으로 옳지 않은 것은?

① 자본주의와 사회주의의 양극적 투쟁과정으로 인식하던 세계관을 버리고 다극적·상호의존적 세계관을 채택하였다.
② 경제체제 개혁을 위해 사유재산제도를 도입하였다.
③ 보도의 자유화와 함께 신문법을 제정하고, 검열의 폐지와 문예활동의 자유를 제도화 하였다.
④ 안보에 있어서 공동안보개념을 채택하고 1단계 전략무기감축협정(SALT I)을 체결하였다.

정답 및 해설

공동안보개념을 도입한 것은 맞다. 그러나, SALT Ⅰ은 1972년에 체결된 전략무기제한협정이다.

답 ④

100 고르바초프의 페레스트로이카 정책과 직접적 관련이 없는 것은 모두 몇 개인가?

□□□

ㄱ. 소비에트 대의원 복수선거제 도입	ㄴ. 기업의 자주관리와 독립채산제
ㄷ. 당·정의 분리와 대통령의 권한 강화	ㄹ. 민족주의적 독립운동과 중소분쟁의 심화
ㅁ. 아프가니스탄 철병과 INF 전폐조약	ㅂ. 동유럽에 대한 불간섭정책

① 없음　　② 1개

③ 2개　　④ 3개

정답 및 해설

페레스트로이카 정책과 관련이 없는 것은 ㄹ로 1개이다.

ㄹ. 1989년 고르바초프는 '신사고'에 입각해 중국을 방문해 30여년간의 중·소 불화를 씻고 양국관계를 정상화하였다. 1980년대 후반부터 1991년 말의 소련 붕괴까지 계속된 소련의 개혁을 페레스트로이카라고 한다. 고르바초프가 소련 공산당 서기장에 취임한 1985년 이후 시작되었다. 여러 개혁 정책들이 진행되었고, 1989년 12월 몰타에서 열린 미·소 정상회담에서 미국의 부시 대통령과 함께 냉전종식을 선언했다.

답 ②

101 고르바초프가 추진했던 '신사고' 외교의 내용으로 옳지 않은 것은?

□□□

① 해외에 공산주의 혁명을 수출하거나 고무하지 않는다.

② 자본주의와의 협력하에 평화적 경쟁을 도모한다.

③ 소련의 해체를 통하여 새로운 세계질서의 구축을 도모한다.

④ 무력사용의 위협을 수단으로 하여 협상하지 않는다.

정답 및 해설

미·소 간 군비경쟁이 격화되면서 소련은 더 이상 군비경쟁을 지속할 재정적 여유가 없었다. 이런 상황에서 집권한 고르바초프는 시대에 맞는 사고로 대외관계를 전환하고자 하였는데 이것이 바로 '신사고'이다. 다극적, 상호의존적 세계관, 공동안보 또는 상호안보 개념의 도입, 방어적 핵 억지 개념으로의 전환 등을 그 내용으로 한다. ③은 의도하지 않은 결과이다.

답 ③

102 다음 내용과 관련된 소련의 정책으로 옳은 것은?

□□□

> '정보공개'라는 의미로서 검열의 폐지나 언론의 자유를 의미한다. 보도의 자유화와 함께 신문법을 제정하고, 검열의 폐지와 문예활동의 자유를 제도화하였다. 소련에서 종래에는 반소적(反蘇的)이라고 해서 금지된 파스테르나크, 솔제니친 등의 문학작품이나 영화·회화·연극 등이 공개되었다.

① 페레스트로이카 ② 신사고
③ 프롤레타리아트 국제주의 ④ 글라스노스트

정답 및 해설

글라스노스트에 따라 '역사의 공백을 메우자'라는 표어(역사의 재평가) 아래 스탈린시대의 진실이 밝혀졌다. 또 현 상황을 혹독하게 비판하는 발언, 미공개의 통계나 원자력잠수함의 사고 등도 보도되었고, 당협의회와 인민대의원대회도 텔레비전으로 중계되었다. '마르크스-레닌주의는 너무 시대에 뒤떨어진 사상이다'라는 견해도 잡지에 실렸고 여론조사도 활발해졌다. 글라스노스트의 목적은 수동적인 국민을 활성화하고 보수관료와 사회의 정체·부패를 비판하는 데 있었다. 이는 대내적으로 국민과의 신뢰관계를 회복시키는 한편, 국제정치에 있어서도 다른 나라와 상호신뢰를 갖게 하는 출발점이 되었다.

답 ④

103 냉전의 해체과정과 관련없는 것은?

□□□

① 고르바초프의 등장 ② 몰타회담
③ INF협정 ④ 카터 독트린

정답 및 해설

카터 독트린(Carter Doctrine)은 1980년 1월 23일, 전 미국 대통령이었던 지미 카터가 선언한 정책이다. 페르시아만에서 미국의 국익을 위해 필요하다면 군사적인 조치를 취하겠다는 내용을 담고 있다.

답 ④

104 냉전체제의 붕괴 원인으로 옳지 않은 것은?

□□□

① 남북문제로 인한 제3세계에서의 불만 증가와 테러리즘의 발생
② 사회주의 체제 내부의 경제적 열세
③ 고르바초프의 페레스트로이카와 글라스노스트
④ 미국의 대(對)공산 봉쇄정책

정답 및 해설

냉전 시기에는 공산, 자유민주진영의 대립이 격화된 상태이므로 제3세계는 양쪽을 재며 편승이 가능했다. 또한 이념대립이 제3세계의 남북문제를 상당 부분 덮어주었다. 남북문제로 인한 테러리즘이 극명히 드러난 것은 9·11 테러로, 이는 냉전이 종식된 이후이다.

선지분석

② 공산주의 체제는 소련을 포함해 모두 1970년대 이후 경제침체에 빠져들었으며, 고르바초프의 개혁개방정책은 소련 내부의 이러한 문제를 인식한 가운데에 실행에 옮겨진 것이다.
④ 미국은 소련을 붕괴시키기 위해 경제, 외교, 군사 모든 분야에서 총력전을 펼치는데, 소련은 이와 대등해지기 위해 과다한 군사비를 지출해야 했으며 이것이 소련을 몰락시킨 이유 중 하나이다.

답 ①

105

소련의 고르바초프 취임 이후 취했던 개혁정책 가운데 옳지 않은 것만을 모두 고른 것은?

> ㄱ. 고르바초프 취임 초기에는 인사(人事)의 연소화(年少化)와 과학기술에서의 가속화전략을 추구하여 취임 초기에는 순조로운 개혁정책을 이행할 수 있었다.
> ㄴ. 페레스트로이카를 추진하면서 정치 개혁과 역사의 재평가를 시행하였고, 이데올로기적으로 인간적인 사회주의 추구와 더불어 '위로부터의 혁명'으로서의 성격을 띠기 시작하였다.
> ㄷ. '신사고' 외교정책을 추진하면서 동서의 엄격한 대결을 전환하고, 동서의 상호의존과 정치적인 해결을 모색하려 시도하였다.
> ㄹ. 고르바초프는 공산당의 지도적 역할이라는 소련 국가의 가장 중요한 원칙을 준수하면서 당과 국가의 조화로운 융합을 모색하여 개혁의 원만한 추진을 달성해내고자 하였다.

① ㄱ
② ㄱ, ㄹ
③ ㄴ, ㄷ
④ ㄴ, ㄹ

정답 및 해설

소련의 고르바초프 취임 이후 취했던 개혁정책으로 옳지 않은 것은 ㄱ, ㄹ이다.

ㄱ. 고르바초프 취임 초기에 추진했던 인사의 연소화와 과학기술에서의 가속화 전략과 같은 부분적인 개선 노력이 벽에 부딪히게 되면서 고르바초프는 제27차 공산당 대회(1986년 2월)에서 근본적인 개혁을 설파하기에 이른다. 특히 같은 해 4월 체르노빌 원자력 발전소 사고를 계기로 고르바초프와 선전담당 서기 알렉산드르 야코블레프 등은 정보 공개를 의미하는 글라스노스트를 추진하였다.

ㄹ. 1990년 12월 고르바초프는 공산당의 지도적 역할이라는 소련국가의 가장 중요한 원칙을 포기하고, 당과 국가의 분리를 추진하였다.

선지분석

ㄷ. '신사고' 외교는 국내 개혁을 촉진하며 대외관계를 폭넓게 수정하는 정책으로 국내개혁을 위한 환경 정비를 목표로 특히 동서의 대결을 전환하고, 상호의존과 정치적 해결을 모색하려 시도하였다. 이에 따라 핵실험 동결, 아프가니스탄 철수, 동유럽에서의 체제 선택 자유화를 모색하게 된다.

답 ②

106

다음 중 전후 성립된 안보체제의 특성과 관련하여 옳지 않은 것은?

① 빈체제는 약소국의 민족적 요구를 무시한다는 한계를 가지고 있었다.
② 베르사유체제는 이상주의를 반영하여 전체주의의 확산에 제재를 가하지 못했다.
③ 얄타체제는 미·소 간 냉전의 씨앗을 잉태하고 있었다는 한계가 있다.
④ 냉전 종식 이후 미국의 패권이 지속되리라는 전망에 이견이 없다.

정답 및 해설

소련 붕괴 이후 미국의 일극체제 유지에 대해 긍정과 부정이 모두 존재한다. 미국제국론에서부터 중국위협론, EU 부상으로 인한 다극화 전망 등 다양한 의견이 존재한다.

답 ④

107

구 유고슬라비아 해체 과정에서 탄생한 나라가 아닌 것은? 2011년 외무영사직

① 슬로베니아
② 보스니아-헤르체고비나
③ 슬로바키아
④ 크로아티아

정답 및 해설

구 유고슬라비아는 발칸반도에 있었던 국가이다. 동유럽국가인 슬로바키아와는 관련이 없다. 슬로바키아는 체코슬로바키아가 1990년대 초 분열되면서 독립한 국가이다.

답 ③

108 독일의 재통일 당시 상황에 대한 설명으로 옳지 않은 것은?

□□□

① 서독의 콜(Helmut Kohl) 총리는 '조약공동체'로부터 '국가연합적 구조'를 거쳐 '연방'에 이르는 3단계 통일 구상을 제시하였다.

② 1990년 3월 18일에는 동독 최초이자 최후의 자유선거에 의한 인민의회 선거가 실시되어 기독교 민주동맹을 중심으로 한 '독일동맹'이 사회민주당에 대해 압승을 거두었다.

③ 통일 독일의 동맹귀속 문제와 관련하여, NATO 귀속은 인정되지 않았으나, 핵확산금지조약(NPT)에는 계속 가입하고, 유럽재래식전력감축(CFE) 교섭을 통해 병력 삭감을 결정하였다.

④ 제2차 세계대전 종전부터 독일에 대해서 강화조약이 체결되지 못하여 독일 전체에 대한 권한은 4개 전승국(미·영·불·소)에 속해 있었다.

정답 및 해설

독일통일에서 가장 문제가 된 것은 통일독일의 동맹귀속 문제였다. 소련이 통일 독일의 NATO 귀속을 인정할 것인지에 대해 기나긴 교섭 끝에 1990년 7월 16일 콜-고르바초프 회담에서 합의에 이르렀다. NPT 조약에는 계속 가입하며, CFE 교섭을 통해 통일 독일의 병력을 3년 이내에 37만 명으로 줄인다는 구속적인 선언을 하기로 결정하였다.

선지분석

④ 제2차 세계대전 종전 이후 독일 전체에 대한 권한이 4개 전승국에게 부여되어 있었다. 그러나 통일문제에 대해서는 1990년 2월 동서독을 포함한 '2+4방식'으로 교섭을 하기로 합의하였다.

답 ③

109 냉전기 동서독관계 및 독일 통일(1990.10.3.)에 대한 설명으로 옳지 않은 것을 모두 고른 것은?

□□□

ㄱ. 영국과 프랑스는 1952년 5월 Bonn 조약과 1954년 10월 파리의정서를 통해 독일에 대한 점령체제를 연장하기로 하였다.

ㄴ. 1961년 8월 13일 동서 베를린 간의 경계에 동독으로부터 서베를린으로의 통행을 차단하기 위해 베를린 장벽이 만들어졌다.

ㄷ. 아데나워 수상은 통일문제보다 서유럽통합을 우선시하면서 동독에 대해 힘의 우위 정책(Politik der Staerke)과 봉쇄를 강조했다.

ㄹ. 드골(Charles André Joseph Marie de Gaulle) 당시 프랑스 대통령은 당초 주저하였으나 독일 통일을 그보다 큰 유럽 통합의 추진의 틀 속에 포함시키면서 타협점을 찾아냈다.

① ㄱ, ㄴ　　② ㄴ, ㄷ

③ ㄱ, ㄹ　　④ ㄷ, ㄹ

정답 및 해설

ㄱ. 영국과 프랑스는 1952년 5월 Bonn 조약과 1954년 10월 파리의정서를 통해 독일에 대한 점령체제를 종료시켰다.

ㄹ. 미테랑(François Maurice Adrien Marie Mitterrand) 프랑스 대통령은 당초 주저하였으나 독일 통일을 그보다 큰 유럽 통합의 추진의 틀 속에 포함시키면서 타협점을 찾아냈다.

답 ③

110 베를린 장벽과 관련된 설명으로 옳지 않은 것은 모두 몇 개인가?

□□□

ㄱ. 1961년 동독에서 서베를린으로의 통행을 차단하기 위해 설치된 총길이 155km의 구조물이다.
ㄴ. 처음에는 철조망으로 된 철책이었으나, 점차 콘크리트 벽으로 바뀌어 최종적으로는 2중의 콘크리트 장벽이 되었다.
ㄷ. 서방국들은 장벽설치에 대해 소련과의 전쟁의 위험을 무릅쓰기보다는, 항의하면서 베를린과 독일의 분열을 받아들였다.
ㄹ. 1970년대 초 브란트(Willy Brandt)의 신동방정책에 의해 동독을 포함한 동유럽의 공산권 국가들과의 긴장 완화와 서베를린 상황의 안정화가 실현되었다.
ㅁ. 1989년 11월 9일 밤부터 다음날 아침에 걸쳐 동·서 베를린 간의 검문소가 차례로 개방되어 베를린 장벽이 개방되었다.

① 없음 ② 1개 ③ 2개 ④ 3개

정답 및 해설

베를린 장벽과 관련하여 모두 옳은 설명이다.
동독의 가장 큰 문제는 동독으로부터 국민의 유출이 끊이지 않는다는 것이었다. 동독 국민은 주로 서베를린을 이용했는데, 일단 서베를린으로 진입하면 서독의 영역으로 이동하기가 쉽고, 서독 국민으로서 새로운 출발을 하는 것도 가능했다. 1961년까지 약 250만명의 동독인이 이렇게 이동했는데, 이를 막기 위해 세워진 것이 베를린 장벽이다. 28년간 냉전을 상징하며 서있던 베를린 장벽의 개방은 냉전의 종결을 가장 결정적으로 상징 짓는 사건이었다.

답 ①

111 제2차 세계대전 이후 독일 통일 문제에 대한 설명으로 옳지 않은 것은?

① 1989년 11월 9일 베를린 장벽 붕괴 이후 동독은 동서독 통합보다는 동서독 간 광범위한 협력관계를 전제로 한 '조약공동체'를 형성하고자 하였다.
② 동독은 베를린 장벽 붕괴 이후 '조약공동체' '국가연합' '연방'에 이르는 3단계 통일 구상을 제시하여 동서독 간 통합을 구체적인 정치적 과제로 제시하였다.
③ 미국의 부시(George H. W. Bush) 행정부는 독일 국민의 결단을 존중한다고 천명하며 일관되게 독일 통일을 지지하였다.
④ 소련은 독일 통일 이후 NATO 회원국 지위 유지문제에 대해 거부감을 가지고 있었으나 1990년 7월 회담에서 통일 독일이 대량살상무기를 보유하지 않고, 핵확산금지조약에도 계속 가입하며, 통일 독일의 병력을 3년 이내에 37만 명으로 감축하는 대신 NATO회원국 지위를 유지하기로 합의하였다.

정답 및 해설

3단계 통일 구상은 서독의 헬무트 콜 총리가 제안한 것이다.

답 ②

112

□□□

1990년 이루어진 독일 통일 과정에서의 각국 입장으로 옳지 않은 것은 모두 몇 개인가?

> ㄱ. 미국은 기본적으로 독일 국민의 결단을 존중한다는 입장을 일관되게 취했다.
> ㄴ. 소련은 통일 독일의 NATO 가입 문제 등 여러 가지 이유로 끝까지 반대 입장을 취했다.
> ㄷ. 영국은 우려를 표하며 통일을 견제하려는 움직임을 보였다.
> ㄹ. 프랑스는 보다 큰 유럽통합 추진이라는 틀 속에 독일 통일을 포함시키며 타협점을 찾아냈다.
> ㅁ. 동독은 조속한 통일을 위한 협상을 서독에 지속적으로 제안했다.

① 없음　　② 1개　　③ 2개　　④ 3개

정답 및 해설

1990년 이루어진 독일 통일 과정에서의 각국 입장으로 옳지 않은 것은 ㄴ, ㅁ으로 2개이다.

ㄴ. 통일 과정에서 가장 문제가 된 것은 과연 소련이 통일 독일의 NATO 귀속을 인정할 것인가 하는 것이었다. 이 문제는 기나긴 교섭 끝에 콜-고르바초프 회담에서 합의에 이르러 독일 통일의 국제적 자리 매김이 이루어졌다. 통일 독일은 핵, 생물, 화학무기를 보유하지 않고, 핵확산금지조약(NPT)에 계속 가입하며, 유럽 재래식 전력(CFE) 교섭을 통해 통일 독일의 병력을 3년 이내에 37만 명으로 삭감한다는 구속적 선언을 하기로 결정되었다.

ㅁ. 동독은 자기 체제를 개혁하여 생존을 연장시킬 가능성을 버리지 않고 있었다. 1989년 총리로 선출된 모드로우는 정치, 경제 개혁 의도를 표명하였고, 동서독 간의 통일이 아닌 전에 없는 광범위한 협력 관계를 전제로 한 '조약 공동체 구상'을 호소하였다. 하지만 동독의 국민들은 남아서 개혁에 참여하기보다는 풍요가 넘치는 서독으로의 탈출을 계속하여 동독은 사실상 붕괴상태에 이르렀다. 이에 서독의 콜 총리도 목표를 최단기간 내의 통일로 바꾸고 통일을 추진하게 되었다.

답 ③

113

독일통일(1990)에 대한 설명으로 옳지 않은 것은?

① 1945년 제2차 세계대전에서 패전국이 된 독일은 소련군이 진주한 동독과 서방 연합군이 진주한 서독으로 나뉘어 분할 통치되었다.
② 서독 아데나워 정부가 채택한 할슈타인원칙은 동독과 대결 국면을 조성하였다.
③ 할슈타인원칙은 동독의 존재를 부정하고, 동독과 수교한 국가와는 서독이 단교한다는 원칙이다.
④ 1969년 헬무트 콜(Helmut Kohl) 총리가 동방정책(Ostpolitik)을 추진하여 할슈타인원칙을 폐기했다.

정답 및 해설

W. 브란트(Willy Brandt) 총리의 정책이다.

답 ④

114 냉전기 동독과 서독의 대외정책에 대한 설명으로 옳지 않은 것은?

① 1950년대 초 서독에서 중립 통일안이 제기되기도 하였으나 무산되고, 1960년대부터는 국제적 냉전 기류에 편승한 서독의 할슈타인원칙에 따라 대결 국면이 조성되었다.
② 공산진영에 대한 방위 필요성에 따라 1951년 미국, 영국, 프랑스는 독일에 대해 전쟁상태의 종식을 각각 선언했으며, 1952년 5월 Bonn조약과 1954년 10월 파리의정서를 통해 독일에 대한 점령체제를 종료시켰다.
③ 1965년 8월 13일 동서 베를린 간의 경계에 동독으로부터 서베를린으로의 통행을 차단하기 위해 베를린 장벽이 건설되었다.
④ 서독의 아데나워 총리는 할슈타인 원칙에 기초하여 동독이 동구 사회주의 진영 이외의 국가들로부터 외교적 승인을 얻지 못하도록 방해함으로써 1969년까지 동독을 국제적으로 고립시켰다.

정답 및 해설

1961년 8월 13일 동서 베를린 간의 경계에 동독으로부터 서베를린으로의 통행을 차단하기 위해 베를린 장벽이 건설되었다.

답 ③

115 독일 외교정책에 대한 설명으로 옳지 않은 것은? 2019년 외무영사직

① 콘라트 아데나워 총리는 독일 - 프랑스 우호조약에 서명하였고, 이후 양국은 공동 역사교과서 편찬과 청소년 교류를 추진하였다.
② 아데나워 정부는 동독을 승인한 국가와 외교 관계를 체결하지 않는다는 할슈타인 원칙을 채택하였다.
③ 빌리 브란트 총리는 동방정책을 실시해 동구권과의 관계 개선을 시도하였다.
④ 콜 정부는 동방정책을 폐기한다고 천명한 후 동독과의 통일을 이루었다.

정답 및 해설

콜 정부의 정책은 기본적으로 동방정책을 계승 발전시키는 것이었다. 독일 통일은 동방정책이 상당 부분 기여한 것으로 평가된다.

선지분석

① 독일 - 프랑스 우호조약은 1963년 1월 22일에 체결되었으며 엘리제협정이라고도 한다.
② 할슈타인 원칙은 서독의 대독 강경정책을 상징한다. 동독을 인정하지 않고 동독을 승인한 국가와 서독은 단교하거나 수교하지 않겠다는 방침을 말한다.
③ 빌리 브란트 총리는 1969년 할슈타인원칙을 폐기하고 동방정책(Ostpolitik)을 추진하였다.

답 ④

116 냉전 말기 동유럽의 탈공산주의에 관한 설명으로 옳지 않은 것은?

□□□

① 1975년 헬싱키 의정서 상의 인권존중 원칙이 커다란 계기가 되었다.
② 데탕트라는 국제환경을 능숙하게 이용하여 반체제파의 동원과 결집을 도모했다.
③ 고르바초프의 등장으로 동유럽의 체제내 개혁파들은 개혁을 추진할 수 있게 되었다.
④ 1989년 초 폴란드 원탁회의 개최와 2월의 헝가리 복수정당제 도입은 다시금 소련의 개입을 불러들였다.

정답 및 해설

'역사의 교훈'에 의하면 그때까지의 '민주화, 자유화' 운동은 반드시 소련의 개입을 불러들이는 것이었다. 그러나 원탁회의에 따른 자유선거에서 폴란드의 공산당이 완패하고, 마침내 비공산당 정권이 성립했는데도 소련은 개입하지 않았다. 이것을 본 동유럽의 개혁파 공산당 지도자들은 '아래로부터'의 반체제파 시민과의 대화에 착수하고 체제 전환의 주도권을 쥐면서 '벨벳 혁명'(벨벳과 같이 조용한, 평화로운 혁명)을 연출하였다.

선지분석

① 동유럽에서는 헬싱키 의정서상 인권존중 규정이 큰 효과를 가져와 노동자의 권리 옹호와 환경 문제 등 시민운동이 헬싱키 최종의정서를 중심으로 활성화되었다.
② 체코슬로바키아의 '헌장77'과 폴란드의 '자유연대'운동이 이러한 움직임의 표현이었다.
③ 고르바초프는 소련의 개혁에 착수하는 동시에 동유럽 국가들에 대해서도 개혁을 장려하였다. 동유럽의 체제 내 개혁파는 고르파초프에 의한 개혁을 등에 업고 이와 연동하면서 소련의 보수파와 군부를 자극하지 않도록 배려하면서 개혁을 성취해 나갔다.

답 ④

117 걸프전쟁에 대한 설명으로 옳지 않은 것은?

□□□

① UN 안전보장이사회 결의 제661호: 안전보장이사회는 이라크의 쿠웨이트 침공을 응징하고, 즉각철수를 촉구하기 위해 취했던 전면적인 경제제재조치 시행을 담고 있다.
② UN특별사찰단(UNSCOM): 걸프전 종전 후 결의 제687호에 따라 이라크 내 대량살상무기의 보유 · 개발여부 파악 및 폐기를 목적으로 창설되어 사찰활동을 실시하였다.
③ 걸프전쟁의 배경: 걸프전의 직접적인 원인은 이란 · 이라크 전쟁시 쿠웨이트가 이라크에 빌려준 부채를 탕감해 주지 않았기 때문이다.
④ UN의 군사개입: UN 안전보장이사회 결의 제678호를 통해 UN 주도의 다국적군을 창설하여 UN의 이름으로 비무력적 및 무력적 강제조치를 발동하여 이라크를 응징하였다.

정답 및 해설

UN의 군사개입에서 안전보장이사회 결의 제678호는 미국 주도의 다국적군에 대한 비무력적 및 무력적 강제조치를 부여하는 결의였다.

답 ④

118 유고슬라비아 내전 당시 국제정세에 대한 설명으로 옳은 것만을 모두 고른 것은?

□□□

ㄱ. 유고슬라비아 지도자 티토의 뒤를 이은 밀로셰비치는 다민족적인 유고슬라비아를 유지하는 것이 첫 번째 목표였다.
ㄴ. 유고슬라비아 내전의 시작은 1991년 독립을 선언한 슬로베니아와 크로아티아의 국방군과 이를 반대하는 유고슬라비아 연방군과의 군사적 충돌로 시작되었다.
ㄷ. 국제유고전범재판소는 밀로셰비치 유고 대통령을 코소보 사태 관련 전쟁범죄를 혐의로 기소하여 재판에 회부하였다.
ㄹ. 1994년 워싱턴 협정이 체결되면서 보스니아는 보스니아연방과 세르비아인 공화국으로 구성된 통일국가로 규정되었다.

① ㄱ, ㄴ　　② ㄱ, ㄹ
③ ㄴ, ㄷ　　④ ㄷ, ㄹ

정답 및 해설

유고슬라비아 내전 당시 국제정세에 대한 설명으로 옳은 것은 ㄴ, ㄷ이다.

선지분석

ㄱ. 티토의 뒤를 이어 강력한 리더십을 발휘한 지도자는 후에 세르비아의 대통령이 된 밀로셰비치였다. 그의 목적은 다민족적인 구 유고를 유지하는 것이 아니라, 세르비아인의 이익을 주장함으로써 자기의 권력을 보전하는 것이었다. 1987년 그는 세르비아의 최고권력자가 되어 차례로 세르비아 자치주의 코소보, 보이보디나, 몬테네그로의 지도부에 자신의 측근을 앉혀 세르비아의 이익을 보호하였다. 이러한 대(大)세르비아주의적 방법에 위기감을 느낀 것은 북부의 슬로베니아와 크로아티아였고, 이들 국가의 군대와 구 유고 연방군이 충돌하면서 내전이 시작된다(ㄴ).
ㄹ. 1995년 데이턴협정의 내용이다. 1994년 3월 체결된 워싱턴협정은 보스니아 무슬림과 크로아티아인이 연방을 구성하고, 이 연방과 크로아티아가 국가연합을 조직하기로 하는 내용을 규정하였다.

관련 이론 구유고연방의 해체

1. **보스니아-헤르체고비나**
보스니아-헤르체고비나는 제2차 세계대전 뒤 유고슬라비아 사회주의연방공화국을 구성하는 공화국 가운데 하나가 되었고 1992년 3월 분리 독립하였다. 그러나 보스니아-헤르체고비나 내의 세르비아인들이 이를 거부하며 내전에 돌입하였다. 내전은 1995년 11월 데이턴협정이 체결되면서 종식되었다. 동 협정에서는 보스니아·헤르체고비나는 보스니아연방과 세르비아인 공화국으로 구성된 통일국가로 규정하였고, 영내에서는 평화이행 부대가 주둔하도록 하는 한편, 민생부문을 통제할 유엔 보스니아 대표부를 설치하기로 하였다.

2. **세르비아-몬테네그로**
세르비아공화국과 몬테네그로공화국으로 이루어진 유고슬라비아연방공화국이었으나 2003년 국명을 세르비아-몬테네그로로 바꿨다. 구(舊)유고슬라비아 사회주의연방공화국의 6개 공화국 중 세르비아와 몬테네그로 2개 공화국이 합쳐 1992년 4월 새롭게 태어났다. 2006년 6월 5일 두 국가로 분리독립하였다. 북쪽으로 헝가리, 북동쪽으로 루마니아, 동쪽으로 불가리아, 남쪽으로 마케도니아·알바니아·보스니아-헤르체고비나와 국경을 접한다.

3. **코소보사태**
코소보사태는 역사적 배경과 지역내 뿌리깊은 민족·종교 갈등, 국제 간의 역학관계가 얽혀 그 양상이 매우 복잡하다. 코소보는 유고의 한 지방을 일컫는데 유고가 속해 있는 발칸반도는 유럽과 이슬람문화권을 잇는 가교다. 민족·종교 갈등이 심해 '세계의 화약고'라고도 부른다. 제1차 세계대전도 발칸반도에서 울린 총성 한 발로 시작됐다. 유고는 발칸의 중심으로 화약의 뇌관과도 같은 곳이다. 코소보 비극은 오스만 터키가 1398년 세르비아를 정복하면서 시작됐다. 오스만 터키는 코소보의 세르비아계 기독교도를 추방하고 알바니아계 이슬람교도를 정착시켰다. 제2차 세계대전 후 코소보는 유고 연방에 편입됐지만 자치권은 있었다. 하지만 89년 집권한 민족주의자 밀로셰비치는 "코소보는 세르비아 민족의 성지"라며 코소보의 자치권을 박탈했다. 코소보 내 알바니아계는 분리 독립을 주장했고 96년 코소보해방군(KLA)을 결성해 내전을 벌였다. 국제 사회는 중재에 나서 지난 2월 프랑스 랑부예에서 평화협상이 시작됐다. NATO는 평화군 주둔과 코소보 자치를 요구했고 유고는 이를 거부했다. 결국 NATO의 공습이 시작됐고 러시아 등은 미국의 패권주의를 비난하며 반발했다.

답 ③

119 □□□

1990년 발발한 걸프전쟁에 관한 설명으로 옳지 않은 것은?

① 이라크의 사담 후세인은 1990년 8월 쿠웨이트를 전격 침공, 점령하고 이라크의 19번째 속주로 삼아 통치권을 행사하였다.
② UN 안전보장이사회는 1991년 1월 15일까지 쿠웨이트에서 철군하지 않을 경우 이라크에의 무력사용을 승인하는 결의안을 통과시켰다.
③ 미군을 포함한 34개국의 다국적군이 공중폭격 및 지상 작전을 전개해 지상전 개시 100시간만인 2월 28일 전쟁종식을 선언했다.
④ 한국은 5억 달러의 지원금을 분담하고 특전사 2개 부대 및 전투기 5대를 파견하여 34개 다국적군의 일원이 되었다.

정답 및 해설

전투병력을 파견하지는 않았다. 한국은 5억 달러의 지원금을 분담하고 군의료진 200명, 수송기 5대를 파견하여 34개 다국적군의 일원이 되었다.

답 ④

120 □□□

1991년 발표된 미국의 '핵감축선언'의 내용으로 옳지 않은 것은?

① 미 · 소 간에 지상 배치된 대륙간 탄도탄을 전면적으로 제거한다.
② 한국을 제외한 아시아에 배치된 모든 지상 전술핵을 일방적으로 폐기한다.
③ 소련의 모든 핵발사포나 핵지뢰 등을 포함하는 단거리 미사일을 폐기한다.
④ 탄도미사일에 대한 제3세계의 테러 공격에 공동 대응한다.

정답 및 해설

유럽과 한국에 배치된 모든 지상 전술핵을 일방적으로 폐기한다. 이러한 부시의 핵감축선언은 한반도의 안보에도 영향을 주었는데, 미국의 전술핵은 남북한의 군사균형이라는 관점에서 전쟁억지력이 되어 왔으며 한반도의 안전체계의 기본적 요소였기 때문이었다. 부시는 남한에 배치된 전술핵의 철수를 선언하여 한반도를 비핵화함과 동시에 남북 군사대립의 성격을 재래식화하게 되었다.

답 ②

121 

1999년 발생한 코소보사태와 관련한 설명으로 옳지 않은 것은?

① 구유고연방은 티토 사망 이후 경제적 침체, 공산주의의 약화, 민족주의의 부활 등으로 분열되었다.
② 코소보사태는 종교적 갈등과는 무관하며 코소보 지역내 다수의 세르비아계와 소수의 알바니아계 간의 정치적 갈등으로 발생하였다.
③ 보스니아에서의 인종청소 사태를 종식시키기 위해 '데이튼평화합의'에 따라 NATO 중심의 평화유지군이 투입되었다.
④ 신유고연방과 북대서양조약기구(NATO)는 코소보자치주 문제로 전쟁을 치뤘다.

정답 및 해설

코소보사태는 정치적 요인보다는 인종, 종교적 요인이 크게 작용했다.
반인륜 범죄 혐의로 2001년 네덜란드 헤이그의 UN산하 국제유고전범재판소(ICTY)에 인도된 밀로셰비치 前유고연방 대통령은 세르비아 정교 성직자의 아들로서 코소보를 공격해 알바니아계를 상대로 인종청소를 자행했다. 이에 1999년 3월 말부터 6월 말에 이르기까지 NATO는 78일간에 이르는 유고슬라비아에 대한 공중폭격을 개시했다. 코소보는 유고슬라비아 세르비아 공화국의 자치주로서, 주민의 약 2/3가 알바니아인이며 이슬람교도가 많다. 1999년 6월말 NATO가 공습을 중단하고, NATO 주도의 코소보 평화유지군이 코소보의 안전을 보장하면서 위기를 한 고비 넘기게 되었다.

답 ②

제3장 중국외교사

제1절 | 중국의 개국

001 **1842년 난징조약에 대한 설명으로 옳지 않은 것은?** 2021년 외무영사직

□□□

① 청나라는 승전국 영국에 홍콩을 영구 할양하였다.
② 난징조약으로 청나라는 양쯔강 이남의 다섯 항구인 상하이, 닝보, 푸저우, 샤먼, 광저우를 개항하였다.
③ 영국 상인들은 난징조약에 명시된 개항장을 통해 면 산업의 생산과잉 문제를 해소하고 이익을 극대화 할 수 있었다.
④ 난징조약 이후 취약해진 청나라는 미국, 프랑스와도 각각 불평등조약을 체결하였다.

정답 및 해설

영국 상인들은 난징조약으로 확보한 개항장을 통해 무역이 확대되긴 하였으나, 영국 내부의 생산과잉문제를 해결하기에는 역부족이었고 이에 따라 영국은 1850년대 후반 중국에 대한 재침략을 결정하고 텐진조약을 통해 추가로 개항장을 확보하였다.

선지분석

① 난징조약에서 청은 영국에게 홍콩을 할양하였고, 1997년 반환되었다.
② 영국은 시장 확보와 원료 확보라는 차원에서 청에게 접근하여 상하이 등의 개항장을 확보한 것이다.
④ 난징조약 이후 청은 1844년 미국과는 왕샤조약을, 프랑스와는 황푸조약을 체결하였다.

답 ③

002 **중화주의 세계질서의 내용으로 옳지 않은 것은 모두 몇 개인가?**

□□□

ㄱ. 위계적인 수직적 구조를 띠고 있다.
ㄴ. 세력균형의 원리에 따른 행동양식을 보인다.
ㄷ. 조공제도를 통해 교섭한다.
ㄹ. 힘의 불균형이 이루어질 때 전쟁이 일어난다.
ㅁ. 국경에 따라 영토가 구분된다.

① 없음 ② 1개
③ 2개 ④ 3개

정답 및 해설

중화주의 세계질서의 내용으로 옳지 않은 것은 ㄴ, ㄹ, ㅁ으로 3개이다.
ㄴ. 사대교린, 사대자소의 행동양식을 보인다.
ㄹ. 힘의 압도적인 불균형이 존재할 때 평화가 이루어지고, 힘의 균형이 이루어지면 전쟁의 발발가능성이 높아진다.
ㅁ. 중화주의 세계질서에서 영토의 끝은 국경이 아니라 변방이다.

답 ④

003 중화질서의 운용기제에 대한 설명으로 옳지 않은 것은?

□□□

① 천명에 의해 황제의 정당성이 부여되는 '천하사상'은 중국 자체의 질서부여와 통일기제로 사용되었다.
② 천하사상의 위계적 질서가 국제화된 것이 '화이사상'이다. '화'는 중심인 중국, '이'는 복종의 대상으로 천하의 주종관계가 설정된다.
③ '사대자소'에 기반을 둔 조공제도와 책봉제도가 존재했다.
④ 중국은 국력에 따라 기미책을 이용하여 직접 군사개입을 하여 위계질서를 유지했다.

정답 및 해설

중국의 국력에 따라 일정한 패턴을 따라 흥기와 쇠락을 거듭했고, 국력이 떨어졌을 때는 기미책을 사용하여 직접적 군사개입이 아닌 견제책만을 사용했다.

답 ④

004 중화적 조공질서와 서구적 근대질서의 비교 중 옳지 않은 것은?

□□□

	중화적 조공질서	서구적 근대질서
①	사대교린, 사대자소를 추구	세력균형 추구
②	유교적 가치	기독교 신정체제(Theocracy)
③	힘이 균형상태에 있을 때 전쟁발생	힘이 불균형해질 때 전쟁발생
④	중국 중심의 위계적 구조(hierarchy)	개별국가의 대등한 수평 구조(anarchy)

정답 및 해설

기독교 신정체제는 신성로마제국시대의 국제질서에 해당한다. 로마교황 지배의 신성로마제국과 비잔틴제국의 예이다.

선지분석

③ 중화질서는 중국이라는 패권에 의해 유지되기 때문에 패권안정론적으로 파악하면 된다.
④ 국제정치의 기본 원칙이 무정부상태(anarchy)라고 생각하기 쉽지만 이것은 근대 서구질서의 경우에 한하는 것이다.

답 ②

005 동아시아 국제정치질서에 대한 설명으로 옳지 않은 것은?

① 전통적인 중화 질서의 국가 간 관계에서 사대자소, 일시동인(편벽되지 않게 모든 이들을 한결 같은 어진 마음으로 돌본다)의 원리가 강조되었다.

② 1861년 1월 중국은 최초의 외교 전담기구인 총리아문을 설치하였다. 총리아문의 발족은 기존의 중화 질서 권역 내에 조약 관계가 명실공히 등장하는 것을 의미하는 동시에 중화 질서와 근대 국제질서라는 두 개의 상이한 패러다임과 이를 구성하는 관념이 동아시아 지역에서 앞으로 경쟁하게 될 것임을 시사해주는 변화였다.

③ 1873년을 전후로 하여 일본에서 대두된 정한론은 메이지 정부의 일련의 중앙집권화 조치로 인해 실직하게 된 수많은 무사 계급의 불만을 외부로 돌리기 위한 성격이 강했다.

④ 1888년 2차 수신사로 김홍집이 일본을 방문했을 때, 중국 측 외교관인 황준헌이 작성해서 준 『조선책략』에는 러시아의 남진에 대한 문제의식과 친중국, 결일본, 연미국이라는 해법을 제시하였다.

정답 및 해설

1880년 김홍집이 일본을 방문했을 때의 사건이다.

답 ④

006 중화질서에 대한 설명으로 옳은 것만을 모두 고른 것은?

ㄱ. B.C 3세기에 중국의 한(漢)시대에 이르러 정립되었다.
ㄴ. 주변국은 중국을 섬기고, 중국은 주변국가들을 자애로써 돌보는 사대자소의 질서이다.
ㄷ. 중국과 주변국은 사대, 주변국 상호간은 교린의 사대교린질서이다.
ㄹ. 1858년 텐진조약, 1860년 베이징조약은 화이질서를 강화한 것으로 평가된다.
ㅁ. 19세기 후반에 발생한 서계사건은 조선의 근대질서관념과 일본의 중화질서 관념이 충돌하면서 발생한 사건이다.

① ㄱ, ㄴ, ㄷ ② ㄱ, ㄷ, ㄹ ③ ㄴ, ㄷ, ㅁ ④ ㄴ, ㄷ, ㄹ, ㅁ

정답 및 해설

중화질서에 대한 설명으로 옳은 것은 ㄱ, ㄴ, ㄷ이다.

선지분석

ㄹ. 화이질서를 약화시켰다. 공식문서에 '이(夷)'자 사용을 금지했으며, 서양세력이 베이징에서 황제와 직접 통교하도록 하였다.
ㅁ. 조선의 중화질서관념과 일본의 근대질서관념 충돌로 발생한 사건이다.

답 ①

007 1800년대 초 중국에 대한 아편무역과 관련된 사실로 옳지 않은 것은?

□□□

① 원래 동인도회사의 입장에서 중국에서의 차(茶) 수입보다 인도산 면화 수출이 훨씬 많아 결제용 은이 풍족했다.
② 영국 정부가 1784년 귀정법을 실시하여 관세를 1/10로 인하하자 중국 차(茶)의 수입은 비약적으로 증가하였다.
③ 1817~1818년 미·서 전쟁으로 스페인 달러가 고갈되자 동인도회사의 은 확보가 곤란해졌다.
④ 영국은 결제수단인 은의 부족을 아편 판매를 통해 해결하려 하였다.

정답 및 해설

본래 중국에서의 차(茶), 견(絹)의 수입이 인도산 면화, 면직물 수출보다 훨씬 많아 만성적으로 결제용 은이 부족한 상태였다. 은 부족 현상은 귀정법, 미·서 전쟁 등을 배경으로 더욱 심화되었다.

답 ①

008 다음 중 아편전쟁에 대한 설명으로 옳은 것만을 모두 고른 것은?

□□□

ㄱ. 아편전쟁의 결과 중국은 최초의 조약인 난징조약을 체결함으로써 개국을 시작했다.
ㄴ. 영국은 중국의 영토를 점령하여 아편무역의 공인을 획득했다.
ㄷ. 영국은 난징조약에서 통상권 확보에 주안점을 두었다.
ㄹ. 홍콩할양, 배상금, 광둥무역 재개 등을 합의하였다.

① ㄱ, ㄴ　　② ㄱ, ㄴ, ㄷ　　③ ㄱ, ㄷ, ㄹ　　④ ㄴ, ㄷ, ㄹ

정답 및 해설

아편전쟁은 영국의 동인도회사가 중국과의 무역에서 적자를 보면서 결제수단인 은이 유출되자 이를 만회하고자 중국에 아편을 판매하면서 촉발되었다. 중국이 아편 무역으로 무역 적자를 보고 은이 유출되어 농민들의 조세부담이 가중되자 중국은 아편 금수정책을 펼쳤고 이를 이유로 영국이 중국을 침략하였다. 이 전쟁으로 취안비가조약과 난징조약이 체결되었다. 영국은 아편무역의 공인을 요구했지만 받아들여지지 않았고, 나중에 텐진조약에서 공인되었다.

답 ③

009 다음 중 아편전쟁의 결과 체결된 1842년 난징조약의 내용으로 옳지 않는 것은?

□□□

① 홍콩의 할양　　② 5개 항구의 개방과 영사의 주재
③ 배상금 지불　　④ 공행상인에 무역독점권 허용

정답 및 해설

영국의 입장에서 공상의 무역독점권 보유는 무역활동을 크게 제약하는 것이었기 때문에 이를 폐지할 것을 요구하였다.

답 ④

010 난징조약의 국제정치사적 의의로 가장 옳지 않은 것은?

① 중국 최초의 조약으로서 중국의 개국이 실현된 조약이었다.
② 중화 질서의 붕괴를 의미하였다.
③ 중국은 이 조약에 의해 서구 국제법 질서에 편입되었다.
④ 중국은 영국의 문호개방정책에 의해 상대적으로 평등한 조약체제로 편입될 수 있었다.

정답 및 해설

문호개방정책은 상대적으로 해외시장 진출에 늦은 미국의 정책이었으며, 중국은 불평등조약체제에 편입되어 열강의 이권침탈의 각축장이 되었다.

답 ④

011 중국의 아편전쟁과 이후 과정에 관한 설명으로 옳은 것은?

① 제1차 아편전쟁은 청나라의 아편 단속을 빌미로 하여 프랑스가 1840년에 일으킨 전쟁이다.
② 제1차 아편전쟁으로 청나라는 난징조약을 체결하여 홍콩을 할양하고, 광둥 이외의 다섯 항구를 추가 개항하게 되었다.
③ 난징조약 체결 이후 영국과 일본의 연합군은 톈진을 점령하여 불평등 조약인 가나가와조약을 맺었다.
④ 제2차 아편전쟁에서 연합군은 베이징을 함락시킨 후 청나라가 영국, 프랑스, 러시아와 톈진조약을 맺으면서 전쟁은 종결되었다.

정답 및 해설

선지분석

① 프랑스가 아니라 영국이 일으킨 전쟁이다.
③ 제2차 중국침략은 영국과 프랑스가 공동으로 한 것이고, 톈진조약을 체결하게 된다. 가나가와조약은 1854년 미·일 간 체결한 조약이다.
④ 톈진조약(1858)에 대해 중국이 비준을 거부함으로써 전쟁이 재개되었으며, 결국 베이징조약(1860)을 맺으면서 제2차 아편전쟁이 종결되었다. 톈진조약의 주요내용은 다음과 같다. 첫째, 외교사절의 베이징(北京) 상주, 둘째, 내지(內地)여행과 양쯔강(揚子江) 통상의 승인, 셋째, 새로운 무역규칙과 관세율 협정(이로써 아편무역이 합법화되었다), 넷째, 개항장(開港場)의 증가, 다섯째, 그리스도교의 공인 등이다. 이 밖에 영국과 프랑스 양국에 대하여 합계 600만 냥(兩)의 배상금과 그 지불이 완료될 때까지 광둥성성(廣東省城)의 보장점령 등이 있다.
한편, 베이징조약의 주요 내용은 다음과 같다. 첫째, 서양의 외교사절이 북경에 상주할 수 있게 할 것, 둘째, 남경조약 때 5개항 외 10여 개 항구를 추가 개항할 것, 셋째, 외국인의 중국 내륙지역 여행 권리를 인정할 것, 넷째, 크리스트교 선교의 자유를 인정할 것, 다섯째, 구룡반도를 영국에게 할양할 것, 여섯째, 배상금 800만 냥을 지불할 것 등이 있다.

답 ②

012 아편전쟁과 중국의 개국 조약들에 대한 설명으로 옳지 않은 것은?

□□□

① 영국의 동인도회사는 인도의 면화와 면직물을 중국에 수출하고 중국으로부터 차를 수입하고 있었으나, 중국이 지속적으로 무역흑자를 보고 있어 영국에서 은이 유출되고 있었기 때문에 이를 만회하기 위해 중국에 아편을 팔기 시작하였다.

② 영국은 난징조약에서 통상권 확보에 주안점을 두고 무역을 확대할 수 있는 일련의 조치를 취하는 동시에 홍콩을 할양받았으며 막대한 배상금을 받아내었다. 난징조약은 중국 최초의 조약으로서 중국의 개국이 실현된 조약이라는 평가를 받는다.

③ 왕샤조약은 애로우호사건에 의한 것으로, 영국은 외교교섭에 있어서 베이징과의 직접교섭을 원했으며 이 때 크림전쟁으로 관계가 강화되어 있던 프랑스와 공동 출병하였다.

④ 톈진조약으로 아편무역이 공인되었으며, 기존 항구 이외에 7개 항구를 추가적으로 개항하게 하였고 외국 사절의 베이징 상주권과 수시 왕래권, 특권과 면제가 서양 국가들에게 부여되었다.

정답 및 해설

애로우호사건을 통한 조약은 왕샤조약(1844)이 아니라 톈진조약이다.

선지분석

② 과거 중국 중심 질서는 사대자소관계와 교린관계로 규율되었으나, 아편전쟁과 난징조약은 중화질서를 무너뜨리고 주권평등과 근대국가의 병존에 기초한 국제질서를 동아시아 질서에 확대적용하게 되었다.

답 ③

013 애로우호사건 이후로 체결된 톈진조약(1858)의 주요 내용으로 옳지 않은 것은?

□□□

① 조약항의 증가와 양쯔 강의 개방

② 세율을 영국에 유리하게 조정

③ 아편무역의 공인

④ 영사재판 제도 등 불평등제도의 철회

정답 및 해설

난징조약에 이어 톈진조약 역시 불평등조약으로서 영사재판 제도를 철회한 것이 아니라 오히려 그 내용을 상세화하였다.

답 ④

014 톈진조약(1858)의 주요 내용으로 옳지 않은 것은?

□□□

① 조약항의 증가와 양쯔 강의 개방

② 중국의 관세 주권 박탈

③ 아편무역의 불법화

④ 공문서에 '이(夷)'자 사용 금지

정답 및 해설

톈진조약은 열강 측에 유리한 불평등조약이었다. 특히 영국과의 관계에 있어서 아편무역의 공인이 합의되었다. 중국은 외국의 모든 요구를 이 회의에서 수락하는 대가로 외교사절의 베이징 상주 문제를 철회시키려 하였기 때문에 아편무역의 공인 요구를 수락하였다.

답 ③

015 다음 중 1860년 베이징조약의 내용으로 옳지 않은 것은?

① 외국사절의 베이징 상주
② 텐진 개항 및 주룽(九龍) 할양
③ 포교권
④ 기존 배상금 전면 폐지

정답 및 해설

베이징조약은 1858년 텐진조약 이행의 비준에 관한 갈등을 수습하며 맺어진 조약이다. 배상금 조항이 텐진조약에 비해 중국에 더 불리하게 적용되었을 것임을 쉽게 추측할 수 있다. 텐진조약에서는 영국에 400만 량, 프랑스에 200만 량을 지불하도록 되었는데 베이징조약에서는 양국에 각각 800만 량씩 지불하도록 하였다. 배상금이 완불될 때까지 텐진, 다구, 광저우 등지를 보장 점령하기로 하였다.

답 ④

제2절 | 청 · 일전쟁

001 1894년 청일전쟁 전후 국제정세에 대한 설명으로 옳지 않은 것은?

2023년 외무영사직

① 3국 간섭 이후 일본은 러시아와의 전쟁을 위해 미국과 동맹 조약을 체결하였다.
② 청나라는 청일전쟁에서 패배하여 일본에 타이완 및 평후제도를 할양하였다.
③ 청나라와 일본은 동학농민운동을 계기로 각각 조선에 군대를 파병하면서 청일전쟁이 발발하였다.
④ 시모노세키조약에는 청나라는 조선의 독립을 인정하고, 조공전례(朝貢典禮)를 폐지한다는 내용이 기술되었다.

정답 및 해설

일본은 러시아와의 전쟁을 위해 1902년 영국과 영일동맹을 형성하였다.

선지분석

② 시모노세키조약(1895.4)의 내용이다.
③ 동학농민운동을 계기로 1885년 체결된 텐진조약에 기초하여 청일 양국군이 조선에 파병되어 충돌한 것이 청일전쟁이다.
④ 일본은 동 조약을 통해 조선에서 청의 영향력을 완전히 배제하고 조선을 독점하고자 하였다.

답 ①

002 시모노세키조약(下關條約, 1895년)의 내용으로 옳지 않은 것은? 2015년 외무영사직

□□□

① 요동반도와 대만 할양
② 조선의 완전무결한 독립자주국 승인
③ 일본에 최혜국대우 인정과 중경, 소주 등 4개항 새로 개항
④ 청일 양국 또는 일국이 조선 파병 시 반드시 문서로 사전 통지

정답 및 해설

1885년 청과 일이 체결한 텐진조약의 내용이다.

선지분석

① 요동반도 할양은 추후 러시아, 독일, 프랑스 3국의 간섭을 야기한 사항으로서 일본은 결국 이를 청에 반환하였다.

답 ④

003 청·일전쟁에 대한 설명으로 옳지 않은 것은?

□□□

① 일본은 이 전쟁의 승리로 만주를 점령했다.
② 이 조약의 결과로 시모노세키조약이 체결되었다.
③ 이 전쟁을 계기로 청에 대한 서구 열강의 침탈이 본격화되었다.
④ 조선은 자주독립국임을 확인받게 되었다.

정답 및 해설

랴오둥 조차를 규정하여 만주를 점령할 기회가 있었으나, 삼국간섭에 의해 좌절되었다.

답 ①

004 □□□ **청 · 일전쟁(1894~1895)의 종식을 위한 시모노세키조약에 관한 설명으로 옳지 않은 것은?**

2010년 외무영사직

① 일본은 타이완과 랴오둥 반도 및 펑후열도의 할양을 요구했다.
② 만주에 있어서 청(중국)의 주권과 기회균등 원칙의 준수가 포함되었다.
③ 청(중국)은 중재재판 조항을 삽입할 것을 요구했다.
④ 최혜국대우를 받는 통상조약을 청 · 일 간에 체결하기로 하였다.

정답 및 해설

하관(下關)조약 또는 마관(馬關)조약이라고도 한다. 동학농민운동을 평정하기 위해 조선에 원병한 청 · 일 두 나라는 전쟁을 일으켜 그 전선이 만주까지 확대되었으며, 청국이 연패를 거듭하자 미국의 중재로 1895년 2월 1일부터 휴전, 강화를 위한 협상에 들어갔다. 청국의 이홍장과 일본의 이토 히로부미(伊藤博文)가 체결한 조약의 주요 내용은 다음과 같다.

1. 청국은 조선국이 완전한 자주독립국임을 인정할 것
2. 청국은 타이완과 랴오둥 반도 및 펑후열도를 일본에 할양할 것
3. 청국은 일본에 배상금 2억 냥을 지불할 것
4. 청국의 사스 · 충칭 · 쑤저우 · 항저우의 개항 및 일본에 대한 최혜국 대우의 인정
5. 일본 선박의 양쯔강 및 그 부속 하천의 자유통항 용인
6. 일본인의 거주 · 영업 · 무역의 자유 승인

답 ②

005 **청 · 일전쟁에 대한 설명으로 옳지 않은 것은?**

① 일본은 대외팽창정책의 이유를 일본의 주권선과 이익선 확보에서 찾았는데, 이익선을 위해서는 조선반도가 필요했고 이를 확보하기 위해서는 중국과의 전쟁밖에 없다고 판단했기에 청 · 일전쟁을 일으켰다.
② 1894년 동학혁명이 발발하였고 혁명군이 전주성을 함락시키자 조선정부는 청나라에 지원병을 요청하였고 청나라 군대는 톈진조약에 근거에 일본에 통보, 한반도에 진군하였으며 이 때 이미 일본은 청 · 일전쟁을 결정한 상태였다.
③ 청 · 일전쟁 강화조건에 대해 영국, 러시아, 프랑스 3국이 개입하여 강화조건을 변경함으로써 일본의 중국대륙 진출을 저지한 사건을 3국간섭이라고 한다. 3국간섭으로 러 · 일 관계가 악화되었으며, 청과 조선에서는 열강들의 이권쟁탈전이 치열하게 전개되었다.
④ 3국간섭으로 일본이 후퇴하자 조선에서는 친일파가 물러나고 친러파 내각이 출범했고, 러 · 일 간 영향력 강화를 위한 경쟁이 치열하게 전개되었다.

정답 및 해설

삼국간섭의 주체는 독일, 러시아, 프랑스이며, 오히려 영국의 경우 청 · 일전쟁에서 일본의 분전을 보고는 러시아를 견제할 세력으로 일본을 확고히 지목하게 되었다.

선지분석

① 청 · 일전쟁의 원인에 대한 정치적 설명으로서, 이익선과 주권선 주장은 1890년 아마가타에 의한 것이다. 경제적 원인으로는 일본이 안정적이고 독점적인 시장 확보를 위해 청 · 일전쟁을 일으켰다는 주장도 있다.

답 ③

006 1894~1895년 청·일전쟁에 관한 설명으로 가장 옳지 않은 것은?

□□□

① 수입한 군사국가의 형식에 의해 최초로 치른 전면전쟁이었다.
② 중국은 국공합작을 통해, 일본은 정치적 조작을 통해 류거우차오사건을 의도적으로 전면전쟁화 시켰다.
③ 러시아는 영국이 지원한 일본이 승리하자 3국간섭을 주도하였다.
④ 3국간섭으로 일본은 군사국가의 미완성을 자각하고 군비증강에 몰두하였다.

정답 및 해설

류거우차오사건을 전면전쟁화 시킨 것은 중일전쟁(1937)에 대한 설명이다. 시안사건 이후 제2차 국공합작이 성사되어 중국이 일본과 벌인 전쟁이 중일전쟁이다.

답 ②

007 청·일전쟁에서 일본이 승리하고 체결한 1895년 강화조약의 주요 내용에 속하지 않는 것은?

□□□

① 중국은 조선의 독립을 확인하고 조공전례를 폐지한다.
② 공문서에 '이(夷)'자의 사용을 금한다.
③ 구미 열강의 조약과 같이 최혜국대우를 받는 새로운 통상조약을 체결한다.
④ 군비배상금 2억 량을 지불한다.

정답 및 해설

1858년 톈진조약에서 영국, 프랑스, 미국, 러시아가 요구한 사항이다. 화이사상에 대한 조약상의 금지라는 의의를 갖는 특이한 조항이다.

답 ②

008 청·일전쟁의 강화조약에 대해 열강들이 개입한 3국간섭사건에 대한 설명으로 옳지 않은 것은?

① 영국은 동북아에서 일본의 세력이 커지는 데 불안을 느끼고 세력균형을 위해 일본 저지에 동참하였다.
② 러시아는 시베리아 횡단철도가 곧 준공될 상태에 있었고 이를 계기로 동북아에 진출할 계획이었는데 이것이 도전 받았기에 간섭을 주도했다.
③ 독일은 아시아에서 러시아와 협력함으로써 유럽에 있어서 러시아의 독일에 대한 태도에 영향을 미칠 수 있으리라 생각해 러시아에 동참하였다.
④ 프랑스는 당시 러시아와 동맹관계에 있었으며 독일의 러시아 접근으로 불안감을 느껴 러시아에 동참하였다.

정답 및 해설

영국이 동북아에서 견제하는 세력은 러시아였으며, 따라서 일본에 우호적인 입장이었다.

답 ①

009 1894년 일본이 청·일전쟁을 도발한 배경에 대한 설명으로 옳지 않은 것은?

□□□

① 일본의 경제공황과 해외로의 관심전환 필요성
② 메이지 정부의 대외팽창정책
③ 안정적이고 독점적인 시장을 확보할 필요성
④ 영국의 대일본 봉쇄정책에 대한 반발

정답 및 해설

영국이 일본을 견제하기 시작한 것은 일본이 러·일전쟁에서 승리하여 동북아에서 러시아의 위협이 사라진 이후의 일이다. 그 전에는 오히려 러시아 봉쇄를 위하여 지원하는 입장이었다.

답 ④

010 1895년 청·일전쟁 강화조약(하관조약)의 주요 내용으로 옳지 않은 것은?

□□□

① 청은 조선의 독립을 확인하고 조공전례를 폐지한다.
② 랴오둥 반도, 타이완, 펑후열도를 일본에 할양한다.
③ 군비배상금 2억 량을 7년간에 걸쳐 지불한다.
④ 일본은 남만주에서 철수한다.

정답 및 해설

일본의 남만주에서의 철수는 청·일전쟁 이전으로의 현상유지를 요구한 3국간섭의 요구내용이며 일본은 이를 수용하였다.

답 ④

011 청일전쟁 강화조약(시모노세키조약)(1895.4.17.)에 대한 설명으로 옳은 것만을 모두 고른 것은?

□□□

ㄱ. 대만 섬과 대만 섬에 인접하거나 부속된 모든 섬에 대한 통치권을 일본에 양도한다.
ㄴ. 팽호군도에 위치한 모든 섬에 대한 통치권을 영구히 일본에 양도한다.
ㄷ. 일본 신민은 청국에 의해 모든 면에서 내국민대우를 받을 것이다.
ㄹ. 청에 있는 일본 군대는 조약 발효 즉시 모두 철수한다.
ㅁ. 청국은 산동성 위해위에 대한 일본군의 일시 점령에 동의한다.

① ㄱ, ㄴ, ㄷ
② ㄱ, ㄴ, ㅁ
③ ㄴ, ㄷ, ㄹ
④ ㄴ, ㄹ, ㅁ

정답 및 해설

청일전쟁 강화조약(시모노세키조약)(1895.4.17.)에 대한 설명으로 옳은 것은 ㄱ, ㄴ, ㅁ이다.

선지분석

ㄷ. 최혜국대우를 규정하였다.
ㄹ. 조약 체결 후 3개월 내에 철수한다.

답 ②

012 □□□

다음 중 청·일전쟁의 의의 및 영향으로 가장 옳지 않은 것은?

① 청·일 강화 조건에 대해 반발한 3국간섭으로 인해 러·일 관계가 악화되었다.
② 청과 조선에서 열강들의 이권쟁탈전이 치열하게 전개되었다.
③ 러·일은 베버-고무라 협정을 통하여 조선에서 러시아의 우위에 대해 합의하였다.
④ 영국은 일본 견제세력으로서 러시아를 확고히 지목하게 되었다.

정답 및 해설

영국은 러시아 견제세력으로서 일본을 확고하게 지목하게 되었으며 이는 영·일동맹의 체결로 이어진다.

답 ④

013 □□□

다음 청·일전쟁 이후 한반도에서 일본의 영향력이 강화되었을 당시 열강들의 입장에 대한 설명으로 옳은 것은?

① 프랑스: 일본의 강화조건에 가장 민감한 반응을 보이며, 랴오둥 반도의 할양이 중국과 일본 간 우호관계를 저해하고 동양의 평화를 위태롭게 한다며 공동개입을 제의했다.
② 러시아: 일본과 동맹 관계에 있었으므로 끝까지 일본을 지지했다.
③ 독일: 기본노선은 현상유지였다. 일본의 강화조건은 중국 경제를 일본에 예속시켜 독일의 이익을 침해할 것이라고 보았으며, 러시아와 공조체제를 형성하여 프랑스를 고립시키고자 하였다.
④ 영국: 러시아와 동맹 관계에 있었기 때문에 공조체제를 유지하기 위하여 러시아의 제안을 받아들였다.

정답 및 해설

삼국간섭이란 청·일전쟁 이후 일본이 랴오둥반도를 조차하여 중국 대륙에 진출할 수 있는 토대를 마련하자, 중국에서 세력권을 형성하려고 하던 유럽 열강들이 개입하여 일본의 의도를 좌절시킨 사건을 의미한다.

선지분석

① 러시아의 입장이다.
② 영국의 입장이다.
④ 프랑스의 입장이다.

답 ③

014 삼국간섭의 국제정치사적 의의로서 가장 옳지 않은 것은?

□□□

① 유럽 제국주의 세력들이 동북아의 새로운 제국주의 세력인 일본을 잠시 패퇴시킨 사건이었다.
② 일본에서는 조선 확보를 위해 필요한 만주로의 진출이 저지되자 대러 전쟁의 불가피성이 제기되었다.
③ 일본은 근대체제의 미완비를 자각하고 대러 복수전을 준비하게 되었다.
④ 일본을 저지한 삼국 간에 동맹이 형성되었다.

정답 및 해설

러시아 · 프랑스 간에는 방어동맹이 형성되어 있는 상태였고 독일은 오스트리아와 동맹이 체결되어 있는 상태였다. 후에 이는 영 · 프 · 러의 삼국협상과 독 · 오 · 이의 삼국동맹의 경직적인 동맹체제로 편성되게 된다.

답 ④

015 삼국간섭(1895)에 대한 설명 중 옳지 않은 것은?

□□□

① 러시아는 일본의 랴오둥반도 할양 요구가 중 · 일 관계를 악화시키고 동양의 평화를 위태롭게 한다는 명문으로 공동간섭을 제의하였다.
② 독일은 실제적 이해관계가 있지 않아서 미온적인 태도를 보였다.
③ 영국은 일본의 강화조건이 영국의 기본적 이해를 저해하지 않으며 동북아에서 러시아를 견제할 필요 때문에 일본을 지지했다.
④ 프랑스는 러시아와의 동맹관계 때문에 수락했다.

정답 및 해설

독일은 독 · 러 관계를 강화해 프랑스를 고립하고자, 또 조차지를 기대하여 적극적으로 지지하였다.

답 ②

제4장 일본외교사

제1절 | 일본의 개국

001 일본과 중국의 개국을 비교한 내용으로 옳지 않은 것은?

□□□

① 중국의 개국은 전통 식민 세력인 영국과 프랑스에 의해 이루어졌다.
② 일본의 개국은 반식민주의 투쟁을 벌여온 이상주의적 신흥공화국인 미국에 의해 이루어졌다.
③ 일본은 보수적 신사계급이, 중국은 진보적 무사계급이 지배하고 있었다.
④ 일본은 영토적 협착성과 자원부족의 상황에서 해외확장의 필요성을 강하게 느끼고 있었다.

정답 및 해설

일본은 무사계급이 지배세력이었고 이들의 진취적 성향이 개국 및 근대화 과정을 주도하였다. 중국은 유교의 옹호계급인 신사계급이 지배하여 대외정치나 경제문제를 천시하였으며 개국 및 근대화에 폐쇄적이었기 때문에 외부에 의한 폭력적 개국과정을 겪었다.

답 ③

002 1890년대~1905년 메이지 정부의 외교정책과 당시의 국제정세에 대한 설명으로 옳지 않은 것은?

□□□

① 일본은 국경을 주권선으로 설정하고 조선을 이익선으로 설정하였다.
② 이익선의 확보는 청 · 일전쟁 전후부터 러 · 일전쟁까지 일본의 핵심적 외교목표가 되었다.
③ 정부 지도자들은 아시아주의 노선을 추구하였다.
④ 메이지 정부는 서구열강들의 제국주의적 팽창에 대응해 아시아지역에서 자신의 지위와 영향력을 확보하려 하였다.

정답 및 해설

정부 지도자들은 일본이 열강의 일원이 되어 국제정치의 권력정치에 적극적으로 참여하는 것이 곧 국익을 지켜 나가는 것으로 생각하였다. 또한 이들은 구미열강들과의 외교적 마찰을 줄이면서 외교적 협조를 통해 일본의 세력권을 인정받고자 하였다. 즉 분류하자면 국제주의 노선에 가깝다. 아시아 노선은 러 · 일전쟁 이후 국력에 자신감을 얻으면서 서구 열강들과 대립하더라도 아시아에서의 일본의 지위를 강화하자는 주장이다.

답 ③

003 □□□ **일본이 전통적으로 쇄국정책을 시행하다가 19세기 중반부터 개국정책으로 전환하는 배경으로 가장 옳지 않은 것은?**

① 막부체제 내적인 붕괴 요인의 존재
② 아편전쟁, 애로우 호 사건 이후 중국이 구미 국제정치체제에 완전 편입
③ 영국, 미국 면업자본의 해외시장 진출
④ 미국의 일본에 대한 문호개방정책

정답 및 해설

미국 문호개방정책은 중국의 주권, 행정권에 대한 침탈 없이 평등한 통상의 기회만을 요구한다는 미국의 대중국 정책이다. 미국은 영토 확장 동기는 없는 데다가 유럽 국가들이 이미 상당한 기득권을 가진 상태였기 때문에 이러한 전략을 채택했다. 중국에 접근하기 위해 일본을 중간 기항지화 하려 개국을 요구하였다. 애매한 면이 없지 않지만 미국의 open door policy가 주로 중국에 대하여 사용되는 용어이기 때문에 답을 ④로 하였다.

답 ④

004 □□□ **일본이 맺은 최초의 근대조약인 가나가와조약의 주요 내용으로 옳지 않은 것은?**

① 최혜국대우
② 표류, 난파 선원의 보호
③ 불평등 통상, 영사규정
④ 시모다, 하코네의 개항

정답 및 해설

일본의 개국과정은 조선, 중국과 비교하여 보았을 때 불평등한 정도가 덜 하였다는 것이 일반적인 평가이다. 대표적인 예가 가나가와조약에 불평등 통상, 영사규정이 배제되었다는 것이다. 이는 일본이 끝까지 반대해 그것을 관철한 것으로 이는 미국의 목적이 일본에서의 이권 침탈보다는 중국에로의 중간 기항로 확보에 있는 데 기인하였다.

답 ③

005 □□□ **개항기 일본의 조약개정운동에 대한 설명으로 가장 옳지 않은 것은?**

① 미·일 수호통상조약 및 후속 조약들에는 영사재판권 등 불평등조항이 포함되어 있었다.
② 메이지 정부에게 있어 가장 큰 외교적 과제는 조선에의 진출과 더불어 불평등 조약의 개정 문제였다.
③ 메이지 정부는 조약개정운동을 벌여 치외법권의 철폐, 최혜국대우의 상호적용 등의 성과를 거두었다.
④ 조약개정운동이 성과를 거둔 배경 중 하나는 미국이 러시아에 대항하기 위해 일본을 지원했기 때문이다.

정답 및 해설

미국은 유럽의 권력정치에 대해서는 고립주의 정책을 취했다. 동북아에서 러시아를 견제하기 위해 일본에 우호적인 태도를 보인 것은 영국이었다. 이는 이후 영·일동맹 성립으로 구체화된다.

답 ④

006 일본의 개국 방식이 중국과 다른 점에 대한 설명으로 옳지 않은 것은?

□□□

① 일본은 중국과는 달리 한 개의 개항장을 통해 집중된 무역제도를 유지했다.
② 일본은 중국과는 달리 포탄없는 평화적 방식에 의한 개국이 이루어졌다.
③ 일본은 지배세력이 무사계급으로서 이들이 진취적 성향이 개국과정을 지배하여 유교계급이 지배하던 중국과 차이를 보인다.
④ 중국과 달리 일본은 영토의 협착성으로 인해 해외확장의 필요성을 절실하게 느끼고 있었다.

정답 및 해설

중국 역시 광동무역을 중심으로 한 집중된 무역제도를 유지했다. 따라서 이는 차이점이 아닌 공통점이라고 볼 수 있다.

답 ①

007 다음은 일본과 중국의 개국과정의 차이점을 표로 정리한 것이다. 다음 중 옳지 않은 것은?

□□□

구분	중국	일본
① 개국주체	전통적 식민세력인 영국과 프랑스	반식민세력인 미국
② 개국방법	전쟁을 통한 강제적 개국	평화적인 방식의 개국
③ 국내적 지배계급	대외정치, 경제문제를 천시한 유학자들	진취적 성향의 무사계급
④ 개국 조약	불평등 조약을 무비판적으로 수용	불평등 조약에 대한 적극적 반발

정답 및 해설

일본과 중국 개국 과정의 공통점 중 한 가지는 국제법 지식의 전무로 인해 양국 모두 불평등 조약을 무비판적으로 수용했다는 점이다. 단, 일본의 경우 1867년 메이지유신을 통해 정치 · 경제 · 문화제도의 개혁을 단행한 후부터는 국제법에 대한 이해를 바탕으로 국제법을 적극 수용하여 국제 관계를 정립해 나갔고, 스스로 경험한 불평등 조약을 그대로 자국의 식민지국들에게 강요하였다.

답 ④

008 19세기 일본의 국제정세 인식에 대한 설명으로 옳지 않은 것은?

① 1842년 일본의 사쿠마 쇼진은 해방을 강화하는 의견서 『해방팔책』을 작성하여 대포를 주조하고 군함을 건조하며 해군을 일으킬 것을 주장했다.
② 해방론에 기초한 소극적 전략은 개항을 거치면서 화혼양재사상 및 문명개화사상으로 변화되어 갔다.
③ 1864년 조슈-사쓰마 연합 성립과 1868년 메이지유신 및 천황제 지배 체제는 일본의 근대화에 심각한 장애물이 되었으나, 이후 막부체제 재수립을 계기로 일본은 빠른 근대화의 길을 걷게 되었다.
④ 1871년 이와쿠라 사절단의 구미 사찰 이후 일본은 서구 제국주의와 유럽 국제정치의 실상을 인식하게 되었다.

정답 및 해설

1868년 메이지유신 및 천황제 지배 체제를 계기로 일본은 빠른 근대화의 길을 걷게 되었다.

답 ③

제2절 | 영 · 일동맹

001  **영 · 일동맹에 관한 설명으로 옳지 않은 것은?**

① 영국이 '영광된 고립'에서 벗어나 영 · 일동맹을 모색한 이유는 러시아의 남하정책에 대해 프랑스는 이미 러시아의 동맹국이었고, 미국은 적극적 개입의사가 없었기 때문이다.

② 일본에게 있어 영국은 삼국간섭의 불참 국가였으며 또한 일본은 러 · 일협상과 영 · 일동맹을 동시에 추진했으나, 러시아가 마산포에 군사기지를 구축하는 등 조선에 대한 진출이 노골화되자 영 · 일동맹을 적극 추진하였다.

③ 영 · 일동맹은 양국의 이익범위 조정, 해군협력의 내용을 골자로 하였으며, 체약국의 일방이 제3국과 전쟁을 하는 경우 적극적으로 가담하여 전쟁을 돕는 협력동맹적 성격을 띠고 있었다.

④ 제2차 영 · 일동맹 이후 프랑스 · 일본협약, 러시아 · 일본협약, 영국 · 러시아 협상 및 미국 · 일본의 갈등의 영향으로 영 · 일동맹의 의의는 계속해서 감소하여 결국 1921년 워싱턴회담의 결과 4개국조약이 체결됨으로써 공식 종료되었다.

정답 및 해설

영 · 일동맹은 방어동맹적 성격을 띠는데, 이는 체약국의 일방이 제3국과 전쟁을 하는 경우 타방은 중립을 지키고 다른 국가들이 일방의 적국에 가담하는 것을 저지하는 것이다.

답 ③

002 □□□ **영광의 고립주의(splendid isolation)를 추구하던 영국은 20세기 초, 일본과 동맹을 맺으며 고립주의를 벗어났다. 다음 중 영 · 일동맹을 설명하는 것으로 옳지 않은 것은?**

① 영 · 일동맹은 양국이 러시아에 대항하기 위해 결성한 것이다.

② 영 · 일동맹은 제2차 세계대전 직전 양국의 이해관계 차이로 파기되었다.

③ 1902년의 1차 동맹에서는 조선의 독립과 영토보전을 약속했다.

④ 영 · 일동맹은 영국이 최초로 맺은 평시동맹이다.

정답 및 해설

영 · 일동맹은 1921년 워싱턴 회의에서 미국의 요구에 따라 4국조약으로 종료되었다.

답 ②

003 다음 중 1차 영·일동맹(1902년)에 포함되었던 내용을 모두 고른 것은?

□□□

ㄱ. 체약국 일방이 제3국과 전쟁하는 경우 타방은 중립을 지킨다. 제4국이 전쟁에 참전하는 경우 타방은 원조한다.
ㄴ. 영·일동맹의 범위는 인도까지 확장적으로 적용한다.
ㄷ. 중국과 조선의 독립 및 영토보전, 중국과 조선에서 영·일의 상공업상의 기회균등을 약속한다.
ㄹ. 양국 해군은 평시에는 협력하며, 극동에서 제3국에 비해 우월한 해군력을 유지하기 위해 노력한다.
ㅁ. 영국과 일본은 조선에서의 특수 이익을 공평하게 나누어 향유하는 것을 목적으로 한다.

① ㄱ, ㄷ, ㄹ ② ㄴ, ㄷ, ㄹ ③ ㄴ, ㄹ, ㅁ ④ ㄷ, ㄹ, ㅁ

정답 및 해설

1차 영·일동맹(1902년)에 포함되었던 내용은 ㄱ, ㄷ, ㄹ이다.

선지분석

ㄴ. 영·일동맹의 범위에 대하여 영국은 인도까지 확장하고자 했으나 일본의 반대로 인해 극동에 한정하기로 하였다. 적용 범위의 확대는 제2차 영·일동맹(1905년) 때 확장되어 합의되었다.
ㅁ. 양국은 이익범위를 조정하였는데, 영국은 중국에 대한 특수이익을, 일본은 중국과 조선에서의 특수이익을 향유하도록 인정하였으며, 이를 제3국에 대하여 보호하기 위해 필요한 조치를 강구하기로 합의하였다. 영국은 자국의 조선에서의 이익을 언급하지 않았다.

답 ①

제3절 | 러·일전쟁

001 다음 중 러·일전쟁 이후 국제관계에 대한 설명으로 옳지 않은 것은? 2006년 외무영사직

□□□

① 당시 국제정세의 대세는 영국, 러시아, 프랑스가 밀접한 관계를 이루고 있었다.
② 러·일전쟁 전 일본을 지지하던 미국과의 관계를 더욱 강화하였다.
③ 전쟁을 치른 일본과 러시아 간에는 급기야 군사동맹마저 체결한다.
④ 일본의 만주 진출이 더욱 용이하게 되었다.

정답 및 해설

러·일 협상이 체결되기는 하였으나, 이는 군사동맹은 아니었다.

답 ③

002 러·일전쟁의 배경과 관계없는 것은?

□□□

ㄱ. 의화단사건
ㄴ. 아편전쟁
ㄷ. 러시아의 만주점령
ㄹ. 영·일동맹
ㅁ. 톈진조약

① ㄱ, ㄴ ② ㄴ, ㅁ ③ ㄷ, ㄹ ④ ㄹ, ㅁ

정답 및 해설

러 · 일전쟁의 배경과 관계없는 것은 ㄴ, ㅁ이다.
ㄴ. 아편전쟁: 영국과 중국 사이의 문제이다.
ㅁ. 텐진조약: 아편전쟁에서 승리한 영국이 중국과 맺은 조약으로, 홍콩이 동 조약을 통해 할양되었다.

선지분석

ㄱ. 의화단사건: 의화단사건은 1898년에서 1900년에 걸쳐 중국 여러 지방에서 일어난 배외운동으로, 일본은 8,000명, 러시아는 4,500명의 군대를 파견함으로써 러시아와 일본이 충돌할 가능성이 있었다.
ㄷ. 러시아의 만주점령: 러시아는 의화단 운동이 만주에까지 파급되고 남만주 철도의 일부가 파괴되자 질서유지의 명목으로 군대를 파견하였고, 의화단 운동이 진압된 이후에도 여전히 주둔군을 철수하지 않아 문제가 되었다.
ㄹ. 영 · 일동맹: 영 · 일동맹 체결로 프랑스가 러시아를 원조할 가능성을 봉쇄함으로써 일본은 독자적으로 전쟁을 개시할 수 있었다.

답 ②

003 러 · 일전쟁에 대한 설명으로 옳지 않은 것은?

□□□

① 영국은 터키지역의 해협을 봉쇄하도록 해 러시아 함대의 기동력을 저하시켜 일본을 지원했다.
② 미국도 일본을 지원을 했다.
③ 러시아는 이 전쟁의 결과 사할린 남부의 일부 영토를 일본에 넘겼다.
④ 러 · 일전쟁 후 미국과 영국이 일본의 중국 진출에 대해 관대한 정책을 취하였다.

정답 및 해설

미국은 문호개방정책을 견지하였으며, 영국은 미국과 공조체제를 유지하고 있었다.

답 ④

004 다음은 설명에 해당하는 사건으로 옳은 것은?

□□□

청조 말기에 중국 화베이 지방에서 일어난 배외적 농민투쟁운동이다. 청 · 일전쟁 이후 열강의 침략으로 중국은 분할의 위기에 몰렸고, 값싼 상품의 유입으로 농민 경제가 파괴되었다. 특히 중국인들의 반감을 샀던 크리스트교 세력을 배척하는 과정에서 농민들에게 파급되어 농민 운동으로 번졌으며, 종국에는 관군과 연합하여 열강의 공사관을 공격하였다. 이에 영국, 러시아, 독일, 프랑스, 미국, 이탈리아, 오스트리아, 일본 8개국은 연합군을 형성하여 이들을 격파하였다. 이후 중국의 식민지화가 더욱 진행되게 되었다.

① 의화단운동
② 만주사변
③ 노구교사건
④ 임오군란

정답 및 해설

의화단운동에 대한 설명이다.

선지분석

② 만주사변은 20세기 초 일본에 의해 행해진 중국 경략이다.
③ 노구교사건은 1937년 베이징 교외의 노구교에서 소련을 가상 적국으로 야간 훈련을 하던 일본군이 중국군과 충돌한 사건이다.
④ 임오군란은 조선에서 일본 군대에 대한 우대에 대하여 구식군이 반발하여 일어난 사건이다.

답 ①

005 1900년 의화단 사건과 때를 같이하여 일어난 국제적 사건으로 옳지 않은 것은?

□□□

① 보어전쟁 ② 미서전쟁
③ 남만주 철도 파괴 ④ 미국의 먼로선언

정답 및 해설

먼로선언은 1823년 먼로 대통령의 의회 연설에서 제창된 고립주의이다. 의화단사건 발발 시 일본은 중국에 가장 많은 병력을 파병하였는데 그 배경은 영국이 보어전쟁 때문에 대병력을 중국에 보낼 여력이 없었던 것, 미국이 미서전쟁으로 역시 대병력을 중국에 보낼 여지가 없었던 것이다. 러시아는 당초 일본의 파병을 반대했으나 영국, 미국이 일본을 적극 지원하고 있을 뿐 아니라 의화단 운동이 만주까지 파급되고 남만주 철도의 일부가 파괴되자 러시아 자신도 군대를 보내게 되었다.

답 ④

006 1900년 의화단사건의 배경 및 경과에 대한 설명으로 옳지 않은 것은?

□□□

① 의화단사건은 산둥, 허난 등지에서 일어난 배외운동이 1900년 베이징의 각국 공사관 구역을 포위, 공격한 사건이다.
② 서태후는 의화단의 토벌을 요구하는 주장들을 배척하고 열강과의 결전을 결심하였다.
③ 연합국의 승리로 베이징에 외국 군대가 주둔하게 되었고 중국은 막대한 배상 의무를 지게 되었다.
④ 의화단사건의 결과 중국 정부 내에 혁신파 세력이 기반을 완전 상실하게 되었다.

정답 및 해설

의화단사건의 결과 서태후 등 중국 정부 내의 보수파 세력이 기반을 완전 상실하게 되었고 혁신 세력이 등장하였다. 이는 1911년 신해혁명의 배경이 된다.

답 ④

007 1904년 러·일전쟁의 발발 배경(원인)으로 옳지 않은 것은?

① 메이지 유신 이후 일본의 팽창적 노선
② 남만주 및 한반도에서의 이해를 둘러싼 양국의 갈등
③ 당시 러시아 정부의 모험주의 노선
④ 신흥 일본에 대한 열강들의 예방전쟁

정답 및 해설

세력균형의 측면에서 러·일전쟁은 영국이 일본과 연합하여 러시아를 동북아에서 견제한 전쟁이라고 할 수 있다. 청·일전쟁 승리 이후로 일본의 세력이 강하게 인식되긴 하였으나 러·일전쟁 직전까지만 하더라도 봉쇄대상으로 인식되는 것은 러시아였다. 이러한 상황에는 러·일전쟁에서 일본이 승리함에 따라 변화가 오게 된다.

답 ④

008 러 · 일전쟁을 둘러싼 각국들의 입장에 대한 설명으로 옳지 않은 것은?

□□□

① 영국은 중립을 선언하고 엄정중립을 유지하였다.
② 프랑스는 러시아와 동맹관계에 있었으나 이로 인해 영국과 충돌하는 것을 원치 않았기 때문에 러시아 지원에는 소극적이었다.
③ 독일은 러시아의 관심을 아시아로 돌리는 것을 환영하여 러시아를 지원하였다.
④ 미국은 일본의 제안이 중국의 영토보전, 기회균등에 입각하고 있어서 일본에 호의적이었다.

정답 및 해설

영국은 중립을 선언하였으나 중립국의 의무를 해하지 않는 한도 내에서 적극적으로 일본을 지원하였다. 영국이 줄곧 러시아에 대해 세력균형 정책을 시행한 것은 주지의 사실이다. 그 예로 전쟁 중 러시아 함대가 영국 항구에서 석탄을 공급받는 것을 거절하여 발틱함대의 패전에 원인을 제공한 일화는 유명하다.

답 ①

009 다음은 러 · 일전쟁의 전개 과정이다. 시간 순으로 바르게 나열한 것은?

□□□

ㄱ. 러시아의 만주점령 및 여순에 극동총독부 설치
ㄴ. 니시-로젠 협정 체결
ㄷ. 영 · 일동맹 결성
ㄹ. 의화단사건 진압
ㅁ. 러 · 일교섭 실패
ㅂ. 포츠머스 강화조약
ㅅ. 러 · 일전쟁 발발

① ㄴ-ㄱ-ㄹ-ㅂ-ㅁ-ㅅ-ㄷ
② ㄴ-ㄹ-ㄷ-ㄱ-ㅁ-ㅅ-ㅂ
③ ㄷ-ㄹ-ㄴ-ㅅ-ㅁ-ㅂ-ㄱ
④ ㄷ-ㅁ-ㄹ-ㄱ-ㅂ-ㅅ-ㄴ

정답 및 해설

러일전쟁은 ㄴ-ㄹ-ㄷ-ㄱ-ㅁ-ㅅ-ㅂ 순서로 전개되었다.
ㄴ. 니시-로젠 협정(1898.4)
ㄹ. 의화단사건 진압(1900)
ㄷ. 영 · 일동맹 결성(1902.1)
ㄱ. 러시아가 여순에 극동총독부 설치(1903.8)
ㅁ. 러 · 일교섭(1903.8~1904.1)
ㅅ. 러 · 일전쟁 발발(1904.2)
ㅂ. 포츠머스 강화조약(1905.9)
러 · 일전쟁은 러시아의 중국 경략 의도에 대하여 일본이 개전을 하고 영국이 지지해 준 전쟁이다. 러시아는 의화단 운동의 진압 이후에도 만주에서 군대를 철병하지 않았으며, 중국 진출 의도를 드러냈다. 일본은 이에 따라 만한교환론을 제안하며 만주에서는 러시아의 배타적 권리를, 조선에서는 일본의 우월권을 확립하고자 러 · 일교섭을 진행했으나 성과가 없었다. 결국 일본이 영국의 지지에 힘입어 러시아에 선전포고하게 되었으며, 일본이 승전하여 포츠머스 강화조약을 맺고 열강으로부터 일본의 조선 지배권을 승인받게 되었다.

답 ②

010 □□□

포츠머스 강화조약의 주요 내용으로 옳지 않은 것은?

① 일본은 러시아가 조선에서 정치, 군사, 경제적인 우월권이 있음을 승인한다.
② 러, 일 양군은 만주에서 철수하며 만주에 있어서의 중국의 주권 존중과 기회균등 원칙을 준수한다.
③ 북위 50도 이남의 사할린, 그 부속도서를 일본에 할양한다.
④ 러시아 정부는 랴오둥 반도 조차권, 창춘 – 뤼순 철도 관련 모든 특권을 중국의 승인하에 일본에 양보한다.

정답 및 해설

러시아는 일본이 조선에서 정치, 군사, 경제적인 우월권이 있음을 승인하고 조선에 대하여 지도 · 감독에 필요한 조치를 취할 수 있음을 승인한다.

답 ①

011 □□□

러 · 일전쟁의 의의 및 영향으로 옳지 않은 것은?

① 일본은 대국주의와 팽창주의의 길로 들어서게 되었다.
② 러시아는 동북아 진출이 좌절되면서 발칸에 눈을 돌리게 되어 제1차 세계대전의 씨앗이 잉태되었다.
③ 일본이 조선에서 청, 러시아에 비해 우위를 확보하게 되었다.
④ 미국과 영국은 일본의 힘이 확인되자 일본의 중국 진출을 적극적으로 지지해 주었다.

정답 및 해설

러 · 일전쟁에서 일본이 승리하고 러시아의 위협이 감소하자 영국, 미국은 일본에 대해 견제하는 입장을 취하게 되었다.

답 ④

001 □□□ **다음은 제1차 세계대전 이후 일본이 동아시아 경략을 위하여 유발한 사건들이다. 시간 순으로 바르게 나열한 것은?**

ㄱ. 중 · 일전쟁	ㄴ. 일본의 21개조 요구
ㄷ. 만주괴뢰국 설립	ㄹ. 일본의 국제연맹 탈퇴
ㅁ. 일본의 진주만 공습	ㅂ. 난징대학살

① ㄴ - ㄷ - ㄹ - ㄱ - ㅂ - ㅁ
② ㄴ - ㄹ - ㄷ - ㄱ - ㅁ - ㅂ
③ ㄷ - ㄱ - ㅁ - ㄹ - ㅂ - ㄴ
④ ㄷ - ㄹ - ㅁ - ㄱ - ㅂ - ㄴ

정답 및 해설

ㄴ - ㄷ - ㄹ - ㄱ - ㅂ - ㅁ 순으로 전개되었다.

ㄴ. 제1차 세계대전 발발 시 일본은 중국에서의 우월권 확보를 위해 참전하였고, 승전 이후 일본은 21개조 요구로써 중국에 대한 일본의 우월권을 주장하였다.
ㄷ. 일본의 만주괴뢰국을 설립하였다(1932).
ㄹ. 국제연맹에 의해 만주사변을 비판하는 리튼 보고서가 채택되자 일본은 국제연맹 탈퇴를 선언하며 반국제협력 노선을 추진하였다(1933.3).
ㄱ. 랑방사건으로 중 · 일 전면전쟁(1937.7)이 발생하였다.
ㅂ. 중 · 일전쟁에서 일본 승리로 일본군이 난징 점령하고, 난징대학살 자행(1937.12)하였다.
ㅁ. 일본의 진주만 공습(1941.12) 이후 미국의 대일 선전포고로 태평양 전쟁이 개시되었다.

답 ①

002  **1930년대 일본의 만주 침략의 배경 및 과정에 대하여 옳지 않은 것은?**

① 대공황 상황에서도 열강들은 일본의 만주 침략에 대하여 적극 반대하는 정책을 펼쳤다.
② 이시하라는 장차 미국과 일본의 전쟁에 대비하여 자원 공급지인 만주를 반드시 보유해야 한다고 주장하였다.
③ 미국 스팀슨 국무장관은 1928년 파리조약의 의무에 위반되는 수단에 의하여 성립된 일체의 상태, 조약, 협정을 승인할 의무가 없음을 선언하였다.
④ 국제연맹이 만주사변에 관한 리튼 보고서를 채택하자 일본은 1933년 국제연맹을 탈퇴하였다.

정답 및 해설

미국을 제외한 열강들은 대공황으로 인하여 국외 사정에 대해서 간섭하기 힘든 상황이었다. 이에 대하여 미국 국무장관 스팀슨은 일본이 시기를 잘 선택하였다고 표현한 바 있다.

답 ①

003 근대 동북아시아의 역사적 사건을 순서대로 바르게 나열한 것은?

2022년 외무영사직

□□□

> (가) 중일전쟁
> (나) 일본의 류큐 병합
> (다) 조일수호조약(강화도조약)
> (라) 만주사변

① (나) → (다) → (가) → (라)
② (나) → (다) → (라) → (가)
③ (다) → (가) → (라) → (나)
④ (다) → (나) → (라) → (가)

정답 및 해설

(다) → (나) → (라) → (가) 순서로 사건이 진행되었다.

(가) 중일전쟁(1937.7.7.): 1937년 7월 7일 일본의 중국 대륙 침략으로 시작되어 1945년 제2차 세계대전이 끝날 때까지 계속된 중화민국과 일본 사이의 대규모 전쟁이다. 일본의 연합국에 대한 항복과 함께 1945년 9월 2일 종료되었다.

(나) 일본의 류큐 병합(1879.4.4.): 류큐국은 동중국해의 남동쪽, 지금의 일본 오키나와현 일대에 위치한 독립 왕국이다. 여러 차례 일본 제국의 침략을 받아 1879년에 강제로 병합되어 멸망하였고, 오늘날 오키나와현으로 바뀌었다. 류큐국은 중국과 일본 양쪽에 모두 조공을 바치면서 독립을 유지하고 있었으나, 일본은 1879년 3월 27일에 경찰과 군인을 동원해 무력으로서 "류큐번을 폐지하고 오키나와현을 설치한다."라는 폐번치현 명령을 일방적으로 전달하고, 4월 4일에 일본 영토로 편입시켜 오키나와현을 설치하였다.

(다) 조일수호조약(강화도조약)[1876.(음)2.3.]: 1876년(고종 13) 2월 강화부에서 조선과 일본 사이에 체결된 조약이다.

(라) 만주사변(1931.9.18.): 일본이 1931년 9월 18일 류탸오후 사건(柳條湖事件)을 조작해 일본 관동군이 만주를 중국 침공을 위한 전쟁의 병참 기지로 만들고 식민지화하기 위해 벌인 전투를 말한다. 침략 이후 일본은 1932년 1월까지 만주 전역을 점령, 3월에는 괴뢰정권으로서 만주국을 성립시켰다.

답 ④

004 만주사변의 국제정치사적 의의로 옳지 않은 것은?

① 국제연맹과 집단안보체제의 권위를 붕괴시켰다.
② 워싱턴체제에 대한 도전으로서 미 · 일 갈등이 고조되었다.
③ 1920년대 형성된 안보기제들이 현상타파세력들에 의해 붕괴되기 시작하였다.
④ 트루먼 독트린이 채택되었다.

정답 및 해설

만주사변에 대하여 미 국무장관 스팀슨은 1928년 부전조약에 위배되는 어떠한 사태, 조약, 협정도 승인하지 않는다는 불승인주의를 선언하였는데, 이를 스팀슨 독트린이라 한다.

답 ④

005 1937년 중 · 일전쟁의 국제정치사적 의의로 옳지 않은 것은?

□□□

① 일본의 중국에서의 이익범위가 만주에 국한되는 것이 아니라 중국 전역임을 보여 주었다.
② 중국 내 파벌들이 항일일치전선을 형성시키는 계기가 되었다.
③ 일본의 현상타파 정책에 대해 유럽국가 및 미국이 자각하고 대항하는 계기가 되었다.
④ 중국이 조선에서 일본의 우위를 인정하는 결과를 가져왔다.

정답 및 해설

1894년 청 · 일전쟁에 관한 설명이다. 러 · 일전쟁을 거쳐 1910년 한일합방 이래로 조선은 일본에 완전히 예속되게 되었기 때문에 옳지 않다. 중 · 일전쟁은 조선에서의 이권을 둔 대립이 아니라 중국 본토 침략에 관한 것이다.

답 ④

006 1937년 중 · 일전쟁에 대한 설명으로 옳지 않은 것은?

① 루거우차오사건이 발단이 되었다.
② 중국에서는 1937년 9월 국공합작이 발표되고 반일투쟁을 위한 연합전선이 형성되었다.
③ 열강들은 히틀러의 팽창 정책 저지에 몰두해 있어 일본의 침략 행위에 소극적으로 대응하였다.
④ 국제연맹 차원에서 일본에 대한 군사적 · 경제적 제재가 시행되었다.

정답 및 해설

국제연맹에서는 "타국의 정책을 변경시키기 위하여 병력으로써 내정간섭하는 것은 아무런 법률상의 근거가 없다."는 일반적인 결의문만이 채택되었을 뿐이다. 그 이유는 ③과 같다.

답 ④

007 1930년 일본의 동아시아 침략에 대한 설명으로 옳지 않은 것은?

□□□

① 상해사변이 전개되는 와중에 관동군은 1932년 3월 1일 만주국을 창설했다.
② 국제연맹에 의해 리튼보고서가 채택된 이후 일본은 1933년 3월 27일 국제연맹 탈퇴를 선언했다.
③ 1936년 11월 5일 일본은 독일과 일독방공협정을 체결하여 소련을 견제한 이후 대륙진출을 적극화하였다.
④ 1937년 7월 7일 유조구 사건이 발발하자 일본과 중국은 국지적으로 해결할 생각이었으나 양자 교섭이 교착상태에 빠지면서 일본은 중국문제를 일거에 해결하기 위해, 중국은 실지회복과 일본 축출을 위해 전면전을 계획했다.

정답 및 해설

루거우차오(노구교사건)이 발단이 되었다.

답 ④

008 태평양전쟁의 배경에 관한 설명 중 옳지 않은 것은? 2007년 외무영사직

□□□

① 일본은 메이지 시대(1868~1912)에 급속한 산업화를 이룩하면서 제국주의적 성향을 키워 나갔다.
② 1904년에서 1905년 사이의 러 · 일전쟁 이후 중국 북부지역에 주둔하던 일본군 장교집단은 일본이 중국으로 팽창정책을 실시하도록 일본 정부를 압박했다.
③ 1923년 관동대지진과 1920년대 말의 대공황은 일본 내에서 우익극단주의가 더욱 확산되는 계기가 되었다.
④ 1930년 일본군과 만주 마적단 간의 사소한 분쟁을 빌미로 일본은 1932년 만주지역에 괴뢰국가인 만주국을 건설했고, 그해 곧바로 중국과 전면전에 돌입했다.

정답 및 해설

일본은 1937년 중 · 일전쟁으로 중국과 전면전을 벌인다.

답 ④

009 태평양 전쟁 발발 직전 일본의 최후통첩에 대하여 미국이 대응한 헐 노트에 담긴 내용으로 옳지 않은 것은?

□□□

① 미국, 일본, 영국, 소련 간에 불가침 조약을 체결한다.
② 상기 나라들은 프랑스령 인도차이나의 주권을 존중한다.
③ 중국과 프랑스령 인도차이나의 일본군은 완전히 철수한다.
④ 독일 · 이탈리아 · 일본 간 3국 동맹을 강화한다.

정답 및 해설

헐 노트(Hull Note)는 당시 일본이 수용하기 힘든 내용을 담고 있어 미국이 일본과의 전쟁을 불사했음을 보여준다. 논리상 3국 동맹의 부정을 요구했음을 추론할 수 있다.

답 ④

010 태평양전쟁에 관한 설명으로 옳지 않은 것은?

① 태평양전쟁은 일본이 1941년 12월 진주만 기습공격을 감행하면서 벌어졌으며, 이때 일본 · 이탈리아 · 독일과 미국 · 영국 · 네덜란드에 의한 상호 선전포고가 있었다. 그러나 1945년 8월 히로시마와 나가사키에 원폭이 투하되고 소련이 참전함으로써 일본은 항복하였다.
② 일본 · 독일 · 이탈리아는 1940년 삼국동맹을 체결, 일본은 독일과 이탈리아가 유럽의 신질서를 주도하는 것을 인정하고, 독일과 이탈리아는 일본의 대동아 신질서 구상의 주도를 인정하였다. 결국 삼국동맹은 미국을 견제하는 결과를 불러일으켜 소기의 목적을 달성하였다.
③ 1941년 일본과 소련은 상호중립조약을 맺었으며 이는 양국 중 1국이 제3국(독일)과 전쟁을 하는 경우 타국은 중립을 지킨다는 내용이었다. 삼국동맹과 일소중립조약은 일본이 강경책을 채택하는 하나의 배경이 되었다.
④ 태평양전쟁 도중, 카이로회담에서 일본의 전후처리 문제가 결정되었으며 동 회담에 의해 한국에게 독립을 부여할 것을 결의하였다.

정답 및 해설

삼국동맹은 오히려 미국을 자극하게 되는 결과를 가져와 태평양전쟁의 한 원인이 되었다고 할 수 있다.

선지분석

④ 카이로회담에서 일본이 침략해 점령 중국의 모든 영토를 중국에 반환하고 조선에게 독립을 부여하는 것을 결의하였다(종전은 1945년이나 카이로회담은 1943년으로, 카이로회담은 종전 이전, 즉 전시에 이뤄진 것이다).

답 ②

제5장 조선외교사

001 다음 사건들을 발생 순서대로 바르게 나열한 것은? 2012년 외무영사직

□□□

ㄱ. 조일수호조규	ㄴ. 조영수호조약
ㄷ. 조미수호조약	ㄹ. 조불수호조약

① ㄱ - ㄴ - ㄷ - ㄹ
② ㄱ - ㄴ - ㄹ - ㄷ
③ ㄱ - ㄷ - ㄴ - ㄹ
④ ㄱ - ㄹ - ㄴ - ㄷ

정답 및 해설

ㄱ. 조일수호조규(1876) - ㄷ. 조미수호조약(1882.4.6) - ㄴ. 조영수호조약(1882.4.21) - ㄹ. 조불수호조약(1886.6.4) 순으로 발생하였다.

답 ③

002 조미수호통상조약(1882.5.22)에 대한 설명으로 옳지 않은 것은?

□□□

① 조선이 구미 열강과 맺은 최초의 근대적 국제조약으로서 이후 열강들은 대체로 이 조약을 준용하여 조선과 국교를 수립하였다.
② 미국은 1883년 4월 루시어스 푸트를 초대 조선 주재 공사로 파견하였으나, 조선의 청에 대한 종속적 태도와 조선과의 경제적 이익이 크지 않다는 판단하에 조선과의 관계를 지속적으로 축소시켰다.
③ 조선은 1905년 일본의 국권 침탈 시도에 맞서 이 조약에 기초하여 미국의 도움을 요청하였으나 미국은 오히려 가쓰라 - 태프트 밀약을 맺어 한반도에 대한 일본의 조선 지배를 용인하였다.
④ 아편무역을 금지하였으며 종교의 자유와 포교권을 명시하였다.

정답 및 해설

종교의 자유나 포교권에 대해서는 규정하지 않았다.

답 ④

003 □□□ **다음 중 조선의 개항과 관련된 내용으로 옳지 않은 것만을 모두 고른 것은?**

ㄱ. 최초의 개항상대국은 영국이었다. ㄴ. 운요호 사건이 계기가 되었다. ㄷ. 자발적인 의지에 따른 평화적 방식에 의한 개항이었다. ㄹ. 조선이 자주국임을 규정하여 청나라의 조선에 대한 종주권이 공식적으로 부인되었다.

① ㄱ, ㄴ ② ㄱ, ㄷ ③ ㄴ, ㄹ ④ ㄷ, ㄹ

정답 및 해설

조선의 개항과 관련된 내용으로 옳지 않은 것은 ㄱ, ㄷ이다.

ㄱ. 한국은 일본과의 강화도조약을 통해 최초로 개항하였다. 중국은 영국과의 아편전쟁과 이에 따른 난징조약을 통해 개항하였다. 이후 베이징조약으로 중국의 개국은 완료되었다. 일본은 미국과 가나가와조약을 체결하면서 문호를 개방하였다.

ㄷ. 일본의 개항과 관련된 내용이다. 조선과 중국은 제국주의적인 의도에 의해 전쟁을 거친 후 강제로 개항되었다.

답 ②

004 □□□ **다음 중 『조선책략』의 내용으로 옳지 않은 것은?** 2004년 외무영사직

① 러시아의 남진을 막기 위해 청국이 영국의 옹호 아래 조선을 방아책으로 삼으려 했다.

② 미국은 민주주의와 공화정을 하는 나라이므로 약소국과 합의를 유지할 것이다.

③ 일본의 중국적 화이질서에 대한 도전을 막기 위해 동아시아 국가 간에 합종연횡을 주장하였다.

④ 세상에서 가장 크고 위협적인 나라인 러시아를 견제하기 위해서는 땅이 크고 없는 물건이 없는 중국과의 화이질서가 필요하다는 것이다.

정답 및 해설

황준헌은 『조선책략』에서 러시아에 대항하기 위해, 조선이 중국, 일본, 미국과 연합을 형성할 것을 제창하였다.

답 ③

005  **황준헌의 『조선책략』에 관한 설명으로 옳지 않은 것은?**

① 러시아는 지구상에서 가장 무서운 침략국이다.

② 중국은 지대물박(地大物博)하며 방아(防俄)할 수 있는 나라이다.

③ 조선의 시급한 임무는 일본의 제국주의 세력을 견제하는 것이다.

④ 지구상의 대소국을 막론하고 쇄국하는 나라가 없고 조선도 언젠가는 개국하지 아니할 수 없다.

정답 및 해설

황준헌의 조선 책략의 기본 구도는 '친중국, 결일본, 연미방, 대아라'로서 조선이 일본과도 결탁해야 함을 역설하였다. 1880년 대일본 수신사 김홍집에 의해 입수된 책으로서 1882년 조미수호조규체결에도 영향을 준 것으로 평가된다. 조선책략은 결국 조선이 서양 국제법질서에 편입되는 것을 대외정책의 기본방향으로 설정할 것으로 강조하였다.

답 ③

006 □□□

『조선책략』은 개화기 조선 정부 인사들의 외교 정책 수립에 큰 영향을 미쳤다. 『조선책략』이 쓰여진 배경으로 옳지 않은 것은?

① 『조선책략』에서 친중국을 크게 거론하는 의도는 조선의 외교 문제를 중국의 지배하에 두려는 것이었다.

② 미국과 연결하는 제안은 미국이 영토의 야욕이 없고 아시아에 관심을 갖고 있어서 먼저 미국과 공평한 조약을 체결하여 다른 서양 국가들과 맺을 조약의 원형을 만들어 놓아야 한다는 것이었다.

③ 일본과 손을 잡는 것은 일본이 러시아의 침탈을 받으면 조선의 안위에 직접 관련되는 문제이기 때문에 불가피하다고 주장하였다.

④ 교린질서에 머무르고 서양의 국제법 질서를 거부하는 것을 조선 외교정책의 기본 방향으로 삼아야 한다고 보았다.

정답 및 해설

일본과 새로운 관계를 수립하고 미국과는 조속히 조약을 체결하여 뒤이어 다른 서양 열강과도 조약관계를 수립하여야 한다고 주장하였다. 즉 서양 국제법 질서에 편입하는 것을 조선 외교정책의 기본 방향으로 삼아야 한다고 주장하였다.

답 ④

007 □□□

19세기 말 조선의 대외관계 인식에 대한 설명으로 옳지 않은 것은?

① 위정척사의 양이의 국제정치관은 기존의 천하 질서관에 기초하여 오랑캐인 서구 세력의 존재 자체를 인정하지 않았다.

② 문명개화사상은 19세기 조선의 국제정치관의 하나로서 압도적으로 우세한 군사력을 지닌 열강에게 대항하려면 문호 개방을 통한 조선의 부국강병이 절실하다는 관념이었다.

③ 김옥균은 갑신정변의 실패 이후 양절체제론을 제시하여, 조선의 이익에 맞게 한편으로는 전통 중화질서를 유지하면서 다른 한편으로는 서구의 주권국가 체제를 활용하고자 하였다.

④ 1905년 을사조약 체결 이후 신채호는 단호히 일본에 맞서 국권을 회복해야 한다는 국가주의론을 제시하였다.

정답 및 해설

유길준의 사상이다.

답 ③

008 □□□

조일수호조규(1876)에 대한 설명으로 옳지 않은 것은?

① 조선측 신헌과 일본측 구로다 기요타카가 전권대표로서 체결하였다.

② 조선측의 정한론에 맞서 일본이 함포외교를 단행하여 위협함으로써 체결되었다.

③ 일본은 15개월 후에 수시로 사신을 파견하여 조선 경성에 가서 직접 예조판서를 만나 교제 사무를 토의할 수 있다.

④ 조선국 인민이 죄를 범한 경우 일본과 교섭하여 인민은 모두 조선 관청에 넘겨 조사 판결하되 각각 그 나라 법률에 근거하여 판결한다.

정답 및 해설

정한론은 일본측의 논리로, 조선을 정벌해야 함을 의미한다.

답 ②

009 『서유견문』에 관한 설명으로 옳지 않은 것은?

① 유길준이 일본과 미국 등을 돌아보면서 구상한 개화의 방법과 개혁의 방향을 담고 있다.
② 개화를 실상개화와 허명개화로 나누고 일차적으로 허명개화를 거치지만 반복된 경험을 통해 실상개화에 이를 수 있다고 주장하였다.
③ 서양의 앞선 문물과 제도를 전폭적으로 수용하여 열등한 우리의 것을 대체하는 '개화의 용단'이 필요하다고 주장하였다.
④ 조선의 현실에서 더 이상 군치(君治)는 부적합하고 완전한 민치(民治) 역시 비현실적이라 보면서 군민공치론(君民共治論)을 주장하였다.

정답 및 해설

유길준의 개화론은 서양의 것과 우리의 것을 조화시키는 데 핵심이 있었다. 그는 개화를 행실의 개화, 학술의 개화, 정치의 개화 등으로 나누고 행실의 개화는 세계만국, 천만년을 통하여 변치 않고, 정치의 개화는 시대와 지역에 따라 다르다고 지적하였다. 따라서 잘못된 개화의 방식으로는 무분별하게 외국의 것을 도입하는 것('개화의 죄인')과 무턱대고 반대하는 것('개화의 원수')을 들고 지금의 형세로는 서양의 장점을 취하고 단점을 버리는 것이 최선의 방도라고 하였다. 그의 개혁구상은 상당부분 '갑오개혁'에 반영되었다.

답 ③

010 19세기 후반 동아시아 정치사상에 대한 설명으로 옳지 않은 것만을 모두 고른 것은?

ㄱ. 중국의 변법자강운동은 캉유웨이, 탄쓰퉁, 량치차오, 쑨원 등이 추진한 것으로서 중국의 급진적 개혁을 추구하였다.
ㄴ. 변법자강운동은 해방론에 기반한 운동으로서, 다가오는 서구의 외압을 막아 중국이 전통적으로 지켜온 통일 제국의 위상을 견지하고 중국의 기존 체제와 지역 영향권을 지키자는 것이 해방론의 국제정치관이었다.
ㄷ. 양무운동가인 량치차오는 서구의 사회진화론과 사회계약론은 물론, 국가유기체설과 국가법인설 등 다양한 논리를 수용하여 개혁의 필요성과 당위성을 설파했다.
ㄹ. 조선의 경우 해방론에 기초한 소극적 전략은 개항을 거치면서 화혼양재와 같은 점진적 대외 인식의 변화, 그리고 문명개화의 본격적 변화를 보이게 되었다.
ㅁ. 조선의 유길준은 갑신정변의 실패 이후 조선의 이익에 맞게 한편으로는 전통 중화질서를 유지하면서 다른 한편으로는 서구의 주권국가 체제를 활용해야 한다는 '양절체제론'을 주장했다.

① ㄱ, ㄴ, ㄷ ② ㄱ, ㄴ, ㅁ ③ ㄱ, ㄷ, ㄹ ④ ㄴ, ㄷ, ㄹ

정답 및 해설

19세기 후반 동아시아 정치사상에 대한 설명으로 옳지 않은 것은 ㄴ, ㄷ, ㄹ이다.
ㄴ. 양무운동에 대한 설명이다.
ㄷ. 량치차오는 변법자강운동가이다.
ㄹ. 일본에 대한 설명이다.

답 ④

011 □□□

19세기 조선 학자들의 대외관계 인식에 대한 설명으로 옳지 않은 것은?

① 청나라 건국 이후 조선은 스스로 소중화를 자처하며 청과의 관계에서 형식적 사대 관계만을 유지하고자 했다.

② 1880년 8월 2차 수신사로 도일했던 김홍집이 일본 주재 청국 공사 참사관 황준헌으로부터 받아온 『조선책략』에서 황준헌은 조선의 자강을 역설하고, 러시아를 막기 위해 일본과 결맹하고 미국과 연계하여 자강할 것을 권유하였다.

③ 김옥균은 갑신정변의 실패 이후 양절체제론을 제시하여, 조선의 이익에 맞게 한편으로는 전통 중화질서를 유지하면서 다른 한편으로는 서구의 주권국가 체제를 활용하고자 하였다.

④ 1905년 을사조약 체결 이후 신채호는 단호히 일본에 맞서 국권을 회복해야 한다는 국가주의론을 제시하였다.

정답 및 해설

유길준의 입장이다.

답 ③

012 □□□

다음 중 1882년 '조·청상민수륙통상장정'의 내용으로 옳지 않은 것은? 2006년 외무영사직

① 양국 수도에 대사를 상주시키기로 하였다.

② 조선은 청국에게 치외법권을 인정하였다.

③ 조선의 국왕과 북양대신 간의 동등한 지위를 규정하였다.

④ 청의 조선에 대한 종주권을 확인하였다.

정답 및 해설

대사 상주권은 규정되지 않았다. 구체적인 내용을 보면, 서두에 조선에 대한 청나라의 종주권을 명시한 이 장정은, 조선 정부의 비준조차 생략된 채 치외법권은 물론 개항장이 아닌 서울 양화진(楊花津)에 청국인이 점포를 개설할 수 있는 권리, 호조(護照: 일종의 여행증명)를 가진 자에게는 개항장 밖의 내륙통상권과 연안무역권까지 인정하였다. 이밖에도 국경무역에서 홍삼을 제외한 5% 관세, 청나라 기선의 조선 파견권, 청국인의 조선연안 어업권 인정 등 청나라의 특권으로 일관된 불평등조약이었다. 청나라에 의존한 민씨 정권에 의해 체결된 이 장정은 이후에 체결되는 통상조약, 특히 조선과 일본 및 영국과의 조약 개정에도 막대한 영향을 미쳐 불평등조약의 체계 확립에 결정적 역할을 하였다.

답 ①

013 □□□ **조청상민수륙무역장정(1882)에 대한 설명으로 옳은 것만을 모두 고른 것은?**

> ㄱ. 중국 상인이 조선 항구에서 고소를 제기할 일이 있는 경우 조선이 심의 판결한다.
> ㄴ. 조선사람이 중국인을 상대로 제소한 경우 중국 상무 위원이 체포하되 조선이 심의 판결한다.
> ㄷ. 조선인이 중국에서 범죄를 범한 경우 모두 중국 지방관이 판결한다.
> ㄹ. 책문, 의주, 훈춘, 회령에서 변경 백성들이 수시로 왕래하며 교역하도록 한다.
> ㅁ. 아편 무역은 금지한다.

① ㄱ, ㄴ, ㄷ　② ㄱ, ㄷ, ㄹ　③ ㄴ, ㄷ, ㄹ　④ ㄷ, ㄹ, ㅁ

정답 및 해설

조청상민수륙무역장정(1882)에 대한 설명으로 옳은 것은 ㄷ, ㄹ, ㅁ이다.

선지분석

ㄱ. 중국 상무 위원에게 넘겨 판결한다.
ㄴ. 중국 상무 위원이 체포하여 심의 판결한다.

답 ④

014 □□□ **1886년 병인양요에 있어서 조선을 둘러싼 각국의 입장으로 옳지 않은 것은?**

① 중국은 이를 사대질서의 파괴로 보고 묵과할 수 없다는 입장이었다.
② 일본은 교린질서의 같은 행위자이면서도 이 기회를 이용해 한반도에 있어서 우월적인 지위를 인정받으려 하였다.
③ 러시아는 연해주를 획득한 상태여서 프랑스의 조선 진출에 불안을 느꼈다.
④ 영국은 조선이 중국보다 중요한 이익선이었기 때문에 적극 간섭하였다.

정답 및 해설

영국은 중국 진출을 우선시하였으며 러시아가 한반도에 진출하지 않는 한 현상유지 정책을 고수하였다.

답 ④

015  **19세기 말 조선이 국제정치질서 속에 편입되는 과정에 대한 설명으로 옳지 않은 것은?**

① 이 시기는 교린과 국제법 질서에 입각한 두 세계관의 충돌이 뚜렷이 나타났다.
② 1860년대 대원군이 쇄국정책을 펼 수 있었던 것은 영국이 중국을 중시하고 조선을 경시하는 정책을 유지했기 때문이었다.
③ 러시아가 조선에 진출하려 하자 영국은 적극적인 세력균형 정책을 취하게 되었다.
④ 조선 조야는 교린질서를 버리고 국제법 질서를 형성하는 데 전적으로 찬성하였다.

정답 및 해설

조선 조정은 개화파와 보수파 두 진영으로 갈렸으며 조정의 전체 분위기는 개화에 반대하는 쪽이었다. 이런 분위기에서 고종을 정점으로 하는 일부 인사들이 일본과 국제조약을 체결해야 된다고 주장하고 이를 실천에 옮긴 일은 새로운 각도에서 재평가되어야 한다는 주장이 제기되고 있다.

답 ④

016 임진왜란 이후 조선-일본 간 관계에 관한 설명으로 옳지 않은 것은?

□□□

① 조선이 일본에 대해 통신사를 파견하였다.
② 양국 관계에 교환되는 외교문서인 서계의 양식이 매우 상세하게 규정되어 있었다.
③ 왜관에서 조선과 쓰시마의 무역이 이루어졌다.
④ 일본은 1868년 메이지 유신 이후 조선과의 교린관계를 유지하는 것을 기본 정책으로 삼았다.

정답 및 해설

일본은 메이지 유신 이후 오래 지속되어 온 통신사, 서계, 왜관무역을 기본으로 하는 조선과의 교린관계를 변경하거나 파괴하는 것을 외교정책의 기본으로 채택하였다.

답 ④

017 1876년 강화도조약의 내용으로 옳지 않은 것은?

□□□

① 조선국은 자주지방으로서 일본과 평등한 권리를 가진다.
② 일본국 정부는 수시로 사신을 조선국 경성에 파견한다.
③ 일본국 인민이 조선국 지정의 각 항구에 재류 중 죄를 범한 것이 조선국 인민에 관계되는 사건을 일으켰을 경우 이를 모두 일본 관원이 심단한다.
④ 일본에서 조선국 인민이 죄를 범한 경우 이를 모두 조선 관원이 심단한다.

정답 및 해설

일본은 조선에게 편무적인 영사재판권을 강요해 그 주장을 관철하였다. 조선은 양국의 범죄인이 있으면 양국의 관리들이 현지에서 회동하고 법률을 사용해 재판하도록 하자고 제의하였으나 주장을 관철시키지 못했다.

답 ④

018 조선이 개국 과정에서 영국 및 미국과 체결한 조약에 대한 비교로서 옳지 않은 것은?

① 미국은 난파선 문제 이외에 조선에 큰 관심을 갖지 않은 상태였다.
② 영국은 불평등 조약의 요구와 무역 이익의 극대화를 추구하였다.
③ 최혜국 대우 조항에 의해 어느 한 나라가 획득한 이익은 다른 모든 열강들이 균점하였다.
④ 조선·영국 조약에서는 아편의 수입 금지를 규정한 반면 조선·미국 조약에서는 이런 조항이 없었다.

정답 및 해설

영국은 아편 문제에 민감하여 금지조항을 조약 본문에 삽입하는 것에 반대하였다. 반면 미국과의 조약에서는 아편의 수입 금지가 조약상 명문화되었다.

답 ④

019 1882년 임오군란에 대한 설명으로 옳지 않은 것은?

① 군인들의 봉급으로 지급된 쌀이 정량에 미치지 못하고 돌이 섞인 것을 계기로 반란으로까지 확산된 사건이다.
② 신식 군대인 별기군과 구 군사제도가 병존하게 된 것이 불씨가 되었다.
③ 병사들이 별기군에 불만을 품고 일본대사관을 공격하여 국제적 문제로 비화하였다.
④ 임오군란으로 인해 민씨 일족이 정권을 잡고 흥선대원군이 퇴진하게 된다.

정답 및 해설

반란을 일으킨 구식 병사들이 흥선대원군을 추대하여 흥선대원군이 정권을 다시 잡게 된다. 그리고 그동안에 이루어진 모든 제도 개혁을 혁파하고 기왕의 구제도로 복귀하는 반동적인 정책을 펴나갔다.

답 ④

020 1882년에 발생한 임오군란에 관한 설명으로 옳지 않은 것은 모두 몇 개인가?

□□□

ㄱ. 개항 이후 자급자족 경제가 붕괴되면서 농민은 파산하고 농산물 가격은 급등하여 지배층과 일본인에 대한 불만이 높아지고 있었던 것이 배경이 되었다.
ㄴ. 군제개혁에 따라 도태될 운명에 처해 있던 구식군대가 일본공사관을 습격하면서 시작되었다.
ㄷ. 대원군이 잠시 집권하게 되었으나 오래가지 못했다.
ㄹ. 청나라는 이 사안에 중립을 지키며 조선과 일본 간 협의를 중재했다.
ㅁ. 문제해결을 위한 제물포조약이 체결되었고 일본의 영향력이 강화되었다.

① 없음　② 1개　③ 2개　④ 3개

정답 및 해설

임오군란에 관한 설명으로 옳지 않은 것은 ㄹ, ㅁ으로 모두 2개이다. 임오군란은 국내적으로는 개화파와 수구파의 대립이 표면화된 것이었으나, 국제적으로는 한반도에 대한 세력권 다툼을 벌이고 있었던 청과 일의 대립이었다,
ㄹ. 청은 조선의 요청에 따라 3000명의 군대를 조선에 투입하여 군란을 진압하였다. 또한 대원군을 청나라로 압송하였다.
ㅁ. 임오군란이 청국 군대의 개입으로 진압되자 조청간 종속관계가 심화되었다. 청은 조선에 대해 근대국제법 질서상의 종속국 위치를 강요하여 조청상민수륙무역장정에 반영하였다. 반면 일본은 상대적으로 영향력이 약화되는 결과를 받아 들게 되었다.

답 ③

021 1882년 임오군란이 초래한 결과에 대해 옳지 않은 것은?

① 제물포조약을 통해 중국은 조선에 대해 근대 국제법 질서에서 보는 종속국의 위치를 강요하였다.
② 제물포조약은 조선의 일본에 대한 사죄와 배상금 지불을 주요 내용으로 하였다.
③ 중국은 군란 예방의 명목으로 임오군란이 평정된 이후에도 병사를 계속 주둔시켜 이후 일본과의 갈등으로 이어진다.
④ 임오군란의 사후처리를 위해 일본과 제물포조약이 체결되었다.

정답 및 해설

제물포조약은 일본-조선 간에 체결된 것이고 중국-조선 간 종속관계가 명문화된 것은 상민수륙무역장정을 통해서이다. 중국은 국왕의 뜻에 거슬러 흥선대원군이 정권을 잡았다는 근거로 대원군을 톈진으로 압송, 조선에서의 정치적 지위가 강화되었다.

답 ①

022 1884년 갑신정변에 대한 설명으로 옳지 않은 것은?

□□□

① 개화파 인사들에 의한 수구파들의 숙청 사건이었다.
② 정권이 3일 동안 지속됐다고 하여 3일 천하라고 통용되기도 한다.
③ 조선이 자주적인 행위자가 되기 위해 예속을 강요하던 중국과의 결별이 필요하다고 보았다.
④ 일본은 갑신정변의 주모세력을 극심히 탄압하였다.

정답 및 해설

갑신정변은 김옥균 등 개화파 인사들이 청에의 예속을 끊고 신식군대 양성 및 내정 개혁을 꾀하여 발생하였다. 청의 세력 약화는 한반도에 있어서 일본 세력의 강화를 의미하기 때문에 일본은 개화파를 원조하였다.

답 ④

023 1884년 있었던 갑신정변의 사후처리 과정에 대한 설명으로 옳지 않은 것은?

□□□

① 이 사건을 계기로 일본의 조선지배가 강화되었고 조선정부는 이런 지배로부터 벗어나기 위해 독일에 접근하였다.
② 톈진조약을 통해 청·일 간에는 조선에 변란 발생 시 일방이 타방에 통고 없이 군대를 파병하지 않는다고 합의하였다.
③ 톈진조약은 이후 청·일전쟁이 발발하는 도화선이 되었다.
④ 한성조약을 통해 조선이 일본에 사의를 표명하고 배상금을 지불할 것을 결정하였다.

정답 및 해설

갑신정변은 일본의 지원을 받은 개화파가 주도하여 벌인 정변이었으나 3일 만에 실패하였다. 따라서 청의 조선지배가 강화되었고 조선정부는 이런 지배로부터 벗어나기 위해 러시아에 접근하여 아관파천과 같은 사건이 일어난다.

답 ①

024 1884년 갑신정변의 의의로 옳지 않은 것은?

□□□

① 자주적인 근대국가 형성을 위한 최초의 정치운동
② 일반 민중의 성원을 등에 입은 민주화운동
③ 구미 국제정치 질서의 세계적 팽창에 자주적으로 대처하려는 정치운동
④ 중국과의 관계를 주종관계로 설정하려는 보수세력을 척결

정답 및 해설

갑신정변의 실패요인 중 대표적인 것 중의 하나가 일반 민중의 성원을 받지 못하였다는 점이다. 정변의 정치적인 필요성을 인식하고 있는 계층은 일부의 선각자들에 국한되어 있었으며, 근대적인 정치의 경험과 훈련이 없는 단계에서 근대적인 정치운동을 시도하는 것은 실패하였다.

답 ②

025 1885년 영국에 의한 거문도 점령 사건의 배경 및 의의에 대한 설명으로 옳지 않은 것은?

□□□

① 영국 해군성이 거문도를 약 2년간이나 불법 강점한 사건이었다.
② 영국은 블라디보스토크의 러시아 함대가 남하하는 것을 저지한다는 명목으로 거문도를 점령하였다.
③ 당시 아프가니스탄에서의 충돌로 인해 러시아와 영국 간의 관계가 긴장되어 있었다.
④ 중국은 영·러분쟁에 연루될 것을 두려워하여 시종일관 불개입·소극적 태도를 견지하였다.

정답 및 해설

영국의 거문도 점령에 대하여 열강들은 조선보다도 중국과의 협의를 중시하였다. 중국은 러시아의 조선 진출을 억제한다는 의미에서 영국의 거문도 점령을 처음에는 반대하지 않았다. 그러나 러시아 외무성과의 협의를 통해 조선의 현상유지와 영토보전을 보장받자 중국은 영국의 거문도 철수를 만국에 통보하였다.

답 ④

026 다음과 같은 함의를 갖는 사건으로 가장 옳은 것은?

□□□

> 청의 중개와 영·러 간의 타협으로 전쟁 없이 타결되었으나 조선으로서는 제국주의 열강들의 세력다툼의 희생물이 되어 조선반도가 열강들의 전쟁터가 될 수 있는 일촉즉발의 위기였다. 한편 청은 조선의 종주국으로서 대신 활동하여 외교적 성공을 거두었으며 영·러 양국으로 하여금 사실상 조선이 중국의 속국이라는 것을 증명시켰다.

① 톈진회담　② 로젠-니시협정　③ 거문도 점령　④ 만주사변

정답 및 해설

거문도 점령에 대한 설명이다.

선지분석

① 톈진회담은 조·미 수교에 관한 논의가 이루어진 사건이다.
②, ④ 로젠 - 니시협정, 만주사변 모두 일본이 주체가 된 사건이다.

답 ③

027 다음은 거문도 사건에 대한 설명이다. 옳은 것만을 모두 고른 것은?

□□□

> ㄱ. 유럽의 영·러 간 세력 다툼이 동아시아에서 재현된 사건이다.
> ㄴ. 일본은 영국의 거문도 점령에 대해 영·일동맹을 바탕으로 우호적인 입장에서 조선에 해명해 주었다.
> ㄷ. 미국은 영국이 거문도를 영구히 소유할 의사가 없다고 해명해 주었다.
> ㄹ. 청이 조선의 종주국으로서 대신 활약하여 이중적인 입장을 보임으로써 외교적인 성과를 거두었다.

① ㄱ, ㄴ　② ㄱ, ㄷ　③ ㄱ, ㄷ, ㄹ　④ ㄴ, ㄷ, ㄹ

정답 및 해설

거문도 사건에 대한 설명으로 옳은 것은 ㄱ, ㄷ, ㄹ이다.

선지분석

ㄴ. 일본은 영국의 거문도 점령이 불법이며 조선의 국권과 관련된 중대한 문제라고 주장했다. 아울러 조선에게 조약 당사국에 대한 평등한 대우를 이유로 영국의 불법 점령을 승인하지 말도록 권고하였다. 영·일동맹은 1902년에 맺어졌으며 영국의 거문도 점령 사건은 그 이전인 1885년에 이루어졌다.

답 ③

028 괄호 안에 들어갈 국가로 옳은 것은?

□□□

> 거문도사건(1885~1887)이란 전세계적으로 각축을 벌이고 있던 러시아의 남하정책에 대비하여 (　　)이/가 조선의 거문도를 불법 점령한 사건을 말한다. 1884년 갑신정변이 실패로 끝난 후 조선이 급격히 러시아에 접근하려는 움직임을 보였고, 국외에서는 아프가니스탄을 둘러싼 러시아와의 대립이 급박해졌던 점이 그 배경으로 작용하였다.

① 미국　　② 영국　　③ 프랑스　　④ 독일

정답 및 해설

거문도사건은 전세계적으로 대립하던 영국과 러시아의 대결 구도가 한반도에 투영된 사건으로 청의 중개와 영러 간의 타협으로 전쟁 없이 타결되기는 하였으나, 조선에게는 제국주의 열강들의 세력다툼의 희생물이 되어 조선반도가 열강들의 전쟁터로 변할 수 있었던 일촉즉발의 위기를 안겨주었던 사건이다. 국제체제에서 절대적 약소국이었던 조선의 위치를 상징적으로 보여주었던 사건이라 할 수 있다.

답 ②

029 청·일전쟁 이후 조선에서 있었던 상황으로 옳지 않은 것은?

□□□

① 일본차관유입　　② 을미사변　　③ 아관파천　　④ 갑오농민운동

정답 및 해설

청·일전쟁이 발발한 직접적 계기가 된 사건이 갑오농민운동이다. 민란 진압 명목으로 청이 군대를 파견하자 일본이 텐진조약을 근거로 군대를 파견한 것이다. 양국은 갑신정변 처리 과정에서 텐진조약을 통해 일국이 타국의 동의 없이 조선에 군대를 파견하지 않을 것에 합의했었다.

답 ④

030 1890년대의 다음 사건들을 발생한 순서대로 바르게 나열한 것은?

□□□

> ㄱ. 삼국간섭　　ㄴ. 아관파천
> ㄷ. 을미사변　　ㄹ. 니시-로젠협정
> ㅁ. 대한제국 선포

① ㄱ-ㄴ-ㄷ-ㄹ-ㅁ　　② ㄱ-ㄷ-ㄴ-ㅁ-ㄹ
③ ㄷ-ㄱ-ㄹ-ㄴ-ㅁ　　④ ㄷ-ㄴ-ㄱ-ㅁ-ㄹ

정답 및 해설

1890년대 일어난 사건의 순서대로 나열하면, ㄱ. 삼국간섭(1895.4.23.)-ㄷ. 을미사변(1895.8.20.)-ㄴ. 아관파천(1896.2.11.)-ㅁ. 대한제국 선포(1897.10.12.)-ㄹ. 니시-로젠협정(1898.4.25.)이다.

ㄱ. 삼국간섭은 청일강화조건에 대해 독일, 러시아, 프랑스 3국이 개입하여 강화조건을 변경함으로써 일본의 중국대륙진출을 저지한 사건이다.
ㄷ. 을미사변은 일본 자객들에 의한 명성황후 시해사건이다.
ㄴ. 아관파천은 을미사변으로 신변에 위협을 느낀 고종이 러시아 공사관으로 피신한 사건이다.
ㅁ. 대한제국 선포는 1897년 2월으로, 고종이 러시아 공사관에서 환궁한 후 독립협회와 일부 수구파가 연합하여 칭제건원(稱帝建元)을 추진하여 연호를 광무(光武)로 고치고 10월 12일 황제즉위식을 올림으로써 대한제국이 성립되었다.
ㄹ. 니시-로젠협정은 일본과 러시아 간 3차례 협상 중 하나로, 이를 통해 일본이 조선에서의 경제적 권리를 확보하게 되었다.

답 ②

031 1895년 명성황후 시해 사건의 배경으로 옳지 않은 것은?

① 사건에 가담한 민간인들은 조선 정부에 의하여 재판, 엄격히 처벌받았다.
② 일본 수비대와 낭인패들은 왕실에 침입하여 명성황후를 시해하고 궁전을 약탈하였다.
③ 이 사건으로 조선 각지에서 항일운동이 일어나고 친러파 세력이 고종의 아관파천을 추진하였다.
④ 청 · 일전쟁 이후 일본이 3국간섭으로 후퇴하게 되자 민씨 일파들이 친러파 내각을 출범시켰다.

정답 및 해설

사건 가담 인물들은 일본의 지방법원에서 재판받거나 혹은 치외법권 조항에 의해 영사재판을 받았으며 증거 부족으로 방면되었다.

답 ①

032 1896년 고종이 러시아 대사관으로 피신한 사건에 대한 설명으로 옳지 않은 것은?

① 을미사변 이래 조선 정부는 러시아의 보호를 요청하였다.
② 고종은 1년간 러시아 공관에 기거하게 되었고 이로 인해 조선에서 러시아 세력이 확장되었다.
③ 러시아가 이권을 획득하자 일본과 충돌이 발생했다.
④ 청 · 일전쟁의 결정적 원인이 되었다.

정답 및 해설

1896년 고종이 러시아 대사관으로 피신한 사건은 아관파천으로, 러시아 세력이 커지면서 조선에서의 이권을 획득하자 일본과 충돌, 러 · 일전쟁의 발발 배경이 된다. 청 · 일전쟁은 시기적으로 아관파천에 앞선다. 즉, 청 · 일전쟁 → 삼국간섭 → 을미사변 → 아관파천의 순이다.

답 ④

033 1905년 한 · 일합방의 바탕이 되는 제2차 한 · 일협약의 내용으로 옳지 않은 것은?

① 조선의 외교관계는 일본이 감리 · 지휘한다.
② 일본은 조선에게 배상금을 지불한다.
③ 일본은 조선의 외교사항을 관리하기 위하여 통감을 서울에 파견한다.
④ 조선은 일본을 경유하지 않고는 국제조약을 체결하지 않는다.

정답 및 해설

한 · 일협약은 러 · 일전쟁에서 승리한 일본이 조선에서 지배적 우위를 확인하는 조약이다.

답 ②

034 러 · 일전쟁의 과정 중 일본이 열강들과 조선 문제에 관해 협의한 내용으로 옳지 않은 것은?

□□□

① 태프트 - 가쓰라 밀약의 체결 ② 강화도조약
③ 포츠머스 강화조약 ④ 제2차 영 · 일동맹의 성립

정답 및 해설

1876년 강화도 조약은 일본 - 조선 간 체결된 최초의 근대적 조약이다. 1905년 러 · 일전쟁보다 시기적으로 한참 앞선다.

선지분석

① 태프트 - 가쓰라 밀약이란 미국과 일본 간의 합의로서 일본은 필리핀에 아무런 야심도 없음을 확인하고 미국은 일본의 한국보호권 설정이 동양평화에 기여함을 인정하였다.

답 ②

035 한 · 일병합을 마무리하는 과정에서 있었던 1907년 정미7조약의 내용으로 옳지 않은 것은?

□□□

① 주요 경찰 관리의 일본인 임용
② 법령제정, 행정처분에 있어서 통감 승인 제도
③ 시정개선에 관해 통감의 지도를 받을 것
④ 군대징집 강화

정답 및 해설

정미7조약에 따라 군대해산이 이루어져 거센 반발과 저항을 가져왔으며 그로부터 항일투쟁은 새로운 국면으로 접어들게 되었다. 즉 기존에 훈련받은 병사들이 의병에 편입되면서 의병의 수준이 높아졌다.

답 ④

036 19세기 조선의 외교적 사건을 시기순으로 바르게 나열한 것은?

2019년 7급

□□□

ㄱ. 제너럴셔먼호 사건	ㄴ. 강화도 조약 체결
ㄷ. 조선 - 미국 수호통상 조약 체결	ㄹ. 갑신정변

① ㄱ → ㄴ → ㄷ → ㄹ ② ㄱ → ㄴ → ㄹ → ㄷ
③ ㄴ → ㄱ → ㄷ → ㄹ ④ ㄴ → ㄱ → ㄹ → ㄷ

정답 및 해설

19세기 조선의 외교적 사건을 발생한 순서대로 나열한다면, 'ㄱ. 제너럴셔먼호 사건 → ㄴ. 강화도 조약 체결 → ㄷ. 조선-미국 수호통상 조약 체결 → ㄹ. 갑신정변'이다.

ㄱ. 제너럴셔먼호 사건(1866)은 평양 군민(軍民)들이 미국 상선(商船) 제너럴셔먼호(General Sherman號)를 응징하여 불에 태워버린 사건이다. 이 배는 대동강을 거슬러 올라가 평양에서 통상을 요구하다가 거절당하자 행패를 부렸는데, 이에 박규수의 지휘 하에 관민들의 저항으로 배는 소각되고, 선원들은 처형되었다. 이 사건은 신미양요의 원인이 되었다.
ㄴ. 강화도조약(1876)은 조선과 일본이 체결한 개국조약이다.
ㄷ. 조선 - 미국 수호통상 조약 체결은 1882년에 있었다.
ㄹ. 갑신정변(1884)은 김옥균, 박영효, 서재필, 서광범, 홍영식 등 개화당이 청나라에 의존하려는 척족 중심의 수구당을 몰아내고 개화파 정권을 수립하려 한 무력 정변이다.

답 ①

제6장 미국외교사

001 □□□ **미국의 대통령 먼로가 연두교서에서 밝힌 원칙인 먼로주의의 구체적 내용으로 옳지 않은 것은?**

① 불간섭의 원칙
② 고립의 원칙
③ 비식민화의 원칙
④ 민족자결의 원칙

정답 및 해설

먼로주의는 윌슨의 14개조에 반영된 원칙으로서 비식민화의 원칙은 미래의 새로운 식민지화를 반대하는 것으로, 민족자결의 원칙으로까지 확대 해석하기에는 무리가 있다.

답 ④

002  **다음 중 '먼로주의'에 대한 내용으로 옳은 것은?**

① 유럽 국가들이 재정적인 자립적 기반 위에서 원만한 생활수준을 유지할 수 있는 정도까지 경제를 회복시키는 데 있어 지원한다는 원칙
② 미국의 유럽에 대한, 유럽의 미국 대륙에 대한 불간섭의 원칙, 유럽 제국에 의한 식민지건설 배격의 원칙
③ 중국에서 통상 상의 기회균등과 중국의 영토적 보전을 위하여 20세기 초에 추진한 미국의 극동외교 정책
④ 피지배 민족에게 자유롭고 공평하고 동등하게 자신들의 정치적 미래를 결정할 수 있는 자결권을 인정해야 한다는 원칙

정답 및 해설

먼로주의는 미국의 유럽에 대한, 유럽의 미국 대륙에 대한 불간섭의 원칙 및 유럽 제국에 의한 식민지건설 배격의 원칙을 그 내용으로 한다.

선지분석

① 마샬플랜에 대한 내용이다.
③ 문호개방정책에 대한 내용이다.
④ 윌슨 대통령의 민족자결주의에 대한 내용이다.

답 ②

003 미국 독립전쟁(1776)에 대한 설명으로 옳지 않은 것은?

□□□

① 1763년에 7년 전쟁과 프랑스 - 인디언 전쟁이 막을 내리게 되자 영국은 캐나다와 미시시피 주 동쪽의 북미 대륙 전체를 지배하게 되었다.

② 영국은 대영 제국을 운영하기 위한 자금이 필요하자, 식민지 주민들에게 설탕법, 인지세법, 강압법 등을 부과하였고 이에 식민지 주민들은 저항하기 시작했다.

③ 1776년 7월 4일 대륙 의회(Continental Congress)는 독립선언문을 채택하고 독립전쟁을 시작하였고 전쟁은 1783년까지 계속되었다.

④ 양국은 '런던조약(Treaty of London)'을 체결하여 전쟁을 종결하였고, 동 조약을 통해 13개 식민지의 독립과 자유 그리고 주권을 인정하게 되었다.

정답 및 해설

파리조약(Treaty of Paris)을 통해 전쟁을 종결하였다.

답 ④

004 괄호 안에 들어갈 말로 옳은 것은? 2011년 외무영사직

□□□

( )는 제1차 세계대전 이후 미국을 중심으로 동아시아 및 태평양문제를 해결하기 위해 이루어졌던 모든 조약체제를 이르는 명칭으로 주로 해군의 군축문제를 다루고 있다.

① 워싱턴체제
② 로카르노체제
③ 베르사유체제
④ 켈로그 - 브리앙체제

정답 및 해설

워싱턴체제는 미국이 자국중심 동아시아 질서를 형성한 것이다. 해군군축문제, 태평양의 현상유지문제, 중국문제 등이 주로 다루어졌다.

선지분석

② 로카르노체제는 1925년 유럽의 주요국들이 국경의 현상유지와 분쟁의 평화적 해결에 합의한 체제이다. 프랑스와 독일의 갈등을 일시적으로 봉합함으로써 1920년대 후반 유럽질서를 안정화시킨 것으로 평가된다.

③ 제1차 세계대전 이후 독일 및 연합국이 체결한 강화조약이 베르사유조약이며, 동 조약에 의해 형성된 질서를 베르사유체제라고 한다. 독일의 군사 및 영토문제를 다룸과 동시에 '집단안전보장'이라고 하는 새로운 안보제도를 창안하였다.

④ 켈로그 - 브리앙체제(조약)는 1928년에 체결된 '부전조약'을 의미한다. 미국을 비롯한 주요국들이 국가정책목표달성 수단으로서 전쟁을 포기하고, 분쟁을 평화적으로 해결할 것에 합의하였다.

답 ①

005 워싱턴체제에 관한 설명으로 옳지 않은 것은 모두 몇 개인가?

□□□

> ㄱ. 제1차 세계대전 이후 미국을 중심으로 동아시아 및 태평양문제를 해결하기 위해 이루어졌던 모든 조약체제를 의미한다.
> ㄴ. 일본의 중국에 대한 21개조 요구, 해군력 강화를 위한 '8 · 8함대' 건조계획의 추진 등이 하나의 배경으로 작용하였다.
> ㄷ. 미국, 영국, 프랑스, 일본은 태평양에서 이해를 조정하기 위해 4개국 조약을 체결하여 각자의 세력권을 상호존중하기로 합의하였다.
> ㄹ. 미국, 영국, 프랑스, 일본, 이탈리아는 모든 군함의 비율을 미국과 영국은 5, 일본은 3, 프랑스와 이탈리아는 1.67의 비율로 제한하기로 합의하였다.
> ㅁ. 9개국 조약을 통해 중국의 안전보장과 문호개방원칙을 명문화하였다.

① 없음 ② 1개 ③ 2개 ④ 3개

정답 및 해설

워싱턴체제에 관한 설명으로 옳지 않은 것은 ㄹ로, 1개이다.
ㄹ. 모든 군함이 아니라 1만 톤급 이상의 주력함으로 대상이 한정되었다. 이는 후에 국가 간 구축함, 잠수함 등의 보조함 건함경쟁을 발생시키는 원인이 되었다.

답 ②

006 워싱턴 군축회의(1921~1922)에 대한 설명 중 옳지 않은 것은?

① 육 · 해군을 포함한 일반 군축회의
② 태평양문제의 현상유지에 대해 미국, 영국, 프랑스, 일본 4개국 간 조약체결
③ 미국, 영국, 프랑스, 이탈리아, 일본 간의 군축조약 조인
④ 중국의 주권, 독립 및 영토적 · 행정적 보전 존중

정답 및 해설

육 · 해군을 포함한 일반 군축회의는 해군군축회의이다.

답 ①

007 워싱턴 해군군축회의에 대한 설명으로 옳지 않은 것은?

① 미국과 일본의 해군군비경쟁이 회담 개최 촉발요인이었다.
② 미국, 영국, 일본의 주력함 보유비율을 5 : 5 : 3으로 합의하였다.
③ 일본과 미국은 워싱턴 회의에서 합의를 이루어 태평양 전쟁이 일어날 때까지 협조체제를 유지했다.
④ 주력함 보유 비율뿐 아니라 전함의 크기도 3만 5천 톤을 넘지 못하도록 합의했으나, 1939년 제2차 세계대전이 일어나면서 모두 파기되었다.

정답 및 해설

일본은 미국과의 주력함 비율이 너무 낮은 것을 불만으로 삼았으며, 이러한 과정이 태평양전쟁의 발발 원인 중 하나가 되었다.

답 ③

008 1921년 워싱턴 회의의 배경 및 결과에 대한 설명으로 옳지 않은 것은?

□□□

① 제1차 세계대전을 계기로 중국에서 우월한 지위를 갖게 된 일본은 미국에 대응하여 88함대 건설에 주력하였고 이는 태평양 군비경쟁을 유발하였다.
② 회의 결과 영국 : 미국 : 일본 : 프랑스 : 이탈리아의 주력함 톤수의 비율을 5 : 5 : 5 : 1.75 : 1.75로 조정하기로 합의하였다.
③ 영 · 일동맹을 폐지하고 태평양 관계에 있어서 이를 대신할 조약이 미 · 프 · 영 · 일 간에 체결되었다.
④ 워싱턴 체제는 1931년 만주사변까지 약 10년간 동북아 국제정치 질서를 지배하였다.

정답 및 해설

다섯 개 국가 간에 주력함 톤수 비율을 5 : 5 : 3 : 1.75 : 1.75로 합의하였다. 구체적인 수치가 중요한 것이 아니라 회의의 결과가 태평양에서 미국의 패권을 공고히 하는 데 기여했음을 알아야 한다. 수치에서 보듯 영국은 태평양에서 two-power standard를 포기하고 미국의 역할을 인정하였고, 일본은 미국에 비해 적은 톤수 비율만을 배당받아 역시 미국의 위상을 인정하였다.

답 ②

009 1921년 워싱턴회의의 배경 및 결과에 대한 설명으로 옳지 않은 것은?

□□□

① 회의 결과 영국 : 미국 : 일본 : 프랑스 : 이탈리아의 주력함 톤수의 비율을 각각 5 : 5 : 3 : 1.75 : 1.75로 조정하기로 합의하였다.
② 영 · 일동맹을 폐지하고 태평양 관계에 있어서 이를 대신할 조약이 미 · 프 · 영 · 일 간에 체결되었다.
③ 미국은 중국에서의 일본의 이익을 인정하고 전통적인 각국 상공업 기회균등 주장을 철회하였다.
④ 워싱턴 체제는 1931년 만주사변까지 약 10년 간 동북아 국제정치 질서를 지배하였다.

정답 및 해설

워싱턴회의의 결과 일본은 첫째, 해군력 증강에 있어서도 영국, 미국에 비하여 적은 톤수만을 부여받았으며, 둘째, 제1차 세계대전 참전의 대가로서 인정받은 중국에서의 기득권에 대해서도 상당 부분 제동이 걸렸다. 미국은 각국 상공업 기회균등을 주장하는 전통적인 문호개방정책을 워싱턴 회의에서 다시금 강조하였다. 셋째, 일본을 지원하던 영국이 세력균형을 위해 일본을 견제하게 됨으로써 영 · 일동맹이 폐지되었다. 이렇게 일본에 대해 불리한 회의의 결과가 일본이 현상타파 국가화되어 제2차 세계대전에서 주축국을 결성하는 계기가 된다.

답 ③

010 미국 - 스페인 전쟁(1898)에 대한 설명으로 옳지 않은 것은?

□□□

① 스페인의 식민지였던 쿠바는 스페인을 상대로 하여 독립전쟁을 전개하자 스페인은 수 십만명의 쿠바인들을 살해하였다.
② 미국은 스페인의 쿠바에 대한 강압정책에 반대하여 스페인과의 전쟁을 선언하였다.
③ 미국은 메인호 폭파사건을 계기로 하여 스페인에 개전하였다.
④ 미국은 미국 - 스페인 전쟁을 기점으로 동아시아에 대한 개입정책을 전개하였다.

정답 및 해설

미국은 스페인의 쿠바 강압정책에도 불구하고 쿠바와의 통상관계를 고려하여 곧바로 전쟁을 선포하지는 않았다. 미국은 메인호 폭파사건을 스페인의 소행으로 규정하고, 스페인과 본격적인 전쟁을 개시하였다.

답 ②

011 미국의 문호개방정책에 대한 설명으로 옳지 않은 것은?

① 문호개방정책은 1898년 미국이 하와이와 필리핀 병합에 성공한 이후 동아시아 진출을 본격화 하면서 제시한 정책이다.

② 두 차례에 걸친 문호개방선언에서 미국은 중국의 정치적 독립, 영토보전 그리고 상공업상의 기회균등 등을 천명하였다.

③ 2차 문호개방선언은 1차 선언과 달리 중국의 행정보전을 추가하는 한편, 문호개방선언의 대상 지역을 중국 전역으로 확대하였다.

④ 미국은 열강들이 중국에서 확보한 기존 세력권이 미국의 이익을 침해한다고 보고 각국의 세력권을 중국에 반환해야 한다고 선언하였다.

정답 및 해설

미국은 열강들의 기존 세력권은 인정하되, 중국에서 추가적인 세력권을 확보해서는 안 된다고 주장하였다.

답 ④

012 제1차 세계대전에 있어서 미국의 정책에 대한 설명으로 옳지 않은 것은?

① 1914년 8월 제1차 세계대전 발발 직후 미국은 영국을 원조하여 참전을 결정하였다.

② 독일의 무제한잠수함 작전으로 미국인이 피해를 입었음에도 불구하고, 미국은 참전을 반대하는 여론을 고려하여 즉각적인 참전을 결정하지는 않았다.

③ 미국은 일본과 이시이-랜싱협정을 체결하여 일본의 중국에 대한 21개조 요구사항을 부분적으로 승인하였다.

④ 짐머만 전문사건(1917.2)은 미국의 여론을 제1차 세계대전에 대한 참전으로 전환시키는 역할을 하였다.

정답 및 해설

미국은 제1차 세계대전 발발 직후에는 여론을 고려하여 중립을 선포하였다. 이후 무제한잠수함작전이나 짐머만 전문사건 등으로 여론이 변동하면서 1917년 4월 대독 선전포고하고 제1차 세계대전에 참전하였다.

답 ①

013 ☐☐☐ **제2차 세계대전에 관한 미국의 태도에 대한 설명으로 옳은 것만을 모두 고른 것은?**

> ㄱ. 미국은 제2차 세계대전이 발발한 때부터 일본의 진주만 공습이 있은 때까지 기본적으로 중립을 유지하였다.
> ㄴ. 루스벨트는 영국의 요청에 따라 미국방위추진법(일명 무기대여법)을 제정하여 미국의 방위에 긴요하다고 인정되는 국가에 대해 군수품을 판매하거나 이양할 수 있는 권한을 대통령에게 부여하였다.
> ㄷ. 1941년 11월 독일 잠수함 U-보트가 미국의 구축함 류벤 제임스호를 격침하자 미국은 중립법을 폐지하였다.
> ㄹ. 테헤란회담(1943.11)에서 미국은 소련의 입장과 달리 노르망디 상륙작전을 주장하였다.

① ㄱ, ㄹ　　② ㄱ, ㄴ, ㄷ
③ ㄴ, ㄷ, ㄹ　　④ ㄱ, ㄴ, ㄷ, ㄹ

정답 및 해설

제2차 세계대전에 관한 미국의 태도에 대한 설명으로 옳은 것은 ㄱ, ㄴ, ㄷ이다.

선지분석

ㄹ. 미국은 소련과 입장을 같이하였다. 즉, 노르망디 상륙작전은 소련도 지지하였다. 반면, 영국은 소련군의 영향력 확장을 저지하기 위해 발칸반도를 통해 독일로 진격하고자 하였다. 테헤란회담에서는 최종적으로 노르망디 상륙작전을 결정하였다.

답 ②

MEMO

MEMO

2024 대비 최신개정판

해커스공무원
패권
국제정치학
기출+적중문제집 | 2권

개정 4판 1쇄 발행 2023년 12월 8일

지은이	이상구 편저
펴낸곳	해커스패스
펴낸이	해커스공무원 출판팀
주소	서울특별시 강남구 강남대로 428 해커스공무원
고객센터	1588-4055
교재 관련 문의	gosi@hackerspass.com 해커스공무원 사이트(gosi.Hackers.com) 교재 Q&A 게시판 카카오톡 플러스 친구 [해커스공무원 노량진캠퍼스]
학원 강의 및 동영상강의	gosi.Hackers.com
ISBN	2권: 979-11-6999-691-4 (14340) 세트: 979-11-6999-689-1 (14340)
Serial Number	04-01-01